四訂版

ドイツ進出企業の
会計 税務 会社法 経営

Deutschland

池田良一 [著]

税務経理協会

# 四訂版刊行に当たって

　本著は、2010年12月に初版、2014年11月に改訂版（第二版）、2018年7月に三訂版（第三版）が公刊され、今回（2023年）、四訂版（第四版）を世に送り出せることになった。本書が、10年以上に亘り、多くの方々に関心を抱いていただき、そして、実際に利用していただいていることは、著者にとってこの上のない喜びである。そして前回同様、2023年の年初に改訂作業に取り掛かるに当たっては、熱心な読者に恵まれていることの責任を痛感すると共に、引き続ききちんとした情報を提供しないといけないという思いを、新たにした次第である。

　2018年7月に三訂版（第三版）が公刊されてからこれまでのほぼ5年の間、本書の対象であるドイツ社会あるいはドイツ社会を取り巻く状況の変化には、ドイツに限定された事象だけではないものの、かなりドラスティックなものがあると言えるであろう。ドイツ固有の話でいうと、党レベルの連立相手は交代しているものの、2005年から16年間に亘り継続して首相を務めてきたメルケル首相（CDU/CSU）が勇退し、2021年9月に行われた連邦議会選挙の結果、ショルツ首相（SPD）の首班の下、社会民主党（SPD）・緑の党（Die Grüne）・自由民主党（FDP）の三党によるいわゆるアンペル連立（アンペル［Ampel］はドイツ語で信号機の意味）が2021年12月に誕生した。信号の色：赤・緑・黄は、その三党のシンボルカラーである。それと前後して、世界的なレベルでの話であるが、2020年3月にはコロナパンデミックが勃発して、ドイツでも外出制限・各種の規制体制が敷かれ、在独日系企業に直接関わることでいうと、日独間の出張・駐在員の帰任・新規赴任をストップしなくてはならないことに始まって、ドイツ社会の様々な分野で対応策（影響緩和策）が講じられ、税法・会社法等の分野においても、色々な時限立法施策が発令された。

　2022年2月24日にはロシアによるウクライナ侵攻が始まり、ロシアからの安価なエネルギー源（天然ガスや石油等）の輸入により、経済的繁栄を享受できていたと言えるドイツは、そのロシア依存のエネルギー政策を根底から見直さざるを得ない状況に陥った。ひいては、1990年のドイツ再統一に結実した成功モデルとも言える、1960年代からの（西）ドイツの外交・通商政策モデル：「Wandel durch

Handel」（通商関係を通じての変化）を180度転換せざるを得ない状況にも追い込まれたと言える。「Wandel durch Handel」（通商関係を通じての変化）は、超大国アメリカ・ソ連の対立の東西冷戦時代に、たとえ専制的・独裁的国家（当時はソ連）でも、通商関係を拡大していけば、逆に戦争はできなくなる関係になり、場合によっては、専制的・独裁的国家（当時はソ連）の内部でもそれを通じて社会的変化（民主化）が起こるであろうという基本的な考え方から、当時の（西）ドイツがソ連ならびにその同盟国（東ドイツを含む旧東欧諸国）に対して宥和策アプローチで接近し、それらの国々と緊張感が伴うが相対的に良好な関係を構築していた外交・通商政策ドクトリンである。この外交・通商政策が進められてきたゆえに、東西ドイツの統一が1990年10月に現実のものとなったと言えるであろう。東西冷戦の終了（ソ連の瓦解）後、統一されたドイツは、ロシアに対してその「Wandel durch Handel」（通商関係を通じての変化）の外交・通商政策を援用していたと言える。そして、ロシアのウクライナ侵攻を契機とする対ロシア関係の180度転換により、同様に専制的・独裁的国家である中国との関係の見直しも同時的に進められており、ある意味でそのリアクションとしてのドイツの日本重視のスタンスも明確になっている。この辺のところ、今後具体的にどう推移するのか不透明なところも大きいが、いずれにせよ投資先国・ビジネス展開国：ドイツあるいはドイツ社会に多大な影響をもたらすことは間違いない。そしてこれはEU域内の話になるが、2016年6月の国民投票でEU離脱（ブレグジット）を決定したイギリスは、幾多の紆余曲折を経て、2020年1月31日付けで離脱し、2020年12月31日には移行期間も最終的に終了という経緯を辿っている。

　第三版公刊の2018年7月以降の以上のようなドイツ社会・それを取り巻く環境の政治・社会面でのドラスティックな変化がその理由なのか、コロナウイルスが猛威を奮った2020年～2022年の間の期間限定の時限立法措置による様々な改正はあったが、初版公刊直前の「2010年ドイツ商法会計基準改革」、「2008年企業収益税改革」、「2008年有限会社法改革」、あるいは第三版公刊前の「2016年商法改正」のようなまとまった大改革あるいは大改正は行われていないと言える。それでも、在独日系企業に関係してくる細かな改革・改正項目はそれなりの数になっており、本書第四版でも、それらの改革・改正項目は、重要性の観点からの取捨選択は行っているが、できる限り反映させている。

第四版における第三版への追加・補足・変更の具体的な論点を、少し概観が可能になるように、章毎に簡単にコメントを付しておきたい。制度的な変更ではないが、「第１章　投資環境」において変更が加えられた人口データ（ドイツの国全体・ドイツ［大］都市地域・EU加盟国）では、まず、ドイツの国全体と（大）都市地域での人口増加が見て取れる。ドイツの統計上、人口10万人に達すると「大都市（Großstadt」とランク付けされるが、そのような大都市の中でも、人口50万人を超える都市はほとんど例外なく人口増になっている。そして、本文では言及していないが、20万人以上の規模の大都市でもかなりの程度人口増が観察される一方で、逆に人口10万人に満たない中・小都市ならびに町・村落自治体では人口減になっており過疎化が進行しているものの、ドイツの国全体としては人口増加となっている。他方で、EU加盟国内の人口動態を見ると、2020年に離脱したイギリスを除外して、EU（欧州連合）27ヵ国全体では若干の増加である一方で、ドイツ・フランス・オランダ等を始めとする西ヨーロッパ諸国は国全体としては人口増になっているものの（例外：イタリア）、2004年以降にEU（欧州連合）に新規加盟した旧東欧諸国では大半が人口減になっている。旧東欧諸国の若者達が西ヨーロッパ諸国に勤務先・居住地を求めて移動していることがその原因だとされている。ドイツの国全体もEU全体も人口増にはなっているものの、それぞれの内部に人口増加地域と過疎化地域が併存するという構造になっているのが大変興味深い。ちなみに、そのようなドイツへの日系企業の進出数は増加しており（1,934拠点）、この５年間ほどの増加率ではオランダの後塵を拝しているが、絶対数では欧州域内では第２位のイギリス（960拠点：減少傾向）を大きく引き離して依然首位である。オランダの拠点数が格段に増加し（約90％増）、ドイツ・イタリア・フランス等も増加しているのに対して、イギリスが減少している点は、ブレグジット（EU離脱）の影響と理解されている。

　2022年２月24日のロシアによるウクライナ侵攻開始により、ドイツのエネルギー政策が根本的見直しを迫られたことは前述の通りであるが、既にその数年前の2018年12月に、ドイツ最後の石炭採掘鉱山（プロスパー・ハンニエル鉱山）が閉山し、ドイツは石炭（Steinkohle）の生産から最終的に撤退した。また、まだ生産が継続されている褐炭（Braunkohle）の露天掘り生産からも、遅くとも2038年に（早ければ2030年に）撤退することが決定している。また、最後の３つの原子力発電所も2023年４月15日に発電を停止した。すなわち、化石燃料エネルギーならび

に原子力エネルギーからの撤退は、既定路線ではあったとはいえ、2022年2月のロシアのウクライナ侵攻は、その既定路線（工業生産力水準の低下なしでの再生可能エネルギーへの転換）のより猛スピードでの完遂を迫っていると言えるであろう。

「第2章 会社法上の留意点」については、登記手続きにおけるデジタル化が進められ、まだ限定されてはいるが、特定の登記手続きがオンラインで可能とされている。「第3章 会計・経理上の留意点」に関していうと、税務上の問題でもあるが、会計・経理データの処理・保管場所が他のEU加盟国内での場合で、電子データでの処理・保管である限りにおいて、これまで必要とされた税務署の同意なしでも可能という改正が行われている。「第4章 税務上の留意点」においては、連帯付加税が個人所得税に関しては、高額所得者のみから徴収されるという改正が加えられた（法人税等に対する付加に関しては変更なし）。また、税務申告書の提出期限が2018年分からさらに延長され、納税者自らの申告の場合は翌年の7月31日まで、会計事務所等を通じての場合、翌々年の2月末までとそれぞれ2ヵ月延長されるという改正が行われている。連邦憲法裁判所の違憲判決を受けて、繰越欠損金利用の按分否認が、その規定が導入された2008年に遡及して撤回された。また、付加価値税法上のクロスボーダー・チェーン取引時の課税地国の決定に関して、「輸送手配基準」と「処分権移転時基準」の2つが併用されていたが、EUレベルの付加価値税法改革（いわゆる「クイック・フィックス」）に基づき、「輸送手配基準」に統一されるという改正があった。

「第5章 労働法」については、税法上の留意点でもあるのだが、2022年10月に一般最低賃金が1時間当たり12ユーロに引き上げられたことから、「450ユーロジョブ」ではなく、「520ユーロジョブ」となった。また、2019年ならびに2022年の二度に亘って、企業年金制度の改革が実行に移された。いくつかの改正項目があるが、最も在独日系企業に関わってくるのは、従業員給与転換型の企業年金の場合の雇用主負担義務の導入であろう。とはいっても、見方にもよるが、従業員給与転換型の場合に、それまで雇用主が節約できていた社会保険料の雇用主負担分の一部を従業員のために、企業年金の元本に拠出するというもので、絶対的な負担増とは言い切れないところがある。実は、「第6章 日本人駐在員」が、全面的書き替えが多かったところである。その理由は2020年3月に「専門職者移住法」（滞在法［外国人法］を中心とする関連する法律規定の一括改正法）が施行されたことによる。ド

イツの第二次世界大戦後のベビーブーム世代は、日本とはちょっと様相を異にし、1964年生まれ前後の世代の人達であり、今まだ現役であるが約7年後に公的老齢年金の受給資格を得て年金生活者になる（67才）。専門職者（Fachkräfte）というのは、医師や弁護士のような超難度の国家試験が付随するような職業分野だけではなく、ほぼあらゆる職業分野の資格試験の合格者あるいは一定の職務経験を有する人を包括する言葉であり、この「専門職者移住法」は、もう既に始まっていて7年後にピークに達する「専門職者不足」を解消するために外国からの移民をもっと受け入れようという主旨での法改正である。もちろん、日本からの駐在員あるいは日本人現地スタッフにとってより働きやすくなるという意味で大変ポジティブな改正である。

　初版・第二版・第三版の「はしがき」の繰り返しになるが、特に「第4章　税務上の留意点」ならびに「第6章　日本人駐在員」に関わる税法・社会保険法のところは、各種の基準値や閾値等が毎年のように変更されている。これは、特に税法をテーマとしている書籍の宿命かもしれない。第三版の公刊後のほぼ5年の間も、このところは変わっていない。そしてもちろん、本書第四版においても、そのような基準値や閾値のアップデートはなされている。他方で、これもまた繰り返しになるが、本書が対象としている各分野を貫徹した統一的な視点から、そのような毎年変更される基準値や閾値の背景に潜む「基本的な考え方」を、分かりやすく解説することが本書の基本的コンセプトである。本書がそれを理解していただける読者の「座右の書」であり続けることが筆者の本望である。今回の第四版の改訂においても、出版元の税務経理協会の中村謙一氏のお世話になった。中村氏には、改訂前の準備作業の開始時点より、懇切丁寧なお世話をいただいた。末筆ながら、ここで同氏への感謝の念を述べさせていただきたい。

# はじめに

　本書が対象としているドイツという国，その社会に対する日本人のイメージ・関心度は，世代によってかなり異なるようである。ヨーロッパに対する関心についても同様なのかもしれない。ドイツに対していうと，少なくとも私の世代（1956年〔昭和31年〕生まれ）までは，ヒトラーを生み出した国としての否定的側面は承知しつつも，ドイツがヨーロッパの近代社会の発展において果たした役割，あるいは，明治維新以降の日本の近代社会の発展に対して及ぼした影響力を評価して，総体的にドイツに対してポジティブなイメージを抱いている人が多いと思われる。それが年齢が下ると，様相が違ってきているようだ。世界経済のグローバル化と共に，ヨーロッパ全体の相対的地位が沈没し，そのヨーロッパの一国であるドイツに対する関心も薄れてきているのかもしれない。ネガティブなイメージを抱いているということではなく，遠い地域（ヨーロッパ）の一国として特別の関心の対象にはならないという位置づけなのであろう。

　世代論議を繰り広げてしまって恐縮であるが，他方で，私の世代あるいはすぐ下の世代くらいまでは，明治維新以降の日本の歴史を背景として，戦後教育の影響もあり，「西洋崇拝主義」に侵されているところもあり，飛行機で11時間もかけて行かないと辿り着かない地域・国のことが，頭の中だけではあるが，憧憬を抱き，人により温度差はあるものの，身近に感じられるという世代であることを考えると，ある意味では，今の若い世代の方が自然なのかもしれない。

　ドイツは，カント，ヘーゲル，ショーペンハウアー，マルクスといった哲学者が活躍した国，バッハ，ベートーベン，ブラームスといった作曲家に代表されるクラシック音楽の国，ゲーテやシラー，トーマス・マンといった文豪を生み出した国として，芸術・文化の分野において，ヨーロッパ文化を代表する国である。また，とりわけ19世紀後半以降，物理学・化学，その他の一般科学，技術・工学，医学・生理学といった学術分野においても，多くの優れた学者・技術者を輩出していた。自然科学分野のトップ研究者に与えられるノーベル賞は，1901年から授賞が開始されている。アメリカは，科学・技術の基礎研究に多くの資金と人員を投入して，1930年代から多数のノーベル賞受賞者を輩出しはじめ，そして現在に至っているが，

それ以前の授賞開始から約30年間の間，物理学賞・化学賞・医学生理学賞の受賞者の3分の1は，ドイツの受賞者だったといわれている。

　以上のようなヨーロッパの近代社会の発展においてドイツが果たした役割に対する崇敬の念とは別に，第2次世界大戦後，偶然にも日本と同じように経済大国への道を歩んだことも，私の世代ないしはそれ以前の世代の日本人には，ドイツに対して親近感を覚えることの1つの理由なのかもしれない。ドイツは日本の同盟国として第2次世界大戦を戦って敗戦を経験したが，戦後分断されたドイツの西側陣営の国としての西ドイツは，日本と同様に，勤勉さと「モノ作り」に長けた国民性をベースにして，その後の経済復興を通じて再度経済大国にのし上がり，2度のオイルショックも克服して，1980年前後には，日本と共に「世界経済の機関車」と呼ばれていた。また，社会主義経済全体の行き詰まりと共に，最終的には1990年に西ドイツに吸収合併されてしまう東ドイツではあったが，そして，あくまで相対的なものではあるものの，共産圏ブロックの中での東ドイツの戦後の経済発展には目覚しいものがあった。常に「東側の優等生」として賞賛され，共産圏側の発展途上国（アジア・アフリカ諸国）あるいは他の東欧諸国から留学生・研究者が招かれ，それらの留学生・研究者が学んだ技術を自分の国に持ち帰ると共に，逆に，東ドイツのトップレベルの学者・研究者・技術者が，その共産圏側の発展途上国を訪れ，先進技術を移転・伝播していたのである。

　過去のドイツに対する崇敬の念と，（とりわけ西ドイツについて）戦後歩んだ道程が類似していたことに起因する親近感を背景として，まだ私が日本で大学・大学院の学生として勉強していた頃，「外国＝アメリカ，外国人＝アメリカ人」というイメージは，多くの日本人の間で根を下ろしたものになっていたものの，大学の教養課程の第二外国語としてドイツ語を選択する学生は，私自身も含めてまだかなりいたし，あくまで私の個人的な印象でしかないが，日本におけるドイツに対する関心度も，今日よりも高かったような気がする。

　1990年代後半，ドイツは，「世界経済の機関車」どころか「欧州の病人」とまで呼ばれるようになっていた。失業率が高止まり状態になると共に，1997年には史上最高の12.7％（失業者数では約438万人）を記録し，経済成長は停滞し，国民1人当たりの所得等のその他の国民経済データにおいても，ドイツは，イギリス・ア

イルランド・ルクセンブルク・フランスといった欧州の他の隣国の後塵を拝し，過去の精彩をまったく欠いた国民経済となっていた。そのようなドイツの経済不振について，日本の一部のマスコミでは，1990年の「ドイツ再統一」により，既に破綻していた「東ドイツ」経済を吸収することで，西ドイツ経済もその重荷に耐えられなくなり，統一されたドイツ全体が停滞状況に陥ったというような論調で報道されていた。しかし，1990年の「ドイツ再統一」の前に西ドイツ経済は，経済大国になることで達成された高福祉が，更なる経済的発展を阻止するという悪循環に陥っており，決して「東ドイツ経済」の重荷が統一されたドイツ経済全体を窒息させたわけではない。いずれにせよ，1998年には，コール首相のもとで16年間続いた「キリスト教民主／社会同盟」・「自由民主党」の保守・中道連立政権から，シュレーダー首相率いる「社会民主党」・「緑の党」の左派連立への政権交代まで起こったのである。

　ドイツ経済は，第2次世界大戦後に限定してみただけでも，上に挙げた話だけではなく，様々な紆余曲折を経てきている。しかしながら，現時点の事実として明確に言えることは，人口8,000万強を誇る欧州最大の市場を有する経済大国であり，スウェーデン企業であるイケア〈IKEA〉が（本社の所在地・統括会社の所在地からして，現時点ではそう呼ぶことが正確なのか甚だ疑問なのであるが…），ドイツ市場で最大の売上を計上し，それを土台にして世界企業になっていることを考えれば分かるように，ドイツを抜きにして，欧州経済あるいは欧州連合の経済は語れないし，その意味での投資対象国としてのドイツの意義は，今なお大きなものがある。

　本書は，ドイツでビジネスを展開するに際して必要となる会社法・税法・社会保障関連法・労働法・外国人法等の法律の日系企業に関連する部分の基礎的理解をベースにして，在独日系企業の駐在員事務所・支店・現地法人（ビジネス拠点）に実際に駐在する駐在員，同様にそこで働く日本人現地スタッフ，日本本社でドイツビジネスの管理・支援をする日本本社担当者，日本本社から出張でドイツに度々訪れるような営業パーソンが必要とする実務上の基本知識を網羅的に解説したものである。そのような本書の性格上，とりわけ様々な税率・税法上の控除額や基準額，会社法上の各種の基準値・閾値等の細かい法律上の数値データに言及したり，あるいは，執筆時点で入手できる統計データを引用したりしている。しかしながら，それらの法律上の数値データの一部には毎年変更されているものもあり，また，統計デ

ータは時間が経てば古いものになってしまうことは免れ得ない。その意味で，ドイツビジネスの展開の中の様々な企画・プロジェクトの実行のために，具体的な数値データあるいは統計データが必要となる場合には，そのつど，コンサルタントを依頼している会計事務所・法律事務所に照会してもらうことをお願いしたいのであるが，本書の基本的なアプローチとして，細かい数値データあるいは統計データの背景にある情報・実務処理の原理原則，あるいは，何がチェックされるべき問題点であるかを理解してもらうことを主眼においており，それらの具体的な数値データが変更されたとしても，あるいは，統計データが古いものになったとしても，本書で得られた知見・知識は，すぐには廃れたものにはならないように努めている。

　また，本書が取り扱っている最も重要な分野である会社法に関しては，2010年には約25年ぶりの会計基準の大改革である「2010年商法会計基準改革」が施行され，また，有限会社法に関しては，2008年11月に，「20年ぶりの大改革」と呼ばれている「2008年有限会社法改革」が施行され，さらに2010年から，付加価値税法のサービスの提供の処理に関して，やはり抜本的な改正がなされている。本書のような実務のためのガイドブックを執筆するには幸いにも，ビジネス活動の法律上・制度的インフラの大規模な改革・改正が一段落したところといえる。それらの改革・改正項目は，在独日系企業に関係する限り，本書に反映させることができた。

　過去に比較すると，日本におけるドイツに対する関心度が低くなってきたのではないかとはいえ，ドイツの政治・法制・国家制度，ドイツ史，ドイツ社会，ドイツ文化，ドイツ経済に関して，日本には夫々の分野ごとに専門家がおられ，ビジネスに従事する一人の人間には，到底読み切れないほどの様々な研究文献・出版物が日本語で多数公表されている。本書の本論は，第2章から第6章までであるが，第1章「ドイツの投資環境」として，ドイツに生活し在独日系企業のコンサルタントに従事する者の観点から，日本人がドイツビジネスに従事する，あるいは，ドイツで生活する場合重要と思われるドイツ社会一般のテーマをコンパクトにまとめている。1つの「ドイツ現代社会論」になっているので，ご利用いただければ幸いである。

　　2010年12月

　　　　　　　　　　　　　　　　　　　　　　　　　　　池田　良一

# 目　　次

四訂版刊行に当たって
はじめに

## 第1章　投資環境

Ⅰ　ドイツという国は―地勢的環境・政治体制・ドイツ社会・ドイツ人　*2*
 1　ドイツの地理・地勢的環境　*2*
 2　政治体制　*11*
 3　ドイツ社会　*21*
 4　ドイツ人とは？　*25*
Ⅱ　外国企業にとってのドイツの投資環境　*36*
 1　ドイツ経済の特徴　*36*
 2　外国からの投資に対する規制　*47*
Ⅲ　他の外国企業のドイツへの進出状況　*53*
 1　外国企業のドイツ経済に対する貢献度　*53*
 2　外国企業の地域別出自　*54*
Ⅳ　日系企業の進出動向と進出先　*56*
 1　在独日系企業の数　*56*
 2　在独日系企業の進出先　*57*
 3　充実した日本人のための生活インフラ　*58*

## 第2章　会社法上の留意点

Ⅰ　ビジネス拠点形態の選択（駐在員事務所，支店，現地法人）　*64*
 1　3種類のビジネス拠点の各々の特徴の概要　*64*
 2　駐在員事務所と支店の相違　*66*
 3　駐在員事務所で可能な業務範囲　*70*
 4　ドイツにおける現地法人（子会社）の法形態の概要　*75*
Ⅱ　出張ベースでのドイツ・ビジネスのフォローに際しての留意点　*92*
 1　ドイツにおける出張者の滞在許可・労働許可の問題とその広まっている誤

11

　　　　　解　*93*

　　2　シェンゲン協定ならびにシェンゲンビザの概要　*93*

　　3　ドイツにおける滞在法令・雇用法令の規定　*94*

　　4　出張者の個人所得税納付義務の問題(1)―勤務地国課税原則　*97*

　　5　出張者の個人所得税納付義務の問題(2)―183日ルールの適用　*97*

　　6　出張者の個人所得税納付義務の問題(3)―按分の給与所得分の申告　*99*

　　7　日本本社の税務問題―移転価格問題とPE問題　*100*

　　8　各種の観点からの総合的判断の必要性　*101*

Ⅲ　ビジネス拠点の設立　*103*

　　1　駐在員事務所の設立　*103*

　　2　支店の設立　*107*

　　3　現地法人（子会社）の設立　*111*

Ⅳ　ドイツ有限会社の経営責任者の会社法上の基礎知識　*120*

　　1　取締役の地位について　*120*

　　2　取締役の義務　*125*

Ⅴ　ビジネス拠点の閉鎖　*133*

　　1　駐在員事務所の閉鎖　*133*

　　2　支店の閉鎖　*134*

　　3　現地法人（子会社）の閉鎖（清算）　*137*

# 第3章　会計・経理上の留意点

Ⅰ　ドイツにおける様々な会計基準　*149*

　　1　ドイツ商法会計基準と国際会計基準　*149*

　　2　ドイツ商法会計基準と税法会計　*151*

Ⅱ　「ドイツ商法会計基準」の概要　*153*

　　1　ドイツ商法会計基準の歴史的発展　*153*

　　2　ドイツ商法会計基準の法的根拠と各種の義務　*159*

　　3　ドイツ商法会計基準の基本原則　*171*

Ⅲ　支店・現地法人における会計・経理処理　*175*

　　1　貸借対照表　*175*

　　2　損益計算書　*201*

3　個別特殊会計項目　*206*
　4　注記（付属明細書）　*212*
　5　状況報告書　*215*
Ⅳ　駐在員事務所における会計・経理処理　*218*
　1　支出明細表　*218*
　2　旅費精算書　*219*
　3　証　憑　類　*220*

# 第4章　税務上の留意点

Ⅰ　法人税・営業税法の概要　*223*
　1　法人税・営業税の納税義務の発生　*223*
　2　法人税と営業税に関する基礎知識　*227*
　3　法人税と営業税の税率　*231*
　4　企業収益課税のEU域内比較　*235*
　5　営業税における加算・減算　*236*
　6　商法会計と税法会計　―基準性の原則―　*237*
Ⅱ　支店・現地法人における法人税・営業税　*239*
　1　法人税上の課税所得の計算(1)―計上・評価原則の乖離　*239*
　2　法人税上の課税所得の計算(2)―損金不算入項目・益金不算入項目　*246*
　3　繰越欠損と年度欠損の繰戻し　*248*
　4　利子損金算入制限制度の概要　*249*
　5　繰越欠損金利用制限と2010年緩和措置　*250*
　6　税務調査と移転価格税制問題　*254*
　7　税務調査官の電子データへのアクセス権とデジタル税務調査　*257*
Ⅲ　付加価値税への対応　*261*
　1　付加価値税のドイツにおける税収・課税対象・納税義務者・税率　*262*
　2　モノの売買に対する付加価値税　*267*
　3　サービスの提供・受益に対する付加価値税　*270*
　4　EU域内居住事業者の前段階税還付手続きの簡素化　*278*
Ⅳ　賃金税と社会保険料の処理　*280*
　1　賃金税の概要　*280*

    2　ドイツの社会保険料　*284*
    3　賃金税の源泉徴収　*286*
    4　賃金税の分離課税処理　*295*
    5　賃金税税務調査　*299*
Ⅴ　**駐在員事務所の税務処理**　*302*
    1　駐在員事務所に関係する税金と社会保険料　*302*
    2　社会保険（年金・失業・健康・介護・労災）　*303*
    3　付加価値税　*304*

# 第5章　労　働　法

Ⅰ　**現地スタッフの採用と雇用関連法制の概要**　*311*
    1　在独日系企業の労働力　*311*
    2　従業員の採用　*317*
    3　雇用契約と労働条件　*318*
    4　解　　雇　*324*
    5　労 働 協 約　*329*
Ⅱ　**ドイツの社会保障制度**　*331*
    1　ドイツの社会保険料　*331*
    2　健康保険ファンド　*335*
Ⅲ　**ドイツにおける企業福利厚生制度**　*338*
    1　ドイツ企業年金制度における運営方式　*338*
    2　その他の企業年金制度の留意点　*342*
Ⅳ　**従業員代表委員会**　*344*
    1　従業員代表委員会に関する基礎知識　*344*
    2　ドイツ共同決定制度の意義とその見直し　*347*
    3　ドイツ共同決定制度の中の従業員代表委員会　*347*
    4　従業員代表委員会の具体的内容　*349*

# 第6章　日本人駐在員

- Ⅰ　労働・滞在許可証の取得，住民登録手続き　*357*
  - 1　申　請　先　*357*
  - 2　滞在許可証の一般原則：滞在法第4条における滞在許可の種類　*358*
  - 3　滞在許可証の種類(1)：各種の滞在目的のための一般的滞在許可証（滞在法第7条）　*359*
  - 4　個別の滞在許可証の種類(2)：EUブルーカード　*363*
  - 5　個別の滞在許可証の種類(3)：EU-ICTカード　*364*
  - 6　個別の滞在許可証の種類(4)：滞在法第9条の就労滞在許可証　*366*
  - 7　滞在法第19c条：雇用に基づく電子滞在許可証交付までの標準的プロセス　*367*
  - 8　滞在許可証なしの空白期間問題と交付までの期間短縮　*371*
- Ⅱ　駐在員についてのドイツ個人所得税法の概要　*373*
  - 1　ドイツにおける個人所得税とその納税義務　*373*
  - 2　所得の種類と税負担　*379*
  - 3　所得控除の種類と基礎控除額　*383*
  - 4　その他の個人所得税上の留意点　*386*
- Ⅲ　駐在員とドイツの社会保険法　*392*
  - 1　日独社会保障協定　*392*
  - 2　駐在員にとっての健康保険問題　*395*
- Ⅳ　赴任直前の準備と帰任前後の準備とケア　*404*
  - 1　ドイツ赴任直前の準備　*404*
  - 2　日本帰任直前の準備　*405*
  - 3　日本帰任後の事後処理　*405*

あ と が き　*407*
索　　引　*413*

第 1 章

# 投資環境
ドイツにおける投資環境と日系企業の進出状況

# I
# ドイツという国は
## ―地勢的環境・政治体制・ドイツ社会・ドイツ人

　第2次世界大戦の敗戦国であるドイツは，米ソ2大超大国の対立という冷戦構造の中で，東西ドイツに分断を余儀なくされた。しかし，1989年11月9日のベルリンの壁の崩壊を経て，1990年10月3日に再統一された。投資対象国・ビジネス展開の場所という観点から，そして，派遣される駐在員あるいは日本人現地スタッフの生活環境という観点から，ドイツという国の概要を紹介しておきたい。

## 1　ドイツの地理・地勢的環境

### ① ドイツの国土

　ドイツは，1990年のドイツ再統一により，人口8,000万人を超える国となった。人口では，欧州最大の国である。2022年末の人口は約8,330万人（ドイツ連邦統計庁の推計），国土面積約36万平方キロメートルとなっている。人口は約1億2,500万人の日本の約3分の2であるが，国土面積でいうと，日本の約37万平方キロメートルとほぼ同じである。但し，北東から南西方向に細長く横たわる島国日本に対して，南北に長いほぼ長方形の形でヨーロッパ大陸の中に位置するドイツは，国土の形状がかなり異なり，ドイツの方がコンパクトにまとまっているという感じである。その結果，国内を電車や自動車で移動した時の国土の広さという感覚からいうと，日本の方がかなり広いのではないかと思ってしまう。また，日本は島国であることから，日本人は陸の国境というものを知らないわけであるが，ドイツは，北はデンマーク，西はオランダ・ベルギー・ルクセンブルク・フランス，南はスイス・オーストリア，東はチェコ・ポーランドと，合計9ヵ国と陸続きで国境を接している。1993年1月1日付の物品・サービス市場の統合，1995年3月26日のシェンゲン協定の施行により，モノとヒトの行き来に関して，当時の欧州経済共同体の加盟国間（全加盟国ではない）の国境は撤廃され，国境でのパスポートの検査もない。その結果，車で走っていると，ここからが隣国であるという看板・標識はあるものの，いつの間にか隣国（外国）に入国してしまったという感じである。これは日本

では味わえないものである。地政学的宿命論に陥る必要はないが，日本とドイツを比較する時に，陸の国境を知らない島国国家である日本と複数の国と陸続きの国境を有する国であるドイツとの相違は，一定程度まで，両国の社会的・経済的・文化的相違を説明する手掛かりになることは確かである。

〔ドイツの地図〕

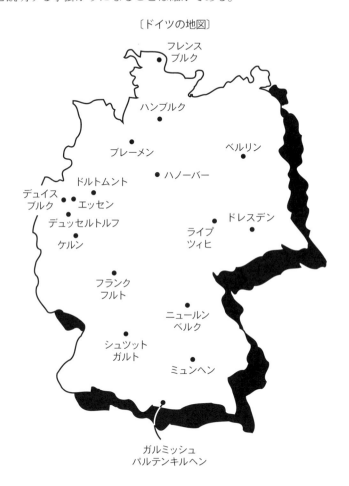

【シェンゲン協定】

　シェンゲンは，ルクセンブルクにある，日本式に言ったら小さな村（自治体）である。日本ではほとんど聞くことはないと思われる。それでも，少なくともドイツや他のヨーロッパ諸国で生活されている方の中には，「シェンゲ

ン・ビザ」や「シェンゲン協定〈the Schengen Agreement〉」ということを聞いたことがある方は，まだいるかもしれない。しかしながら，そのような人でも，「シェンゲン〈Schengen〉」というのは地名であり，それがルクセンブルクに位置していることをご存知の方は，あまりいないのではないだろうか。シェンゲン村は，ワインで有名なモーゼル川の河畔に位置している。ここで，1985年6月14日に，ドイツ，フランス，ルクセンブルク，オランダ，ベルギーの5ヵ国の代表が一堂に会して調印したのがシェンゲン協定である。正確に言うと，シェンゲン村の船着場に横付けされた，モーゼル川に浮かぶ遊覧船プリンセス・マリー・アストリッドの上で調印された。

　このシェンゲン村，失礼な言い方になるが，ルクセンブルク市から南東の方向にバスで走って30分の距離に位置する何の取り柄もない村である。このシェンゲン協定が調印されたことでヨーロッパ中にその名が知られるようになったに過ぎない。しかし，地図を開くと一目瞭然なのであるが，ドイツ，フランス，ルクセンブルク，オランダ，ベルギーのシェンゲン協定発起人国の5ヵ国のうち，5ヵ国あるいは4ヵ国が同時に国境を接しているところはない。3ヵ国が同時に国境を接しているところは，いくつかあるのだが，その中でドイツとフランスというEU（欧州連合）の主導国が国境を接し，それにプラス他の1国が国境を接しているところというと，シェンゲン村の3ヵ国国境しかないという結論になってしまう。もちろん，モーゼル川の対岸のドイツの町Perlでも，フランスの町Apachでも，また，3ヵ国国境ということにこだわる必要もなく，まったくそれ以外の場所でもよかった訳であるが，ドイツとフランスというEU（欧州連合）の両主導国間の関係が問題になると必ずと言っていいほど見え隠れするバランス均衡の観点がここでも働いて，3ヵ国国境に位置するルクセンブルクの村ということになったのだと思われる。

　シェンゲン協定は，1990年にやはりシェンゲン村で調印された施行協定も含めて，その内容にはいくつかのポイントがある。核心部分は，加盟国間の相互の物理的なヒトの動きを，加盟国の中の物理的なヒトの動きと同じように扱おうというものである。すなわち，「ヒトのEU域内国境の撤廃」を達成しようということになる。具体的には，ドイツからルクセンブルクに電車で旅行する場合，このシェンゲン協定に基づき，国境のところでパスポートやビザ等の確認は行わない。また，ドイツのデュッセルドルフからスペインのマドリッドへ飛行機で行く場合，デュッセルドルフからミュンヘンへとドイツの国内線を飛

行機で行く場合とまったく同じで、原則としてパスポートの確認はない。

　シェンゲン協定は、実際には、データベースの整備等の技術的な問題や法律上の問題の解決に手間取り、最終的に施行されたのは1995年になってからである。しかし、シェンゲン協定によるヒトの物理的な動きに対するEU域内国境の撤廃は、1990年7月1日付の「資本移動の制限の撤廃」（＝カネのEU域内国境の撤廃）、1993年1月1日付の「物品・サービス・労働力市場の統合」（＝モノ・サービス・ヒトに対するEU域内国境の撤廃）を補足するものである。その中でシェンゲン協定がちょっと変わっているのは、調印された1985年当時、協定調印国の5ヵ国はすべて「欧州経済共同体（EUの前身）」の加盟国ではあったが、協定それ自体は欧州経済共同体の正式なプロジェクトではなかった。その後に、順次他の加盟国が調印国としてそれに加わり、そして1999年施行のアムステルダム条約によりEU（欧州連合）の制度として取り込まれるという経緯を辿っている。さらに面白いのは、非EU加盟国であるノルウェー・アイスランド・スイスは、シェンゲン協定提携協定を締結していることから、EU加盟国のシェンゲン協定完全適用国と同じステータスになっている一方で、EU加盟国であるイギリスとアイルランドは、シェンゲン協定非完全施行国であったし、アイルランドは現在もそうである。さらに、2004年以降に加盟した新規加盟国の中には、色々な事情があり、（南）キプロスのように、シェンゲン協定が完全に適用されていないEU加盟国がある。その結果、デュッセルドルフから飛行機でたとえばイギリスEU離脱前にロンドンに行くと、EU加盟国であるにもかかわらず、パスポートの確認があった。EU加盟ステータスとシェンゲン協定適用は100％一致していない。EU（欧州連合）の難しいところである。

## 2　ドイツの気候

　日本の北端である北海道の宗谷岬が北緯45度、九州の南端である佐多岬は北緯30度で、その主要4島間の緯度差は15度となる。さらに、沖縄の那覇市は北緯26度で、その沖縄まで考慮するとその緯度差は19度である。それに対して、デンマークとの国境に位置するドイツの最北の都市フレンスブルクは北緯54度、オーストリアとの国境に位置するドイツの南端の都市ガルミッシュ・パルテンキルヘンは北緯47度である。すなわち、ドイツにおける緯度差はたった7度である。この日本の緯度差の大きさは、日本の気候に豊かな多様性を恵んでいる。気候学者ケッペンの

気候区分でいうと，亜寒帯（冷帯）に属する北海道から，九州の南部の方は，温帯である本州を通り越して，もう亜熱帯と言える。さらに，温帯に属する本州でさえ，日本海側と太平洋側の気候の違いはかなりのものである。それに対してドイツはというと，北ドイツと南ドイツの気候の違いとか，ポーランド国境に近い旧東ドイツ地域の東部は，ヨーロッパ大陸の東の方向に深く入り込みつつある地域であり，より大陸性の気候だとかということはある。しかしながら，その気候上の違いは日本のそれとは比較にならず，総じて寒いという感じである。よくドイツ全体の気候が北海道の気候と比較されるが，的を得た対比であろう。

〔日本とドイツの平均気温・降水量〕

|  |  | 1月 | 2月 | 3月 | 4月 | 5月 | 6月 | 7月 | 8月 | 9月 | 10月 | 11月 | 12月 |
|---|---|---|---|---|---|---|---|---|---|---|---|---|---|
| 東京 | 平均最高気温 | 10 | 10 | 13 | 18 | 23 | 25 | 29 | 31 | 27 | 22 | 17 | 12 |
|  | 平均最低気温 | 2 | 2 | 5 | 11 | 15 | 19 | 23 | 24 | 21 | 15 | 10 | 5 |
|  | 降水量 | 49 | 60 | 115 | 130 | 128 | 165 | 162 | 155 | 209 | 163 | 93 | 40 |
| 札幌 | 平均最高気温 | −1 | −0 | 4 | 11 | 17 | 21 | 25 | 26 | 22 | 16 | 8 | 2 |
|  | 平均最低気温 | −8 | −7 | −3 | 3 | 8 | 12 | 17 | 19 | 14 | 7 | 1 | −4 |
|  | 降水量 | 111 | 96 | 80 | 61 | 55 | 51 | 67 | 137 | 138 | 124 | 103 | 105 |
| 福岡 | 平均最高気温 | 10 | 11 | 14 | 19 | 24 | 27 | 31 | 32 | 28 | 23 | 18 | 13 |
|  | 平均最低気温 | 3 | 4 | 6 | 11 | 15 | 19 | 24 | 25 | 21 | 15 | 10 | 5 |
|  | 降水量 | 72 | 71 | 109 | 125 | 139 | 272 | 266 | 188 | 175 | 81 | 81 | 54 |
| 那覇 | 平均最高気温 | 19 | 19 | 21 | 24 | 26 | 29 | 31 | 31 | 30 | 28 | 24 | 21 |
|  | 平均最低気温 | 14 | 14 | 16 | 19 | 22 | 25 | 26 | 26 | 25 | 23 | 20 | 16 |
|  | 降水量 | 115 | 125 | 160 | 181 | 234 | 212 | 176 | 247 | 200 | 163 | 124 | 101 |
| ベルリン | 平均最高気温 | 7 | 5 | 8 | 14 | 19 | 22 | 24 | 23 | 18 | 14 | 8 | 6 |
|  | 平均最低気温 | −12 | −14 | −4 | 4 | 10 | 12 | 16 | 14 | 11 | 5 | −3 | −11 |
|  | 降水量 | 41 | 33 | 33 | 40 | 53 | 76 | 61 | 65 | 50 | 42 | 47 | 49 |
| フランクフルト | 平均最高気温 | 5 | 8 | 11 | 15 | 20 | 30 | 30 | 30 | 22 | 15 | 10 | 6 |
|  | 平均最低気温 | −7 | −7 | 4 | 8 | 11 | 15 | 20 | 20 | 11 | 8 | 4 | 0 |
|  | 降水量 | 55 | 46 | 35 | 39 | 55 | 70 | 63 | 78 | 58 | 55 | 46 | 81 |
| ミュンヘン | 平均最高気温 | 2 | 4 | 9 | 13 | 18 | 21 | 23 | 24 | 19 | 13 | 6 | 3 |
|  | 平均最低気温 | −3 | −3 | 0 | 3 | 8 | 11 | 12 | 12 | 9 | 5 | 1 | −2 |
|  | 降水量 | 29 | 29 | 38 | 40 | 54 | 67 | 73 | 62 | 52 | 42 | 42 | 38 |
| デュッセルドルフ | 平均最高気温 | 3 | 5 | 10 | 14 | 18 | 21 | 22 | 23 | 19 | 15 | 8 | 5 |
|  | 平均最低気温 | 0 | 1 | 2 | 5 | 8 | 12 | 13 | 13 | 11 | 7 | 4 | 2 |
|  | 降水量 | 60 | 50 | 30 | 40 | 60 | 60 | 80 | 80 | 50 | 40 | 70 | 60 |

気候温暖化の影響で若干変わりつつもあるが，以前は，ドイツの気候をドイツ人自身が皮肉って，「ドイツは9ヵ月が冬で，後の3ヵ月は期待を込めて夏を待つんだが，本当の夏は来ないんだ」ということを言っていた。そのような夏の期間（6月～8月）において，30度を超える日が1週間，2週間と続くことはある。しか

し，夜の最低気温が25度を超えるいわゆる熱帯夜はほとんどなく，総じて湿度が低いことから過ごしやすい。その結果，夏の冷房設備はそれほど必要性が感じられず，一般家庭で冷房設備を備えているところはかなり珍しい。気候温暖化の影響で年々少しずつ変わってきているが，オフィスビルでも，最近建てられたものでさえ，冷房設備がないということが珍しくなかった。逆に，冬の暖房はしっかりしたものである。ほとんどの住居で日本でいうセントラルヒーティングが設備され，壁や窓の外気の遮断は抜群である。そのような気候条件のもとに生きる人間の常なる欲望なのであろう，「太陽に対する憧れ」はドイツ人においても極めて強い。コロナパンデミックによる休止はあったものの，夏休みシーズンになると，とりわけ地中海に浮かぶスペイン領のマヨルカ島などは，パック旅行を利用したドイツ人観光客が大量に押し寄せる。そして，スペイン語を話さずとも，何でもかんでもドイツ語で通じてしまう「ドイツ人占領地域」と化してしまう。

## 3　夏の明るい夜と秋冬の夜長

　日本から見たら樺太以北くらいのところに位置していること，すなわち，緯度が高いことの結果として，1年を通して見れば冬の夜の長さで相殺されているのではあるが，夏の夕方・夜はかなり遅くまで明るい。一番日が長い時期である6月から7月初めまでは，南ドイツと北ドイツの間の差もかなりあるが，夜の10時くらいまだ外は明るいままである。緯度が高いことで「日の出から日没までの時間」が絶対的に長いことがその主要な理由である。しかしそれに加えて，夏時間が採用されていることと，春分の時の日出・日没時刻の比較から見て取れるように，ドイツの国土は，ドイツが採用している標準時間（中央ヨーロッパ時間）の基準東経度（東経15度：ほぼドイツとポーランドとの国境線）よりも西側に位置していることから，元々遅くに朝になり・遅くに日が暮れるようになっていることにも起因している。この昼の明るい時間が夜に食い込んでいるということは，明石（東経135度：日本の標準時間）以西の西日本に生活した経験を持つ人には，身近なものとして理解できるかもしれない。ところで，夏時間というのは，3月の最終日曜日から10月の最終日曜日までの間，時計を1時間先に進めるものである。3月の最終日曜日の早朝午前2時になると，直ちに午前3時ということになる。逆に，10月の最終日曜日の早朝午前3時は1時間戻って午前2時ということになる。これによりその期間中は，太陽が照っている時間がさらに夜にずれ込むことになる。2019年に，2021年にはこの夏時間を廃止するという案がEUで決議されたのであるが，

〔日本とドイツの日の出と日の入りの時間〕

| 春　分 | 日の出 | 日の入り |
|---|---|---|
| 東京 | 5：44 | 17：53 |
| フランクフルト | 6：25 | 18：37 |
| 夏　至 | | |
| 東京 | 4：25 | 18：59 |
| フランクフルト | 5：14 | 21：36 |
| 冬　至 | | |
| 東京 | 6：47 | 16：31 |
| フランクフルト | 8：20 | 16：24 |

コロナパンデミックもあり実施には至っていない。

　ドイツに白夜はないが，4月から8月にかけては，天気が良ければ，ビアガーデンや自宅の庭でビールを飲みながらアフターファイブの長い明るい夜を満喫できる。特に6月〜7月にかけては，レストランの屋内で一通り飲み食いし，夜9時ごろになって，帰宅する者，二次会に行く者ということで外に出ると，まだ外は明るく，何か真昼間から飲んだくれているような気持ちになってしまう。また，逆に冬になると，通常の8時間の日中の勤務であっても，朝の暗いうちに出勤し，夕方真っ暗になってから自宅に帰るということになり，何か「夜のお仕事」をしているような気分である。また，ドイツの学校は大体8時ごろから授業が始まるが，冬の間，子供たちの朝の登校はまだ真っ暗な中でということになる。何はともあれ，気候条件の面で，ドイツは総じて単調と言えるが，昼と夜の1年の間の格差，そして，それに連動した生活スタイルは，日本では体験できないものである。

## 4　EU（欧州連合）の中でのドイツの地勢的位置付け

　日本と比較すると，気候条件の面で，ドイツは地域的格差が相対的に小さい，ある意味で退屈な国でもあるが，他のEU（欧州連合）加盟国と人口・国土面積を比較してみると以下のようになる。

〔日本とEU各国の人口と国土面積〕

| | 人口（2016年） | 人口（2022年） | 国土面積 |
|---|---|---|---|
| 日本 | 12,700万人 | 12,495万人 | 37.7万 km$^2$ |
| ドイツ | 8,216万人 | 8,324万人 | 35.7万 km$^2$ |
| フランス | 6,666万人 | 6,787万人 | 67.5万 km$^2$ |
| イタリア | 6,067万人 | 5,903万人 | 30.1万 km$^2$ |

| | | | |
|---|---|---|---|
| ルクセンブルグ | 58 万人 | 65 万人 | 0.3 万 km² |
| オランダ | 1,698 万人 | 1,759 万人 | 42 万 km² |
| ベルギー | 1,129 万人 | 1,162 万人 | 3.1 万 km² |
| アイルランド | 466 万人 | 506 万人 | 7.0 万 km² |
| デンマーク | 571 万人 | 587 万人 | 4.3 万 km² |
| ギリシャ | 1,079 万人 | 1,046 万人 | 13.2 万 km² |
| スペイン | 4,644 万人 | 4,743 万人 | 50.6 万 km² |
| ポルトガル | 1,034 万人 | 1,035 万人 | 9.2 万 km² |
| オーストリア | 870 万人 | 898 万人 | 8.4 万 km² |
| フィンランド | 549 万人 | 555 万人 | 33.8 万 km² |
| スウェーデン | 985 万人 | 1,045 万人 | 45.0 万 km² |
| チェコ | 1,055 万人 | 1,052 万人 | 7.9 万 km² |
| スロヴァキア | 543 万人 | 543 万人 | 4.9 万 km² |
| ポーランド | 3,797 万人 | 3,765 万人 | 31.3 万 km² |
| ハンガリー | 983 万人 | 969 万人 | 9.3 万 km² |
| スロヴェニア | 206 万人 | 211 万人 | 2.0 万 km² |
| エストニア | 132 万人 | 133 万人 | 4.5 万 km² |
| ラトビア | 197 万人 | 188 万人 | 6.5 万 km² |
| リトアニア | 289 万人 | 281 万人 | 6.52 万 km² |
| キプロス | 85 万人 | 90 万人 | 0.9 万 km² |
| マルタ | 43 万人 | 52 万人 | 0.03 万 km² |
| ブルガリア | 715 万人 | 684 万人 | 11.1 万 km² |
| ルーマニア | 1,976 万人 | 1,904 万人 | 23.8 万 km² |
| クロアチア | 419 万人 | 386 万人 | 5.7 万 km² |

（典拠：EU諸国のものはEurostat 2016年と2022年，日本のものは総務省統計局2016年と2022年）

　ドイツは，国土面積ならびに「国民1人当たりGDP」においては第1位ではないものの，人口ならびにGDP総額においては欧州第1位である。地勢的な観点から，そして，経済的な観点から，EU（欧州連合）最大の経済大国であることは異論の余地がない。さらに，ドイツ語圏ということでは，オーストリア（人口約896万人）とスイスのドイツ語圏地域（人口約500万人：スイスの総人口の約65％前後）が加わり，ドイツ語圏市場ということでは約1億人弱の人口規模を想定しなくてはならない。また，陸続きで国境を接している国が9ヵ国であることからも分かるように，ドイツはEU（欧州連合）の中央に位置している。例えば，ヨーロッパ最大の港湾施設を誇るオランダのロッテルダムに陸揚げされた物資が，EU（欧州連合）の工場とも言えるポーランド・チェコ・スロヴァキア・ハンガリー等の旧東欧諸国に輸送される場合，ドイツの鉄道インフラを通じての貨車輸送や，ドイツのアウトバーンを利用しての貨物トラック輸送ということになる。車でドイツのアウトバーンを走ると，オランダ・ベルギー・ポーランド・チェコ・ハンガリーといった隣国ナンバー

の貨物トラックをよく見かける。2004年までは，貨物トラックにもアウトバーン利用料金の徴収は行われていなかった。一般的な財政難という観点とドイツの国庫に税金も納めていない隣国の輸送業者が，整備・改修等のコストを負担することもなく，ドイツのアウトバーンをただで利用して，ビジネスをするのはけしからんということで，2005年1月1日から貨物トラック（総重量12トン以上，2015年から7.5トン以上に拡大）に対するアウトバーン料金が導入された。本来の趣旨からすれば，外国の輸送業者の貨物トラックからのみ徴収すればいいのであるが，それをやると，自国の市民・企業と他のEU加盟国の市民・企業を差別することを禁じたEU法の観点から問題になるということで，国籍に関係なく徴収することとした。但し，ドイツの輸送業者に対しては，業界に対する補助金を厚くすることで，負担を緩和することが行われた。しかしながらその後も，外国の乗用車に対する「ドイツ・アウトバーンタダ乗り論批判」は，根強く残っていた。特に隣国（スイス・オーストリア・チェコ等）の外国乗用車が数多くみられる南部のバイエルン州の地域政党（CSU：キリスト教社会同盟）が，2013年9月の連邦議会選挙の選挙戦公約に，乗用車に対するアウトバーン料金（料金所制ではなく，期間対応定額制）の徴収制度の導入を掲げた。そして同党は，実際に再度政権与党となってから，法案化して，ドイツの議会手続きで当該法案も可決させ，その乗用車に対するアウトバーン（高速道路）の利用料金の徴収の法案は，2016年1月1日に導入された。その際，ドイツ国民の負担増となると，ドイツ国内の反発が強過ぎるということで，ドイツ国民（居住者）は，支払ったアウトバーン料金は，乗用車の保有に対して課される自動車税の納付税額から控除してもらえるという形にした。すなわち，実質的に負担するのは，隣国（外国）の乗用車のドライバーだけという内容であった。それに対して，隣国のオーストリア政府は，ドイツ政府の自動車税の減税とリンクした乗用車に対するアウトバーン料金の徴収に関する法律規定が，「EU法の平等の原則」に反するとして，EU法抵触訴訟を欧州司法裁判所に提起した。それに対して，欧州司法裁判所は，2019年6月18日付の判決で，ドイツの乗用車に対するアウトバーン料金の法律は，差別を禁止したEU法に抵触と判断されるという見解を公表し，乗用車に対するアウトバーン料金の導入の差し止めを命じた。これらのエピソードは，ドイツの産業・生活インフラは同時にEU（欧州連合）の産業・生活インフラになっている状況の1つの証であろう。

〔ヨーロッパの地図〕

## 2　政治体制

必ずしも網羅的ではないが，政治体制の一般的概論というより，投資対象国ならびにビジネスを展開する国として，知っておくべきドイツの政治体制の概要を解説する。

### 1　1990年のドイツ再統一

ドイツの現在の正式国名は，ドイツ連邦共和国〈Bundesrepublik Deutschland〉といい，首都はベルリン（人口約368万人）である。正式国名から分かるように，連邦制を取っており，1990年10月３日のドイツ再統一以降，16の連邦州から構成されている。1990年までは，西側・資本主義陣営に属する西ドイツ（旧ドイツ連邦

共和国）と東側・共産主義陣営に属する東ドイツ（ドイツ民主共和国）の2つに分断された国として存在していた。「1990年にドイツが再統一された」と言われているが，正確に言うと，旧東ドイツの復活した5つの州（メクレンブルク・フォアポメルン，ブランデンブルク，ザクセン・アンハルト，ザクセン，テューリンゲン）と東ベルリンが西ドイツ（旧ドイツ連邦共和国）の連邦州体制に新たに加わったというのが正しい。会社法の用語で言えば，西ドイツによる東ドイツの吸収合併である。その際，東ベルリンは，西ベルリンと一緒になって，ベルリン州となった。

　現在のドイツの憲法は，基本法〈Grundgesetz〉と呼ばれている。一般的な法律の基本となるものであるからそう呼んだのではないかと思いがちである。真相はちょっと異なっている。元々は西ドイツの憲法であるが，第2次世界大戦後の米ソ対立の中で，東西ドイツの分断が確実になり，1949年に西ドイツと東ドイツが分断されて建国された。その時，西ドイツ側は，その作られた憲法は仮のものであり，ドイツが統一された暁には，その仮の憲法を土台にして，正式な新憲法を作成するという考えから，その仮の憲法を基本法と呼んだ。将来の正式な新憲法のための土台・叩き台くらいの意味である。そしてその第146条には，ドイツ統一が実現した暁には，民主的に決められた新憲法に取って代わられることが規定されていた（東西ドイツ統一の第146条方式）。しかしながら，1990年のドイツ再統一の時に，西ドイツ基本法第146条が想定していたような統一後の新憲法の制定は行われずに，西ドイツ基本法第23条に規定された「新たに連邦に加盟した州に基本法を適用する」に基づき統一が行われた（東西ドイツ統一の第23条方式）。この西ドイツ基本法第23条は，1957年に元フランス占領地域でその時点では自治州になっていたザールラント州が西ドイツの連邦州体制に加盟したときに適用されたものであり，東西ドイツの統一を想定したものではなかった。しかし，1990年当時の政治的状況では，時間をかけた民主的な議論を行い新憲法を制定するという時間的な余裕はないとの判断から，第23条方式（吸収合併方式）が採用されたものである。冷戦の終焉・ソ連の崩壊というその後のヨーロッパの政治動向を見ると，その判断は正しいものであったと言えるかもしれない。

## 2　地方分権の国(1)──連邦州体制

　16の連邦州の名称・州都・人口・面積は次頁の表の通りである。ベルリン州・ハンブルク州（人口約185万人）・ブレーメン州（人口約68万人（ブレーマーハーフェン（約11万人）を含む）は，歴史的な経緯から，1つの都市（但し，ブレーメン

州の場合，ブレーメン市とブレーマーハーフェン市の2つの都市からなっている）が州になっている。たとえ小さな都市州であっても，ちゃんとした州憲法を有している。そして，その行政のトップは首相であり，担当省庁のトップは大臣である。連邦が運営している通常の大学はなく，ドイツで国立大学と言えば州立大学である。高校以下の学校行政も州の管轄で，同じ高校卒（ギムナジウム卒）でも，学校ごとの違いよりも，どこの州にある学校かによってレベルが違うという話がある。警察行政，税務行政も原則として州の管轄であり，ドイツでビジネスを行う上で対応策が重要となる税務調査も，州ごとに微妙に厳しい，寛容であるとの差があると言われる。中央集権に慣れ親しんだ日本のビジネスマンにとって，このあたりのところは戸惑いを覚えるところでもある。

　また，州毎に祝日が異なり，最も祝日の多いバイエルン州（地域的なものを含めて：15日）と最も少ないベルリン州（11日）やハンブルク州（11日）等との差は4日間である。ちなみに，2017年は，ルターによる宗教改革から500年ということで，ベルリンと旧西ドイツ地域の州で，その一年だけ10月31日が特別に祝日になった。旧東ドイツ地域の州においては，10月31日は宗教改革記念日ということで，元々祝日になっている。1517年10月31日は，ルターが，宗教改革の端緒となった「95ヵ条の論題」をヴィッテンベルクの教会の門扉に張り出したとされている日である。そのような祝日の日数の相違に加えて，州毎に学校の夏休みの開始・終了の時期が異なることも，日本人が違和感を覚えるものである。6月から9月までの週末は，どこの州で夏休みが始まる，あるいは終わるからということで，どこのアウトバーンが混雑するといったコメントがニュース番組で報道される。このような連邦州制度に象徴されるように，ドイツは「地方分権の国」である。

【連邦州の合併】

　上記のように，ドイツは地方分権の国という前提で，行政の効率化という観点から，あるいは，小国分立状態は，昨今のグローバル化した世界経済の状況のもとにあっては，ドイツの国益を損なうものでしかないという観点から，ちょっと別の方向での動きもある。すなわち，とりわけ3つの都市州とザールラント州のような小規模な連邦州をめぐって，近接する州と合併させて，16の連邦州の体制を整理統合しようという動きである。ハンブルク州とシュレスヴィッヒ・ホルシュタイン州の合併，ベルリン州とブランデンブルク州の合併，ブレーメン州とニーダーザクセン州の合併，ザールラント州とラインラント・フ

ァルツ州の合併という具合である。実際に1996年に，ベルリン州とブランデンブルク州を合併させるための州民投票が行われた。しかしながら，ベルリン州側の住民の支持は確保されたものの，合併が自分たちに不利をもたらすのではないかと危惧したブランデンブルク州の住民側の支持が取り付けられず否決された。それでも，その合併の話がまったく立ち消えになったわけではなく，他の州間の合併の話と同様に，地道な議論が継続されている。また，近接する州の間での各種の施設・機関の共同利用等のプロジェクトが進められており，将来的にはそれを一歩進めて実際の合併が実現するかもしれない。

〔ドイツ各連邦州の基本データ〕

|  | 州都 | 州面積 | 人口 |
|---|---|---|---|
| シュレスヴィッヒ・ホルシュタイン | キール | 1.58 万 km$^2$ | 292 万人 |
| ハンブルク | ハンブルク | 0.08 万 km$^2$ | 185 万人 |
| ブレーメン | ブレーメン | 0.04 万 km$^2$ | 68 万人 |
| ニーダーザクセン | ハノーバー | 4.76 万 km$^2$ | 803 万人 |
| ノルトライン・ヴェストファーレン | デュッセルドルフ | 3.41 万 km$^2$ | 1,792 万人 |
| ヘッセン | ヴィースバーデン | 2.11 万 km$^2$ | 630 万人 |
| ラインラント・ファルツ | マインツ | 1.99 万 km$^2$ | 411 万人 |
| ザールラント | ザールブリュッケン | 0.26 万 km$^2$ | 98 万人 |
| バーデン・ヴュルテンベルク | シュツットガルト | 3.58 万 km$^2$ | 1,112 万人 |
| バイエルン | ミュンヘン | 7.05 万 km$^2$ | 1,318 万人 |
| メクレンブルク・フォアポメルン | シュヴェリン | 2.32 万 km$^2$ | 161 万人 |
| ベルリン | ベルリン | 0.09 万 km$^2$ | 368 万人 |
| ブランデンブルク | ポツダム | 2.95 万 km$^2$ | 254 万人 |
| ザクセン・アンハルト | マグデブルク | 2.04 万 km$^2$ | 217 万人 |
| ザクセン | ドレスデン | 1.84 万 km$^2$ | 404 万人 |
| テューリンゲン | エアフルト | 1.62 万 km$^2$ | 211 万人 |

(Statistischer Ämter des Bundes und Länder 2021)

## 3 地方分権の国(2)—ドイツの大都市

　人口規模から見てドイツの最大の都市は首都ベルリンで，その人口は約367万人（ベルリン都市圏地域：約470万人）である。ヨーロッパの世界的大都市であるロンドン（大ロンドン：約889万人，ロンドン都市地域圏：約1,404万人）とパリ（パリ市：約216万人，パリ都市圏域［イル・ド・フランス］：約1,306万人）には及ばない。しかし，ロンドン，パリに次ぐヨーロッパの第3の大都市圏であるスペインのマドリッド（マドリッド市：322万人，マドリッド首都圏地域：約632万人）とほ

ぼ同じであり，イタリアのローマ（約287万人，都市圏域：約435万人）を上回っている。ドイツの統計上，10万人以上の人口を要する都市は，「大都市」のカテゴリーに括られるが（ドイツ全国で80都市前後），人口50万人以上の14大都市を挙げると以下のようになる。

〔ドイツの14大都市の人口〕

|    |            | 人口    |
|----|------------|--------|
| 1  | ベルリン     | 367万人 |
| 2  | ハンブルク   | 185万人 |
| 3  | ミュンヘン   | 149万人 |
| 4  | ケルン      | 108万人 |
| 5  | フランクフルト | 76万人  |
| 6  | シュツットガルト | 63万人 |
| 7  | デュッセルドルフ | 62万人 |
| 8  | ライプツィヒ  | 60万人  |
| 9  | ドルトムント  | 59万人  |
| 10 | エッセン     | 58万人  |
| 11 | ブレーメン   | 57万人  |
| 12 | ドレスデン   | 56万人  |
| 13 | ハノーバー   | 53万人  |
| 14 | ニュールンベルク | 52万人 |

(Statistischer Ämter des Bundes und Länder 2021)

　ベルリンは，確かにドイツの首都であり，最大の都市（圏地域），政治の中心地である。しかし，年々，国際的文化都市としての側面が強調されるようになってきているが，ドイツの文化・経済の最大の中心地であるかというと，そうではない。その意味で，ドイツのベルリンに対して，日本の東京，イギリスのロンドン，フランスのパリを重ね合わせてみようとすると大きな誤解をすることになる。ドイツのマスコミ分野の中心都市は，ハンブルク・ケルン・ミュンヘンの3都市になる。公営放送第1チャンネル〈ARD〉のキー局である北ドイツ放送はハンブルクに，西ドイツ放送はケルンにその本拠がある。また，ドイツの2大民放であるRTLテレビはケルンに，SAT 1はミュンヘン（正確にはミュンヘンに隣接する町であるウンターフェーリング）に本局・本社が置かれている。それどころか，公営放送第2チャンネル〈ZDF〉の本局・本社の所在地は，ラインラント・ファルツ州の州都ではあるが，上のドイツ14大都市にもランクされない人口約22万人の町マインツである。地方分権の国ドイツにおいては，地方紙が新聞業界の主流である。それでも，日本の全国紙とはまったく発行部数で比較にならないのであるが，一般全国紙といわれる新

聞がいくつかあって，その中で，ドイツの日経新聞とも言えるハンデルスブラット〈Handelsblatt〉の本社所在地はデュッセルドルフであり，右派の論調を代弁するディ・ヴェルト〈Die Welt〉はハンブルク，同様に保守派の論調を代弁しているフランクフルターアルゲマイネ〈Frankfurter Allgemeine〉はフランクフルト，リベラル派の代弁者であるズュード・ドイッチェ・ツァイトゥング〈Süddeutsche Zeitung〉はミュンヘンといった具合である。

ドイツの金融の中心地としては，間違いなく誰もがフランクフルトを挙げるであろう。東京の日本橋兜町の東京証券取引所に相当するフランクフルト証券取引所がある。そして，EU（欧州連合）の共通通貨ユーロの番人である欧州中央銀行が置かれ，ドイツの最大手の民間銀行であるドイツ銀行やコメルツ銀行ならびに他のいくつかのドイツの主要銀行がフランクフルトに本社・本店を構えている。また，フランクフルトは，イギリスのEU離脱との関係で，ロンドンからの金融機能の移転先候補の一つでもある。ドイツで株式上場する場合，それはほとんどフランクフルト証券取引所に上場することを意味する。そこで公表されている「ドイツ最優良銘柄40社（DAX40）」のうち，ベルリンに完全に本社を置く会社は1社だけある（Zalando）。2023年時点で最も多いのはミュンヘンの7社（ミュンヘンの隣接都市も含む）である。ドイツ最大の会社・ヨーロッパ最大の自動車会社であるフォルクスワーゲン社の本社は，人口約12万人を数えるに過ぎないヴォルフスブルクである。このようなドイツの大会社の本社所在地は，単に登記所在地だけがそのような地方都市で，ベルリン本社が存在して，経営意思決定はベルリンで行われているわけではない。あくまでそのような地方都市で，実際に経営意思決定が行われているのである。

## 4 地方分権の国(3)—ドイツの小都市・地方自治体

ドイツで外国人が生活する際に，通常，まずは居住地で住民登録を行い，滞在許可証（労働許可証）の交付を受ける。その際に出向かなくてはならないのが，地方自治体〈Gemeinde〉の住民登録局〈Einwohnermeldestelle〉と外国人局〈Ausländeramt〉である。会社を設立した場合には，その所在地の地方自治体の営業局〈Gewerbemeldestelle〉に届出を行う必要がある。日本で地方自治の行政上の最小単位は総称的に市町村自治体と呼ばれている。そして，人口・産業別人口比率等で，市，町，村の区別があるが，ドイツの場合は，人口50万人以上を要する14大都市（州となっているベルリン・ハンブルク・ブレーメンを除く）も，人口1,000

人以下の村落自治体〈Landgemeinde〉も，基本的に地方自治体〈Gemeinde〉と一括して呼ばれている。

　過去数年の広域市町村合併の影響で市町村自治体数が減少したことも相俟って，日本の市町村自治体は，全国で1,718（2023年）しかないのに対して，ドイツの地方自治体は，10,796（2021年）となっている。日本の市町村自治体数は，2000年以降，広域市町村合併により，半分近くに減少した。ドイツの自治体数も，年々減少しているものの，まだまだ小さな自治体が数多く存在している。面積について少し言うと，州毎の差異も大きいのであるが，最も地方自治体の数が多いラインラント・ファルツ州の地方自治体の平均面積は，約8.61平方キロメートルであり，そこでは１つの地理的な村・集落が，合併されることなく，そのまま現代の地方自治の行政上の単位になっている。他方で，小規模の地方自治体がいくつか集まり郡〈Kreis〉，〈Amt〉を形成して，行政サービスを効率化している。例えば，デュッセルドルフとかフランクフルトとかミュンヘンに居住する場合，滞在許可証（労働許可証）の交付を受けるのはそれぞれの市役所の外国人局からであるが，近隣の小規模都市に居住すると，その地方自治体が属する郡の外国人局から滞在許可証（労働許可証）の交付を受けるということになる。

　ドイツでビジネスを行って計上した利益に課される税金として営業税〈Gewerbesteuer〉というものがある。この営業税は，地方自治体の税収となる。その税率は，ドイツ全体で共通の税率（基準税率）と自治体自身が裁量で決定できる税率（乗率）の２段階になっている。隣接する他の自治体よりも乗率を引き下げて企業の税負担を軽減し，それによって企業誘致を積極的に行うという政策が取られる。上記の14大都市に近接している自治体に，このような政策を取っているところが多い。ミュンヘン近郊のグリュンヴァルト，フランクフルト近郊のエッシュボルン，デュッセルドルフ近郊のモンハイム等が，このような積極的な企業誘致政策を取っている小都市として有名である。これに限らず，ごみの収集等の日常生活に密着した面でも地方自治体の裁量に委ねられている範囲が広く，滞在許可証（労働許可証）の交付実務においても，要求される提出書類が異なったり，地方自治体の当局毎の差異が大きく，かなり戸惑うことも少なくない。よく発達した地方自治の，コインの裏面かもしれない。

　前出の14大都市だけでなく，それ以下の地方小都市も，ドイツでは大きな経済的な意義を担っている。ヨーロッパ最大の自動車会社フォルクスワーゲン社の本社は，ニーダーザクセン州の人口12万人余りのヴォルフスブルクに位置していることは

前述の通りである。そのヴォルフスブルクも，上記の14大都市に近接しているわけでもない。ビジネス・ソフトウェアでは世界最大手のSAP社は，人口15,000人余りのヴァルドルフ〈Walldorf〉に本社を置いている。バーデン・ヴュルテンベルク州の地方の小都市である。ドイツ最優良銘柄40社に入っていないが，ヨーロッパ最大のメディア会社のベルテルスマン社は，ノルトライン・ヴェストファーレン州の人口10万人余りの田舎町ギュータースローに本社を置いている。また，ドイツの経済は，中小企業に支えられているといわれる。一般消費者の間でその知名度はまったく低いものの，それぞれの特定の分野では世界的優良企業という会社（＝隠れたチャンピオン）がドイツの中小企業の中にも多い。そのような会社の本社を訪ねていくと，失礼な言い方になるが，辺鄙な町にあるということが珍しくない。

## 5　ドイツの連邦の政治体制
### （1）　首都ベルリン―連邦の政府・議会の所在地

　ドイツの連邦の政治体制も，三権分立の原則に従い，行政機関（連邦政府，省庁），立法機関（二院制［連邦議会，連邦参議院］），司法機関（連邦憲法裁判所，連邦通常裁判所，連邦税務裁判所，連邦労働裁判所，連邦社会裁判所，連邦行政裁判所）から構成されている。西ドイツの首都はボンであり，東ドイツの首都は東ベルリンであった。1990年10月3日のドイツ再統一の時の統一条約第2条において，統一ドイツの首都〈Hauptstadt〉はベルリンであることを宣言していた。しかし，政府，議会をベルリンに移転するかどうかという問題は，本当の意味で東西ドイツの統一プロジェクトが完了した後，再度検討するということで，その時点では決定されずに先送りされていた。そして，西ドイツによる東ドイツの吸収合併であったこともあり，西ドイツのボンの行政府，立法府が，統一ドイツの行政機関，立法機関となった。日本人にはまったく馴染みのない考え方であるが，首都と政府，議会所在地を別途に考えていたわけである。

　しかしながら，1年も経たない1991年6月の連邦議会において，超党派の白熱した議論が展開され，1999年までの準備期間を経た後，原則として，議会，政府，中央省庁もベルリンに移転するという決議が可決されたのである。他方で，1999年9月1日に，行政府（内閣府と中央省庁の多く）と立法府（連邦議会〈Bundestag〉）は，ボンからベルリンへ移転した。しかし，中央省庁のいくつかには，現在でもまだボンとベルリンに分散して存在しているものがある。さらに，立法機関の1つの連邦参議院〈Bundesrat〉は，少し遅れた2000年になってベルリン

に移転している（当初の計画では，ボンにすべて留まるというものであった）。そして，今なおそのいくつかの委員会はボンで開催されている。これらの措置は，ボンからすべての行政機関・立法機関機能を移転することでのボンの都市機能の低下の回避，官僚・公務員への配慮という妥協の産物と言われている。

## (2) 司法制度の充実

　それに対して，司法機関についても，西ドイツの連邦レベルの司法機関がそのまま統一ドイツの司法機関となった。その司法機関の立地場所という意味では，既に西ドイツ時代に分散して存在していた。現在，連邦憲法裁判所はカールスルーエ（バーデン・ヴュルテンベルク州），連邦通常裁判所（民法，刑法）はカールスルーエ（バーデン・ヴュルテンベルク州）とライプツィヒ（ザクセン州：旧東ドイツ地域），連邦税務裁判所はミュンヘン（バイエルン州），連邦労働裁判所はエアフルト（テューリンゲン州：旧東ドイツ地域），連邦社会裁判所はカッセル（ヘッセン州），連邦行政裁判所はライプツィヒ（ザクセン州：旧東ドイツ地域）に位置している。連邦労働裁判所は，1999年11月にカッセルからエアフルトに，連邦行政裁判所は，2002年6月にベルリンからライプツィヒに移転されたものである。これは東ドイツと西ドイツの真の意味での融合という観点から，統一事業の一環として，旧西ドイツ地域にあったものを旧東ドイツ地域の州に移転させたものである。また，連邦通常裁判所（民法・刑法）は，西ドイツ時代，第5刑法法廷（ベルリン）を除き，カールスルーエにあった。やはり統一事業の一環として，すべてをライプツィヒに移転させる計画であったが，裁判官の反対に遭い，頓挫してしまった。その代わりに，もともとベルリンにあった第5刑法法廷だけをライプツィヒに移転させたものである。いずれにせよ，分野毎に連邦の最高裁判所が分かれており，それが首都ベルリンにではなく，地方の都市に分散して存在しているというのはドイツの特徴かもしれない。

　15年以上前から，「ベルリンではなく，カールスルーエが政治をやっている」ということがよく言われる。これは，例えば税法改正があったり，新たな税法規定が導入されるような場合，ベルリン（連邦議会，連邦参議院［立法府］）で違憲の疑念がある法律が可決・施行され，それがカールスルーエの連邦憲法裁判所に持ち込まれて争われ，最終的にその法律の運命が判断される，という状況を揶揄していったものである。法律を作る時に，連邦政府，議会が違憲性についての厳格な検討することなく，粗製乱造的に法律を作っているのではないかという批判が込められている。そして，実際に可決・施行された法律が，違憲ということで無効にされること

が頻繁に起こる。最近では，2018年4月の不動産税法違憲判決があり，その判決に対応した新不動産税法の2025年の施行が準備されている。「違憲の疑念はあるが，最終的にはカールスルーエに判断してもらえばいい，とにかく法律を作らないといけない」という連邦政府当局，議会側でのモラルハザードがまったくないとは言い切れない気がする。しかし，経済活動がグローバル化・複雑になっている中で，簡単に合憲か違憲かの判断がつかないようなグレーゾーンがどんどん拡大してきていることも確かであろう。そしてここは，何事も裁判沙汰にならないと決着しないのかとネガティブにも捉えられるのであるが，司法が行政に追随することなく，しっかりした判断を下しているドイツの司法制度は，ドイツでビジネスを行う上で，しっかり頭に留めておくべきかもしれない。

　ドイツ全体での話であり，古いデータではあるのだが，ドイツの司法制度が充実していることの証として，人口10万人当たりの裁判官の数の統計数値がある。数多くいればよいというものでもないが，日本の悲惨さとドイツの充実度が極めて対照的である。これは，日本の司法試験制度の改革の前の数字なので，日本の数字は変わっていることは確かなのであるが，傾向ということではまだ下記の数値が表している状況に大きな変化はない。

〔世界の主な国の裁判官の数（人口10万人当たり）〕

| | |
|---|---|
| ドイツ | 25.33人 |
| 日本 | 1.87人 |
| アメリカ | 10.85人 |
| イギリス | 7.25人 |
| フランス | 8.78人 |

## （3）　連邦議会と連邦参議院

　ドイツの連邦における立法機関は，連邦議会〈Bundestag〉（2021年9月の連邦議会選挙後は736人：比例代表制ゆえに，選挙結果に応じて変動する）と連邦参議院〈Bundesrat〉（議員数69名）の二院から構成されている。連邦議会の議員は，選挙区制と比例代表制の2つの方式で4年毎に選挙され，ナチスが政権を取る前のワイマール時代の小党分立による議会政治の機能麻痺の教訓から，「5％条項」が設けられている。それにより，原則として全国的に5％以上の得票率を獲得しないと，政党は議員を送り出せないようになっている。2021年9月の選挙の結果，キリスト教民主／社会同盟〈CDU/CSU〉，社会民主党〈SPD〉，ドイツの選択肢党〈AfD〉，自由民主党〈FDP〉，緑の党〈Grüne〉，左翼党〈Linke〉の6つ（7つ）の

政党が，連邦議会に議員を送り出している。この連邦議会で多数を占める政党または連立政党から連邦首相〈Bundeskanzler〉が選ばれ内閣を組織する。連邦参議院は，16の連邦州の州政府の代表者から構成されており，ここを通じて，連邦州の利害が，連邦レベルの政局運営に反映される仕組みになっている。

　原則として，在独日系企業に密接に関係してくる税法，会社法，商法等のビジネスに関連する法律案，法律改正案も，他の一般的な法律案と同様に，まずは連邦議会で審議に掛けられ，可決されて連邦参議院に送られる。連邦議会の可決なしで法律が作られることはないが，大まかに言って，連邦議会の可決に加えて，連邦参議院の可決が絶対不可欠な法律と，連邦参議院が否決しても，連邦議会で再度可決されれば施行できる法律の2種類がある。在独日系企業のビジネスに最も関係する税法は，税務行政が連邦州の管轄であることから，連邦参議院の可決が不可欠な法律となっている。

# 3　ドイツ社会

## 1　1968年学生運動

　ドイツの社会は，1968年学生運動を境にして大きく変わったと言われている。正確を期すならば，分断されていた当時の西ドイツ地域においてだけの話であるが，1967年から1968年にかけて，西ドイツ全土で学生運動の嵐が吹き荒れた。大学生が中心で，政府の大学行政の改革を求める運動が大きな要求の1つではあった。しかし，高校生以下の学校生徒等もその運動に参加し，米ソ対立の冷戦構造の中で，資本主義陣営へ深く組み込まれていた西ドイツの政治体制の改革をも目指していた。また，家庭内では20歳前後の子供による両親世代の批判という側面もあった。当時1968年前後の学生，若者は，その両親の世代に対して，すなわち，ナチス時代（1933年〜1945年）に青春時代を過ごし，1950年代，60年代のドイツの戦後経済復興，高度経済成長期の担い手として，物質的豊かさを享受し始めていた世代に対して，「親父，お袋は，ナチスの時代に何をしていたの？　何も抵抗しなかったの？」という問いかけを突き付けていたのである。その意味で，既成体制に対する若者の反乱・反権威主義的運動というべきであろう。

　その一つの高揚期の1967年6月2日には，当時のイラン国王であったパーレビ夫妻の訪独に反対する学生デモ隊の中の学生ベンノ・オーネゾルクが，警官隊のある1人が突発的に拳銃を発砲したことで，殺害されるという事件まで起こった。発

砲した警察官カール＝ハインツ・クラスには，その事件後の裁判で，無罪判決が言い渡された。しかしながら，2009年5月になって，彼が当時の東ドイツ国家秘密警察シュタージの臨時職員であったことが確認された。そして，この死傷事件の背後には，共産主義陣営の一員として対立していた東ドイツ側の陰謀があったのではないかという疑惑が浮上してきている。すなわち，東ドイツの国家秘密警察が，資本主義側陣営の西ドイツの社会を混乱させるために，スパイを送り込んだのではないかというものである。これはまったくの推測の域を出ないものであるが，事件から50年余り経ち，再度，当該事件がマスコミの脚光を浴びることになった。

　ドイツの1968年学生運動は，チェコスロヴァキアのプラハの春（1968年）や中国の文化大革命（1966年開始），アメリカのベトナム戦争反対を背景にしたアメリカやフランスでの学生運動，あるいは，日本の70年安保をめぐる学園紛争等と共に，「先進工業国における第2次世界大戦後の既成体制に対する反体制運動」とまとめて括ることもあながち間違いではない。しかし，ナチス体制という歴史を持つドイツの場合，1968年学生運動は，他の先進工業国にはない特殊な側面を有している。誤解を恐れずに言えば，1968年学生運動によって初めて，ドイツ社会，経済制度は，戦後を迎えたのであり，ナチス体制と最終的に訣別できたということである。革命とか終戦，敗戦とかいうと，その前後で，政治体制，経済制度，社会生活における大きな断続があったのではないかと思いがちである。しかしながら，そのような断続としての革命，終戦，敗戦ということも歴史上数多く見られるものの，革命，敗戦，終戦にもかかわらず，それ以前の政治体制，経済制度，社会生活が連続しているケースも少なくはない。ドイツの場合で言うと，1945年から46年にかけてのニュールンベルク裁判により，ナチス幹部の多くは死刑に処されて政治の舞台から消えた。そして，東西の分裂はあったが，東西ドイツとも新しい憲法のもと1949年に「新生ドイツ」はスタートしたのである。その意味で，1945年の第2次世界大戦の終了によるナチス体制の崩壊は断絶であり，政治システムという面において，概ね非ナチ化は貫徹されたと言える。

## 2　1945年前後の連続性
### ―アウトバーンの建設とドイツ工業生産力水準―

　他方で，ナチス期（1933年～1945年）にその本格的な建設が開始されたアウトバーンが，「ドイツ経済の奇跡の復興」と共に，1950年代から1960年代，70年代にかけて，ほぼ現在の密度を有するネットワークの基礎が築かれたというような，

1945年以前と1945年以後の社会制度等における連続的側面の具体例は，すぐにでもいくつか挙げることができる。また，この関係において，1950年代から60年代にかけてのドイツ経済の奇跡の復興という場合でも，以前から様々な経済史専門家によって主張されている注目すべきコメントがある。すなわち，工業生産力水準で見ていくと，1939年を100とした場合，1945年は80くらいだったとか，あるいは，1945年の水準は，戦争にもかかわわらず，若干ではあるにせよ第2次世界大戦前の水準を凌いでいたという推計値である。ちなみに，日本についてこれに対応する推定値としては，「戦前を100とした場合，戦後直後は10」というものがある。工業生産力水準が維持されていたところで，資源小国のドイツにとっては，戦争により資源入手の手立てが断たれていた以上，そして，労働力を戦争のために兵士として戦線に向かわせなくてはならなかったことから，少なくとも第2次世界大戦期においては「役に立たない武器」となっていたのかもしれない。いずれにせよ，19世紀後半の近代的工業化により世界的な経済大国となり，それ以降も，工業生産設備のストックを着実に蓄積したドイツが，1933年から1945年までのナチス期，とりわけ，最後の第2次世界大戦期に，その蓄積を連合国側からの爆撃等によりまったく破壊されてしまい，戦後に「まったくのゼロ」から始めて，奇跡の経済復興を遂げたというイメージではないことは確かなことのようである。第2次世界大戦期における停滞または若干の後退はあったとしても，この工業生産力水準の話も，ナチス期から1950年代，60年代への連続的側面としてみなし得るであろう。

## 3　1968年学生運動後のドイツ社会
### (1)　ドイツ外交政策の転換

　1968年という1年それだけが1945年のような大きな歴史的時代区分の指標あるいは歴史的節目になるというのではない。あくまで1968年前後ということである。政治の面での変化ということを重視する人は，1966年の2大国民政党であるキリスト教民主／社会同盟と社会民主党との大連立内閣の成立，あるいは，1969年の社会民主党，自由民主党の左派，中道連立内閣の成立を重要な画期としてみなす。また，その外交面での変化を重視する人は，ブラント首相のいわゆる東方外交政策の開始を意味するワルシャワ条約（西ドイツ・ポーランド間の関係正常化のための条約）の12月における調印（正確を期すならば，8月にモスクワ条約がある）に画期を見出すかもしれない。あるいは，その調印のためのワルシャワ訪問に際して，ブラント首相がユダヤ人ゲットー蜂起の記念碑前で跪いてみせた1970年を重要視

するかもしれない。何に焦点を当てるかにより，1968年の意義付けは，当然変わってくるのであるが，この前後にドイツ戦後社会の大きな歴史的節目があったという点が重要である。このブラント首相の東方外交政策は，米ソ対立の冷戦構造の中で，引き続きアメリカとの関係を保ちつつも，そして，東ドイツとの関係改善を前提にした上で，当時同様になおソ連の支配下にあり，かつてはナチス・ドイツが第2次世界大戦で占領，蹂躙した国でもあるポーランド，チェコスロヴァキア，ハンガリーという，西ドイツの隣国あるいはソ連自体との関係を，独自のイニシアティブで改善していこうというものであった。この外交政策の基本線は，1982年のコール首相の下での「キリスト教民主／社会同盟と自由民主党との保守，中道連立内閣」への政権交代においても，原則的に変更されることがなかった。そしてそれは，1990年の東西ドイツ再統一，2004年，2007年，2013年の旧東欧諸国のEU（欧州連合）への新規加入の伏線になっていたと言える。このようなドイツの1968年学生運動後のドイツの外交政策の転換を，日本の置かれている状況に喩えていうならば，アメリカとの関係を良好に保ちつつも，とりわけ中国・韓国・北朝鮮という国と，日本独自のイニシアティブで関係の改善を図る外交政策に転換するということを想像すればいいのではないであろうか。

## (2) 社会風俗の変化

　政治システム・政治制度面での非ナチ化という意味で，第2次世界大戦が終了した1945年は，確かに重要な時期区分ではある。しかしながら，それ以外の，とりわけドイツ人の社会生活上のメンタリティといった側面では，ドイツ社会は，1945年以後のかなりの間，なお権威主義的，ヒエラルヒー的メンタリティに刻印されたナチス期のものを引き摺っていたといえる。ドイツ社会は，1968年前後になって初めてナチス期を本当の意味で「清算」することができたのではないかということである。

　ドイツ語の2人称には，フランス語の場合とほぼ同じように，丁寧ではあるが一定の距離を置いた関係の場合に使われる「Sie」（日本語には「あなた」と訳されることが多い）と，家族の間とか恋人関係あるいは親しい友人関係の人の間で使われる「du」（日本語には「きみ」，「おまえ」と訳されることが多い）の2つがある。大人の2人の男女は，知り合った当初は「Sie」で話しかけるのであるが，ある一線を越えると「du」で話しかけるようになる，といったことがよく話題にされる。ところが，今のドイツの学生の間では，知り合った時から男女の如何，先輩後輩を問わず，すぐに「du」で話しかけるし，その慣習は職場の世界にも侵入し始めているよ

うである。もちろん，すべてがそうだという訳ではないが，上司・部下の関係の間でも「du」での会話が見られる。このような言葉の面でのヒエラルヒー構造の瓦解の1つとも言える変化は，元をたどれば1968年前後あるいはそれ以後に始まったものである。

　また，現在のドイツのテレビを見ていると，深夜の時間帯ではないごく普通の夕方，夜の時間帯のドラマにトップレスの女性が映し出されることがあってもまったく騒がれない（そのようなテレビドラマがいつも放映されているという意味ではない）。日本の感覚であればポルノ雑誌ではないかと思われるような表紙の雑誌（もちろんポルノ雑誌ではない）が，子供も目にするような街のキオスクや雑誌販売スタンドで公然と売られている。このような社会現象に対する価値的評価は別にして，そこで象徴的に見られるような性風俗面での解放は，概ね1968年前後に遡る。10代の少年，少女向けの雑誌であるBRAVOは，1969年に，「ゾマー博士〈Dr. Sommer〉シリーズ（少年，少女の性に対する悩みに対して，ゾマー博士が回答するという性教育啓蒙の欄）」の連載を開始した。多数のベストセラー，ドキュメンタリー映画，テレビの番組で数多くの読者，視聴者を魅了したオスヴァルト・コレ〈Oswalt Kolle〉の活動が始まったのも1970年前後に遡る。彼は，伝統的な価値観を体現する教会，批評家，教育関係者等からはモラルの堕落等の言葉で袋叩きに遭いながらも，大人あるいは夫婦の間のセックス関係をオープンに取り上げ，謂わば大人に対する性教育啓蒙活動を行っていた。

## 4　ドイツ人とは？

　日本人の特徴を簡潔，正確に表現できる日本人が何人いるであろうか？　自分たち自らのことであり，客観的に見ることが難しく，かなり限られた数の人しかいないのではないだろうか。では外国人ならば，日本人の特徴をより客観的に見れるかというと，必ずしもそうではない。付き合いのあった日本人との限られた個人的体験から，日本人はこうだと日本人一般に普遍化しているケースがほとんどである。人間は神様ではないのであるから，そのような個人的体験からの普遍化，一般化自体，何ら批判されるべき筋合いのものではないだろう。問題は聞く方がそれをどう受け止めるかという問題である。日本人がドイツ人の特徴を語る時も，まったく同じ問題が発生している。そして，とりわけドイツで生活している日本人の間では，「日本人はこういうところはしっかりしているけど，ドイツ人はどうしようもない」

といった会話が交わされる。しかしながら，日本のことをよく考えてみれば分かることであるが，日本の国内で，関東人と関西人の違いとか，九州の人と東北の人の違いとか，はたまた，県民性の違い，あるいは，世代間の人間性の違いといったことが議論されているのである。どうも，私も含めて，外国で生活すると人間は国粋主義的になってしまうようだ。それでも，そのような限られた個人的体験からの普遍化，一般化であることの誇りは免れ得ないことを踏まえつつ，敢えてまとめてみると以下のようになる。

## 1　ドイツ人に対する古典的イメージ

　ドイツ人に対する古典的なイメージは，「哲学・クラシック音楽の伝統を誇りとし，メカ（機械）に強く，勤勉でまじめに，合理的に働くが，法律・規律・秩序を重んじるところから，ある意味ではつきあいにくいところもある国民」ということになるのだろうか。八幡和郎氏の「アメリカもアジアも欧州に適わない」（祥伝社新書）という著書の中に，適する職業でもってヨーロッパの国の国民性を表す１つの小咄が紹介されている。「理想はイギリス人の会計係と，フランス人の料理人と，イタリア人のウエイターと，ドイツ人の警官で，最悪は，イギリス人の料理人と，フランス人の警官と，ドイツ人のウエイターと，イタリア人の会計係」というものである。法律が好きでそれを厳格に遵守することを善しとするドイツ人には，警官という職業は適しているが，無愛想でサービス精神に欠けるドイツ人にウエイターは適さないという訳である。この種の小咄あるいはブラックユーモアは，他の国民の国民性に対する侮辱を含んだきわどいものも含めて，他にも色々なものがあり，それを聞くたびに，「言い得て妙」と大体感心してしまうことが多い。また，ドイツ人のパーティ等でもこの種の話が場を盛り上げるためによく持ち出される。しかしながら，筆者個人としては，そのようなドイツ人，ドイツ社会に対する古典的イメージは，良くも悪くも，1968年までの典型的なドイツ人をベースにして形作られたものという印象を持っている。現在では，そのような古典的イメージに合致しないドイツ人がたくさんいるし，少なくとも1968年以降のドイツ人全体を十把一絡げに古典的イメージのステレオタイプで括ってしまうのは無理があろう。

## 2　1968年以後のドイツ人

　まずは勤勉なドイツ人という評価。勤勉というのは，２度のオイルショックを経た1980年前後，アメリカ経済が傾きかけて，そのアメリカに代わってその経済的

な強さを誇示し，世界経済の機関車と呼ばれていた日本とドイツの国民的レベルでの特徴として取り上げられていたものである。在独日系企業の駐在員，経営責任者としてドイツに赴任して来て，ドイツ人を雇用することの難しさに頭を抱えている方の中には，定時になるとすぐに帰宅し，休日出勤ということは到底考えられないし，1年に30日前後の有給休暇を遠慮なく消化するというのを目の当たりにして，そのような勤勉というイメージがそもそも不可解と考えられている方もいるかもしれない。それにもかかわらず，今でも，「ドイツ人は効率的に集中して働いて，たっぷり休暇を取っているんだ」とか，「他のヨーロッパの人々に比較したら，まだまだドイツ人はよく働くよ」とかいう表現で，まだ何とか部分的にではあれ擁護できないこともないような気がする。しかし，いずれにせよ，我々の先人，先輩方が，「ドイツ人は勤勉だ」と評価した時の（昔の）ドイツ人と，現代のドイツ人はやはり違うのであろう。

　筆者の記憶が正しければ，ドイツ文学者の小塩節氏の著者に紹介してあったのを読んだのだと思う。2つ目は，「子供と犬はドイツ人に躾（しつけ）させろ」というドイツの教育についての評価である。ひょっとしたら，犬に関しては，まだドイツ人は本当にうまく躾てくれるかもしれない。しかし，子供の教育はちょっと危機的な状況にあると言える。私が個人的に付き合いのあるドイツ人は，幸いにも，結構旨くいっているケースが多い。しかし，その回りの事例や，学校教師をしている知り合いのドイツ人から聞く学校サイドから見たドイツの家庭問題の話，テレビや新聞等のマスコミで報道される情報等に接していると，惨憺たる気持ちになる。そんなことを言ったら，日本はどうなんだということになるし，そういうドイツの状況の中でも（あるいは，そういう日本の中でも），すばらしい子供，人間は育っているわけであるから，ドイツ生活が長いからといって，そこまでドイツの社会問題に感化，影響されて，暗い気持ちになる必要はないのかもしれない。しかし，犬の躾教育は，ドイツ経済をこれまで支えてきた機械製造業に代わるドイツの将来の輸出産業になる可能性を秘めているのかもしれないが，子供の教育については，無理かもしれない。

　個人的体験に基づく一面的な見方という誇りを免れ得ないが，「他のヨーロッパの国民よりはまだ秩序を重んじ，1968年以降の民主主義教育の影響で，民主主義はしっかり板についたが，その余りに，日本人には自己主張が強すぎると映り，また，合理的であることを尊び過ぎることから，サービス精神を欠き，相変わらずウエイターには適さないが，生活を楽しむことをしっかり学び始めた国民」とでもま

とめられようか。

### ③ 少数民族問題と外国人問題

　日本人駐在員，その家族，そして日本人の現地スタッフも，ドイツでは外国人である。外国人問題は，ドイツでの生活に密接に関わってくるところがあることから，少し詳細に解説しておきたい。

#### （1）少数民族問題

　共通性もあるのであるが，通常，少数民族問題と外国人問題は分けて考えられている。ドイツにおいて少数民族問題がマスコミ等で大きく取り上げられることはほとんどないが，少数民族がいないわけではない。1つ目は，ドイツの最も北でデンマークと国境を接している連邦州であるシュレスヴィッヒ・ホルシュタイン州におけるデンマーク人である。その国境付近にドイツ国籍を有しているデンマーク人が約50,000人ほど居住している。さらに，これはもう外国人問題ということになるのだが，約6,000人のデンマーク国籍を有したデンマーク人が居住しているという。ドイツ国籍を有したデンマーク人（少数民族）には，それが結成している政党に対して，シュレスヴィッヒ・ホルシュタイン州の州議会選挙において特別待遇が保障されている。すなわち，5％条項（議会選挙において総得票率で5％に満たない場合は議席が与えられないという小党乱立を防止するための規定）を免除するという形で，シュレスヴィッヒ・ホルシュタイン州の政局運営に影響を行使し得る道を確保している。2つ目は，旧東ドイツ地域のザクセン州とブランデンブルク州のポーランド国境に隣接する地域に居住するソルブ人である。ソルブ人はスラブ系の民族で，人口は20,000～30,000人，あるいは60,000人という推定もある。ドイツ語を話すと同時に，スラブ語系の土着語であるソルブ語がまだ話されている。そのソルブ語は，2つに分けられるが，それぞれポーランド語ならびにチェコ語に近接している。ソルブ人居住地域では，例えば道路標識がドイツ語とソルブ語の二重表記になっている。ソルブ人は，東ドイツ時代から少数民族として認知され，東西ドイツの統一後もそのステータスは引き継がれている。

#### （2）外国人の数

　ドイツに居住する外国人（外国の旅券を持ちドイツに長期的に居住している人）は，約1,061万人となっており，ドイツの総人口の約12.9％を占めている（2021年）。その1,061万人のうち約13.8％（146万人）はトルコ人であり，ポーランド人（8.2％：87万人），シリア人（8.2％：87万人），ルーマニア人（7.9％：84万人），イタ

リア人（6.1％：65万人），クロアチア人（4.1％：44万人），ブルガリア人（3.9％：41万人），ギリシャ人（3.4％：36万人）と続いている。過去においては，もっと厳格であったが，現在では，国の方針として，原則として8年間（短縮の可能性有り）正規の形でドイツ滞在している外国人にはドイツ国籍の取得を認めているために，ドイツ国籍を有しているが，元々は外国の出身である者（Deutsche mit Migrationshintergrund）も数多く居住している。そのような人々を含めると，ドイツの総人口の約27.5％（約2,265万人）は外国系という統計がある（同様に2021年）。EU加盟国出身者が3分の1を占めるが，国別に見た場合の多数派は，トルコ系が約280万人，ポーランド系が220万人，ロシア系が131万人，ルーマニア系が102万人，イタリア系が93万人である。

### (3) 旧ドイツ領・ドイツ人移住地域からの後期帰還者

　ドイツ国籍を取得しているかどうかは問わず，多数派の外国出身のドイツ居住者がどのような理由でドイツに来たかということを見ると，大きく言って2つに分けられる。1つは，旧ソ連地域ならびに旧東欧諸国にいたドイツ人を祖先に持つ人々である。日本でその時期の歴史が正確に伝えられることはあまりないと思われる。今のドイツ人の祖先達は，とりわけ12世紀以降，今の東欧地域，それどころかロシア（とりわけ18世紀以降）へも移民活動を活発に行い，各所にドイツ人地域を形成していた。ドイツという国が1871年にビスマルクのもとで近代国家として統一され誕生したとき，それらのドイツ人地域の一部は，ドイツが領土面積の上で最大の版図を誇った時のドイツ領となっていた（ヒトラーがチェコとオーストリアを一時的に占領していた時は除く）。第1次世界大戦，第2次世界大戦の敗北により，19世紀の最大版図時の3分の1の領土を失い，そのドイツから失われた地域の多くはポーランド領となった（東西プロイセン地方，ポーゼン地方，ポンメルン地方，シュレージエン地方）。また，19世紀の最大版図時にドイツの領土とはならなかった「ドイツ人地域」としては，ルーマニアのトランシルヴァニア地方，チェコのズデーデン地方（ヒトラーに一時的に占領されてはいる），後は，旧ソ連の中のボルガ川流域地域等が有名である。第2次世界大戦直後，旧ドイツ領ならびにドイツ人地域からの西ドイツ地域における迫害逃避者が，約1,200万人以上に上った。そのような人々が1950年代のドイツ経済復興，高度経済成長の労働力となったと言われている。とりわけ西ドイツは，その後においても，旧ドイツ領あるいはドイツ人地域からの移住者を積極的に受け入れていた。彼らは，法律上あくまでドイツ人であり，ドイツ系祖先を有することが何らかの形で証明される限りにおいて，原則と

してドイツ政府は無条件にドイツ国籍を与えている(「後期帰還者〈Spätaussiedler〉」)。そして1991年のソ連の崩壊以後,旧ソ連領からの後期帰還者がかなりの数に上っている。

### (4) 招聘労働者

　もう1つは,労働力移民者である。1950年代になって,西ドイツは,アメリカのマーシャルプラン(欧州復興のための経済援助プラン)の効果もあり,敗戦直後の1,200万人を超える迫害逃避者の雇用問題は解決した。それどころか,高度経済成長は継続し,逆に労働力不足の兆候が出始めた。それを解決するために,数としては僅かであったが,既に1950年代に近隣諸国において,国家的な政策として,ドイツに労働者として働きに来る人の募集活動を開始した。イタリア,スペイン,旧ユーゴスラビア,ギリシャからの移民が招聘された。西ドイツが完全雇用を達成した1960年からは,トルコならびにポルトガルにおいても労働力移民を募集し,その規模も大々的になり,チュニジアやモロッコといった北アフリカ諸国でも,募集活動が行われている。募集活動について,ドイツ政府が深く関与していることは確かであるが,最近では,自国の失業問題の解決,西ドイツとの経常収支における赤字の補填という観点から,そのイニシアティブを取っていたのは派遣元の国々であったという研究が公表されている。この募集活動は,1973年に停止されている。

　西ドイツほどではなかったものの,東ドイツでも同じように,外国からの移民労働力を受け入れており,基本的に社会主義国の出身者で,特にベトナムからの移民労働力が最も多かった。そのような労働力移民として招聘された人々は,東西ドイツを問わず,炭鉱業・鉄鋼業・自動車産業等の流れ作業,単純労働者として仕事をしていたケースが多い。このような「労働力移民者」のことを,西ドイツでは「招聘労働者〈Gastarbeiter:ガストアルバイターと発音〉」と呼んでいる(「Gast」はお客の意味で,いずれ祖国に帰るということが想定されていた)。但し,この表現は,「単純労働を行う外国人」という差別的な意味合いが含まれており,外国人労働者といった別の呼び方をすべきではないかといった議論が活発に行われたり,実際に職場やその子女の学校における差別問題等が取り上げられた。1985年に出版されたギュンター・ヴァルラフの「最底辺〈Ganz unten〉」(日本語訳も出版)は,ドイツ人ジャーナリストである著者自身が,目の色を変えるためにコンタクトレンズをし,トルコ人の風貌に変装して,トルコ人招聘労働者として差別を実際に体験して書いた本で,大きな話題・波紋を呼んだ。そのような労働力移民あるいはその第2世代,第3世代が,現代ドイツにおける外国人問題の一翼を構成している。

## (5) 1990年代の難民問題

　人種・民族・宗教・政治上の理由から祖国を追われて外国に移住する人々は「難民」と呼ばれている。第2次世界大戦期を中心にナチスに追われたドイツ人が，政治的難民として近隣ヨーロッパ諸国，アメリカ等において庇護，保護を受けた。その教訓から，1949年に成立した西ドイツ基本法（憲法）第16条第2項は難民の保護を謳っていた。この基本法旧第16条第2項は，「政治的に追われた者は庇護を享受する」という極めて簡単な文章であった。極端に言うと，この基本法の規定のもとでは，世界中の難民すべてが西ドイツに押し寄せてきても，西ドイツ政府は拒むことができないというものであった。当然のことながら，1990年のドイツ再統一においても変更されることなく引き継がれた。この理想主義的な規定は，ナチスドイツに対する良心の呵責の表現であり，ポジティブな意味で，ナチスの呪縛に囚われていたものとみなすことができるかもしれない。但し，上述のように，1973年まで西ドイツは，高度経済成長ゆえに労働力移民者を大量に受け入れていた。そのため，ドイツで働きたい，住みたい人にとって，難民としての受入れを申請してドイツに入国する，ドイツ国籍を取得するという必要性はなかったと言える。しかし，1980年代から，西ドイツにおける失業率の上昇に比例するように，難民の申請者が徐々に増え始めた。とりわけ，ユーゴスラビア内戦勃発前後の1990年～1992年の3年間に約900,000人もの難民申請者が押し寄せた。それを契機にして，難民の大量受入れの可否を巡る議論が議会内外で活発になった。旧東ドイツのロストックやメリンといった都市においては，若年失業者が，その不満の捌け口を外国人に向け，外国人排除を唱える右翼過激派：ネオナチに走り，外国人襲撃事件を起こすということが発生した。彼らは，「ドイツ再統一の経済的皺寄せ」（競争力を失った旧東ドイツ企業の閉鎖，倒産による社会問題）を甘受しなくてはいけなかった人たちである。また，そのような外国人排除の動きに対して，それに反対する人たちの市民運動デモが繰り広げられるという，騒然とした状況になった。そのような状況を背景にして，1993年に基本法の改正が行われた。難民保護の条項は新たに導入された第16a条において規定され，様々な前提条件が追加的に導入された。それにより，受入数の上限が明確に規定されたわけではなかったが，ドイツ連邦政府は，出身国の状況確認等を通じて，ある程度まで実質的に難民受入れの制限，コントロールができるようになった。ユーゴスラビア内戦も終息したこともあり，実際に1990年代後半には，難民申請者数は一年当たり11万件から15万件前後を推移していた。そして，2010年前後には，年間2～3万件前後となっていた。アフガニス

タン，イラン，シリア，アフリカ諸国等からの申請，受入れが多かった。

## (6) 2015年前後以降の難民問題

　そのような過去の歴史的推移を経て，2013年には，アフリカの複数の国における政治的問題の先鋭化，シリア内戦の激化，イスラム国家（IS）の抬頭等の理由から，再度ドイツにおける難民申請者数は1年間で10万人を超えるに至った。そして，クライマックスは2015年であり，その1年間で約90万人の難民がドイツに入国したと言われている。2015年の難民申請件数は約48万件，2016年のそれは約75万件であった。難民として入国して直ちに難民申請ができるわけではないので，そこには時差がある。いずれにせよ，そのようなドイツへの難民の大量流入は，1990年代初めのユーゴスラビア内戦時の難民流入より大規模なものであり（当時は，1990年〜1992年の3年間で90万人），大きな政治的，社会的問題となった。「2015年以後のヨーロッパ難民危機」と呼ばれているものである。ドイツだけの問題ではなく，ヨーロッパ（EU）全体の問題であった。

　人道的理由（場合によっては経済的理由）から，ドイツ政府もドイツ社会も，難民受け入れに関して，概ね歓迎のスタンスを取っていた。他方で，一部の極右過激派による難民収容施設の放火，襲撃等の事件が同時的に発生していたことも事実である。ドイツ社会全体として，難民問題が社会的脅威と見なされるようになった契機となる事件がいくつかある。ドイツでは，大晦日に大きな広場や公園に集まり，花火を打ち上げて新年を祝うのが慣例である。2015年の大晦日に数万人の人が集まりごった返していたケルン大聖堂広場で，約1,000名のアラブ人，北アフリカ人を中心とした外国人により，そこに居合わせた女性に対する集団的な性的暴行（強姦），強盗事件が発生した。直後に900件前後の警察への被害届が出された。難民収容施設に収容されていた難民申請者もその中にいたと言われている。また，2016年12月19日に多数の人出で賑わうベルリンのクリスマス市の人混みの中に，貨物トラックで突入し，11人の死者，50人以上の負傷者が出たテロ事件が発生した。犯人のアニス・アムリは，イスラム過激派の一員として，それ以前にイタリア，ドイツにおいて何度も暴行傷害事件を起こしており，本来出身国チュニジアに強制送還されるべき外国人だったという。多重に難民申請を行い，各種の社会的給付を不正受給していたことも明らかになった。このような事件は，これら2つに限らないのであるが，難民受け入れに関する当局側の体制の不備や警察当局の警備体制，情報管理の不備等の問題も露呈させることになった。これらの事件で，ドイツが一挙に外国人（難民）の受入拒否，外国人排斥に方向転換してしまったというわけでは

ない。しかしながら，2017年9月の連邦議会選挙における極右政党：ドイツの選択肢党（AfD）の躍進に見られるように，2015年の一年間で90万人を受け入れていた時のようにはいかないということは，社会的コンセンサスとなっていると言えるであろう。

## （7） 外国人の不法就労

　難民問題とは別に，外国人に関係してくる問題として忘れてはならないもう1つの問題に，外国人による不法就労が挙げられる。税金や社会保険料を納付せずに仕事をすることを「闇労働〈Schwarzarbeit〉」（逐語訳では黒い労働）というが，その跋扈はドイツにおける社会・経済問題である。その取締り施策が色々取られているにもかかわらず，相変わらず後を絶たない。この闇労働の跋扈は，別に外国人の間に限られたことではなく，ドイツ人を含むドイツ社会全体の問題である。とりわけ建設業，清掃業，レストラン飲食業，理容業，そして日本で言えば職人さんが営むその他の業種に多く見られるものである。とりわけ外国人の場合，建設業や農業の季節作業（アスパラガスやイチゴ等の収穫）において，闇労働に加えて不法就労者（滞在，労働許可なしの就労者）として雇用されていることが問題になっている。当局による一斉摘発が行われ，その成果がマスコミで報道されたりしている。他方で，例えばドイツの春の旬の料理である白アスパラガスは，4月初めから6月上旬までの約2ヵ月間，レストラン，家庭の食卓に欠くことのできないものである。闇労働か正規の就労かはともかく，その収穫作業にポーランド等からの季節労働者（直近は，ルーマニア，ブルガリア等が中心）が大量に雇用され，極めて過酷な作業に従事している。以前に比較して少なくなったとはいえ，ドイツにも失業者がいるのだからということで，雇用斡旋の管轄当局である労働局（日本の職安［ハローワーク］に相当）が，ドイツ人失業者をそのような農家に斡旋するプロジェクトを行った。しかし，重労働に数日で根を上げる人が続出して，農家の方からもう結構ですと言われたというルポルタージュ番組が複数のテレビ局から報道された。このエピソードに見られるように，正規就労か不法就労の問題はあるものの，ドイツ人が嫌う，やりたがらない（場合によっては，やれない）仕事を，外国人労働者が担っている側面があることには留意する必要があろう。とはいえ，闇労働ならびに不法就労がドイツの税収，社会保険料収入にマイナスになっていることも確かであり，その面での当局の取締りが厳しいことも理解する必要がある。

## （8） 現在の外国人問題の核心

　後期帰還者は公式的には外国人ではない。また，招聘労働者や難民の場合でも，

ドイツ国籍を取得した時点で外国人ではなくなる。しかしながら,「ドイツに居住する外国出身者の問題」という形で広く捉えた場合,まず,1980年代に広く問題にされた招聘労働者に対する職場での直接的な差別等がなくなったわけではない。そして,外国人排斥を声高に叫ぶ一部の過激派右翼:ネオナチによる外国人に対する暴力問題がなお後を絶たないことも確かである。しかし,より深刻な問題は,言葉（ドイツ語）の問題,宗教上の問題等により,本人ならびにその家族,子女,孫がドイツ社会で孤立してしまっていることである。とりわけ子女は,ドイツで生まれたにもかかわらず,不十分なドイツ語のために,よい教育のチャンスに恵まれず,それが原因でよい仕事に就くことができず,失業者ならびに生活保護受給者に陥ってしまい,より一層ドイツ社会から孤立していくという事例も多い。それに対して10年以上も前から,ドイツで生活することになった外国人へのドイツ語教育の拡充,整備（ほぼ無料に近いドイツ語コースへの参加）,第2世代,第3世代の人への学校教育の場での支援プログラム等の形で,ドイツ社会への外国人,外国出身者の融合施策を強化している。また,このプログラムは,2015年からのヨーロッパ難民危機により,大量流入してきている外国人に対しても同様に適用されている。

## (9) 外国人としての日本人

在独日系企業に勤務する日本人駐在員あるいは現地採用の日本人スタッフは,フランス人,オランダ人,ベルギー人等の西ヨーロッパ諸国あるいはアメリカからのビジネスマンあるいはその家族と同様に,社会的には労働力移民者あるいは難民と同列に扱われることはない。それどころか,滞在許可証（労働許可証）の申請,取得を,ドイツ入国後にできるというところに見られるように,他の外国人に比較してかなり特別扱いされている。そして,デュッセルドルフ地区のように,日系企業の同地の経済に与える影響が大きいという観点から,日系企業に勤務する日本人（駐在員か現地採用スタッフかを問わない）には,即時に滞在許可証（労働許可証）を交付するという超特別待遇がなされているケースもある。他方で,上記で述べたような外国人問題を背景にして,日本人も外国人一般として処遇（冷遇）されて,不愉快な思いをせざるを得ないことも確かである。基本的に,ドイツ政府は,少子化・人口減少の危惧という観点から,外国人が移住してくることを積極的に歓迎している。人口の5人に1人が外国人,外国出身者という社会において,ドイツの当局も様々な社会的軋轢が発生し,一部のドイツ人同様に,一部の外国人が,ドイツがこれまでに培ってきた社会保障ネットワークに安住している,それを濫用していることに対して,厳格に取り締まらなくてはならないという政治的プレッシャーに

晒されていることも確かである。外国人問題に関しては，難民問題も含めた色々な意味において，ドイツも試行錯誤段階にあることをしっかり理解することが重要であろう。

# II 外国企業にとってのドイツの投資環境

　現在のドイツは，国土面積においては，フランス，スペイン，スウェーデンに次いでEU（欧州連合）内第4位の広さである。そして，人口約8,324万人（2022年：EU（欧州連合）第1位）を擁し，国内総生産〈GDP〉は4.3兆ドル（世界第4位：2022年）であり，EU（欧州連合）最大の経済大国である。株式上場されているドイツの会社の株式に投資するという株式投資の意味ではなく，ドイツの会社と取引関係に入る，ドイツに会社を設立してビジネスを営むという意味での投資を取り巻く環境に関して，外国企業にとってどうであるかを解説していきたい。まずは，在独日系企業の駐在員，現地スタッフあるいは日本本社でドイツビジネスをバックアップする者として知っておくべきという観点から，経済大国ドイツの経済の特徴を紹介しておきたい。

## 1　ドイツ経済の特徴

　日本と同様に，ドイツに対しても，地下資源・原材料等の大半を輸入して，自動車，工作機械，化学製品，重電機械，機器等の工業製品を生産して輸出する，資源小国ならびに加工貿易立国ということが言われる。全就業人口のうち，約75.2％は第3次産業に従事し，製造業等を中心とした第2次産業には約23.6％であり，第1次産業である農林漁業には約1％前後の人が従事しているに過ぎない。地下資源ということでは，褐炭，天然ガス，石油，塩化カリウム等の採掘，生産は，現在でもなお行われている。そして，とりわけ褐炭については，世界の産出量の約17％弱を占め，世界最大の産出国となっている。在独日系企業がドイツで最も集中しているデュッセルドルフ地域でも，オランダ，ベルギーとの国境に位置するアーヘンに向けて少し車で走ると，大規模な褐炭の露天掘りも見られ，火力発電のエネルギー源になっている。しかし，石油は98％，天然ガスは95％以上を輸入に頼っており，エネルギー需要の70％を輸入に頼る資源小国であることには変わりはない。特に，2022年2月のロシアによるウクライナ侵攻開始後，後述するようにドイツのロシ

アに対するエネルギー資源の従属性が大きくクローズアップされるようになった。

最近の傾向として，工業製品の原材料だけではなく，半製品，モジュール品，部品等をハンガリー，チェコ等のEU（欧州連合）の新規加盟国から輸入し，それをドイツの工場で完成品にしてMade in Germanyとして輸出している事実が指摘されている。よくあるケースは，1つのグループ企業間で行われているものである。例えば，ハンガリー生産子会社で半製品・モジュール段階まで生産し，それを陸路でドイツ本社工場まで輸送して完成品にするというビジネスモデルである。2004年のハンガリー，ポーランド等の10ヵ国の新規加盟，2007年のルーマニア，ブルガリアの新規加盟による「EU（欧州連合）加盟国内の地域分業の見直し（生産拠点の東へのシフト）」に関連する企業側の対応策として興味深い動きであろう。このような発展経緯を，経済学者ハンス・ヴェルナー・ジン〈Hans-Werner Sinn〉は，労働力の廉価なところでかなりの部品レベルまで生産し，最終組立工程だけはドイツで行い高級な工業製品として輸出する，すなわち，「できる限り安く買い叩き，できるだけ高く売りつける」という意味で，「バザー経済への発展」と呼んでいる。

## 1 輸出大国とバザー経済

ドイツも，輸出額が輸入額を大きく上回った貿易黒字を計上すると共に，ドルベースで算出された輸出の絶対額において，2003年にはアメリカを抜き去り，2006年までトップの座を維持した輸出大国である。また，貿易相手国を見ると，輸出については，アメリカ（2022年実績・以下同様：9.9%），フランス（7.4%），オランダ（7.0%），中国（6.8%），ポーランド（5.7%），オーストリア（5.6%），イタリア（5.6%），イギリス（4.7%），スイス（4.5%），ベルギー（3.9%）である。輸入元国を見ると，中国（2022年実績・以下同様：12.8%），オランダ（8.2%），アメリカ（6.1%），ポーランド（5.2%），イタリア（4.8%），フランス（4.7%），ノルウェー（4.2%），ベルギー（4.2%），チェコ（3.9%）である。1999年のユーロ導入以降，上位10か国の個々の国の順位は変わったり，別の国と入れ替わったりということはあるものの，そして，中国との貿易量が年々大きくなっているものの，圧倒的にEU（欧州連合）加盟国あるいはユーロ導入国との取引関係が大部分（平均的に合計して70%前後）を占めている。そして，16%前後がアジア，約12%が南北アメリカ大陸である。その結果，ユーロ高になった場合でも，その為替の影響は大きなものにならない構造になっている点は注目すべきである。また，ブレグジット（イギリスのEU離脱）との関係で，イギリスとの交易量が大幅に減少している。

品目別にみると，輸出については，自動車・自動車部品（2022年実績：15.6%），機械（同：13.3%），化学品（同：10.4%）がいわば「輸出品目御三家」である。これでドイツの輸出額の約39.3%を占め，その後に，鉄鋼・金属製品，電気機器，医薬品，食料品が続くが，基本的に工業製品である。同じく輸入品目構成を見ると，化学品，自動車・自動車部品，コンピュータ関連機器の3品目が各々約8～10%を占めている。その後に，石油・天然ガス・石炭，機械，鉄鋼・金属製品等が続いている。輸入品目構成において，確かに石油・天然ガスという地下資源の輸入が輸入総額の8%前後を占めてはいるものの，後はすべて工業製品であり，輸出品目と同じ品目が輸入されている点は，上述のバザー経済への発展との関連で注目すべきであり，とりわけEU（欧州連合）域内分業が拡大した結果としてみなすべきであろう。

### 2　エネルギー需要の外国依存

　ドイツのエネルギー需要の種類別の構成比は，2022年時点で，石油：35.2%，天然ガス：23.8%，石炭：9.8%，褐炭：10.0%，原子力：3.2%，再生可能エネルギー：17.2%となっており，相対的に分散した形になっていると言えるであろう。また，2011年の福島原発事故を契機としてエネルギー転換政策のもと，原子力エネルギー放棄の早期化と再生可能エネルギーへの代替が精力的に進められている。さらに，気候温暖化対策の観点から，石炭の生産は，2019年に幕が閉じられ，褐炭の生産も遅くとも2038年までに終了させられる予定である。褐炭は確かに現在でも世界最大の産出量を誇り，実際に火力発電所等の燃料源になっているものの，エネルギー需要の外国依存ということを覆すまでにはなっていない。そして，2022年2月のロシアのウクライナ侵攻により，エネルギー資源のロシア依存の問題が白日の下にさらされることになった。

　2022年の数値で見ると，石炭は100%，天然ガスは約95%，石油は約98%，ウランは100%輸入に頼っている。すなわち，国内エネルギー総需要の約70%は，外国からの輸入に依存している。最も需要の構成比が高い石油でいうと（2021年），輸入総額の最も大きいのがロシアからの輸入で約34.1%，アメリカから12.5%，カザフスタンから9.8%，ノルウェーからの輸入（北海油田）が約9.6%，イギリスからの輸入（北海油田）が約9.3%となっている。それ以外の輸入元国は，アゼルバイジャン，カザフスタンならびにナイジェリアであり，中東（シリア・サウジアラビア）からの輸入は数%に過ぎない。国別についても，かなり分散されていると言えるが，ロシアからのエネルギー輸入は，石油ばかりでなく石炭や天然ガスの輸入も

かなりの量に上り，ドイツの場合は，エネルギー面でのロシアへの従属性ということがよく問題にされる。ドイツでビジネスを営む際に，独露関係というものは常に注意を払うべきポイントであり，2022年以降，脱ロシア化が急ピッチで進められている。

## 3 中小企業・同族企業の大きな役割
### (1) ドイツにおける中小企業

　ドイツにおいても，自動車のダイムラーやフォルクスワーゲン，化学のバイエルやBASF，電機のシーメンス，ソフトウエアのSAPというように世界的に名が知られた大企業が数多く存在している。日本においての話であるが，過去において，1国の経済が発展してくると，生産性に劣る中小企業は生産性に勝る大企業の前に淘汰されて，いずれは消滅する運命にある，あるいは，中小企業の残存は，1国の経済の発展が中途半端な証拠であるかのごとく言われていた時期があった。筆者の学校時代は，そのように教えられたものである。現在では，1国の経済における大企業と中小企業の相互補完性ということが言われている。ドイツにおいても，中小企業はドイツ経済の屋台骨であると言われる。税法・商法／会社法の改正に際して，あるいは，産業政策の側面から，中小企業の保護・振興ということが声高に叫ばれ，実際にもそれは実行に移されている。

　但し，中小企業の定義については，EU（欧州連合）の定義（これは国家からの補助金給付等の際の基準値になっている），ドイツ商法上の定義（会計監査義務や財務データの開示のための基準値になっている）等色々なものがあり，必ずしも一義的なものではない。一番分かりやすいボンのドイツ中小企業研究所の基準では，従業員50人未満で売上10百万ユーロ以下の企業を小企業，従業員500人未満で売上50百万ユーロ以下の企業を中企業と定義している。付加価値税納付義務を負う企業総数の99.3％は中小企業であり，社会保険料納付義務を負う被用者（従業員）の約54.4％を中小企業が雇用し，ドイツ国内の売上の約33.7％は中小企業によって計上され，職業訓練生の約70.6％は中小企業において職業研修を積んでいると言われている（2020年のボン中小企業研究所のデータ）。ここで留意すべきは，ドイツでビジネスを展開している日系企業は，たとえ日本本社（企業グループとして）は大企業であっても，そのドイツの現地法人は，その規模からして，ドイツの中小企業として見なされる。その結果，優秀ではあるが大企業志向のドイツ人にとっては，就職先目標とはなり得ないこと，逆に，中小企業であるがゆえに，税法・商法・会

社法が設定している優遇措置の適用対象となるといったメリットを享受できるということは、ドイツにおいて会社経営に携わる場合に留意すべき点かもしれない。

## (2) 家族企業

　会社の規模、売上高等とは直接的には無関係に、会社の所有者、株主ならびにそれと経営者との関係の観点から、日本において、家族経営企業、同族企業あるいはオーナー企業ということがよく言われる。それに対して、ドイツでは、「家族企業〈Familienunternehmen〉」という表現がよく使われる。これは日本語で言うところの家族経営企業・同族企業・オーナー企業の3つをあわせた意味である。この家族企業が、ドイツ経済において重要な役割を担っていることがよく話題にされる。ちょっと古いデータであるため、あくまで大筋の方向性を把握するだけのためのものであるが、会社の数にしてドイツに存在する会社の約90％は、家族企業であり、売上高の約52％、そして雇用の58％は家族企業のものだという統計データが公表されている。また、家族企業の自己資本比率は16％と、他の一般企業の22％より低いものの、投下資本に対する利益率では、家族企業の方が高いという統計結果も出されている。

　ドイツの家族企業は、上述の中小企業と同義だと見なされる場合もある（日本語で言ったら家族経営企業というニュアンスであろうか）。他方で、ドイツで家族企業という場合に、株式市場に上場してドイツの株式40優良銘柄にリストアップされている日本でもよく知られた自動車メーカーのBMW（従業員：11.9万人、年間売上：1,112億ユーロ）やドイツ流通業界の最大手であるメトロ〈Metro〉・グループ（従業員：9.5万人、年間売上：298億ユーロ）もその中に含められるということは留意すべきであろう。自動車メーカーのBMWは、1982年に亡くなった当主ヘルベルト・クヴァントの未亡人ヨハンナ・クヴァント、その2人の子供のスーザンネ・クラッテン、ステファン・クヴァントの3人の株式を合計すると約47％となった。このクヴァント家がBMWの筆頭株主というわけである。正確にいうと、2015年にヨハンナ・クヴァント（母親）は亡くなった。しかし、その前に、彼女の株式は、2人の子供に贈与されていたとのことである。その意味で、その子供2人という意味でのクヴァント家が筆頭株主ということには変わりはない。3人（2人）のうち誰も経営には直接的にはタッチしていないが、スーザンネ・クラッテンとステファン・クヴァントの2人は、BMWの監査役会メンバーとなっている。

## (3) 隠れたチャンピオン

　また、株式市場に上場することなく、創業者・創業家が経営の実権を握っている、

あるいは，ある程度経営に関与している家族企業としては，ディスカウント・スーパーマーケット・チェーンのアルディ〈Aldi〉やリドル〈Lidl〉（当該企業のオーナーは毎年ドイツの長者番付けのベスト5にランクされている），ドラッグストア・チェーンであるDM，衣料品店チェーンのC&A，通信販売のオットー〈Otto〉，コーヒーメーカーのチーボ〈Tchibo〉と，日常生活に密着して街角でもよく見かける流通業界の企業に多い。また，民放，雑誌出版社等を数多く抱える欧州最大のメディア会社のベルテルスマン〈Bertelsmann〉（ドイツのテレビ民放最大手RTLを傘下においている），薬品会社のベーリンガー・インゲルハイム〈Boerhinger Ingelheim〉，食料品メーカーのエトカー〈Oetker〉，ベアリング，自動車部品製造メーカーのシェフラー〈Schaeffler〉・グループ等が有名である。

　以上のような上場，非上場を問わず，一般消費者にもよく社名が知られた家族企業の他にも，一般消費者にはまったく馴染みのない「隠れたチャンピオン」と呼ばれるべき家族企業あるいは中小企業が数多く存在している。とりわけドイツの輸出産業となっている自動車部品，工作機械製造業等の分野には，特定の製品領域において世界市場占有率ナンバー1あるいナンバー2で世界のトップ企業ではあるのだが，どちらかというと，オーナー社長のカリスマ的な経営で成長を遂げてきた会社が多い。このような家族企業あるいは中小企業の世代交代に際して，その家族，親族内に後継者を見つけられず，外資系の企業，投資家，ファンドも含めて外部の者に会社を譲渡するケースがよく見られる。すなわち，外部から見た場合にM&Aの対象となるケースである。また，家族内に後継者が見つかる場合でも，相続税の負担が大きくてスムースな承継がなされ得ないという問題が以前より経済界から指摘されていた。そのような家族企業，中小企業を維持することが雇用確保につながるとの観点から，過去20年程の間に，何度か相続・贈与税法の改革が実施されている。その度に，連邦憲法裁判所により違憲判決が下され，改正を繰り返している。問題点は，相続税負担なしの事業承継の場合，事業資産に優遇措置（税負担の免除・軽減）を講ずることになる。そうした場合，基本法（憲法）第3条の平等の原則に抵触することが問題にされる。最新の改革は，2016年であった。

## ４　高福祉のメリットと負担―ドイツ病？

　1国の経済に対して病気とか病人と言われたのは，「揺りかごから墓場まで」という高福祉が達成された1960年代のイギリスが最初ではなかったかと思う。社会福祉が充実して，社会的セーフティ・ネットがしっかりしたものになると，国民の

ハングリー精神が欠如してきて，モラルハザードの発生，勤労意欲の減退が起こり，そのセーフティ・ネットを濫用する者が出てきて，総体としてその国の経済の活力が削がれる，という社会経済的分析結果である。ドイツに対しても，特に1990年代の後半以降，「ドイツ病」とか「欧州の病人」ということが言われるようになった。他方で，それでもってドイツ病を完全に克服したということではないのであるが，2004年にシュレーダー政権のもとで，「福祉社会構造改革プログラム：アジェンダ2010」が実行に移された。それにより，各種の社会保障給付が削減されたり，医療費の自己負担が引き上げられたりという広範な福祉制度の改革が行われた。その功罪を巡っては，現在でも色々な意見があり，まだ一致した評価があるわけではない。しかしながら，その2004年の改革がドイツの社会福祉の行き過ぎに一定程度の歯止めをかけたこと，そしてリーマンショック，ユーロ危機を経て欧州で「一人勝ち」状況にあるドイツ経済再興の出発点となったことは確実に言えると考えられる。

## (1) 納税者記念日―重い負担

　2022年時点のデータにおいて，ドイツの勤労者，サラリーマンは，給与の「ほぼ半分近く」を所得税ならびに社会保険料として差し引かれて手取り給与を受け取る（独身者の場合）。このところは，2003年以前とは大きく変わってはいない。具体的な数字で見ると，勤労者，サラリーマンの平均月収と言われている月額4,105ユーロ（1ユーロ＝130円換算で534,000円）の給与を受け取る独身30歳のサラリーマンは，社会保険料（年金保険，健康保険，失業保険，介護保険）と所得税に合計で1,515ユーロを差し引かれ，最終的に手取り給与として手元に残るのは2,590ユーロである（2022年時点）。また，「納税者同盟〈Bund der Steuerzahler〉」という民間任意団体があり，税金徴収や税金の無駄遣いに対して監視の目を光らせている。その納税者同盟が毎年公表している興味深い納税者記念日〈Steuerzahlergedenktag〉（毎年異なる）というものがあり，2022年のそれは「7月13日」であった。サラリーマン，勤労者は，2022年にはこの「7月13日」からやっと自分の財布のために働けるようになった，すなわち，2022年1月1日から7月12日までは，税金や社会保険料を納付するためだけに働いていたということを意味している。上記で示した給与については，「ほぼ半分近く」（半分よりは少ない）を税金，社会保険料という名目で国家に納付するのに対して，納税者記念日の方は，半分以上を国家のために働いている計算になるのは，手取り給与で商品を購入した時に支払う付加価値税〈VAT〉（日本の消費税に相当）の負担が考慮されているからであろう。

## (2) 高い国からのリターン

　何はともあれ，このような高い負担は，当然のことながら国家からのリターンも高いことを意味している。医者にかかった場合，通常の医療サービスであれば，2003年までは初診料や自己負担もなく，健康保険ですべて賄われていた。2004年から2012年まで，初診料（10ユーロ：3ヵ月毎）の支払が義務付けられていた。また2004年からその他の自己負担額が増加したが，日本ほどではない。失業すると失業保険給付が受けられ，その受給期間は，保険料納付期間や年齢によっても異なるが，失業前最低1年間保険料を納付していれば6ヵ月間受給でき，高齢者で納付期間が長い人は24ヵ月間まで受給できる。月額4,105ユーロの給与をもらっている，さきほどの独身30歳のサラリーマン氏は，失業すると約1,580ユーロを最低6ヵ月にわたり受給できる。もし，その6ヵ月以内に仕事が見つからない場合，生活保護を受けることになるが，この彼の場合は，700～1,000ユーロとなり（住居費等の個人的事情によりかなり変動），これは原則として期限は限定されていない。

　また，国家からのリターンが高いことを示す基準値として，「公的財政支出の対国内総生産〈GDP〉比率」というものがある。以下の表は，ドイツと欧州主要国，そしてアメリカと日本のその比率の比較である。この公的財政支出には，生活保護支給額等も含む社会保障給付のみならず，各種の公的投資や公務員の人件費，そして補助金も含まれる。通常これが大きければ，経済活動における国家の役割が大きい高福祉の国と見なされる。これらのデータから読み取れることは，ドイツは高福祉国と言えるが，まだ北欧諸国あるいはフランス，イタリアのレベルよりは低く，2004年の「福祉社会構造改革プログラム：アジェンダ2010」により，その比率の引下げに成功したという点であろう。

〔公的財政支出の対国内総生産（GDP）に対する比率の各国比較（単位は％）〕

|  | 2000 | 2005 | 2010 | 2015 | 2016 | 2017 | 2018 | 2019 | 2020 | 2021 | 2022 |
|---|---|---|---|---|---|---|---|---|---|---|---|
| ドイツ | 47.8 | 46.8 | 48.1 | 44.1 | 44.4 | 44.2 | 44.5 | 45.2 | 52.2 | 50.0 | 48.5 |
| ベルギー | 49.4 | 51.9 | 53.9 | 53.7 | 53.1 | 52.0 | 52.2 | 52.1 | 61.4 | 56.9 | 55.8 |
| フィンランド | 47.9 | 49.0 | 53.9 | 56.5 | 55.6 | 53.7 | 53.4 | 53.3 | 59.6 | 57.1 | 55.3 |
| フランス | 51.7 | 53.3 | 56.9 | 56.8 | 56.7 | 56.5 | 55.7 | 55.6 | 53.1 | 59.9 | 57.4 |
| アイルランド | 30.9 | 33.4 | 65.1 | 29.3 | 28.2 | 26.3 | 25.6 | 24.5 | 30.6 | 29.9 | 26.8 |
| イタリア | 46.5 | 47.2 | 49.9 | 50.3 | 49.1 | 48.8 | 48.4 | 48.6 | 58.8 | 55.0 | 53.0 |
| ルクセンブルク | 37.9 | 43.9 | 44.2 | 41.9 | 40.9 | 42.1 | 42.2 | 42.2 | 50.8 | 47.5 | 47.5 |
| オランダ | 42.2 | 42.2 | 47.9 | 44.6 | 43.6 | 42.4 | 42.3 | 42.0 | 49.3 | 48.8 | 45.6 |
| オーストリア | 51.0 | 51.2 | 52.8 | 51.1 | 50.1 | 49.3 | 48.7 | 48.4 | 57.5 | 53.4 | 51.3 |
| スペイン | 39.1 | 38.5 | 46.0 | 43.9 | 42.4 | 41.2 | 41.7 | 42.1 | 53.3 | 49.8 | 48.2 |

| デンマーク | 52.7 | 51.2 | 56.7 | 54.5 | 52.5 | 50.5 | 50.5 | 49.2 | 56.5 | 53.3 | 52.2 |
| スウェーデン | 53.1 | 52.3 | 50.4 | 49.3 | 49.7 | 49.2 | 49.8 | 49.4 | 53.5 | 51.7 | 50.3 |
| イギリス | 35.4 | 41.3 | 47.3 | 42.3 | 41.5 | 41.3 | 41.1 | 41.1 | 51.2 | 46.9 | 45.4 |
| アメリカ | 34.3 | 37.0 | 43.2 | 37.9 | 38.2 | 37.9 | 37.8 | — | — | — | — |
| 日本 | — | 35.5 | 39.7 | 39.3 | 39.3 | 38.6 | 38.8 | 39.7 | 45.9 | 42.4 | 40.9 |

　ドイツにおける生活保護支給額は，家族形態等の各種の要因によりバラつきはある。そして，2004年の「福祉社会構造改革プログラム：アジェンダ2010」により減少してはいる。しかしながら，2015年に導入された一般法定最低賃金あるいはその他の業界で実際に支払われている賃金で働くと，生活保護支給額より，所得税，社会保険料差引き後の手取り額の方が低くなるという現象がまだ存在している。もちろん，高い社会保障給付だけが高福祉のすべてではない。安定した労働者の権利（解雇保護，従業員代表委員会制度），従業員の経営参加（狭義の共同決定制度），公的教育制度の充実（学校授業料無料，公立大学の低い授業料），社会インフラの充実（高速道路無料，公的文化施設の整備）等の要因を含めて包括的に考える必要がある。高福祉の問題を社会保障給付が高いか低いかに矮小化するのは適切ではないであろう。また以前は，どちらかというと「高福祉＝国民経済の成長率の鈍化（衰退）」という考え方が強かったと思われる。現在では，高福祉と経済成長を両立させている北欧諸国に対する評価がまた注目を浴びている（北欧モデルの見直し）。高福祉と経済成長との関係を単純なトレードオフの関係とは必ずしも見なさない考え方も有力になっている。
　他方で，ドイツにおける2004年の「福祉社会構造改革プログラム：アジェンダ2010」は，高福祉のレベルを引き下げて経済成長を図るという方向での改革であった。EU（欧州連合）のどちらかという小国に属する北欧諸国（デンマーク，スウェーデン，フィンランド）の国民経済モデルが，直ちにEU（欧州連合）の大国であるドイツ，イギリス，フランス，イタリア等にとってモデルとなり得るのかの議論も含めて，EU（欧州連合）の最大の経済大国ドイツのこの問題における対応，動向は大きな注目を集めている。また，ドイツはあくまで「EU（欧州連合）の中のドイツ」ということで直接的に比較できない側面もあるのだが，国の規模，経済発展段階，歴史的背景から，ドイツの経済は，日本の将来を考え具体的な政策を立案していく上で，比較対象とし最も参照にすべき国の1つであろう。

## 5　東西格差の存在

　現在でもドイツに東西格差があるということは，日本でも多くの人に知られている。とりわけ，ドイツ病とか欧州の病人とか言われていた1990年代半ば以降，日本のマスコミでは，その当時のドイツの経済不振と絡めて，1990年10月3日の東西ドイツ再統一により，旧西ドイツ経済は瀕死状態にあった旧東ドイツ経済を抱え込むことになり，統一後かなりの年数を経たにもかかわらず，一向に復興が進まず西側からの膨大な「所得移転（年間約850億ユーロ＝約11兆円）」に頼り切っている旧東ドイツ地域経済の重荷を背負って，ドイツ経済全体が呻吟している，というニュアンスで報道されることが多かった。「ドイツ病の東西ドイツ統一原因論」である。統一後10年経った2000年前後の比較において，労働生産性は旧西ドイツ地域を100とすれば旧東ドイツ地域は56くらいであった。その2000年前後の失業率は，ドイツ全体では10％前後であるが，旧西ドイツ地域では約8％，旧東ドイツ地域では約18％となっていた。それからさらに20年以上経った現在でも，東西の格差があるという意味ではそう大きくは変わっていない（旧西ドイツ地域：5.4％，旧東ドイツ地域：7.4％）。ベルリンの壁と東西ドイツの国境の壁は，東西冷戦の終焉のシンボルとして1990年10月3日に消滅したが，壁の崩壊から30年以上経た今も，経済の壁はなお厳然として存在しているという事実認識は間違いない。それでは，1990年のドイツ再統一前に旧西ドイツ経済が健康であったかというとそうではなく，1985年のプラザ合意以降，西ドイツ経済は，旧西ドイツマルクの切上げによる企業の輸出競争力の低下，高賃金体質の顕在化，高福祉による経済全体の不振等により，西ドイツ企業がその生産拠点を海外に移転するという産業の空洞化現象が本格的になり，ある意味で，経済構造問題を露呈して1990年前に既に西ドイツ経済はかなり病み始めていたと言える。

### (1)　統一特需による一時的回復

　そして，1990年の東西ドイツの再統一である。旧西ドイツ地域の企業にとってこれほど「おいしい話」はない。約1,600万人の人口を要する市場（旧東ドイツ地域）が棚から牡丹餅式に天から降ってきたのである。確かに販売，流通ネットワークを拡充，整備する必要はあったが，アフリカの奥地に行って高度な工業製品のマーケティングをするわけではない。それに加えて，東西ドイツの壁があった時から旧西ドイツの工業製品は東ドイツ市民にとって垂涎の的であった。その意味でブランド確立のための特別の宣伝キャンペーンも必要なかったであろう。しかも，経済面の実態から見て旧東ドイツ経済を過大評価した「旧西ドイツマルク：旧東ドイツ

マルク＝１：１」（賃金，年金，家賃，一定額までの現金・預金等）または「１：２」（一定額を超える現金・預金，企業の債権債務等）という為替レートで1990年７月に通貨統合を実施し，政府は旧東ドイツ地域の市民の購買力を膨張させる形で旧西ドイツ企業の製品の販路拡大を支援したのである。事実，1991年～92年は西ドイツ企業は高業績を残していた。そして，こういう「おいしい話」があると構造問題に関する危機意識など吹っ飛んでしまう。

### （２） 高福祉の旧東ドイツ地域への輸出

賃金水準でいうと，1990年の統一直前は，「旧西ドイツ：旧東ドイツ＝100：7」であったが，それが過去数年前の状況では「100：86」（実質手取額ベース）となっている。また，失業手当等の社会保障給付，とりわけ生活保護給付（2023年から，Bürgergeldに改称）は同率で，旧東ドイツ地域における相対的な家賃の低さを考慮すると，逆に旧東ドイツ地域の方が高いかもしれないと言われている。労働生産性は今なお約5対4の格差（西：東＝100：80）があるにもかかわらず，賃金ならびに社会保障給付は順次引き上げられ，現時点ではほぼ同一水準になったのである。厳密に言えば，賃金は社会保障制度の一環ではないが，広義の意味においてそのようなプロセスは社会福祉の輸出と言えるであろう。このような東西ドイツ統一後のプロセスにおいて，現在のドイツ東西問題の本質を示唆する極めて象徴的な旧東ドイツ地域の労使交渉が1991年に行われた（電機，金属関連業界）。そこで5年をめどに賃金水準を同一レベルにすることが労使双方で合意されたのである。他の業種もそれに追随して，その後の東西ドイツ地域における賃金水準同一化の出発点となった。問題は，旧東ドイツ地域の労働組合と経営者団体は設立されたばかりということで，その労使交渉に実際に出席したのは旧西ドイツ地域の労働組合と経営者団体の代表者であった。彼らは，旧東ドイツ地域に低賃金で旧西ドイツ企業の競争相手となる企業の誕生を恐れて，短期間における賃金水準の同一化に賛成したというのである。旧東ドイツ地域への高賃金の輸出である。

ドイツ経済における東西格差問題の核心は，社会的，生活環境インフラの整備が，30年以上にもわたり，懸命に行われ，賃金水準，社会保障給付水準も，（まだ西の方が高いが）ほぼ同レベルになっているのに対して，企業における労働生産性において大きな格差が厳然として存在していることに集約される。

### 6 ドイツ経済における南北問題の存在

東西格差とは別に，旧西ドイツ地域の中において，大雑把に言って南部と北部と

の間で経済活動の格差が見られるというのがドイツにおける「（経済格差の）南北問題」である。但し，世界経済における南北問題と異なるのは，世界経済とは逆で，ドイツにおいては「南」が豊かなのである。「豊かで経済活動が活発な南部」といわれているのは，ヘッセン州，バーデン・ヴュルテンベルク州，バイエルン州の3州である。「経済活動が相対的に停滞している北部」というのは，それ以外の旧西ドイツ地域の州である。南部の3州には，自動車，工作機械製造，IT・ハイテク産業，先端素材産業等のドイツ経済の将来を担う産業クラスターが成立している。また，失業率の低さ，1人当たりのGDP，労働生産性等の経済活動を示すデータにおいて他の州に抜きん出ている。州の間の税収を調整する連邦州間財政調整において，この3州は過去10年余りの間常に税収送金国である。

但し，ラインラント・ファルツ州とザールラント州は，地理的にはどちらかというと南に位置するのであるが，「豊かで経済活動が活発な南部」とは見られていない。北に位置する都市州であるハンブルク州は，「ドイツ経済の将来を担う地域」という定期的に行われる調査研究では常に上位にランクされ，実際に経済活動も活発である。また，人口においてドイツ最大の州であるノルトライン・ヴェストファーレン州は，地理的にはドイツの北西に位置するものの，一方において，ルール工業地帯というかつては鉄鋼・炭鉱業といった第2次世界大戦後の重厚長大経済の基幹産業部門を要していたが，現在では構造不況業種地域になっている問題も抱えている。他方で，そのような地域の構造転換政策を推し進めると共に，デュッセルドルフ，ケルン，ボンといったサービス産業が発達した都市を有し，現在のドイツの輸出の重要品目である化学製品を生産するバイエル社等も抱えることで，州全体としては活発な経済活動を繰り広げ，南北の中間に位置付けられるような州もある。その意味において，この南北問題も漠然としたところもあるが，大まかな傾向としてドイツ経済を見る際にはぜひ頭の中に入れておくべきであろう。

## 2　外国からの投資に対する規制

### 1　EUにおける原則—資本移動の自由

　ドイツは，EU（欧州連合）の加盟国である。そのEU（欧州連合）の憲法と言うべきEU基本条約（複数）の中の1つであるEU運営条約（旧欧州共同体条約）第63条には資本移動の自由が謳われており，その条項の文面は以下のようになっている。

> **EU運営条約第63条**
>
> (1) この章（第63条から第66条まで）の規定の範囲内において，加盟国間相互，ならびに，加盟国と第３国との間の資本の移動を制限する規定はすべて禁止される。
> (2) この章（第63条から第66条まで）の規定の範囲内において，加盟国間相互，ならびに，加盟国と第３国との間の支払を制限する規定はすべて禁止される。

　すなわち，他のEU加盟国の投資家，会社がドイツに投資を行う場合だけではなく，日本やアメリカ（第三国）の投資家，会社がドイツに投資（出資・買収，子会社・支店・駐在員事務所の設立）をする場合でも，原則として，外資だからということでそれに対して制限を設けることは禁止されている。

　また，そのような資本自由化策に基づき，とりわけ1990年代に電力・通信分野の国営企業，半国営企業の民営化が推し進められた。その結果，例えばドイツの電力業界には，エオン社（本社：デュッセルドルフ），RWE社（本社：エッセン），ヴァッテンファル社（本社：ベルリン），EnBW社（本社：カールスルーエ）という４大電力会社が存在しており，その４社の合計で，ドイツの電力需要の80％～90％を供給していると言われている。そのうちのヴァッテンファル社は100％スウェーデン資本であり（スウェーデン国営電力会社がドイツの電力会社を買収），マイノリティーではあるもののEnBW社の約45％は一時的にフランスの国営電力会社に掌握されていた。

## 2 公的機関・ドイツ企業・労働者(従業員)の外国企業に対する姿勢

　ドイツの連邦政府，州政府も，そして地方自治体も，外国資本に対して「中立的」である。中立的ということの意味は，次のようなものである。ドイツの連邦政府，州政府，地方自治体は，外国企業を積極的に歓迎し，ドイツで確実にビジネスに参加できるように，外資導入促進のための機関，部署を，州毎に，あるいは大きな都市には市役所の中に設け，色々な便宜を計っている。しかしながら，国内の同業者を犠牲にしてまで招聘したり，同業者でなくとも，他のドイツ企業一般と比較して平等性を損なうまでの外国企業に対しての特別の優遇措置を保証するということは基本的に行っていない。そのような歓迎，便宜の計らいは，国内企業と同じスタート地点に立たせるものであると理解すればよいであろう。税制や会社法，その他のビジネスを営む上で関わってくる各種の法律制度も，同様に中立的である。原則として外国企業に対する差別もない代わりに，外国企業だけを優遇するような措置も

講じられていない。例えば，旧東ドイツ地域には，延長を繰り返しながらも投資補助金制度がなお存在している。しかし，旧東ドイツ地域にビジネス拠点を設ける場合，ドイツの国内企業と同様に，前提条件さえ満たせば外国企業の現地法人もそれを受給できる。取引先・納入先としてのドイツ企業の姿勢は，特定の政治的問題がある国からの企業を除き，原則として外国企業に対してオープンである。他方で，多くの場合に取引対象の製品そのものの良し悪しだけが決定的ではなく，信頼関係の構築ということがまだ一定の役割を演じるようである。ある日系企業がドイツの会社との取引を欲したが断られたという場合，外国企業だからということではなく，単に新顔だからということがよくある。

　ドイツ人あるいはドイツに居住する外国人の労働者（従業員）としての外国企業に対する姿勢も，やはり同様に中立的である。EU（欧州連合）の中でも，ドイツの労働者の権利の保護はかなり高いレベルにある。それゆえ，そのような労働者の権利や雇用慣習を無視するか，または，過小評価して対応する外国企業あるいはその外国人経営責任者に対しては，当然のことながら非難の矛先が向けられる。そしてこれは日系企業に限らず，在独の外国企業に頻繁に起こること，起こりやすいことでもある。しかしながら，このようなことは，ドイツ企業のドイツ人経営責任者が行ったとしても，同じように非難の矛先を向けられるのであり，別に外国企業への反感，差別を示すものではない。ドイツ人が職を探す場合に，外国企業だからということで，応募先リストからはじめから除外していることはある。しかしながら，これとて，ほとんどのケースにおいて外国企業に対する反感というより，「未知のもの」に対する不安の表現というべきものであろう。

## ③　外国企業に対する非関税障壁は存在するのか？

　「非関税障壁」というのは，本来的には1国の政府当局が，国内産業の保護のために，関税賦課以外の手段で外国商品の輸入を制限しようという時のその手段のことを指している。それに加えて拡大解釈的に，外国企業が進出するに際して，外資規制のための法律規定以外のことがその障害となる場合，その障害は非関税障壁であるというようにも使われたりする。確かに，環境規制を始め，ドイツは各種の規制には事欠かない国であることから，ビジネス活動を営む上での様々な報告義務が課されている。それは，ドイツ国内企業にも同様に課されており，外国企業差別とはいえない。しかし，そのような規制に慣れていない外国企業にとって，単なる報告義務でさえ非関税障壁と感じ取られる可能性があることは否定できない。極端な

話としては，外国企業のドイツ進出に際してドイツ語が非関税障壁であるという議論もある。たくさんの外国人が居住し，色々な外国語が話されているが，ドイツの公用語はドイツ語であり，監督官庁，税務署等の各種の公的機関とのやりとりは原則としてすべてドイツ語で行わなければならない。それが外国企業にとって大きな負担になることは確かである。また，他の外国での駐在経験もある在独日系企業の駐在員の方から，取引先や従業員との間で「ドイツでは，英語が通じず苦労する」という意見を聞くことも多い（これについてはまったく逆の意見も多い）。上述のように，労働者の権利がかなり保護された労使慣行が非関税障壁だという意見もある。さらに，とりわけアングロサクソン系のファンド関係者から，従業員の代表者が経営意思決定機関である監査役会に参加するという会社法上の共同決定制度あるいはドイツのコーポレートガバナンス（347頁以下参照）も，非関税障壁と言われることがある。

　このような非関税障壁の話は，ある意味でそのような見解を表明している人の主観がより色濃く出ているケースが多いようだ。アングロサクソン系のファンド関係者が，ドイツの共同決定制度は不可解で分かりづらい，そして傲慢にも是正すべきだと言う時，その主張の論拠を突き詰めていくと，それは単にイギリス，アメリカの会社機関制度の中にそれに相当するものがないから理解できない，ということに帰着している。そういうことばかりではないであろうが，かなりが「主観的非関税障壁論」であるような印象を受ける。

## （1）　ドイツ語という言語の壁

　言語の問題に関していうと，欧州域内において，現在のビジネス上の公用語である英語が母国語となっているイギリスは別にして，人口5,000万人前後からそれ以上を有するEU（欧州連合）の他の大国，すなわち，フランス，イタリア，スペインにも多かれ少なかれ該当することであるが，そして，もちろん日本でもそうであるが，共通する1つの現象が見られる。そのような人口5,000万人以上の「非英語圏の経済大国」くらいの規模の国民経済，地理的規模の国になると，人間1人の一生は，そこで完結し得るのである。すなわち，日常的に外国語（英語）を使用せずとも生活は回っていく人々がたくさんいるのである。そのようなドイツ，フランス，イタリア，スペインにも（そして日本にも），英語あるいはその他の外国語を駆使して，ビジネスの分野，政治や文化・芸術等の分野で国際的な活躍をしている人々，すなわち国際派と呼ばれる人々はかなりいるだろう。しかし，それらの国際派と呼ばれる人は，それらの国の総人口に比較したら，絶対的に少数派になることは間違

いない。日本からの駐在員あるいは日本人現地スタッフが，ドイツにおいて生活し，ビジネス活動を行い，現地法人等の会社経営を行うあるいはそのアシストをするという場合，ドイツの国際派の人々とばかり接するわけではない。1年に1回あるいは2回海外旅行はするかもしれないが（その場合でもドイツ語で通せるスペインのマヨルカ島へのパック旅行かもしれない），後は日常的にドイツ語の世界でばかり生活しているごく普通のドイツ人との接触が大半であろう。それらのごく普通のドイツ人とは，自らの現地法人の従業員として，取引先の手強い交渉相手として，公的機関の気難しい役人として，買い物に行った先のデパートやスーパーの客を客とも思っていないような店員としてのドイツ人である。このような時に，「英語が通じない」，「ドイツ語は非関税障壁だ」と嘆いてみても，自らのビジネスの発展に何ら資するものもないはずである。

## (2) 外資系企業出身の経済界トップの誕生

ドイツの産業・経済界の利害を代表する組織の1つにドイツ産業連盟というのがある。日本の経団連に相当するものと考えればよいかもしれない。1995年にIBMドイツのトップの職を経たオルラフ・ヘンケル氏が会長に指名された（2000年まで在職）。その時，ドイツ人とはいえ，外資系企業の出身者がドイツ産業，経済界のナンバーワンの経済団体のトップに就任したということで，かなりセンセーショナルな話題を呼んだ。また，2000年に，イギリスの電話会社ボーダフォン社が，ドイツ・デュッセルドルフの伝統的な企業であるマンネスマン社に対して，ドイツ経済史における最大の敵対的買収を仕掛けた。さらには，2005年に，ミュンヘンに本社を置き，当時ドイツの民間銀行のナンバー2であったHVB銀行が，イタリアのウニクレディット銀行に買収された。この2つの外国企業によるドイツ企業の買収に際して，伝統的な国内企業の独立性を維持するという観点から，買収を阻止する方向での様々な政治的駆け引きが繰り広げられた。とりわけ，マンネスマン社への敵対的買収は，買収後，複合コングロマリットであるマンネスマン社を解体し，電話，携帯ビジネス部門だけを残して，それ以外は売却するというボーダフォンの意図が明白だったこともあり，ドイツ国内の抵抗が強かったといえる。しかしながら，他の多くの外資によるドイツ国内企業の買収と同様に，この2つの外国企業によるドイツの伝統的企業の買収も実現・成立しているのである。しかしながら，「マンネスマン社ではなく，あれがドイツ経済のシンボル的存在とも言えるダイムラー社だったら，まったく別の展開を示したのではないか」ということは，よくドイツ人の口から出る言葉である。

ドイツのビジネス関連の法制において外国企業の進出に対して障害となる法律規定は，原則として存在していない。それは単にEU（欧州連合）の資本移動の自由の原則を受け入れて受動的に遵守しているからだけではない。輸出大国として，ドイツ企業が積極的に外国進出している状況のもとで，外国からドイツに来る企業を拒めば，それは遅かれ早かれ外国進出しているドイツ企業に跳ね返ってくることが分かっているからでもある。他方で，伝統的に法律主義が貫徹されている国であることから，各種の規制は数多く，年々緩和されてきているもののそれに関連した報告義務も多い。それが非関税障壁と感じ取られることがあることは否定できないであろう。しかしながら，法律主義で動いている国なので，問題が起こった場合でも，（法律さえ）知ってさえいれば問題にならなかったというケースがほとんどである。情報がすべてなのかもしれない。

# III 他の外国企業のドイツへの進出状況

　ドイツにおいても、外国企業、外国人投資家がどれだけドイツ経済に対して貢献しているかについての散発的な各種の統計データは以前から公表されていた。しかし同時に、それらのデータは、それほど体系的な方法で作成されたものではなく、他のEU加盟国との比較も困難で、その欠陥、不十分さが指摘されていた。世界経済のグローバル化が進行する中で、EU（欧州連合）全体として、域内加盟国の中の外国企業の活動に関する統一的な統計データを作成しようということで、2007年にEU規則（域内の市民、企業を直接的に拘束する法律）が公表された。その後、統計データの整備が進められ、そのプロジェクトに基づく各種のデータが公表されている。

## 1　外国企業のドイツ経済に対する貢献度

　ここで外国企業という場合、「外国に本拠を置く会社の支配権下にある会社」という意味である。単に外国人投資家、ファンドあるいは外国企業が株主、出資者という場合、あるいは、その外国人投資家、ファンドの株主を合計すると多数を占めているという場合は想定されていない。外国人投資家、ファンド等が合計して多数になっているという（上場）会社ということであれば、例えばドイツの40優良銘柄〈DAX40〉の大半は、50％以上の株式が外国人投資家、ファンドの手にあり、化学品メーカーのバイエル社やスポーツ用品メーカーのアディダス社等においては、80％以上の株式が外国人投資家・ファンドの所有になっている。バイエル社やアディダス社が世界各地にビジネス拠点を設けて活躍する多国籍企業であることには間違いないが、ドイツ人の誰も外国企業とは考えていないだろう。

　ドイツ連邦統計庁に拠れば、最新の系統的に算定された年度である2020年において、ドイツにおいて金融・保険部門を除く外国企業の会社数は約27,700社に上る。その約27,700社という数は、金融・保険部門を除くドイツ全体の会社数の約1％に過ぎない。しかし、付加価値産出額では、3470億ユーロ（約45兆円（1ユーロ＝130円換算））となり、ドイツ全体の付加価値産出総額の約19％を占めている。ま

た，そのような外国企業は，約380万人（ドイツ全体の13％強）の従業員を雇用し，約1兆6,270ユーロ（約211兆円（換算率同上，ドイツ全体の約24％）の売上を計上している。そして，外国企業による資本投資額は，ドイツ全体の約16％になっている。

2020年のものであるが，EU（欧州連合）加盟国数ヵ国について，外国企業による付加価値産出額が該当加盟国の付加価値産出総額において占める割合の比較統計データがある。

〔外国企業による付加価値産出額〕

| 国名 | 比率 |
| --- | --- |
| アイルランド（EU最高値） | 73.5 % |
| ハンガリー | 46.5 % |
| スロバキア | 45.8 % |
| ルーマニア | 42.5 % |
| チェコ | 42.3 % |
| ポーランド | 37.2 % |
| オーストリア | 26.0 % |
| スペイン | 23.7 % |
| ドイツ | 19.1 % |
| イタリア | 17.1 % |
| キプロス（EU最低値） | 12.6 % |
| EU平均（フランスを除く） | 26.4 % |

さらに，外国企業の雇用する従業員数の当該国の全従業員数に対する比率のEU平均は18.6％（ドイツは13％），同様の売上に関するEU平均は30.6％（ドイツは24％）となっている。以上から見ると，他のEU加盟国と比較して，ドイツは外国企業の投資活動の国民経済における貢献度が相対的には高いとは言えない国ということになる。これはドイツ企業が強いことの裏返しでもあり，そして，ドイツ経済の経済規模からすると，外国企業の投資活動は，その絶対額で見て決して小さいものとは言えないことも確かである。

## 2　外国企業の地域別出自

以上の外国企業の地域的出自を，2020年について見てみると以下のようになる。

〔外国企業の出自〕

|  | 企業数<br>(社) | 従業員数<br>(人) | 売上<br>(百万ユーロ) | 付加価値産出額<br>(百万ユーロ) |
| --- | --- | --- | --- | --- |
| ヨーロッパ | 21,364 | 2,605,821 | 1,090,799 | 229,876 |
| アフリカ | 78 | 13,629 | 6,372 | 1,215 |
| 北・中米 | 3,288 | 779,069 | 327,224 | 79,429 |
| 南米 | 76 | 2,668 | 1,491 | 302 |
| アジア | 2,840 | 366,196 | 195,439 | 34,140 |
| オセアニア | 86 | 14,894 | 6,184 | 1,988 |
| 総数 | 27,732 | 3,782,277 | 1,627,509 | 346,950 |

　以上の統計データから見て取れることは，地政学的な観点から言えば当然かもしれないが，ヨーロッパ企業の投資がダントツである。その内訳の数値は記載しないが，オランダ，スイス，フランスという隣国の企業の貢献が大きい。また，北・中米の欄は，アメリカ企業が大半を占めている。アジアの欄の半分ほどが，日系企業によるものである。また，外国企業のドイツにおける規模を見ると，外国企業の企業数がドイツ全体の企業数の約１％強ほどでしかないにもかかわらず，付加価値産出額に占める比率は約19％であるという事実から容易に推測できるように，ドイツにおける外国企業は，ドイツ企業に比較して大規模に経営されている。

　また，これは各種の外国企業を対象にしたアンケート調査の結果であるが，2000年代の半ば以降，ドイツ経済が1990年代半ばの停滞から立ち直り，欧州ならびに世界全体での「将来的な投資先国」のランキングにおいて上位を占めるようになっている。その場合の何を目的としての投資先国かという質問においては，市場規模が大きいことからある意味で自明のことでもある「販売拠点としての投資先国：ドイツ」は置くとしても，生産拠点としてではなく，研究・開発拠点ならびに物流拠点という評価が高いことは注目されよう。

# Ⅳ 日系企業の進出動向と進出先

## 1 在独日系企業の数

　在独日系企業数を正確に把握するというのは，結構至難の業である。日本外務省の最新の海外進出日系企業拠点数調査（2021年10月1日時点の統計値）によれば，外国滞在の日本人による起業や情報収集，市場動向のリサーチやビジネスチャンスの調査にその活動を限定した駐在員事務所も含めて，ドイツ全体では1,934の日系企業のビジネス拠点があるとされている（意図的にここでは「社」という表現を避けている）。この1,934というビジネス拠点数は，西欧地域全体（東欧，ロシア地域を除く）の23％強を占め，第2位のイギリス（960拠点）を大きく引き離して，西欧地域における第1位の進出拠点数である。他方で，この1,934（拠点）という数字も，どのように数えるかによって，評価が色々変わってくる。すなわち，グループ企業をどこまで1社（1拠点）と見るのか（日本本社ベースで数えるのか），最終的には日本資本なのであるが，直接の親会社が日本以外の外国に位置している場合にどうカウントしているのか等により，数値は上下に動く。また，上記の1,934の中には，ドイツにそれなりに長く居住して，会社を興している（起業している）方の会社（企業法人）の251社（拠点）が含まれている。別にそのような会社を差別するわけではないが，日本に本社があって，そのコントロール下にある典型的な多国籍企業としての日系企業ではない。そのような企業が上記の1,934の中に含まれていることは，留意する必要があろう。

　先のドイツ連邦統計庁の統計データ（ドイツ全体の外国企業数は27,732社：2020年）では，本社所在地国個別の統計データは明確にされておらず，アジアの国の企業数2,840社とあるだけである。他のドイツ側の当局（投資関連部局）で公表しているデータでは，2014年のものであるが，在独日系企業は1,000社前後であるという数値も見られ，約91,000人の雇用を創出しているという。また，2020年についてであるが，2015年に設立された経済メディア：Die deutsche Wirtschaft

(DDW）の統計データに拠れば，在独日系企業数は471社であり，14.2万人の雇用を確保しているという。ちなみに，この経済メディア（DDW）の統計では，ドイツ全体の外国企業数は7,872社であり，ドイツ連邦統計庁のデータのドイツ全体における外国企業数（27,732社）の約4分の1前後である。そして，在独日系企業：471社という会社数は，アメリカ（1,773社）・フランス（823社）・スイス（783社）・イギリス（590社）・オランダ（541社）に次いで，第6位の地位を占めている。駐在員事務所・支店をどう数えるのか，複数の子会社がドイツ国内に存在する場合に，どう数えるのか等によって，そのような相違が発生していると考えられる。いずれにせよ大事な点は，日系企業のドイツ全体での進出拠点は，100社（拠点）レベルでも10,000社（拠点）レベルでもなく，最低数で500社（拠点）前後の可能性もあるものの，1,000～2,000社（拠点）前後なのであり，在独日系企業も，アメリカや他の欧州のドイツの隣国（フランス・イギリス・スイス・オランダ）に伍して，ドイツに進出してビジネス活動を展開し，ドイツ経済の重要なファクターになっているということであろう。

## 2　在独日系企業の進出先

　ドイツが経済的にも地方分権の国であることにも密接に関連して，日系企業の進出先も，ドイツ全体に分散している。そして，ドイツの首都ベルリンは，政治・文化の中心ではあっても，経済の中心ではないことの反映として，ベルリンに進出している日系企業はごく僅かである。2021年の海外進出日系企業拠点数調査に基づいて見て行きたい。

　ドイツ全体として見れば分散的進出ということが言えるのであるが，それでも，人口の面でドイツ最大の連邦州であるノルトライン・ヴェストファーレン州には，ドイツの日系企業総数の約3割強の636社がビジネス拠点を保有している。そして，その州の中でも，州都であるデュッセルドルフ市とその隣接自治体（ケルンをも含む（デュッセルドルフ地区））に，その636社（拠点）の大半が集中している。州単位で次に続くのが，バイエルン州であり456社（拠点）となる。そのバイエルン州についても，州都であるミュンヘン市とその隣接自治体（ミュンヘン地区）にその大半が集中している。その次に，フランクフルト市とその隣接自治体のフランクフルト地区がその中心となるヘッセン州，ラインラントファルツ州，ザールラント州の3州を合計した304社（拠点）であり，これも同様に，フランクフルト地区に大

〔在独日系企業の進出先分布〕

| 連邦州 | 進出会社数（拠点数） |
|---|---|
| ノルトラインヴェストファーレン州（中心はデュッセルドルフ地区） | 636 |
| バイエルン州（中心はミュンヘン地区） | 456 |
| ヘッセン州，ラインラントファルツ州，ザールラント州（中心はフランクフルト地区） | 304 |
| バーデンヴュルテンベルク州（中心はシュトットガルト地区） | 282 |
| ハンブルク州，ニーダーザクセン州，ブレーメン州，シュレスヴィッヒホルシュタイン州（中心はハンブルク地区） | 145 |
| その他の地域（旧東ドイツ地域の諸州とベルリン州） | 111 |
| 合計（ドイツ全体） | 1,934 |

　半が立地しているものと考えられる。さらには，バーデンヴュルテンベルク州の282社（拠点）が続き，その多くはシュトットガルト地区（シュトットガルト市とその隣接自治体）に位置している。最後の集中的立地地域はハンブルク地区である。ハンブルク州（ハンブルク市），ニーダーザクセン州，ブレーメン州（ブレーメン市），シュレスヴィッヒホルシュタイン州の4州の合計が145社（拠点）で続いており，その145社の多くは，ハンブルク地区に立地しているものと考えられる。正確なデータは出せないのであるが，デュッセルドルフ地区，ミュンヘン地区，フランクフルト地区，ハンブルク地区，シュトットガルト地区の5地域に，ドイツ全体の1,934（拠点）の80％～90％の在独日系企業が立地していると想定される。

　これは，ほぼ15年～20年前後以前からの現象であるが，ドイツにおいては，ドイツ経済の「南北問題」ということが話題になる（詳細は46頁以下参照）。旧西ドイツ地域と旧東ドイツ地域の経済格差の問題である「東西問題」とは別に，旧西ドイツ地域内の経済格差の問題である。世界の南北問題とは異なり，南の地域（州）の経済的パフォーマンスが秀でている。南の地域とは，バイエルン州，バーデンヴュルテンベルク州，ヘッセン州である。失業率が低く，一人当たりGDPや給与水準も高く，企業活動も活発である。そのような南北問題に連動する形で，日系企業の進出数の伸び率も，ミュンヘン地区ならびにシュトットガルト地区が高くなっている。

## 3　充実した日本人のための生活インフラ

　これらの在独日系企業が相対的に集中した5地区のうちデュッセルドルフ，ミュンヘン，フランクフルト，ハンブルク地区と首都であるベルリンには，小学校1年

生から中学校 3 年生までの日本語での普通教育を行う日本人学校も設立されている。そしてさらに，デュッセルドルフ地区のように，複数の日本人幼稚園・保育園が設置されているところもある。とりわけ，これらのデュッセルドルフ地区，ミュンヘン地区，フランクフルト地区，ハンブルク地区の 4 地域は，日本人駐在員が多いこともあり，日本食レストラン，日本食食材店，日本語書籍取扱店，日本人経営の理容店等も存在し，日本人医師の医療サービスや日本人不動産業者のリロケーション・サービスも受けられ，日本人が安心して居住できる日本人のための生活インフラが充実している。またこれらの地域では，デュッセルドルフ日本商工会議所に代表されるように，地域の在独日系企業のネットワーク組織，あるいは，日本クラブ等の個人レベルでの日本人ネットワークが構築されている。すなわち，そこでビジネスを展開する，あるいは，生活するという時の各種の最新情報を入手できる手立てが用意されている。

　このような「充実した日本人のための生活インフラ」に対しては，それがゆえに日本人が日本人ネットワークだけで閉じこもって，ドイツ社会やドイツ人あるいはその他のドイツに住む人々と接触しなくなっている，あるいは，恵まれ過ぎて，敢えて外国生活の苦労をせず，本当の意味でのドイツ社会を知らずに，ドイツを後にしているという意見もある。そのような側面があることは確かかもしれない。しかしながら，「Ⅰ 4 ③ 少数民族問題と外国人問題」（28頁参照）のところで解説したように，ドイツ社会への融合ということで問題になっているのは，他の外国人でも同じであり，また筆者の四半世紀以上に及ぶ在独生活における経験からも，同国人との強固なネットワークを築いているというのは日本人の専売特許ではない。そして，企業サイドからした場合，家族も含めて安心して駐在派遣に送り出せる，あるいは，そのような受け入れ側の環境が地域として整備されているというのは大きなメリットであろう。

# 第2章

# 会社法上の留意点

# ビジネス拠点の設立・運営に際しての会社法上の留意点

通常，ドイツでビジネス活動を展開する場合，日本でのそれに対しての名称は，事務所，営業所，事業所，支所，支社，支店等色々あり，そして，会社毎に呼称が異なるために，ドイツの会社法，税法上の手続きの話をするときに，混乱してしまうこともあるのだが，何らかのビジネス拠点を設ける場合がほとんどである。もちろん後述するように，ビジネス拠点を設立せずに，日本本社のスタッフが出張ベースでビジネスを行うことも可能であり，実際にそうしている場合もある。しかしながら，ビジネス取引の密度にもよるが，本格的なビジネス活動の展開となると，形態に相違はあるものの，ビジネス拠点の設立なしには不可能である。

【ビジネス拠点の種類】

ドイツにビジネス拠点を設立するという場合，日本側でのその呼称あるいは会社毎の通称がどうであれ，通常，主としてドイツの会社法・税法上の観点から，

① 駐在員事務所〈英 liaison office, 独 Informationsbüro, Repräsentanzbüro〉
② 支店〈英 branch, 独 Betriebsstätte, Zweigniederlassung〉
③ 現地法人（子会社）〈英 subsidiary, 独 Tochtergesellschaft〉

という3種類のビジネス拠点を区別している。1番目の駐在員事務所については，「駐事（ちゅうじ）」という省略形を口にする人もたまにいる。3番目の現地法人については，略して「現法（げんぽう）」と言われることも多い。また合弁会社でない限り，「子会社」という表現もよく使われる（本書においても，ほとんど同義に使っている）。これらの3つのビジネス拠点は，その可能な業務範囲，機能ならびにドイツで課せられた会社法上，税法上等の様々な義務による区分であり，ドイツにおけるビジネス・モデルに応じて選択することになる。

また，地理的にどこに位置している会社の駐在員事務所（支店または現地法人（子会社））かということも問題になる。在独日系企業の駐在員事務所という場合，99.99％まで日本本社の駐在員事務所となっている。それに対して，支店や現地法人（子会社）の場合，日本本社の支店，現地法人というケースが多いことは確かである。しかしながら，アメリカや他のEU加盟国等（特にイギ

リスやオランダ）にある当該企業グループの会社の支店，現地法人（子会社）というケースも結構ある。

　さらに，ビジネス拠点の設立・運営と日本本社からの出張ベースによる支援を並行させて，ドイツビジネスを回していることも多い。そして，日本本社の事業部（カンパニー）毎にドイツ国内に現地法人を有するケースもよく見られる。それに加えて，1つの会社が異なる種類のビジネス拠点を組み合わせて（例えば現地法人と駐在員事務所の組み合わせ等），ドイツビジネスを行っているケースも時々見られる。

　以下において，まずはこの3つのビジネス拠点の具体的な機能，課せられた義務の概要，その設立方法の基本的なところを解説していく。その際原則として，日本本社（本店）の駐在員事務所，支店，現地法人（子会社）ということで説明し，もし地理的に他の国に位置する会社の駐在員事務所，支店，現地法人の場合に特別に留意すべき点がある場合には，そのつど言及するという形で解説していきたい。

　本書は，在独日系企業の駐在員，あるいは，駐在員をアシストする現地日本人スタッフ，そして日本本社でドイツ・ビジネスを管轄，担当しているスタッフのための実務的手引書として書いたものである。会社法，会計・経理，企業収益課税（法人税等），雇用関連法（労働法），駐在員派遣のテーマについて，在独日系企業に関わる項目の実務のための解説を企図している。他方で，これらのテーマにおける実務現場での対応においても，3種類のビジネス拠点に共通する部分もあるものの，駐在員事務所・支店・現地法人（子会社）を明確に区別した対応が必要となる。そのため，本書での解説もそれに沿ったものにするという観点から，各々のテーマにおいて，3つのビジネス拠点毎の違いを明確にしながら叙述，解説していくという形にしている。すなわち，駐在員事務所，支店，現地法人（子会社）は，本書のキーワードになっている点をご留意いただきたい。

# I
# ビジネス拠点形態の選択
# （駐在員事務所，支店，現地法人）

## 1　3種類のビジネス拠点の各々の特徴の概要

　大雑把な言い方であるが，①駐在員事務所，②支店，③現地法人（子会社）という順序で並べると，この①，②，③の順序で，設立，運営が複雑で面倒になり，課せられた義務も多くなる。他方で，担える機能ならびに可能な業務範囲も広範囲になると理解できる。これらの3種類のビジネス拠点の相違の詳細ならびに運営上の留意点は，後述するように，各分野（税法，会計・経理，労働法等）毎にも解説するが，まずは概観を得るために，この3種類のビジネス拠点の特徴の概要をまとめておきたい。

### 1　駐在員事務所の特徴の概要
　会社法上，あくまで日本本社（本店）の出先機関（一部）である。ドイツ法に基づく独立した法人格はない。当然のことながら，ドイツの商法（会社法）に基づく決算書作成義務，開示義務等は免除されている。業務内容において，多くの場合日本本社の手足となって，ドイツ（欧州）の市場動向調査，潜在的顧客の開拓のアシスト，本社が直接に行っているドイツ・ビジネスの補助的・準備的支援活動といったビジネス活動は行う。
　しかしながら，商品を購入，販売したり，何か役務（サービス）を提供して収益を得るというビジネス活動は行わない。その結果，税務上利益を計上することはなく，企業収益課税（法人税等［ドイツでは，法人税，営業税，連帯付加税の3つの税金］の納付義務）には服さない。通常，支店や現地法人（子会社）形態で本格的にビジネスを行う前の前段階，試行錯誤段階として位置付けられる。実際にそのようなケースが大半なのであるが，日本本社のドイツの顧客のための窓口機能に徹して，長期的に運営されているケースも多い。原則として事務所の大きさ（駐在員数，従業員数）には基本的に制限はない。日本からの駐在員1人のワンマン事務所やそ

れに現地アシストスタッフを加えた数人で運営されているケースが大半である。しかし，日本からの駐在員数名と現地スタッフを合計して10人前後の要員を抱えているケースもある。

## 2 支店の特徴の概要

会社法上，日本本社（本店）の出先機関（一部）であり，ドイツ法に基づく独立した法人格はない。その結果，ドイツ商法に基づく決算書作成義務や開示義務等が免除されているという点においては，駐在員事務所と同じである（EU域内に本店がある場合の決算書開示義務には留意）。しかしながら，業務内容上，行っている業務範囲ならびに担っている機能という点では現地法人とほぼ同じである。駐在員事務所が行い得るビジネス活動に加えて，商品を購入・販売し，役務（サービス）を提供して収益を得るというビジネス活動も行っている。その結果，税務上それで利益を計上した場合，企業収益課税（法人税等［ドイツでは，法人税・営業税・連帯付加税の3つの税金］の納付義務）に服することになる。そのため，税務上の観点から，決算書を作成することが義務付けられている。現地法人（子会社）のように，登記裁判所（日本の法務局に相当）に支店として商業登記することができる（代表権限の明確化のため等［登記支店］）。しかしながら，支店商業登記は，絶対的な義務ではなく，市町村自治体の役所である営業局，税務署，社会保険機関等への届出だけで業務を開始することも可能である（未登記支店）。

## 3 現地法人（子会社）の特徴の概要

会社法上，ドイツの商法，会社法に基づいて設立され，日本本社とは別途の会社組織である。日本本社とは，日本本社が出資者（株主）であることだけで繋がっている。日本本社の法人格からは独立したドイツ法に基づく法人格を有する。その結果，ドイツ商法（会社法）に基づく決算書作成義務（場合によっては監査を受ける義務）や決算書類開示義務，その他の会社法上の義務等に服することになる。会社設立時に，自治体の役所の営業局，税務署，社会保険機関等への届出に加えて，登記裁判所の商業登記簿に登記することが義務付けられている（手続きの順序としては登記が一番最初）。業務内容上，行っている業務範囲ならびに担っている機能という点では，基本的に支店と同じで，駐在員事務所が行い得るビジネス活動に加えて，商品を購入・販売し，役務（サービス）を提供して収益を得るというビジネス活動も行う。税務上，それで利益を計上した場合，企業収益課税（法人税等［法人

税,営業税,連帯付加税〕の納付義務)に服することになる。

　これからドイツ・ビジネスを開始しようという会社の場合には,まずは,ドイツ・ビジネスをどのような形で行うのかを明確にしなければならない。そして,以上のような3種類のビジネス拠点の特徴の概要を踏まえた上で,どのビジネス拠点の形態が適しているかの目鼻を付け,それぞれの分野(会社法,会計経理,税法等)毎のメリット,デメリットあるいは留意点を詳細に確認していくことが重要である。既にドイツにビジネス拠点を有している場合には,現在のビジネス拠点の形態の留意点を正確に分析し,現在行われている実務がそれに合致しているかを検討していく必要があろう。

## 2　駐在員事務所と支店の相違

　駐在員事務所については,よく,「駐在員事務所は営業行為を行ってはならない」とか,「駐在員事務所は売上を計上してはならない」という言い方がなされる。実際のところ,この表現のとおりに,駐在員事務所の活動範囲には,一定の制限が加えられている。そしてそこが,駐在員事務所を支店から区別するものである。そして,駐在員事務所を設立する,あるいは運営するという場合には,この禁じられている「営業行為」とは何なのか,「禁じられている」とはどういう意味なのか,あるいはここでいう「売上」とはどのような売上が想定されているのかというところを正確に理解しておく必要があろう。その点の正確な理解は,3つのビジネス拠点の中で最も簡単に設立,運営が可能な駐在員事務所をドイツビジネスの(より一層の)展開,発展に有効に活用できる前提である。

### 1　法律的手続き面での駐在員事務所と支店の相違

　会社法上,駐在員事務所は,支店と同様に日本本社(場合によっては,その他の国に位置する会社)の一部分を構成している。ドイツ法に基づく会社ではないという意味においては,ドイツ側から見ると,駐在員事務所も支店もまったく同じである。そして,駐在員事務所に可能な業務範囲はこれこれ,支店に可能な業務範囲はこれこれ,といったドイツにおける会社法上の法律規定が存在しているわけではない。しかしながら,とりわけその設立に際しての法律的手続き面で,日系企業の場合も留意すべき相違点が2つある。

### (1) 営業届〈Gewerbeanmeldung〉

　ビジネス拠点の所在地の市町村自治体の役所の一部局である営業局に対して行うもので，ビジネス拠点の活動内容を届け出るものである（詳細は後述の「Ⅲ　ビジネス拠点の設立」：103頁以下を参照）。この市町村自治体の営業局は，多くの場合，ドイツ語では「Gewerbemeldestelle」と呼ばれている。しかし，市町村自治体毎に呼称が若干異なることがあるので注意しなくてはならない。通常，添付書類と一緒に必要事項を記入した届出書を提出し，その届出書に営業局の担当者がスタンプを押して返送してくるという手続きで完了する。市町村自治体によっても異なるが，郵送せず自ら持参した場合，書類がすべて揃っていれば，その場でスタンプを押してくれる。支店の場合，届出が義務であるが，通常の駐在員事務所の場合は義務ではない。しかしながら，駐在員事務所の取引先（リース会社や銀行等）が，確かに駐在員事務所がドイツに存在していることの証明を要求してくることがあり，営業局からのスタンプが押された届出書のコピーをそのために代用していることが多い。そのような理由から，義務がないにもかかわらず任意で届出しているケースが多い。また，この駐在員事務所の届出の義務に関する対応には，市町村自治体の担当者の対応が微妙に違うことが見られることから，駐在員事務所を設立しようという市町村自治体（の営業局）にそのつど予め確認することが重要である。

### (2) 商業登記簿〈Handelsregister〉への登記

　駐在員事務所においては，商業登記簿へ登記する義務はない。また支店においては，商業登記簿への支店登記が可能であるが義務ではない。ちなみに，ドイツにおける商業登記は，登記裁判所〈Amtsgericht〉が管理，運営している。商業登記簿への支店登記がなされた場合，ドイツでの代表者や代表者の権限（署名権）等を対外的に明確にできることから，そうしているケースも多い。他方で，とりわけ最近の手続き改正により，（登記）支店の設立は，日本本社の役員名の登記あるいは役員の資格証明に関する手続きを巡って，現地法人（子会社）の設立の場合より，煩雑になることが多い。

### (3) 登記支店と未登記支店

　日本の会社がドイツにおいて支店を設立する場合（日本以外に存在する会社の場合も基本的には同じ），ドイツの商業登記簿に登記されている支店（登記支店）と，登記されていない支店（未登記支店）の2つに分かれる。一般的なビジネス活動の展開においては，特別なデメリット，メリットの差異はない。登記支店は，ドイツの商法に明確に謳われ，ドイツ語では「Zweigniederlassung」と呼ばれている。銀

行や保険会社等の各種の国家的規制下にある業界の会社で，本店の資本金や許認可の内容を支店でも援用することが必要な場合や，支店の権限・署名権等を明確にすべきことが必須の場合等に採用されている。未登記支店は，駐在員事務所に毛の生えたようなもので，法律的な手続きは，駐在員事務所と大きな相違はない。他方で，後述するように，登記支店の設立は，設立手続きについてだけでいうと，現地法人（子会社）の設立よりも煩雑になってしまう傾向がある。また，事業年度について，日本本社が3月決算の場合，登記支店の場合は商業登記に3月決算と登記することから，税務上3月決算として申告処理できる。しかしながら，未登記支店の場合，ドイツにおける事業年度に関する法的根拠が欠如しているという理由から，日本本社が3月決算であっても，原則として暦年決算をベースにして税務申告しなくてはならない。

## 2 駐在員事務所と支店の区別は税法上の区分

前述の「駐在員事務所は営業行為を行ってはならない」とか「駐在員事務所は売上を計上してはならない」という話は，あくまで税法上の話である。すなわち，税法（日独［ドイツと他の国］の間の租税条約とドイツの租税通則法）の規定に基づいて，企業収益課税（法人税等［ドイツでは，法人税，営業税，連帯付加税の3つの税金］の納付義務）に服するかどうかに応じて区別されているのが駐在員事務所と支店である。

### (1) 日本の会社における様々なビジネス活動

日本本社（本店）は，1つの民間営利企業として，景気動向や会社の方針の誤謬等で一時的に赤字を計上してしまうこともあるかもしれないが，利益を最適化するようにビジネス活動を展開している。そのような日本本社でのビジネス活動を仔細に見てみると，慈善活動や地域社会への貢献のための活動等は別にしても，色々な種類のビジネス活動が包含されている。すなわち，営業部門にて顧客と売買契約を締結して売上の増加に直接的に資して利益の増大に貢献しているビジネス活動だけではなく，経理部門で経理記帳を行い決算書を作成すること，調達，購買部門で廉価な高品質の資材，部品の仕入れもビジネス活動の一環として行われている。また，人事部門においては社内の人材の適材適所を目指して人事異動案を作成することが行われ，経営企画部門においては，最新市場動向，潜在的顧客に関する情報を収集すること等，利益計上への貢献が間接的であるビジネス活動も数多くある。日本本社は，そのような様々な種類のビジネス活動の集合体となっている。そして，全体

として日本での企業収益課税（法人税課税）に服しているわけである。

## （2） 外国（ドイツ）におけるビジネス活動の日本での課税

　このような日本本社のビジネス活動は，日本国内に限定されるものではない（外国に子会社［現地法人］を設立することはここでは想定されていないことには留意）。日本本社のスタッフが出張ベースでドイツの顧客のところを訪問して商談するというのも外国（ドイツ）におけるビジネス活動である。また，当該日本本社がドイツのある都市の一角にオフィスを賃借してそこに自らのスタッフを常駐させ（駐在員事務所，支店というビジネス拠点の設立），定期的にドイツの顧客あるいは潜在的顧客を訪問させるというのも外国におけるビジネス活動である。そして，日本の税法ではこのような外国でのビジネス活動に由来する利益（所得）についても，企業収益課税（法人税課税）を行う。もし，その外国でのビジネス活動について，その外国でも企業収益課税に服し，法人税等を納付している場合には，その外国で納付した法人税等の金額を，日本本社のビジネス活動全体に賦課された日本の税務署に納付する税金から控除してもらえるようになっている。このようにして日本の税務署と外国の税務署の双方から同一のビジネス活動に対して二重に課税が行われないようにしている。このような二重課税回避の方法を国際税務の専門用語としては「外国税額控除方式」と呼んでいる。

## （3） ドイツにおける企業収益課税（法人税課税）

　しかしながら，このように二重課税が回避できるとしても，様々な理由から完全な二重課税回避が実現されないことがある。それに加え，そもそも，追加で外国での企業収益課税（法人税課税）に服するとなると，税金納付以前に，社内の誰かがドイツのビジネス拠点のビジネス活動について，ドイツの税法，会計基準に則って経理記帳を行うか，あるいは，報酬を支払ってドイツの税理士，会計士等に依頼して経理記帳をしてもらい，各種の税金の年度申告書を作成してもらわなくてはならない。会社側にとっては大きな負担である。

　少なくともドイツ側から見た場合，日本本社のスタッフが出張ベースでドイツの顧客のところを訪問して商談したということだけでは，基本的にはドイツの法人税等の納付義務は発生しない。もし仮に，日本本社のスタッフをドイツに海外出張させただけでドイツで法人税等の納付をしなくてはならないということになったとしたら，活発なビジネス上の交流はまったく麻痺させられてしまうであろう。しかしながら，日本本社がドイツのある都市の一角にオフィスを賃借してそこに自らのスタッフを常駐させ（駐在員事務所，支店というビジネス拠点の設立），定期的にド

イツ（ヨーロッパ）の顧客あるいは潜在的顧客を訪問させるとなると微妙になってくる。ここのところを明確に規定しているのが，日独間に締結されている日独租税条約である。すなわち，日本本社がドイツでどのようなビジネス活動を行ったら，ドイツの企業収益課税に服し，どのようなビジネス活動であれば服さなくていいのかが規定されている。ちなみに，日独租税条約は，2017年1月1日から，改訂された新租税条約が適用されている。

## 3　駐在員事務所で可能な業務範囲

　日本本社が直接的にドイツでビジネス活動を行った場合に（ドイツに現地法人［子会社］を設立してビジネス活動を展開することはここでは想定されていないことには留意），そのビジネス活動がドイツでの企業収益課税（法人税課税）に服するかどうかという問題のことを，国際税務の専門用語では，「PE問題」とか「恒久的施設の課税問題」と呼んでいる。PEというのは，「Permanent Establishment」という英語の略称である。仰々しいのであるが，日本語では恒久的施設という訳語が充てられている。「PEなくして課税なし」というのが原則である（最近のBEPSプロジェクトによるその部分的変更には留意）。そして，ドイツ側でPE（恒久的施設）有りと認定されると，場合によっては過去に遡及して，日本本社は，そのドイツにおけるビジネス活動について経理記帳をした上で決算書を作成しなければならない。それで利益が計上されていれば，それについて合計で約30％の税金（法人税，営業税，連帯付加税）を納付することになる。ペナルティ（あるいは延滞利息）も賦課されるかもしれない。

### 1　日独租税条約における規定

　日独の2国間において，何がPE（恒久的施設）に該当するかについて，日独租税条約の第5条第1項，第2項，第3項には，以下のように規定されている。このPEの規定は，旧租税条約では，第1項と第2項になっていた。2017年1月1日からは，改訂された新日独租税条約が適用されている。新租税条約では，工事現場に関する規定が独立させられて第3項になっただけであり，内容的な相違はない。

日独租税条約第5条第1項，第2項，第3項
(1)　この協定（条約）の適用上，「恒久的施設」とは，事業を行う一定の場所であって企

業がその事業の全部又は一部を行っているものをいう。〔下線は筆者〕
(2) 「恒久的施設」には，特に，次のものを含む。
(a)事業の管理の場所，(b)支店，(c)事務所，(d)工場，(e)作業場，(f)鉱山，石油又は天然ガスの坑井，採石場その他天然資源を採取する場所
(3) 建築工事現場又は建設若しくは据付けの工事については，これらの工事現場又は工事が十二箇月を超える期間存続する場合には，恒久的施設を構成するものとする。

ここの規定からすぐに分かるように，原則として，どういうものであれ日本本社がドイツにビジネス拠点を持った場合には，PEとして認定され，ドイツにおける企業収益課税（法人税課税）に服さなくてはいけないということである。そして，そのようなPEに該当するビジネス拠点は，恒久的施設というとあまりに仰々しいことから，総称的，俗称的に「支店」と呼ばれることがある（上記の第2項の(b)支店と混同しないように留意）。しかし，この総称的，俗称的な意味での支店（PE）の例外規定として，上記の規定に続く第5条第4項（旧租税条約では第3項）において，外国（日本）の会社がドイツにビジネス拠点を有していたとしても，以下のようなビジネス活動しか行っていない場合には，ドイツでは法人税等の課税はしないこととなっている。この第4項は，PEの規定の例外規定である。当然のことながら，ドイツの会社が日本にビジネス拠点を設置した場合でも，基本的に同じことが該当する。

日独租税条約第5条第4項
(4) 協定第五条の規定にかかわらず，次の活動を行う場合には，「恒久的施設」に当たらないものとする。ただし，その活動（次の(c)の規定に該当する場合には，次の(c)に規定する事業を行う一定の場所における活動の全体）が準備的又は補助的な性格のものである場合に限る。
(a) (i) 企業に属する物品又は商品の保管，展示又は引渡しのためにのみ施設を使用すること。
(ii) 企業に属する物品又は商品の在庫を保管，展示又は引渡しのためにのみ保有すること。
(iii) 企業に属する物品又は商品の在庫を他の企業による加工のためにのみ保有すること。
(iv) 企業のために物品若しくは商品を購入し，又は情報を収集することのみを目的として，事業を行う一定の場所を保有すること。

> (b) 企業のために(a)に規定する活動以外の活動を行うことのみを目的として，事業を行う一定の場所を保有すること。
> (c) (a)及び(b)に規定する活動を組み合わせた活動を行うことのみを目的として，事業を行う一定の場所を保有すること。

　これらをまとめると，①保管，展示，引渡し，他の企業による加工のために日本の企業がドイツで商品，物品の在庫を持つこと，あるいは，そのために施設を利用すること，②買付，情報収集という事業活動のために一定の場所を保有すること，③どのような事業活動であれ，準備的，補助的な性格の事業活動のために一定の場所を保有している場合には，ビジネス拠点をドイツに有していたとしても，PE（＝総称的，俗称的な意味での支店）とは見なされず，ドイツにおける企業収益課税に服さないとされている。

　この日独租税条約第5条第4項のPEの例外規定は，OECDモデル租税条約の該当規定の改訂に沿って，2017年1月1日から適用されている新条約において変更され，BEPSプロジェクトの多国間協定を通じて改訂が加えられた（主旨の明確化：2021年4月1日発効）。上のテキストは2017年からの新条約に，2021年4月改定が加えられたものであり，より厳格な規定になった。このような厳格化は，OECDモデル租税条約をモデルにしている先進工業国が締結している租税条約に共通のものである。以前の例外規定によれば，例えば倉庫を持つ（在庫の保有）だけであれば，それが広大なものであっても，PEとは見なされない。その例外規定をうまく利用して，受注はネットで行い，配送は外注することで，商品の販売からの（莫大な）利益は，その事業活動（販売活動）が行われている国（顧客が居住する国）では課税されないというビジネスモデルが可能となっていた。インターネットの発達といった技術的進歩が，税法規定が時代にあわなくなってしまったことを暴露してしまった事例としてよく話題になる。新しい例外規定においては（2017年からの日独租税条約においても），この倉庫を持つということが，当該企業の当該国での事業活動全体から見て，補助的，準備的であるかを見て判断するとなっている。これは，例外規定の中に謳われた他の事業活動についても，同様に適用される。

## 2　PE例外規定の正確な理解

　在独日系企業のビジネス拠点としての駐在員事務所という場合，「潜在的顧客，既存の顧客への広告宣伝，情報提供」，あるいは，「本社のための情報収集」という

補助的,準備的活動をビジネス活動にしているケースが大半である。また,それに加えて,ドイツまたは欧州における買付,調達の窓口になっている駐在員事務所も可能であるし,数は少ないが実際に存在している。但し,日本本社によるドイツにおける商品在庫の保有というビジネス活動は,「事業を行う一定の場所の保有」という文言がないことからも分かるように,日本本社が例えばドイツの倉庫業者に委託して,ドイツ顧客等に納品するために自社製品を保管させるということ等が想定されている(関税,付加価値税の問題には留意が必要)。その場合でも,もし駐在員事務所が設立されていて,そのスタッフが保管された自社製品の管理を取り仕切っていたとしたら,ただちに販売行為,営業行為への関与ということになり,上記の日独租税条約第5条第4項の例外規定には該当しなくなるであろう。総体的な観点から見て,準備的,補助的な性格の活動に収まっているかが重要である。

　また,実務現場でのより大きな問題は,「潜在的顧客,既存の顧客への広告宣伝,情報提供」の部分の正確な理解である。日本本社の潜在的顧客,既存の顧客を定期的に訪問して,日本本社の存在,最新の動向を紹介したり,最新の製品に関する一般的な情報を提供したりするのであれば,この範囲内(準備的,補助的な性格の活動の範囲)に収まると考えられる。しかしながら,日本本社の製品の販売契約書に駐在員事務所のスタッフが署名すればもちろんのこと,本社製品の具体的な製品見積書を駐在員事務所のスタッフが自らの責任で潜在的顧客,既存の顧客に送付した場合には,例外規定が該当しない営業行為と見なされるであろう。但し,この種の問題は,状況全体を総合的に見て最終判断がなされものであり,個々の具体的なビジネス活動について,予め白黒を明確にすることが困難なことが多いことには留意する必要がある。

## ③ 駐在員事務所における売上

　上記の説明からも理解できるように,駐在員事務所は,日本本社のために買付行為,調達行為を行うことはあっても,ビジネス活動としての販売行為は行わないことから,基本的に,商品の販売による売上あるいは役務(サービス)の提供に伴う売上を計上することはない。しかしながら,例えば日本人駐在員のカンパニーカーのためにということで,駐在員事務所で乗用車を購入した後,数年後に新しい車に買い替えを行ったために,古い車を処分するということが起こり得る。通常,古い車はディーラーや他の会社,個人に売却されるのが普通であろう。この場合,駐在員事務所であっても,付加価値税19%を賦課して売上を計上することになる。それ

どころかドイツの付加価値税法上，計上しなくてはならない。

　この種の自ら使用している事業資産の売却は，日本本社の経理部門，企画部門や調達部門等の直接的に自社製品の売上の計上に関連しない部署でも起こっている。しかし，当該経理部門や企画部門，調達部門がその自ら使用している事業資産を売却したとは認識されずに，営利企業としての日本本社全体（あるいはその中の事業部，カンパニー）の中の使用事業資産の売却として見なされることから，問題にされることはないであろう。ところが，自社製品の売上の計上に直接的に関連しない部署がドイツに独立して設立された形になっている駐在員事務所の経理上の記録に，突然に付加価値税が賦課された売上が計上されると，とりわけ上記のPE課税問題をより理解した人ほど，「大丈夫なのかな？」という疑念が沸いてくるかもしれない。しかしながら，このような売上の計上は，駐在員事務所のステータスを危険に晒すものではない。

　また，在独日系企業の駐在員事務所でよく見られるもう１つの種類の売上として，カンパニーカー供与時の「みなしリース料」との関連で，付加価値税上においてのみ計上，認識される「みなし売上」というものがある。リース料に対しては，ドイツの税法上，付加価値税が賦課される。それを前提にして，従業員（駐在員）に対するカンパニーカー供与を，会社が従業員に対して勤務を対価にしてリースしている関係と見なす。その結果，みなしリース料が付加価値税上の売上として認識され，19％の付加価値税の課税が行われるというものである。但し，先の使用されている事業資産の売却時の売上とは異なり，この場合は，駐在員事務所の経理上の記録の中に売上は計上されない。

　いずれにせよ，この２つの種類の売上は，本来自社製品ならびにその他の商品の販売行為を行わない駐在員事務所においても計上される売上である。しかしながら，駐在員事務所のステータスを危険に晒すものではない。そのことをはっきり認識しておくべきであろう。

## ④　駐在員事務所におけるPEリスク

　駐在員事務所は，日本本社がドイツで直接にビジネス活動を行う場合に，ドイツでの企業収益課税（法人税課税）に服さない範囲で運営されるビジネス拠点である。もし，上記で説明したビジネス活動範囲（日独租税条約第５条第４項の例外規定）を逸脱した場合でも，営業届の変更等が必要になるかもしれないが，別に会社法上の何らかのペナルティがあるわけではない。税法規定に沿って，そのドイツにおけ

るビジネス活動について，課税対象所得が分かるような決算書を作成して，利益が計上されていれば，法人税等を納付することになる（未登記支店）。その際，ドイツにおける法人税等の負担（但し，日本で税額控除できる可能性あり）に加えて，場合によってドイツで会計事務所（税理士事務所）に決算書作成ならびに年度申告書作成費用を支払うという追加的負担が発生する。場合によっては，過去に遡って認定が行われた場合，最悪のシナリオとして，税務申告書の遅延提出に対するペナルティあるいは税金の延滞納付利子等の賦課がなされることもある。また，税務署（調査官）との様々なやりとりがあって，その際にも会計事務所にそれへの対応ならびにコンサルタントを依頼して，費用が発生するかもしれない。このようなリスクを駐在員事務所における「PEリスク」と呼んでいる。駐在員事務所の設立，運営に際しては，必ず注意しなくてはならない点である。

PE（恒久的施設）課税問題は，移転価格税制と共に，国際税務において最も話題になるテーマの1つである。日本本社が直接的にドイツでビジネス活動を行う際に必ずつきまとう問題でもある。上記においては，基本的に駐在員事務所との関連においてのみ解説した。しかしながら，PE課税問題はそれ以外のかなり広範な領域に関わってくる問題であり，何もビジネス拠点としての駐在員事務所に限定された問題ではない。とはいえ，駐在員事務所を運営する者は，常に頭に入れておかなくてはいけない問題でもある。駐在員事務所に限定されないPE課税問題は，後の「第4章 税務上の留意点」において，より詳細に取り上げる。

## 4　ドイツにおける現地法人（子会社）の法形態の概要

現地法人（子会社）は，駐在員事務所ならびに支店とは異なり，会社法上，あくまでドイツの会社法，商法に基づいた会社組織である。理論的には，ドイツの会社組織であればどれでも日本の会社の現地法人となり得る。日系企業が現地法人を設立するという場合，有利であるという理由から，実際的には99.9％までが「有限会社〈Gesellschaft mit beschränkter Haftung＝GmbH〉」の法形態を取っている。後の0.1％が「株式会社〈Aktiengesellschaft〉」ならびに「有限合資会社〈GmbH & Co.KG〉」である。

### 1　ドイツにおける各種の団体組織

日本と同様にドイツにおいても，数多くの個人事業主が存在して，ビジネス活動

の底辺を支えている。企業会社組織を含めた，派遣された駐在員や日本人現地スタッフがドイツで遭遇する民間の団体組織の法形態を，根拠法を含めて概観すると以下のようになる。

① 社団法人（Verein）
　　根拠法：民法第21条～第79条
　　社団法人登記簿〈Vereinsregister〉に登記されたものと登記されていないものの双方がある。登記されたものは登記社団法人〈eingetragener Verein〉として法人格を得ることになり，社団法人名の後に「e.V.」という略号が付されている。様々なスポーツクラブや同好会組織がこの法形態で運営されており，ドイツの日常生活には欠かせないものとなっている。
　　例：デュッセルドルフ日本商工会議所，デュッセルドルフやミュンヘン等の日本人のクラブ組織や日本人学校，サッカーチーム，ゴルフクラブ
　　この形態の特殊なものとして，経済活動目的に設立される「経済社団法人〈wirtschaftlicher Verein〉」や「相互保険会社〈Versicherungsverein auf Gegenseitigkeit〉」があるが，数としては多くない。

② パートナーシップ
民法上のパートナーシップ：GbR（Gesellschaften der bürgerlichen Rechts）
　　根拠法：民法第705条～第740条
パートナーシップ法上のパートナーシップ：PartG（Partnerschaftsgesellschaft）
　　根拠法：パートナーシップ法
　　例：弁護士事務所，医師の共同クリニック
　　この形態の特殊なものとして，商法第489条に根拠を有する「船舶共有組合〈Partenreederei〉」というものがある。しかし，ごく稀であり，2013年4月25日以降，新規設立はできなくなっている。

③ 商事会社（Handelsgesellschaft）
　　根拠法：会社法等（商法，株式法，有限会社法）
　　例：ドイツの一般の会社組織，日系企業の現地法人

④ 協同組合（Genossenschaft）
　　根拠法：協同組合法

⑤ 財団法人〈Stiftung〉
　　根拠法：民法第80条～第88条
　　一般的に，ビジネス活動を行うための会社組織は，上記の「商事会社

〈Handelsgesellschaft〉」に区分される。この商事会社はさらに，(i)資本会社〈Kapitalgesellschaft〉（日本の物的会社に相当）と，(ii)人的会社〈Personengesellschaft〉に区分される。さらに，EU（欧州連合）の会社法に基づく会社法形態（その代表的なものは「欧州会社〈societas europaea：略称SE〉」）も，在独日系企業の現地法人（子会社）の選択肢に入ってくる。

　在独日系企業において最も頻繁に採用されているドイツの有限会社の特長を明確にするという観点から，まずは，これらのうちの主要なものの概要を簡単に紹介したい。そして，株式会社との比較を行い，さらに，「EU域内における会社法形態の競争」の結果として導入された有限会社の特殊形態としての「起業家有限会社〈Unternehmergesellschaft〉」を解説したい。

## (1) 株式会社〈Aktiengesellschaft〉（略称：AG [アーゲーと発音]）

　株式法〈Aktiengesetz〉（全410条：アルファベット枝番条項があるので，実際の条項数はこれより多い）に基づき設立される資本会社〈Kapitalgesellschaft〉（日本の物的会社に対応）。最低資本金は50,000ユーロ。過去において，設立には5人の設立発起人が必要とされていたが，1994年の改正により，1人の設立者（株主）でも設立が可能になった。基本的に，2006年会社法改正前の日本の株式会社に対応している。日本の株式会社やアメリカ，イギリスの株式会社との比較において，会社機関構成の二層構造がその特徴となっている。すなわち，経営に関わる会社機関として，経営を執行する「取締役会〈Vorstand〉」と経営を監督する「監査役会〈Aufsichtsrat〉」の2つの機関から構成される。監査役会は，たとえ1人株主（単独出資者）の株式会社であっても，その設立が義務となっている。

　ドイツにおいて，株式会社という法形態には，とりわけ過去において，大会社のためのものというイメージがあった。そして，銀行，金融機関を通じての間接金融が支配的であったこともあり，上場会社が少なく，1990年代初めにおいて株式会社はドイツ全体で2,000社程度であった。上述の1994年の株式法改正ならびに1998年のドイツテレコムの株式上場に端を発した株式ブームにより，株式会社の数は飛躍的に増大したが，それでも20,000社を超えることはなかった。

## (2) 有限会社〈Gesellschaft mit beschränkter Haftung〉（略称：GmbH [ゲーエム・ベーハーと発音]）

　有限会社法（全88条：アルファベット枝番条項があるので，実際の条項数はこれより多い）に基づき設立され，ドイツの資本会社法形態の中では最も人気のある形態である。1892年に，株式会社の簡易化された形態として導入された。1980年と

2008年に大きな改革がなされている。最低資本金は25,000ユーロ。単独出資も可能で、ドイツの中小企業の多くは、この法形態を採用している。他方で、電化製品、自動車部品メーカーの「ボッシュ〈Bosch〉」(Robert Bosch GmbH) のように、世界的な有名な大企業でも、この法形態を採用したままのところもある。株式会社とは異なり、譲渡が自由な株式が発行されるのではなく、出資持分〈Anteil〉が発行され、その譲渡には、公証手続きが必要とされる。在独日系企業の現地法人（子会社）も、99.9％までこの形態を取っている。

(3) 株式合資会社〈Kommanditgesellschaft auf Aktien〉（略称：KGaA［カーゲーアーアーと発音］）

　株式法第278条〜第290条にその法的根拠を有し、株式会社と後述の人的会社の１つである合資会社がミックスされた資本会社である。株式会社ならびに有限会社と同様に、独自の法人格を有する。無限責任出資者と出資額までしか責任を問われない通常の株主から構成され、この無限責任出資者が経営の実権を握るのが普通である。一般的な話として、株式会社の経営の支配権は、出資額の多寡（出資比率）に連動している。この株式合資会社においては、株式市場を通じての資金調達が可能であることに加えて、将来の事象に対する無限責任というリスクを負ってではあるが、少ない出資額にも拘らず、無限責任出資者として経営を支配できることが特長であり、同族経営の企業に適していると言われている。数としては決して多くはないが、1997年に連邦通常裁判所が、資本会社が無限責任出資者になっても構わないという判決を出して以降その数は増加し、現在では少なくとも120社がこの法形態を採用しているという統計がある。この法形態を取っている最も有名な例は、石鹸、化粧品、日用用品の製造メーカーであるデュッセルドルフのヘンケル〈Henkel〉である。

(4) 合名会社〈offene Handelsgesellschaft〉（略称：OHGまたはoHG［オーハーゲーと発音］）

　商法第105条〜第160条の規定をその法的根拠にしている人的会社〈Personengesellschaft〉である。資本会社である上記の株式会社・有限会社・株式合資会社とは異なり、原則として独自の法人格を有していない。例えば税制上においては、会社として法人税法に基づき課税されるのではなく、あくまで出資者のレベルで課税が行われる（パススルー課税：但し、2022年より、法人税課税のオプションが導入）。しかしながら、まったく会社としての権利能力が否認されているかというとそうではない。商法第124条に規定されているように、各種の権利の取得

や債務の計上を行い，土地所有あるいは土地に関するその他の物権的行為に関与し，提訴，訴追の主体となり得る（部分的権利能力）。出資者は，無限責任を負う複数の自然人または法人である（すなわち，出資者は無限責任出資者のみ）。例えば資本会社が出資者になっている場合には，商号にそれと分かるような標記が義務付けられている。出資者の1人が「有限会社」の場合には，OHGだけでは不十分であり，「有限合名会社〈GmbH & Co.OHG〉」となる。同様に，出資者の1人が株式会社の場合には「株式合名会社〈AG & Co.OHG〉」となる。この合名会社は，ドイツの中小企業によく見られる法形態である。

### (5) 合資会社〈Kommanditgesellschaft〉（略称：KG［カーゲーと発音］）

商法第161条～第177a条の規定をその法的根拠にしている人的会社である。合名会社と同様に，原則として独自の法人格を有しておらず，例えば税制上においては，会社として法人税法に基づき課税されるのではなく，あくまで出資者のレベルで課税が行われる（パススルー課税：但し，2022年より，法人税課税のオプションが導入）。しかしながら，合名会社と同様に，商法第124条に規定されているような会社としての部分的権利能力は確保されている。合名会社と決定的に異なる点は，有限責任の出資者が存在しているという点である（無限責任出資者と有限責任出資者との並存）。逆に，有限責任の出資者が何人いても構わないが，最低1人の無限責任を負う出資者がいなくてはならない。通常，無限責任出資者が経営を執行しているケースがほとんどである。この無限責任出資者の1人が，例えば有限会社である場合（無限責任出資者が1人だけでそれが有限会社の場合も同じ），「有限合資会社〈GmbH & Co.KG〉」となる。この有限合資会社形態は，無限責任出資者におけるリスクを最終的には有限会社の出資金までに限定でき，なおかつ，資金調達，共同決定法上ならびにその他のメリットを享受できるということで，ドイツの中小企業によく見られる形態である。外資系企業も時折この法形態を採用しているケースがある。在独日系企業においても，ごく数社であるがこの法形態を採用しているケースがある。

### (6) 匿名出資〈stille Gesellschaft〉

日本では，「匿名組合」という訳語が充てられ，そして，日本の商法上の1つの制度としても，匿名組合という形で存在している。しかしながら，組合組織，会社組織というよりも，商法第230条～第237条にその根拠を有する既存の会社に対する「特殊な出資形態」である。すなわち，匿名出資者が，ビジネス活動を行う事業

者に対して，資金，現物，役務を提供し，そこで得られた利益の分配に与る，という双務契約関係を匿名出資と呼んでいる。すぐ上の合資会社の有限責任出資者に近似するところがあるが，合資会社の有限責任出資者は，例えば商業登記簿に登記され，誰が出資者であるか公になるのに対して，匿名出資者は外部者には「見えない存在」であり，それが匿名出資の匿名たる所以である。歴史的にも，中世イタリアの地中海貿易において，貴族や聖職者等が営利行為に関与する際，誰が出資者であるかを秘匿するために成立したとされている。在独日系企業のドイツにおけるビジネス活動において，このような出資形態の必要性というのは稀であると思われる。しかしながら，日系企業がドイツの企業を買収しようという場合で，当該企業の中に匿名出資がなされている時があり，その内容（企業価値評価に対する影響）は，財務書類を見ただけでは分からないので注意を要する場合がある。そのような観点から，知っておいた方がいいというドイツの会社法の制度である。

## ② EU（欧州連合）の会社法に基づく会社法形態

　以上の会社法形態は，ドイツの法律に基づく会社組織である。それとは別に，「欧州経済利益団体〈european economic interest grouping〉」（1985年にそのためのEEC規則が成立），「欧州会社〈societas europaea：SE〉」（2004年10月に施行），「欧州協同組合〈societas cooperativa europaea：SCE〉」（2006年8月に施行）の3つのEU（欧州連合）の会社法に基づく会社法形態の選択も，理論的には，在独日系企業の進出法形態として可能である。人的会社である欧州経済利益団体ならびに欧州協同組合は，在独日系企業の現地法人（子会社）の選択肢に入ることはないと思われることから，欧州会社〈SE〉についてのみ，以下にその概要を解説する。

【欧州会社〈SE〉の制度の施行とその利用に関する基礎知識】

　欧州会社〈societas europaea＝SE〉の法制度は，2000年12月にニースで開催されたEU首脳会議で原則合意され，同月の労相閣僚会議で承認された。具体的には「欧州会社法制のためのEC規則」と「欧州会社法制のための従業員参加に関するEC指令」とからなり，2004年10月8日に施行された。この法制度の施行により，各加盟国の法律に基づくのではなく，EU法に基づく株式会社（＝SE）の設立が可能となった。会社法上からもEUの統合が進化したと言えるものである。

　まず確認しておくべき点は，欧州会社またはその会社法制とは，EU加盟各

国の対応する会社法規定を廃止してそれに取って代わることを目指したものではない。加盟各国の株式会社等に関する会社法規定はそのままにしておいて，あるいは多くの場合それを準用している。複数のEU加盟国に位置する最低2つ以上の株式会社等が，合併（吸収合併，新会社設立合併），合弁会社の設立，持株会社の設立等を行う場合に採用されるオプションとしての会社法形態である。EUレベルでの企業組織再編成の簡略化に資することを目的にしている。その結果，詳細な規定を有せず，あくまで基本的な枠組みを設定したものである。すなわち，設立主体はあくまでも会社であり，個人出資者が直接的に欧州会社を設立することは想定されていない。

## （1） 欧州会社〈SE〉の登記，最低資本金，決算書の作成

会社登記に関しては，欧州会社〈SE〉専用の新しいEUレベルでの登記機関が設立されているわけではない。EU加盟各国の国内法に基づいて設立される会社と同様に，既存の各国の登記機関において登記され，登記手続き完了の日から法人格が保証される。登記場所（＝登記国，または，登記上の所在地）は，会社の経営意思決定が行われるところ，すなわち，本店機能を有するところとされている。これは，欧州会社全体の効果的な監視を可能にし，脱税やマネーロンダリング等の目的に濫用されるのを防止するためと言われている。

欧州会社の会社法制は，それ自体として詳細な規定を有せず，基本的には登記上の所在地がある加盟国の対応する国内法規定を準用することが原則とされている。その結果，登記上の所在地国がどこかという問題は，非常に重要なポイントとなっている。登記された欧州会社は，登記上の所在地国の規定に沿って公示が行われると同時に，EUの官報〈Official Journal〉においても公示される。また商号に関しては，会社名の前もしくは後ろに「SE」の表記を付し，その法形態を明確にすることが義務付けられている。

一旦設立された欧州会社が登記上の所在地国を変更する場合，債権者保護ならびに共同決定制度への従業員の参加の権利等が確保され，その他の法的手続きが遵守されていれば，原則としてその欧州会社の解散（清算）や移動先国での新会社（＝新SE）の設立の法手続きがなくともその変更が可能となる。すなわち，クロスボーダーの移動が可能になっている。

資本金は，最低120,000ユーロとされ，特定業種に関して登記上の所在地国がより高い最低資本金を規定している場合には，その規定に服することになる。資本金

の維持，増減資等の資本金に関わる各種のその他の措置に関しては，原則として登記上の所在地国の株式会社の規定に従う。決算書の作成ならびにその監査，開示についても，同様に登記上の所在地国の株式会社に対する規定が準用される。例えば，非ユーロ加盟国に登記上の所在地を有する欧州会社は，ユーロでの決算書の作成，監査，開示もできるとされている。他方で，当該登記上の所在地国の当局は，同国の株式会社に関する法規定で定めた同国の通貨単位での決算書の作成，監査，開示を規定することもできるとしている。

(2) 欧州会社の設立主体と設立方法

欧州会社〈SE〉の設立主体は，あくまでEU加盟国内に存在する（正確には，その登記上の所在地と本店機能をEU加盟国内に有する）会社法人である。具体的に各加盟国のどの法形態の会社が設立主体になり得るかは，「欧州会社法制のためのEC規則」の付表の中に列挙されている。

欧州会社は，以下の4通りのうち，いずれかの方法によって設立される。

① 最低2つの異なるEU加盟国に既に存在する複数の株式会社が，合併する場合（＝株式会社合併SE）
② 最低2つの異なるEU加盟国の株式会社もしくは有限会社等が，それらの会社の親会社として持株会社を新設する場合，または，他のEU加盟国内に既に2年以上にわたり子会社または支店を有する最低2つの株式会社もしくは有限会社等が，それらの会社の親会社として持株会社を新設する場合（＝持株会社SE）
③ 最低2つの異なるEU加盟国の会社（公法上の会社も含む）が，共通の子会社を設立する場合，または，他のEU加盟国内に既に2年以上にわたり子会社または支店を有する最低2つの会社が，共通の子会社を設立する場合（＝合弁会社SE）
④ 既に2年以上にわたり他のEU加盟国に子会社を有している株式会社が，新しくSEに組織変更する場合（＝組織変更会社SE）

他のEU加盟国への登記上の所在地の変更の場合と同様，組織変更会社SEの場合も，会社の解散や新会社の設立といった手続きは必要ない。しかし，組織変更会社SEの設立と同時に他のEU加盟国へ登記上の所在地を変更することは認められていない。株式会社合併SEの場合は合併提案書，持株会社SEの場合は設立提案書，組織変更会社SEの場合は組織変更提案書を作成しなければならない。そして，債権者保護または従業員の権利保護の観点から，所定の期限内にそれを公表し，あるいは，

各々の該当会社の株主総会（出資者総会）に諮り，その承認を得ることが必要とされている。

## (3) 欧州会社〈SE〉の会社機関構成

よく知られているように，法人格を有する資本会社（特に株式会社）の基本的構造として，EU加盟国内には二層構造と単層構造という2つの異なる会社機関構成が並存している。二層構造とは，ドイツの株式会社〈Aktiengesellschaft＝AG〉に代表されるように，経営業務を遂行する「取締役会」とそれを監視するだけの役割を担う「監査役会」という2つの機関に分離しているものである。これに株主総会を含めると会社の機関としては「株主総会─監査役会─取締役会」の3つの機関から構成されていることになる。その意味で，厳密に言ったら「三層構造」なのであるが，経営に関わる会社機関が2つという意味で二層構造といわれている。単層構造とは，イギリスに代表されるアングロサクソン型のもので，経営業務の遂行ならびにその監視の双方が取締役会に委ねられており，会社の機関としては「株主総会─取締役会」の2つの機関から構成されているものである。

このような現実を踏まえ，欧州会社（＝SE）の会社法制では，これら2つの制度の選択権が確保されている。二層構造のもとでの監査役会のメンバー数は，加盟国の国内法で定められた最高，最低人数の範囲内で定款で定められる。同様に，単層構造のもとでの取締役会のメンバー数は，加盟国の個別の国内法に留意する必要はあるが，定款で定められる。なお，「欧州会社法制のための従業員参加に関するEC指令」に基づく共同決定制度に服する場合，最低3人の取締役の指名が義務付けられる。また，二層構造のドイツにおいては，業務執行機関である取締役会は，株主総会ではなく監査役会により選任される。しかし，加盟国の国内法が株主総会による直接選任を認めている場合には，それに従うものとされている。

単層構造と二層構造の双方に該当する規定のうちで重要なものとしては，取締役会ならびに監査役会のメンバーの任期に関するものと，その機関におけるその法人メンバーの可否に関するものがある。すなわち，定款に規定し得る任期を最高6年とし，登記上の所在地国の株式会社に関する国内法が許容している場合には，個人（＝自然人）を代表者として送り込むことを前提として，法人が取締役会ならびに監査役会のメンバーになることができることになっている。

## (4) 欧州会社〈SE〉と共同決定制度への従業員の参加問題

株式会社の機関構成の問題と同様に，共同決定制度への従業員の参加の形態，範囲についても，EU加盟国の国内法の規定の間でかなりのばらつきがある（共同決

定制度については「**第5章 労働法**」を参照)。この異なる制度を単層構造と二層構造の問題と同様に，選択権の確保という形で解決することも考えられるのであるが，共同決定に関して最も進んでいると自負するドイツが，自らの共同決定制度が「空洞化」してしまうという危惧から，強行に自国の方式の貫徹を主張していた。欧州会社法構想が2000年12月に行われたニースのEU首脳会議で一応の合意に至るまでに何度も暗礁に乗り上げ，結局30年間を費やしてしまった原因は，この点に関する利害対立だったと言われている。すなわち，この問題に関してはドイツがブレーキになっていた。

ニースで合意を見た当該問題に関する基本的方向性は，共同決定制度への従業員参加の形態，範囲に関し，

(i) 原則として，新設予定の欧州会社〈SE〉の労使の協議の場で合意する，
(ii) もし，その場で合意に至らなかった場合には，特定のケースにおける例外を除き，「標準ルール」が適用される，

というものである。以下，この点について少し詳しく見ていきたい。

① **特別交渉機関との協議**

「欧州会社法制のための従業員参加に関するEC指令」によれば，設立方法に関する上述の4つのどの方法であれ，新しい欧州会社〈SE〉を設立することを決定した場合（正確には，合併提案書等の公表後速やかに），次のようなステップを踏むことが不可欠となる。経営者サイドは，まず全ての設立参加企業の従業員のその時点での代表組織と見なされる「特別交渉機関〈Special Negotiation Body：略称SNB〉」との間で，新しい欧州会社における共同決定制度への従業員参加の形態，範囲について協議を開始しなければならない。

このSNBのメンバーは，複数の加盟国で現在働いている関与企業従業員数の人数割合に応じて各加盟国から平等に選出される。原則として，この協議はおよそ6ヵ月ほどをかける（最長1年まで）。そこで，合意の対象範囲，従業員代表組織の人数とその配分，従業員に対する情報提供や協議の手続きおよびその機能，従業員代表組織の開催頻度，それに対する財政的および物質的サポートの方法，必要に応じて取締役会や監査役会への従業員代表派遣等について明確な合意に達しなければならない。この協議にかかる費用は，欧州会社が負担し，決定は議決権に関わる案件を除き，原則として多数決で行われる。

② **標準ルールの適用**

もし，新設予定の欧州会社〈SE〉の特別交渉機関との間で労使双方が納得のでき

る「共同決定制度への従業員参加の形態，範囲」について，所定の期限までに合意に至らなかった場合，または，当初から労使双方がその適用を合意した場合は，「欧州会社法制のための従業員参加に関するEC指令」の附則として規定された標準ルールが適用されることになる。

　この標準ルールは，「従業員代表組織を通じての従業員の労使協議への参加」と，「取締役会または監査役会への従業員代表の参加」の2つに大きく区別される。前者の標準ルールによって，欧州会社側は，全取締役会および全監査役会の議題の一覧の提示，株主総会における資料の提示による従業員代表組織への会社側からの定期的報告を義務付けられている。これらの報告では，会社の経営方針および今後の見通し，生産販売量，生産性，経営方針の転換，合併，解雇などが細かく述べられている必要がある。また，会社の移転，解散など重要事項がある場合には，定期的な報告以外に，特別の情報提供を従業員代表組織側から要求することができる。このように，かなり広範に従業員側の権利を保障している。

　「取締役会または監査役会への従業員代表の参加」についての標準ルールは，まず，加盟国に対して，その国内法への導入を留保する（国内法に導入しなくてもよい）権利が確保されている。そして，および強制適用がかなり限定され，先に述べたEU加盟国内のこの方面でのばらつき状態に現実的に対処した妥協案となっている。すなわち，組織変更会社SEの場合，設立以前の会社において確保されていた従業員の取締役会または監査役会への従業員代表参加権は，組織変更後においてもそのまま適用される必要がある。株式会社合併SEの場合，合併以前の企業において「取締役会または監査役会への従業員代表の参加」が確保されている従業員の数が合併後のSEの従業員のうち少なくとも25％を占める場合，合併後においてもその権利が継続して確保される必要があるとされている。また，合弁子会社SEならびに持株会社SEの場合，同様の基準比率は50％となっている。

## (5)　欧州会社〈SE〉と課税問題

　欧州会社〈SE〉は，EU域内の国境をまたぐグループ企業の会社法上の法律行為（合併や合弁会社の設立等）に対して，決められた前提条件のもとで，一定の法形態上の統一性，継続性を確保させる。そしてそれにより，その法律行為に際してそれまで発生していた手続き費用を軽減し，EU域内の企業組織再編を促進し，ひいてはEUにおける経済的統合の深化を目指すものである。しかしながら，欧州会社の設立それ自体は，何ら税務上のメリットを保証するものではない。さらに，ニースにおけるEU首脳理事会における合意の中にそれに対応する税法規定についての

他の合意が盛り込まれていたわけではない。この点は，きちんと理解しておく必要がある。

## ③ ドイツにおける有限会社と株式会社との比較

有限会社の特殊的形態であり，2008年有限会社法改革で新たに導入された「起業家有限会社〈Unternehmergesellschaft〉」については別途に解説したい。その前にまず，ドイツにおける通常の有限会社と株式会社を比較すると以下のようになる。

[有限会社と株式会社の比較]

|  | 有 限 会 社 | 株 式 会 社 |
| --- | --- | --- |
| 最低資本金 | 25,000ユーロ<br>（起業家有限会社の場合は例外） | 50,000ユーロ |
| 出資持分／株式 | 出資持分（但し，出資持分証書のようなものは存在していない） | 株式（額面・無額面） |
| 持分・株式の譲渡 | 公証人手続きを介して | 原則的に自由売買 |
| 出資者の名称 | Gesellschafter（出資者） | Aktionär（株主） |
| 最低出資額 | 1ユーロ（2008年11月から） | 1ユーロ（額面株式の場合） |
| 単独出資の可否 | 可能 | 可能（1994年以来） |
| 会社機関構成 | 単層構造（取締役） | 二層構造（取締役会と監査役会） |
| 最高意思決定機関 | 出資者総会<br>（Gesellschafterversammlung） | 株主総会<br>（Hauptversammlung） |
| 経営執行機関 | 取締役（最低1人） | 取締役会（最低1人，但し，資本金3百万ユーロ超の場合は最低2人） |
| 経営監督機関 | 監査役会（従業員500人超の場合，共同決定法に基づき設置義務） | 監査役会（最低3人・最高21人） |
| 経営執行機関の任免権 | 出資者総会 | 監査役会 |
| 経営執行機関の経営権限 | 委託された経営権 | 本源的経営権（株式法第76条第1項ならびに第77条第1項） |
| 役員名称 | Geschäftsführer（取締役）<br>Aufsichtsratsmitglied（監査役：従業員500人超の場合） | Vorstandsmitglied（取締役）<br>Aufsichtsratsmitglied（監査役） |
| 社長の名称 | Geschäftsführer（社長を他の経営を執行する役員から区別する呼称は存在していない） | Vorstandsvorsitzender（株式法第84条第2項）<br>Vorstandssprecher（法律根拠はない） |

組織構成上，有限会社は，二層構造になっている株式会社に比較して，会社機関構造が簡単だと言われる。すなわち，経営を執行する社長（あるいは取締役）の経営権限が，本源的経営権という形でかなり独立したものになっている株式会社とは異なり，出資者の意思を通しやすいものになっている。極端な場合，有限会社においては，出資者が直接的に経営的指示を出すことが可能とされている。

そのような理由から，有限会社は，企業グループの中の子会社に適した法形態といわれている。確かに有限会社においても，従業員500人超の場合，共同決定法により監査役会を設置して，そこに3分の1のメンバーとして従業員代表を受け入れるということが義務付けられている。しかしながらこの有限会社の監査役会は，どんなに小規模であってもただちに設置が義務付けられている株式会社の監査役会とは異なり，実質的な権限はかなり狭められたものとなっている。また，多くの在独日系企業の場合，500人超の従業員を要する場合は稀であり，その意味で，監査役会の問題はあまり考慮する必要がないと言える。有限会社の出資持分が譲渡される場合に，「公証人手続き」が必要とされるのは，確かに株式会社の株式の自由な売買との比較において，面倒な手続きという印象が強い。しかしながら，100％出資の子会社が大半であることから，そのような出資持分の移転は，組織再編等の場合の稀な場合に限定されている。以上のような理由から，在独日系企業においても，有限会社が現地法人（子会社）の設立に最も適した法形態として見なされている。

## 4　ドイツの有限会社の歴史的発展と定款の内容

　その重要な特徴の概要は，すでに株式会社との比較において解説している。ここでは，現地法人（子会社）として実際にドイツの有限会社を運営する者が，基礎知識として知っておくべきことを解説しておきたい。

### (1)　ドイツにおける発展の歴史とEU（欧州連合）域内における「会社法形態間の競争」

　ドイツの有限会社は，19世紀末の1892年に，「簡易化された株式会社」として導入された。100年以上の歴史を誇り，現在でもドイツにおいて最も人気のある会社法形態である。その有限会社の導入の年となる1892年以前の話であるが，鉄血宰相ビスマルクのドイツ帝国誕生後のいわゆる「起業家ブームの時代」に終止符を打った1873年の株式価格大暴落（今流に言えばバブルの崩壊）に対する反省から，当時の株式会社に対する様々な規制が強化された（ドイツの近代的な株式会社の起源は1884年とされている）。そのような時代的背景を受けて，1892年に導入された有限会社は，規制が強化された株式会社と，基本的に無限責任出資者から構成されて当時既に存在していた合名会社，合資会社の各々のメリットを接合したものである。このドイツの有限会社は，会社機関構成が単純で運営が簡易となっていること，出資者（親会社）の意図が経営に反映されやすいこと等の利点がある。それゆえ，少なくとも2000年代初めまでは，ドイツの起業家やビジネスマンにおいても，

そして，ドイツの大手の会社が子会社を設立する場合にも，相変わらず根強い信望を集めていたものである。

他方で，EU（欧州連合）域内統一市場の深化を加速させたユーロ導入前後から，在ルクセンブルクの欧州司法裁判所より，画期的なの一連の会社法判決が公表された。それらは，「セントロス判決」（1999年3月9日），「ユーバーゼーリング判決」（2002年11月5日），「インスパイヤーアート判決」（2003年9月30日）等の判決である。それらにおいて，EU域内の会社設立手続きの簡単な国（例えばイギリス：当時はEU加盟国）において，その国の会社法に基づいて会社設立を行い，そこではペーパーカンパニーとして存在するだけで，実際にはドイツで支店登記をしてビジネスを行うといったことが，公然と認められるに至った。あくまで推定値でしかないが，一時的に約10,000社以上のイギリス「Limited.〈private company limited by shares〉」が，設立・登記国イギリスではペーパーカンパニーのまま，ドイツでビジネス活動を展開していたと言われている。2003年のフランスにおける1ユーロ会社の導入，同じく2003年におけるスペインの会社法改革，2004年のイタリアにおける会社法改革，2005年のスウェーデンの会社法改革というように，他のEU加盟国においても，当該欧州司法裁判所判決を背景にして，会社法改革が推し進められた。このような現象は，「EU域内での会社法形態間の競争」と呼ぶべきものである。このようなEU（欧州連合）における現象は，会社法が連邦州ごとに異なり，会社設立者，経営者側に有利な会社法体系を有したデラウェア州に多くの上場会社が登記上の所在地を置き，実際の本社機能は他の連邦州に置いてそこからビジネスを展開しているというアメリカのデラウェア現象と比較されるものである。2003年のインスパイヤーアート判決後，ドイツの政府関係者の間では，ドイツの有限会社という法形態が見捨てられ，有限会社法が空洞化することを危惧する声が年々強くなっていた。このような「EU域内での会社法形態間の競争」を踏まえて，ドイツにおいても，2008年11月1日付で有限会社法改革が施行された。

(2) 2008年有限会社法改革

「EU域内での会社法形態間の競争」を背景にした2008年ドイツ有限会社法改革は，2つの基本方針，(a)有限会社に対する会社法上の規制緩和（設立手続きの迅速化，出資持分の規定の緩和，資本維持規定の簡便化等），ならびに，(b)会社法形態の濫用に対する防止策を中心に据えて，ドイツ有限会社の魅力を回復，向上させようという試みであった。細かい点まで含めれば改正項目は多数にわたるが，

① 設立手続きの迅速化，緩和

② 出資に関する規定の緩和
③ 出資持分の譲渡，売却に関する規定の緩和
④ 資本維持規定の緩和
⑤ 本社機能所在地の海外への移転可能性
⑥ 会社法形態の濫用防止と会社機関の責任強化

というものであった。この改革によって，基本構造において変更はなかったものの，それまで問題点として指摘されていた項目の多くのものが改善された。その意味で，2008年ドイツ有限会社法改革は，100年以上の歴史を誇るドイツ有限会社のオーバーホールと言えるかもしれない。

## (3) 定款の内容

ドイツの有限会社においても，最も基本的な社内規則は定款である。この定款のドイツ語表現である「Gesellschaftsvertrag」は，逐語訳的には会社契約となる。複数の出資者が集まって事業を行う時の契約といった意味合いなのであろう。定款といってもまったく仰々しいものではなく，全10条前後のもので，極めて簡単なものが多い。その定款における不可欠性の度合いから，定款の個別の条項を，①「絶対的必要記載事項」（有限会社法第3条第1項），②「相対的必要記載事項」（有限会社法第3条第2項等），③「任意的記載事項」の3つに分けて区別している。在独日系企業の場合，後述するように，絶対的必要記載事項と若干の相対的必要記載事項から構成された全10条前後の定款になっていることが大半である。

絶対的必要記載事項は，定款に必ず規定しなければならない事項である。その記載を欠くときには，定款の内容上の瑕疵（欠陥）により定款全体が無効になる。具体的には，会社の商号，会社の登記地（本店の所在地の市町村名），事業目的，基本資本金の額，各出資者が基本資本金に充てる出資（基本出資）として払い込むべき金額（各出資者の氏名又は商号と各々の基本出資額，なお，出資者が1人の場合でも記載が必要［設立時のみ］）である。

相対的必要記載事項は，定款に定めなくても定款全体の有効性には影響はないが，定款に定めがないときはその事項の効力が認められないものである。具体的には，

① 企業の存続期間，
② 付随的給付義務（出資者が会社に対し基本出資の払込みの履行の他に義務を負担すべき旨。例：取締役就任を承諾すること，出資者が保有する工業所有権等を会社に利用させること，会社との競業を禁止すること等），
③ 持分譲渡に関する要件（有限会社法第15条第5項：譲渡制限をする場合），

第2章　会社法上の留意点　89

④　追加出資義務（有限会社法第26条～第28条），
⑤　利益処分（有限会社法第29条：例えば，分配の基準），
⑥　代表権の制限（有限会社法第37条第1項：記載がないと原則として共同代表権），
⑦　定款変更の要件（有限会社法第53条第2項：原則は行使された議決権の4分の3以上），
⑧　設立費用負担の旨および概算額（記載がないと税務上問題となるケースがある），
⑨　暦年と異なる事業年度（記載がないと暦年となる）

等がよく見られるものである。

　任意的記載事項は，定款に定めることができるが，それが効力を認める要件とはなっていない事項である。具体的な例としては，取締役の氏名，取締役の報酬，競業避止義務の免除，監査役会等の構成，会社の機関の業務規定等が挙げられる。在独日系企業にもよく見られる典型的な定款は，以下のようなものである。

第1条：商号と登記所在地
第2条：事業目的
第3条：基本出資金・基本出資・追加出資
第4条：会社の存続期間
第5条：事業年度
第6条：経営と代表権
第7条：出資者決議
第8条：出資者総会
第9条：年度決算書
第10条：利益処分
第11条：公告
第12条：設立費用

　有限会社を設立する際，まず定款を起草する。実務的には，上の下線が引かれたうちの3つの条項について，すなわち商号（社名）と所在地，出資金額，事業年度については出資者（日本本社）が決定する。もう1つの事業目的については，出資者が基本的アイディアを出し，それをもとに弁護士等が最終的に仕上げていく。そ

の他の条項については，弁護士が薦める一般的な内容で起草するのが普通である。

## 5  起業家有限会社

「起業家有限会社〈Unternehmergesellschaft〉」は，2008年有限会社法改革において新たに導入されたドイツ有限会社の特殊法形態ともいうべき会社形態である。資本金1ユーロで設立が可能である。法形態としてはあくまで有限会社ではあるが，商号に「Unternehmergesellschaft（haftungsbeschränkt）」あるいは「UG（haftungsbeschränkt）」という資本金が最低資本金額の25,000ユーロに満たないことを明記することが義務付けられる。さらに，最低資本金に達するまでは，毎年，繰越欠損金と相殺後の利益の最低4分の1は，法定資本準備金に繰り入れることも義務付けられている（当該法定資本準備金は，年度欠損，過年度からの繰越欠損との相殺あるいは登記資本金の引上げに充当することができる）。これにより，理論的には在独日系企業における現地法人（子会社）設立の敷居は低くなったと言える。他方で，この会社法形態においては，ドイツにおける個人事業主が，資金がそれほどないけれど起業したい，そして，あくまで会社形態でビジネスを始めたいというようなケースが想定されており，在独日系企業のニーズとは異なるものである。また，在独日系企業がこの法形態を現地法人（子会社）に採用する場合，商号に「Unternehmergesellschaft（haftungsbeschränkt）」あるいは「UG（haftungsbeschränkt）」という，いわば「一人前の有限会社ではない」という看板をぶら提げながらビジネスをしなくてはいけないことのデメリットも考慮すべきかもしれない。

# II 出張ベースでのドイツ・ビジネスのフォローに際しての留意点

　ビジネス拠点の選択の話を先に解説した。しかしながら，日本の会社がドイツでビジネスを行うといった場合，直接的であれ，商社等を通じての間接的な形であれ，ビジネス拠点なしにビジネス活動を展開している場合もある。すなわち，在ドイツの企業と取引関係（販売，仕入・購入）にはあるが，日本本社（本店）がすべてそれを管理して取り仕切っており，たまに本社スタッフが出張ベースでドイツに来るといったケースである。順序としては，そのようなビジネス拠点なしのドイツ・ビジネスの話が先かもしれない。

　他方で，ビジネス拠点を設置している場合でも，様々な理由から，日本本社のスタッフが出張ベースでドイツに赴いて，引き続き継続されている本社のドイツ・ビジネスをフォローしたり，ドイツのビジネス拠点の支援をしたりというケースもある。そのようにビジネス拠点の存在と出張ベースによるフォロー・アップが並行して行われることも多い。とりわけ近年においては，ビジネス拠点に日本人駐在員を駐在させることはコストがかかるということが，日本本社も引き続き直接的にドイツビジネスに関与する大きな理由になっていることが多い。そのような傾向は，インターネット等のコミュニケーション手段の近年の急激な発達により，助長されているところもあるだろう。すなわち，設置されたビジネス拠点での日本人駐在員の数は最低限まで減らし，監督，管理のために本社からの出張者が来独するということとは別途に，本社からの出張ベースでドイツのビジネス拠点の支援をするというケースである。

　本書は，ビジネス拠点を設けてドイツ・ビジネスを展開する時の留意点を解説することに主眼をおいている。しかしながら，コンプライアンスの観点からは，出張者の滞在許可・労働許可の問題，個人所得税の問題，そして場合によっては，日本の会社の付加価値税問題ならびにPE（恒久的施設）課税の問題（双方とも詳細は後述）に注意しなくてはならない。そのような理由から簡単に，しかし，個別領域横断的に（日本本社の）出張ベースにおけるドイツ・ビジネス展開時ならびに既存のビジネス拠点サポート時の留意点についてもここで言及しておきたい。

## 1　ドイツにおける出張者の滞在許可・労働許可の問題とその広まっている誤解

　日本人がドイツに観光目的（あるいは知人訪問目的）で入国した場合，1年間に3ヵ月以内であれば，滞在許可証を取得することなくドイツに滞在できるということは多くの日本人に知られているであろう。少なくとも，必ずしもドイツとは意識されていなくとも，3ヵ月以内の滞在に関して滞在許可証の取得を相互的に免除する取決めを，日本国政府が多くの国と交わし，ドイツもその中に入っているであろうという認識は一般的かもしれない。その結果，「ドイツ出張も3ヵ月以内なら観光ビザで大丈夫」とか，あるいは，少し詳しい方からは，「ドイツはシェンゲン協定加盟国だから，6ヵ月間に3ヵ月以内であれば滞在許可証の取得なしに出張滞在してもよい」などと言われる。観光ビザで出張滞在が認められているわけではないという事実誤認は脇に置いておこう。それはともかくも，この種の話の時，どうも1年（12ヵ月）に3ヵ月あるいは半年（6ヵ月）の間に3ヵ月という期間だけに焦点が当てられている傾向がある。そしてその際に，出張時に行うビジネス活動の内容に制限があるということが見過ごされている。ちなみにシェンゲン協定における「6ヵ月間の期間中に3ヵ月まで」という文言が，2013年7月から「180日間の期間中に90日まで」と変更された。本質的な変更ではないが，留意しておく必要はある。ドイツもシェンゲン協定完全施行国であることから，まずはこのシェンゲン協定（シェンゲンビザ）の概要を解説しておく。

## 2　シェンゲン協定ならびにシェンゲンビザの概要

　EU域内のヒトの移動時の物理的国境の撤廃，統一的なビザ（査証）発行・運用規定，シェンゲン情報システムに加えて，共通の麻薬取締対策や警察，司法協力あるいは難民対応の共通政策等のすべての施策が統一的に適用されている領域を「シェンゲン圏」と呼んでいる。その歴史的経緯から，このシェンゲン圏には，EU加盟国すべてが包括されているわけではない。また逆に，EU非加盟国が数ヵ国入っていることには留意する必要がある。それと共に，そのシェンゲン圏で統一的に適用されている「シェンゲンビザ」というものも存在している。

【シェンゲンビザの概要】
○ いわゆる「シェンゲンビザ〈Schengen Visa〉」と呼ばれているものには，いくつかのタイプがある。上記のシェンゲン圏において共通に通用する短期滞在目的のためのビザ（査証）の総称である。そのもとでは，1回の滞在期間が最長90日間，または，一定期間内の合計滞在日数が最長90日間となっている。
○ シェンゲン圏の参加国（完全施行国）の1国の当局から交付を受けたものであれば，原則として，他の参加国（完全施行国）でも通用する。
○ 但し，日本国籍保持者は，書面・シール等の意味のビザの免除対象国となっていることから，そのパスポートを提示するだけで，シェンゲンビザの恩恵に与れる。
○ 典型的なものは，「180日間のうちに90日以内」までシェンゲン圏参加国（完全施行国）に滞在できるというものである。
○ また，シェンゲン圏参加国のある1国に駐在，赴任して，そこで通常の滞在許可証（労働許可証）を取得している人の場合，他のシェンゲン圏参加国に「180日間のうちに90日以内」の期間であれば，やはり同様に，別途のビザの取得なしで当該シェンゲン圏参加国（複数国の場合も含む）に滞在できる。但し，この点については，どのようにコントロール機能が作用するのか不明なところもある。

## 3　ドイツにおける滞在法令・雇用法令の規定

　しかしながら問題は，「180日間の間に合計90日までという期間に関する規定だけを遵守していれば，勤務（出張）地国でどんなビジネス活動しても構わない」と，よく誤解されていることである。そうではないことを明確に規定しているのが，次の（ドイツの）滞在法令〈Aufenthaltsverordnung〉第17条第1項である。

滞在法令第17条：短期滞在時の就労に際しての免除規定の否認
(1) 入国ならびに短期滞在について，EU規則（2018/1806）第4条第1項（シェンゲン協定［訳者注］）のそれぞれの最新規定に基づく者，ならびに，シェンゲン協定適

> 用国（完全施行国）により交付された滞在許可または長期的滞在のための査証の保有者は，ドイツ国内で就労を行う限りにおいては，（ドイツの）滞在許可取得の義務を免除されない。
> (2) 省略

　この滞在法令第17条第1項の意味するところは，たとえ180日間の間に90日以内であっても，その90日間の間に，就労行為を行うのであれば（行ってしまうのであれば），ドイツの滞在許可証（労働許可証）を取得しなくてはならない，ということである。

　就労行為の定義は，滞在法，滞在法令あるいは雇用法令の中に直接的には見出せなくなった。しかし，他の関連する法律やコメントから，雇用関係を通じてのものであれ，自営業活動によるものであれ，「対価と引き換えに行われるビジネス活動一般」と理解して間違いない。他方で，本来的には就労行為ではあるのだが，特定のビジネス活動は，就労行為として見なさないという例外規定がいくつか設けられている。

> **雇用法令第30条：滞在許可証なしの雇用勤務のための滞在**
> 以下の勤務は，滞在法にいう就労に当たらない，すなわち，
> 1. 180日間の間に90日間以内の場合，<u>第3条第1号ならびに第2号の（労働局の）同意なしの勤務</u>，ならびに，<u>第16条にいう勤務</u>，
> 2. 12ヵ月間の間に90日間以内の場合，第5条，第14条，第15条，第17条，第18条，<u>第19条第1項</u>，そして，第20条，第22条，第23条，第24b条にいう勤務，
> 3. 12ヵ月間の間に90日間以内の場合で，他のEU加盟国で長期的滞在のステータスを有する外国人によって行われる第21条にいう勤務，
> 4. 滞在法令第23条から第30条までの滞在許可証の義務を免除されている者の勤務。
>
> **雇用法令第3条：中間管理職・会社機関のメンバー・専門職者**
> 以下の者，すなわち，
> 1. <u>中間管理職者</u>，
> 2. <u>法的代表権を有する法人の会社機関のメンバー</u>，
> 3. 国内における専門的な勤務の遂行に際して，特別で，特に当該企業の関する専門的見識を有している者
> については，（労働局の）同意が付与され得る。
>
> **雇用法令第16条：ビジネス出張者**
> 以下の者，すなわち，

> 1．ドイツ国内の雇用主に雇用されているが，外国での営業・事務職分野に所属している者，
> 2．外国の雇用主のために，ドイツ国内で打合せ・交渉を行い，契約書を作成・締結するか，その契約の実施を監督する者，あるいは，
> 3．外国の雇用主のために，ドイツ国内にグループ内企業のビジネス拠点を設立し，管理・監督する者
>
> で，且つ，その雇用関係の中で，外国での居所を維持しつつ，180日の間に90日を超えずに，ドイツ国内に滞在する者についての滞在許可証については，労働局の同意は必要とされない。
>
> **雇用法令第19条第1項：役務提供付随の納品**
> 外国の雇用主により，12ヵ月のうち90日間まで，以下の目的，すなわち，
> 1．当該雇用主が発注を受けた，事業目的に資する機械・設備・ソフトウェアプログラムを設置・導入し，据付し，メンテナンスを行い，あるいは，修理を行い，または，それらの操作始動に協力するため，
> 2．取得された機械・設備ならびにその他のものを検収するか，操作始動を習得するため，
> 3．雇用主の所在地国での再組立の目的で，取得された中古の設備を分解するため，
> 4．自分の会社の見本市スタンド，または，雇用主の所在地国の外国企業の見本市スタンドを設置するか，または，解体するか，それの支援をするため，または，
> 5．輸出あるいはライセンス供与契約の一環として，取扱研修を受けるため
>
> に，ドイツ国内に派遣される者に対する滞在許可の交付には，（労働局の）同意は必要とされない。第1文の第1号と第3号については，雇用主が，労働局に対して，事前にその雇用勤務を連絡することが，同意免除の前提となる。

就労行為とは見なされないビジネス活動には，上記のもの以外にもある。日系企業に関わってくるものとしては，上記の3つ（雇用法令の第3条・第16条・第19条第1項，特に下線の部分）が重要である。上の規定自体は，直接的には，連邦労働局の同意が必要とされないビジネス活動ということを規定しているものである。しかし，「雇用法令第30条：滞在許可証なしの雇用従事滞在」において，雇用法令第3条と第16条に関しては，180日の間に90日まで，第19条第1項に関しては，12ヵ月の間に90日までであれば，就労行為（雇用労働）とは見なさない，という規定が謳われている。その結果，シェンゲンビザに基づき，ドイツにおいて行うことができるビジネス活動は，上記の3つのビジネス活動に限定され，それ以外のビジネス活動は，日本本社での取扱いは出張者であったとしても，原則として，ドイツの滞在許可証（労働許可証）を取得，申請しなくてはいけない。コントロールがど

こまで厳格に行われているか別にして，ここは本当に誤解されている点であるため，コンプライアンスの観点からしっかり留意しなくてはならない。

## 4　出張者の個人所得税納付義務の問題(1)―勤務地国課税原則

　ベルリン・フィルハーモニーの第4代目の総指揮者であったヘルベルト・フォン・カラヤンは，現役時代に本拠地のベルリンだけではなく，世界各地で公演，その他の芸術的活動を行っていた。とりわけヨーロッパにおいては，1日に複数の国で活動をすることもあった。その際，時間単位で滞在地（活動地）国を記録していたと言われている。今でも多かれ少なかれそうであるが，彼のような芸術家の場合，原則として活動地が個人所得税の納付国になることから，それが必須だったわけである。

　このような原則は，会社に雇用されている者がその勤務の一環としてビジネス活動を行った場合にも該当する。例えば，日本の会社の命令でそのスタッフがドイツに2週間出張した場合，当該2週間分の出張勤務に対応する給与報酬分は，原則として，ドイツでの個人所得税課税に服することになっている（勤務地国課税原則［新日独租税条約第14条第1項］）。この日本の会社のスタッフ（従業員）は，ドイツで個人所得税申告を行い，税金を納める必要がある。但し，実際のところは非課税所得の枠があるので，たとえ申告したとしても2週間の出張に対応する給与報酬分だけであれば，実際の課税は発生しないのであるが，申告義務は常に付きまとう。そして，数ヵ月の出張という場合には，実際に課税が発生する可能性がある。

## 5　出張者の個人所得税納付義務の問題(2)―183日ルールの適用

　他方で，通常のサラリーマン（会社の従業員）が，このような「勤務地国課税原則」に基づいて外国出張するたびにその国で税務申告し，場合によっては個人所得税を納付することが必要になるとしたら面倒である。そしてそれは，活発なクロスボーダーのビジネス活動の妨げになることは間違いないであろう。それへの対応策として設けられているのが183日ルールと呼ばれている「勤務地国課税原則に対する税法上の例外規定」である。これは，通常2国間で二重課税の回避のために締結されている租税条約において取り決められているものである。2017年から施行されている（新）日独租税条約においては，第14条第2項に謳われている。

日独間の例で日本本社のスタッフがドイツ出張をする場合を想定して183日ルールを簡単に説明する（183日ルールの詳細は，「**第6章　日本人駐在員　⑤　日独間における183日ルールの適用**」［377頁以下］を参照）。あくまで，当該日本本社スタッフが税務上日本の居住者であること（ほとんどの場合該当する），そして，その他の条件（給与報酬が日本で負担されていること等）も満たしていることが前提になる。そのような前提条件が満たされている場合で，一年間のうち183日以内のドイツ出張であれば，勤務地国課税原則によるドイツでの課税が放棄され，居住地国である日本での課税だけで良しとするものである。

　この183日ルールは，ほとんどの場合，それを適用しているという認識がないまま適用されているケースが多いかもしれない。また，183日ルールについても，シェンゲンビザに対する誤解と同様に，183日という期間だけが独り歩きした誤解がなされている時がある。繰り返しになるが，日本からの出張者についていうと，183日ルールが適用できるのは，当該出張者が日本の居住者に留まる場合だけである。すなわち，居住地国（ここでは日本）と勤務地国（ここではドイツ）が乖離している時だけに，183日ルールが適用される。実務的には，たとえば5ヵ月間の出張であれば，日本の住居を引き払って（日本の非居住者となって）ドイツに来る人はほとんどいないだろう。しかしながら，183日ルールが絡んだ込み入った問題を考える時には，「居住地国と勤務地国の乖離時のみの適用」という大原則をしっかり理解しておくことは大変重要である。

　この「183日ルール」の183日を数える時の1年の単位が，2016年末まで適用されていた（旧）日独租税条約の「暦年単位」から，2017年1月1日より，「随時に開始・終了する1年単位」に変更された（［新］租税条約第14条第2項〔a〕）。すなわち，2017年以降は，1月1日から12月31日までの1年間だけではなく，たとえば6月1日から翌年の5月31日までの1年間，7月1日から翌年の6月30日までの1年間，場合によっては，7月16日から翌年の7月15日までの1年間というように，どの1年間を見ても，183日以内に収まっている必要がある。2016年までの日独租税条約においては，最初の暦年の7月中旬頃に来独して，翌暦年の6月中旬頃まで日本に帰国すれば，2つの暦年にまたがっていて，それぞれの暦年毎に183日以下かどうか判断することができた（連続か中断が入るかどうかは問わない）。その結果，実質的に1年近く継続してドイツで滞在，勤務をしているにもかかわらず，そして，ドイツ側の居所認定の問題（あるいは滞在許可証［労働許可証］の問題）をクリアする必要があったものの，「183日ルール」の恩恵に与ることができた。

2017年からの（新）日独租税条約では，そのような実質的に1年近くの滞在，勤務において，「183日ルール」の恩恵の享受は不可能になった。この2017年施行の日独租税条約の改定は，納税義務者側に不利な改正である。しかし，その改正は，現在のOECDモデル租税条約の対応する条項（モデル租税条約第15条）に沿った改正でもある。また，日本あるいはドイツが締結している他の租税条約においても，その大半は同様の規定になっている。（旧）日独租税条約の暦年単位の1年間の数え方は，納税義務者側にとっての有利さが，古い条約であるがゆえに温存されていたものである。そのような2017年の租税条約の改正は，ネガティブなものではあるものの，無意識的な利用であれ計画的な利用であれ，日本からの出張ベースでのドイツビジネスのフォローの場合に，「183日ルール」のメリットが引き続き存続していることは，しっかり頭の中に入れておくべきであろう。

## 6　出張者の個人所得税納付義務の問題(3)―按分の給与所得分の申告

　それを出張と呼ぶかはともかくも，1年以上の期間のドイツへの長期出張の場合は，税法上，原則として日本の居住者ではなくなり，ドイツの居住者となる。ドイツで居住者としての個人所得税年度申告の義務を負い，実際に申告して所得税をドイツで納付しなくてはならない。たとえ1年未満のドイツ出張でも，ドイツで居住者として見なされてしまえば（少なくともドイツに6ヵ月以上滞在しているとドイツの税法規定で居住者として見なされる），同様である。このような場合は，社内では出張者扱いされているかもしれないが，ドイツの個人所得税上においては，数年間にわたって滞在する駐在員とまったく同じ扱いになる。ここの個人所得税申告については，後の「第6章　日本人駐在員」の該当箇所を参照いただきたい。

　それに対して，特に1年未満のドイツでの出張滞在で，日本の居住者のままであるが，その他の前提条件が充足できずに（183日ルールの詳細は，「第6章　日本人駐在員 5 日独間における183日ルールの適用」377頁以下を参照），183日ルールが適用できない場合には，勤務地国課税原則に基づき，ドイツでの按分の給与所得分だけの申告が行われなければならない。その他の前提条件が充足できない具体例としては，183日を超えてしまう場合と出張滞在に関しての（最終的な）給与負担がドイツ側になってしまっている場合が大半であろう。いずれにせよ，世界所得（その出張者の個人所得すべて）を申告する居住者として個人所得税年度申告とは異なり，出張滞在に対応する按分の給与所得分のみをドイツの管轄税務署に申告する。

## 7　日本本社の税務問題―移転価格問題とPE問題

　上記の個人所得税の問題は，出張者自身に関わるものである。しかしながら，出張ベースでのドイツビジネスのフォローに際して，日本本社の税務問題についてもいくつか留意しなくてはならない。移転価格問題とPE問題の2つである。ここでこの2つの問題を詳細に解説することはできないが，問題の所在を明らかにしておきたい。

　出張者のドイツへの派遣の話に，移転価格問題が関係してくることに関しては，意外に思われる方も多いかもしれない。出張者に関する費用（当該出張者の給与，旅費等）を，どの会社が（最終的に）負担するかが問題になる。日本の本社側が負担するのか，あるいは，ドイツ側（支店，現地法人）が負担するのか，または，ドイツ側に付け替えられて最終的にドイツ側が負担するのかという問題である。この問題は，実務上，そのドイツ出張が計画される段階で，滞在許可証（労働許可証）の問題ならびに個人所得税の問題と一緒に，事前に検討されなければならない。ドイツ側が負担する場合，ドイツの税務当局は，税務調査の段階で，その日本からの出張者の出張がドイツの会社（支店，現地法人）のビジネスに資するものなのかを吟味してくる。逆に日本本社側が負担する場合，日本の税務当局は，ドイツに出張している人の費用をどういう理由で日本側が負担するのかを厳しく追及してくるであろう。費用を負担するということは，その会社（日本本社，ドイツ支店，ドイツ現地法人）の課税所得を引き下げることになり，税務当局の観点からすれば，利益移転が行われているのではないかという懸念に繋がる。それは，移転価格問題である。特に負担する側は，負担の理由をきちんと説明できるようにしておかなくてはいけない。いずれにせよ，上記で見てきた滞在許可証（労働許可証）の問題ならびに出張者の個人所得税問題とは，独立した論理で検討しなくてはいけない。

　PE問題のPEは，「Permanent Establishment」の略称であり，日本語では「恒久的施設」と訳されている。国際税務の専門用語である。俗称的に，「支店問題」とも言われ，筆者もそう言って解説する時もある。しかし，支店という表現も，あまりにも日常的に頻繁に使われていることから，支店問題と言い換えてしまうと，クロスボーダーでのPE問題の広範な意味合いが理解できなくなってしまう。それでも，誤解を恐れず断定的に言うならば，PEは，「法人税の課税対象となるビジネス拠点」である。今ここでは，日本本社からの出張ベースでのドイツビジネスのフォローを

問題にしている。年に数回，それぞれ1週間位の期間で出張者が日本からドイツにやって来ている頻度であれば，少なくともドイツにおいては，日本本社のPE問題の発生の懸念はないかもしれない。しかし，人が変わることがあるものの，継続的に日本本社から出張者がやって来て，1度に1人だけではなく複数の場合もあり，例えば，子会社であるドイツ現地法人のオフィスの1室（複数の部屋かも知れない）を実質的に占有しているような状況になると，話が変わってくる。ドイツの税務当局がそのような状況を認識するに至ると，その現地法人のオフィス（の一室）をビジネス拠点として，日本本社がドイツで法人税の課税対象となるビジネスを行っているのではないかという疑念を抱くであろう。もちろん，実際にPEの存在が認定されて，法人税課税に至るまでには，その出張者たちがやっているビジネス活動の内容調査（吟味）が行われる必要があるので，まだ長い道のりではある。しかしながら，日本本社からの出張ベースでのドイツビジネスのフォローに際してのPE問題は，そのようなきっかけに端を発することは頭に入れておく必要がある。

## 8　各種の観点からの総合的判断の必要性

　日本本社からの出張ベースでのドイツ・ビジネスのフォローに際しては，上記で解説してきたように，色々な観点から検討が必要である。その検討が必要となる問題は，滞在許可証（労働許可証）問題，出張者の個人所得税問題，日本本社の税務問題（移転価格問題とPE問題）の3つ（あるいは4つ）である。これらの問題は，それぞれの観点から独立して検討，チェックされなければならない。しかしながら，それらの3つの問題が相互に制限し合っていたり，場合によってはトレードオフの関係になったりしている場合がある。その具体例をここで解説しておきたい。

> **事例**
> ドイツの現地法人でのビジネス拡大（販促，販路拡大）のプロジェクトために，日本本社が，合計約1年半弱の期間にわたり，セールスエンジニアを派遣することにした。途切れることなくほぼ半年ずつ（183日以内），同時に2人を3回で回すというプランであった（最初と最後は同一人物）。それは183日ルールの適用を考えてのものであった。

　この事例においては，90日を超えていることもあり（仕事の内容からしても），

滞在許可証（労働許可証）は必要となるであろう。それは取得するとしても，面倒な所得税のドイツでの申告を回避したいという観点が優先されて，183日以内の期間で回すということを考えているわけである。しかし，183日ルールの適用は，その費用（特に当該出張者の按分給与分）を日本本社側が負担すること，あるいはドイツ現地法人に付け替えないことが前提になっている（183日ルールの詳細は377頁以下参照）。他方で，移転価格問題の観点からは，現地法人でのビジネス拡大のためであることから，日本の税務当局が当該出張プロジェクトを知るに至ったら，なぜドイツ側に付け替えないのかと追及してくるであろう。もちろん，直接的には現地法人のビジネス拡大なのであるが，それが日本本社側のビジネス拡大にも繋がることを根拠付けて行く形で，日本の税務当局に主張することは可能かもしれない。いずれにせよ，ここで183日ルールの適用という個人所得税問題と日本本社の税務問題（移転価格問題）は，トレードオフの関係になっている。

　日本本社からの出張ベースでのドイツビジネスのフォローに際しては，以上解説してきた3つ（あるいは4つ）の問題をそれぞれクリアにしなくてはならない。しかし同時に，上の具体例のように，1つの問題が他の問題とトレードオフの関係になっていたり，あるいは，1つの問題の観点が他の問題の実務的選択肢を制限していたりということがよくある。すべての観点（問題点）を考慮した総合的な判断が不可欠となっている。

# III ビジネス拠点の設立

以下において，3種類のビジネス拠点の設立方法を解説したい。

## 1 駐在員事務所の設立

　駐在員事務所の設立は，認可事項ではなく届出事項になっている。その結果，いくつかの当局に対して届出を行うことによって，ただちに駐在員事務所としての活動を開始できる。届出事項であることから，後述の現地法人（子会社）の設立や支店（登記支店）の開設の場合のような「登記完了日」とか「設立総会開催日」に相当するような事務所開設日に関しての厳格な決まりはない。そして，後述の多くの届出は，駐在員事務所としての活動を開始してからの事後的な届出で問題はない。通常，下記の営業届の中に記載される「事務所活動開始日」の前後に実際の営業届出手続きを行い，その後にそれ以外の届出を順次行っていくという手順を取ることが多い。

　駐在員事務所としての届出の主要なものは，
① 営業届〈Gewerbeanmeldung〉
② 税務署〈Finanzamt〉への届出
③ 労働局〈Agentur für Arbeit〉への届出
④ 健康保険事務所〈Krankenkasse〉への届出
⑤ 労災保険機関〈Berufsgenossenschaft〉への届出

である。これらの届出は，日本からの駐在員1人だけのワンマン駐在員事務所であるか，現地スタッフ（日本人かドイツ人あるいはその他の国籍の人間であるかは問われない）も同時に雇用されているかにより若干異なってくる。ここでは，現地スタッフも同時に雇用される場合を想定して，以下，その届出の進め方ならびにその手続きの意味するところを簡単にまとめておく。

## 1　営業届〈Gewerbeanmeldung〉

　駐在員事務所の所在地の市町村の役所の一部局である営業局に対して行うもので，駐在員事務所の活動内容を届け出るものである。市町村自治体の営業局は，多くの場合ドイツ語では「Gewerbemeldestelle」と呼ばれている。しかし，市町村自治体毎に呼称が若干異なることがあるので留意する必要がある。通常，添付書類と一緒に必要事項を記入した届出書を提出する。届出書フォームは，ほとんどのケースにおいて当該市町村自治体のウェブサイトで入手できる。そして，その提出された届出書に営業局の担当者がスタンプを押して返送してくるという手続きで完了する。郵送せず自ら持参した場合（それを要求している営業局もある），書類がすべて揃っていれば，その場でスタンプを押してくれる。

　「(1) 営業届」（67頁参照）において既に解説したように，通常，この営業届は，駐在員事務所の活動内容が「営業法〈Gewerbeordnung〉」にいう「営業〈Gewerbe〉」に該当しないことから，駐在員事務所には義務ではないとされている。しかしながら，駐在員事務所の取引先（リース会社や銀行等）が，確かに駐在員事務所がドイツに存在していることの証明を要求してくることがある。そのため，商業登記簿に登記されているわけでもなく，営業届以外には適切なものがないことから，営業局からのスタンプが押された届出書のコピーを存在証明のために代用していることが多い。そのような理由から，義務がないにもかかわらず任意で届出しているケースが多い。この駐在員事務所の届出の義務に関する対応あるいは書類持参の要否には，市町村自治体の担当者の対応が微妙に違うことが見られる。重要な点は，駐在員事務所を設立しようという市町村自治体に，そのつど予め確認することである。

---

【営業届の必要書類】

　市町村自治体の営業局により他の書類を要求される可能性，あるいは，業種により別途の追加書類を要求される可能性もあるが，営業届の主要な書類，添付書類は以下の通りである。

① 　営業届（駐在員事務所設置届出書）
　　　各市町村自治体の営業局に書式が用意されており，その書式は通常インターネットで入手可能である。
② 　事務所賃借契約書コピー
③ 　日本の本社の商業登記簿謄本（現在事項全部証明書）

アポスティーユ（日本の外務省が交付する証明書）の添付は必要とされないが，通常，ドイツ語公認翻訳を添付することが要求されている。日本で資格を有した翻訳事務所に依頼しても問題がないはずなのであるが，過去において数例ではあるものの，ドイツでの資格を有した翻訳事務所ではないということで受理を拒否してきた市町村自治体の営業局の事例があることから，ドイツで翻訳依頼することが無難である。

④ **駐在員事務所所長の辞令（委任状）**

駐在員事務所所長に対して，開設に関連する各種の一切合切の手続きを委任するためのものである。原則として，日本本社の代表権限を有した取締役が署名した書類で，決まった書式というものはないが，通常，ドイツ語文のものを要求される。この署名については，日本での公証人による署名認証等は要求されていない。在独日系企業ビジネスを手掛けている会計事務所，法律事務所には，ドイツ語，英文2言語の書式が用意されていることが多い。

⑤ **駐在員事務所所長のパスポートのコピー（場合によっては，それに加えてドイツでの住民票のコピー）**

上記の書類で最も時間がかかると思われるものが，日本本社の商業登記簿謄本（現在事項全部証明書）の入手とそれの公認翻訳証明付きのドイツ語翻訳の準備であろう。駐在員事務所の開設に際しては，かなりフレキシブルであるとはいえ，その準備時間と，事務所所長のドイツ赴任時期を勘案して，開設時期のスケジュールを策定していく必要がある。

## 2 税務署ならびにその他の当局への届出

以下の届出は，基本的に事後的届出であり，期限が厳格に決められたものではない。しかし，上記の営業届を提出した後に，できるだけ速やかに提出することが勧められる。営業届を含めて，これらの届出は，駐在員事務所開設手続きの一環として，依頼すれば税務コンサルタント，給与計算事務の委託を受けた会計事務所等が代行してくれる。

### （1） 税務署〈Finanzamt〉への届出

駐在員事務所の場合，通常，駐在員を含む従業員の給与から源泉徴収される「賃

金税（所得税源泉徴収分）」と「付加価値税」の処理が必要となる。この2つの税目について管轄の税務署へ届出を行い，「納税者番号」を入手する。税務署が用意している「質問書」に必要事項（将来的な活動内容等）を記入することが届出の主たる内容である。従来，賃金税と付加価値税双方とも，駐在員事務所が位置する地域の税務署が担当していたが，15年ほど前から，ドイツ税務当局内の管轄分担の組織再編により，原則として，付加価値税に関して，日本本社の駐在員事務所についてはベルリンのノイケルン税務署が一括して担当することになっており，結果として2つの税務署に届出を提出している。ちなみに，日本以外に位置する会社の駐在員事務所の場合，原則として別の税務署が担当することになっている。

（2） 労働局〈Agentur für Arbeit〉への届出

　社会保険法上の目的から，従業員を雇用する場合，駐在員事務所所在地の管轄の労働局に届出を提出して「事業所番号〈Betriebsnummer〉」を取得することが義務付けられている。過去においては，日本本社からの駐在員だけの駐在員事務所の場合，駐在員事務所の駐在員はドイツの社会保険料納付義務には服さないために，取得されていないケースも見られた。現地スタッフが雇用されている場合には，社会保険料納付義務があるために，その取得が必須である。2008年以降，この事業所番号の交付事務ならびに関連データの処理は，ザールブリュッケン労働局の「事業所番号サービスセンター」が一括して担当している。

（3） 健康保険事務所〈Krankenkasse〉への届出

　ドイツの社会保険は，基本的に，年金保険，失業保険，健康保険，介護保険，労災保険の5つから構成されている。日本の制度も，多くをドイツの制度から学んでいることから，類似性があり，大きな違和感はないのではと思われる。最後の労災保険料は全額雇用主負担であるが，前の4つについてはほぼ労使折半となっている。すなわち，雇用主は給与報酬の支払時に，年金保険，失業保険，健康保険，介護保険の保険料のほぼ半分を従業員の給与から天引きして，それに後のほぼ半分の雇用主負担分を加えて納付する。納付先は，従業員が加入している「健康保険事務所または健康保険機関〈Krankenkasse〉」ということになっている。すなわち，ドイツにおける健康保険事務所（健康保険機関）は，「社会保険料全体の徴収窓口」である。健康保険事務所は，徴収した健康保険料と介護保険料は自らの収入としてそのまま取得するが（実際には「健康保険ファンド」に一旦送金し，そこから再度受け取る），年金保険料と失業保険料については，一旦受け取った後，管轄当局（ベルリンの年金保険庁（大半のケース）ならびにニュルンベルクの連邦労働局）にさらに送金

している。また、健康保険事務所といっても複数ある。統廃合が進み現在はかなり少なくなったが、2022年時点で97ある。従業員はそれを自由に選択できることから、現地スタッフが雇用される場合、その加入している健康保険事務所毎に届出を行う必要がある。

## (4) 労災保険機関〈Berufsgenossenschaft〉への届出

これも現地スタッフが雇用される場合、当該現地スタッフは、ドイツの社会保険制度に服することから、労災保険料納付義務を負う（負担は全額雇用主側）。駐在員事務所は、そのための届出を行う必要がある。

# 2 支店の設立

既に「Ⅰ2①法律的手続き面での駐在員事務所と支店の相違」（66頁参照）のところで解説したように、日本の会社（他の国に位置する会社の場合も基本的には同じ）のドイツの支店という場合、商業登記簿に登記されているかどうかで、「未登記支店」と「登記支店」を区別している。

## ① 未登記支店の設立

「未登記支店〈unselbständige Betriebsstätte〉」の設立は、設立のスケジュールにおいても、提出する書類等の観点からも、基本的に駐在員事務所の設立とほぼ同じである。大きな違いは、ビジネス活動の内容が異なり、①納付・申告する税金の種類が増えること（法人税、営業税の申告、納付）から、②営業届義務が発生すること、ならびに、③その届出書の中の活動内容を変えて提出すること、④税務署への届出に際しての対象税目に法人税、営業税が加わることである。

## (1) 営業届の義務

駐在員事務所とは異なり、支店の業務活動は、基本的に営業法にいう営業行為に該当する。未登記支店であれ登記支店であれ営業届を行わなければならず、それが義務となっている。必要書類は、駐在員事務所が任意で営業届を行う場合とまったく同じで、①営業届出書（支店設立届出書）、②支店のオフィス賃借契約書コピー、③日本の本社の商業登記簿謄本（現在事項全部証明書）、④支店長の辞令（委任状）、⑤支店長のパスポートのコピー（場合よっては、それに加えてドイツでの住民票のコピー）等となる（自治体毎に微妙に異なったりすることがあることから、事前に確認する）。駐在員事務所と異なる点は、営業届の中の活動内容のところに、「市場

動向調査」や「情報収集」に代わって支店の具体的な業務活動が記入される。

## (2) 税務署ならびにその他の当局への届出

　「税務署への届出」以外の他の当局への届出は，現地スタッフが雇用されることを前提にすれば，基本的に駐在員事務所の場合と同じである。「税務署への届出」においては，税務署が送付してくる質問書の中で，将来的な活動内容，予想売上，予想資産内容等を記入し，それを「事業開始貸借対照表」と共に税務署へ提出することになる。その後，税務署からの照会があったりすることもあるが，正式に受理されると賃金税，付加価値税，法人税，営業税に共通の「納税者番号」が送付されてくる。支店の場合も，付加価値税については，日本の会社ということで駐在員事務所の場合と同様に，ベルリンのノイケルン税務署が担当となっている。しかしながら，ほとんどの場合，連絡を取り合って，支店の所在地の税務署の管轄に変更してもらっている。支店の場合，実際の商品を仕入れて販売したり，役務を提供して収益を得るといった営業活動を行うことから，納税者番号の取得後，「EU域内取引」等の場合に必須になる「VAT-ID番号」を，在ザールルイの連邦中央税務庁（支局）に対して申請する。

　この未登記支店の場合も，基本的に届出事項なので，支店開設日に関する特定の決まりはなく，自ら活動開始日を決められる。通常，実際に活動を開始しようとしている日を営業届の中の活動開始日として記入し，それを支店開設日と見なして，その他の当局への届出においてもそれに合わせて届出をしていることが多い。

## ② 登記支店の設立

　「登記支店〈Zweigniederlassung〉」の設立は，商業登記簿への支店登記が行われることによって，未登記支店の設立から区別される。基本的に，登記支店の設立手続きは，未登記支店の設立の手続きに加えて，支店登記手続きが追加で行われることから，

(1) 商業登記簿への支店登記手続き
(2) 営業届
(3) 税務署ならびにその他の当局への届出（事後的届出）

から成り立っている。最後の2つの手続きは，未登記支店の設立手続きとまったく同じである。商業登記簿への支店登記手続きは，後述するように時間がかかる時があることから，(2)営業届ならびに(3)税務署ならびにその他の当局への届出を，商業登記簿への支店登記手続きと並行して行い，業務活動を早期に開始できるようにす

るという場合もある。これが実際に可能であるかは，様々な要因に左右されることから，そのつど入念な関係当局への事前照会あるいは作業を依頼している会計・法律事務所との緊密な連携が必要である。

---

【「支店登記」手続きのステップ】
　日本の会社がドイツにおいて支店登記手続きを行う場合については，いくつかのやり方がある。ここでは，日本本社の代表権を有する代表取締役が，直接的にドイツの支店所在地の管轄の登記裁判所（商業登記簿）に登記申請を行う方法を解説してある。

- ○ 登記簿謄本（現在事項全部証明書）の入手
　日本本社の本店所在地の管轄の法務局（出張所）にて入手する。登記簿謄本（現在事項全部証明書）に押捺した登記官が正しい登記官であることの「法務局長認証」を添付してもらい，それにさらに外務省が発行する「アポスティーユ」を付けてもらう。

- ○ 公証人認証を受けた定款の入手
　①日本本社の定款を日本の公証人のところで正しい定款であることを認証してもらい，②当該公証人が管轄の法務局の公証人であることの証明として法務局長認証を申請してもらい，それにさらに，③外務省が発行するアポスティーユを付けてもらう。通常，この①〜③の作業ステップは，依頼を受けた（日本側の）公証人が一括して行ってくれることが多い。

- ○ ドイツ語翻訳の依頼
　上記の登記簿謄本（現在事項全部証明書）と公証人認証済み定款，そして，それぞれの法務局長認証ならびにアポスティーユを，ドイツ語公認の翻訳事務所に持ち込み，ドイツ語への翻訳を依頼し，翻訳証明を添付してもらう。ドイツ語公認翻訳事務所のリストは，在日ドイツ大使館あるいは領事館に用意されている。このドイツ語への翻訳は，ドイツで行っても構わない。

- ○ 上記書類一式のドイツへの送付
　上記の登記簿謄本（現在事項全部証明書）と公証人認証済み定款，そして，それぞれの法務局長認証ならびにアポスティーユ，ドイツ語翻訳・翻訳証明一式を，ドイツの依頼している弁護士または公証人のもと

に送付する。

- 支店登記申請書ドラフトの作成

    これは，ドイツ側（依頼を受けた弁護士）で上記の作業と同時的に進めることも可能であるが，当該ドラフトには，日本本社の基本データ（登記所在地，住所，法形態，事業目的，設立年，登記番号，資本金，取締役代表権等）と代表取締役に関する基本データ（氏名，生年月日，住所等）が記載されることから，ドイツ側の弁護士が，上記の登記簿謄本（現在事項全部証明書）ならびに定款のドイツ語翻訳を受け取ってから作成した方が間違いが少ない。できるだけ早期に支店登記を済ませたいという場合，登記簿謄本（現在事項全部証明書）と公証人認証済み定款の入手作業と同時的に進め，時間の短縮を図ることになる。

- 日本本社の代表取締役の「資格確認教示書〈Belehrung〉」ドラフトの作成

    日本本社の代表取締役全員について，ドイツの会社法にいう資格・前提条件を満たしているかの確認のためのものである。具体的には，①自然人で無制限の法律行為能力を有する者であること，②監査役会が設置されている場合，監査役会のメンバーではないこと，③ドイツ刑法第283条から第283d条の犯罪（破産引延し行為，簿記記帳義務への抵触等の経済犯罪）に問われた者の場合には，5年を経過していること，④会社の営業目的に含まれている事業活動への従事を禁止されていないことが確認される。

- 支店登記申請書ドラフトと資格確認教示書ドラフトの日本への送付

    上記の2つのドラフトを日本本社に送付してもらう。

- 支店登記申請書への代表取締役の署名

    ドイツから送られてきた支店登記申請書（通常は英独の2言語版）を日本の公証人のところへ持ち込み，あるいは公証人に来てもらい，代表取締役全員が公証人の面前で署名する（公証人役場）。複数の代表取締役が指名されている場合（通常そうであるが），一同に公証人の面前で署名できれば理想的であるが，そうでない場合，どのような形で行うかドイツ側の弁護士，公証人と協議しておく必要がある。日本側の公証人はそれに署名認証を付け，管轄の法務局の法務局長認証を受け，さらにそれに外務省発行のアポスティーユを付けてもらう。この作業は，依頼

を受けた（日本側の）公証人が一括して行ってくれることがほとんどである。
- ○ **資格確認教示書〈Belehrung〉への署名**
   やはり同様に，代表取締役全員に署名してもらうが，公証人の面前でやる必要はない。
- ○ **支店登記申請書・資格確認教示書のドイツへの送付**
   署名済みの支店登記申請書，公証人の署名認証，法務局長認証，アポスティーユ，そして，署名済みの資格確認教示書をドイツの弁護士または公証人のもとに送付し，公証人が電子ファイルで登記裁判所に，既に受領していた書類とともに提出する。
- ○ **支店登記の完了**
   登記裁判所の係官は提出された書類を確認し，問題がなければ商業登記簿に登記することになる。その際，新設された支店のもとに，あるいは公証人のもとに，登記申請手数料の請求書が送付されてくる。会社の責任者，担当者は，すぐに振込みを依頼する。公証人から書類が提出されてから実際に登記簿に登記されるまでの期間は，登記裁判所毎あるいは登記裁判所のその時の込み具合で異なる。それゆえ，一般的なことは言えないのであるが，1～2週間から4週間くらいを見ておいたほうが良い。2007年に商業登記簿が電子化されたことから，以前より各種の手続きが迅速になり，登記手続き全体も，以前よりスピードアップしている。

以上の作業ステップの解説は，典型的なケースを例示したものである。実際の具体的な作業においては，管轄の登記裁判所，その担当者あるいは依頼した公証人によって，かなり異なることがある。それゆえ，依頼している会計事務所，法律事務所あるいは公証人と緊密に連絡を取り，そのつど何が必要か明確なステップ・リストを作成させ，それに基づいて作業を進めることが重要である。

## 3　現地法人（子会社）の設立

ドイツにおいて日系企業が現地法人（子会社）を設立する場合，株式会社〈AG〉

あるいはその他の会社法形態を取ることはかなり稀である。その結果，有限会社〈GmbH〉の形態を取ることがほとんどである。そのような理由から，ここでは日本の会社が100％出資の有限会社を現地法人として設立するケースについて解説する。大筋において，その主要な手続きは，
  (1) 有限会社の設立登記手続き
  (2) 営業届
  (3) 税務署ならびにその他の当局への届出（事後的届出）
から成り立っている。当然のことながら，最も複雑で面倒なのは(1)の有限会社の設立登記手続きである。そして，(2)の営業届と(3)の税務署ならびにその他の当局への届出（事後的届出）という手続きは，記入事項あるいは届出事項の小さな違いはあるものの，駐在員事務所ならびに支店の設立手続きとほとんど変わるところはない。

## 1  有限会社の設立登記手続きの概要

有限会社の設立登記手続きは，以下において，ステップごとの作業を詳細に解説していくように，かなり複雑になっている。手続きステップの背景にあるのは，以下のようなドイツ会社法（有限会社法）上の原則的規定である。
  ○ 設立総会はドイツの公証人の面前で行われる必要がある（設立総会議事録の公正証書化［有限会社法第2条第1項］）。
  ○ 指名された取締役が設立登記申請書に公証人の面前で署名しなくてはならない（署名認証）。但し，これはドイツの公証人である必要はない。

日本の親会社の100％出資の現地法人の場合，出資者総会といったところで，出資者（日本本社）の代表権者（代表取締役，通常は代表取締役社長）が，用意された総会議事録ドラフトに署名すれば済むことである。しかしながら，設立総会の場合は，設立総会の議事録全体が，「ドイツの公証人」（日本の公証人では不可）によって公正証書として作成される必要がある。

この「ドイツの公証人」というところは，色々紆余曲折があり，現在，スイスのドイツ語圏の公証人でもよいこととされた。この点は，連邦通常裁判所でも最終的に確認されている。公証人手数料がドイツの公証人手数料より割安になっていることから，資本金の額が大きい場合（公証人手数料は登記資本金額に連動），スイスに行ってそこの公証人の面前で設立総会を開催するということも行われている。ただし，多くの在独日系企業の現地法人の場合，登記上の資本金額は低く抑えられていることが多く，そのメリットはそれほど大きくはない。

なお，デジタル化の波は，EUならびにドイツの会社法分野にも押し寄せており，EUレベルでは，2019年7月に，会社法上のデジタル化のためのデジタル化EU指令が発効し，それに基づき，ドイツでも商法（会社法）の関連規定の改正が行われた。そして，2022年8月1日から，有限会社（GmbH）の設立ならびに特定の登記変更手続きが，公証人の下に出頭することなく，ビデオコンファレンスを通じて行うことができるようになった（公証人役場［公正証書化と署名認証］のオンライン化）。さらに，2023年8月1日からは，オンライン化の適用対象範囲が拡大された。今後もこの方向性はより一層強められると思われる。他方で，現時点では，このオンライン公証人役場は，一定の前提条件（電子身分証明や電子署名等）が充足された場合の追加的なオプションであり，公証人の下に出頭しての公証人役場が撤廃されたわけではない。ここでは，従来からの関係者（出資者・取締役等）が実際に公証人のもとに出頭しての場合の手続きプロセスで解説する。

【委任状の意義】

　いずれにせよ，日本の公証人の面前での設立総会の開催では不十分であることから，日本本社の代表者（通常は代表取締役社長）が，現地法人（子会社）の設立のために，ドイツに出張で来独しなければならない。通常，それは各種の理由から困難あるいは出張旅費，時間の観点から非効率ということで，ドイツ有限会社の取締役（社長）に指名される予定の者（多くの場合日本本社からの駐在員）に対して委任状を出して，設立に関わる一切合切の手続きを委ねるということがよく行われる（このやり方が一般的である）。また，ここの委任のところをドイツの弁護士に対して行い，その弁護士に設立総会手続きを進めてもらうことも行われている。実際のところ，有限会社の取締役就任（予定）者は，設立総会手続きの後，登記申請書ならびに出資者リストに公証人の面前で署名をしなくてはならないことから（この手続きは必ずしもドイツの公証人の面前である必要はないのであるが），このような「全権委任」は理に適っていると言えるであろう。その結果，有限会社の取締役就任者は，公証人の面前で色々な書類に何度も署名することになるのであるが，その際，

(1)　本社の代表者の全権委任を受けた者
(2)　設立されたばかりの有限会社の取締役（社長）

という2役を1人で演ずることになる。

## 2 設立総会の開催前の準備

　ドイツ有限会社は，ドイツの公証人の面前で開催される設立総会で誕生する。公正証書として作成された設立総会議事録等の書類が，設立登記申請書ならびにその他の関連書類と共に登記裁判所〈Amtsgericht〉に提出されて，そこで登記されることにより対外的にも法人格を附与されることになる。したがって，有限会社の設立登記手続きにどのくらいの期間を有するかという場合，その大半は，この設立総会の開催前の準備をいかに迅速に，効率的に進めるかにかかっていると言えよう。以下のような準備ステップが必要となるが，これらの作業は同時並行的に進められる。以下の具体例は，分かりやすくするために，日本本社の100％出資の現地法人（子会社）の設立，現金出資，設立時に指名される取締役〈Geschäftsführer〉は１名という前提で解説している。

### (1) 定款ドラフトの作成

　叩き台となるものを参考にして作成することになる。通常，①設立会社名（事前に類似商号［社名］の有無を確認するため，設立予定地の管轄のドイツ商工会議所の承認を得ておく），②登記所在地（市町村名のみで構わない），③登記資本金，④事業目的，⑤会計年度が，主として日本本社側で決定しなくてはならない定款内容である。もし，定款に特別に盛り込みたい事項がある場合には，その可否，具体的表現も含めて弁護士と協議することになる。

### (2) 取締役〈Geschäftsführer〉を決定

　ドイツ有限会社法上，すべて日本人でも，すべて在独していなくても構わない。ドイツ在住の取締役（社長）がいない稀なケースも例外的に存在している。しかし，ビジネスの実務的な観点からは，最低１人は在独することが勧められる。また，複数の取締役が指名される場合でも，とりわけその中の１人または複数の方が日本居住の場合，設立登記手続きが面倒になることから，設立時においては（そして，できる限り速やかに設立手続きを終了させたい場合には），１人だけの指名にしておいて，後日追加指名することが勧められる。

### (3) 委任状の作成

　日本本社の代表権者（通常代表取締役社長）が設立総会のために来独するということであれば，この委任状は必要がない。通常，有限会社の取締役就任予定者に全権委任する委任状を作成する。この委任状ドラフトは，ドイツで設立手続きを依頼した会計事務所の法務部門，弁護士事務所に準備してもらう（英文，独文の２言語になっていることが多い）。委任状ドラフトを持って，日本本社の代表権者が日本

の公証人の所へ行き（または公証人に会社に来てもらい），その面前で本人が委任状にサインする（代表取締役本人が日本の公証人の面前でサインしないと，原則として有効ではない）。その際，公証人はその委任状に彼の署名認証を付す。その署名認証にさらに当該公証人を管轄する法務局の「法務局長認証」ならびに「アポスティーユ」（外務省が交付）が添付されなければならない。通常，外国関連事務に精通している公証人の場合，この法務局長認証ならびにアポスティーユの交付申請手続きも一緒にしてくれる。

(4) 本社の商業登記簿謄本（現在事項全部証明書）の入手と公認翻訳の依頼

　これは，日本の本社の存在証明ならびに本社の代表権者の代表権の確認のために必要とされるものである。この商業登記簿謄本には，法務局の係官がその内容が真正であることを証明した記載がある（法務局長認証）。それにさらに，外務省が発行するアポスティーユが付される。通常，この作業ステップは，依頼を受けた公証人が一括してやってくれる。アポスティーユまで添付された書類一式をドイツ語の公認翻訳者に持っていき，ドイツ語に翻訳してもらう。ドイツ語公認翻訳者に関しては，在日ドイツ大使館，領事館にそのリストがある。

(5) 銀行口座の開設

　登記資本金を日本から送金してもらうための，設立される有限会社の銀行口座である。当然のことながら，有限会社は，設立総会の開催前には存在しておらず，存在していない法人の口座の開設は理論上できないわけであるが，通常，銀行の担当者と話をして仮の口座を開設してもらう。マネーロンダリング等の観点からここのところの手続が年々複雑になってきている。ここの部分は，銀行毎に進め方がかなり異なってくることから，銀行の担当者と十分に事前打合せをすることが勧められる。

(6) 設立総会の議事録ドラフトならびにその他の関連書類ドラフトの準備

　これらは，設立登記手続を依頼された会計事務所の法務部門，弁護士事務所が準備するものである。設立総会議事録ドラフトの他には，設立登記申請書ドラフト，出資者リストドラフト等がある。

　日本で準備された書類は，すべて設立総会開催日前にドイツに送付されて関係者のもとに到着していなくてはならない。以上の作業ステップの中で最も時間が掛か

るのは委任状の作成である。後の作業は同時並行的に進められるので，この委任状の作成に郵送，送付期間も含めて2週間かかるとしたら，設立総会開催前の準備期間としては2週間とみなしてよいであろう。但し，今までの筆者の数多くの実務経験からして，この期間に最低4週間（場合によってはそれ以上の期間）を見ておくべきと思われる。

## 3 設立総会開催と登記完了

ドイツの公証人の面前での設立総会開催により，ドイツの有限会社は誕生する。最も重要な作業ステップは，設立総会議事録の公正証書としての作成である。ここで前提にしている日本本社の代表権者が有限会社取締役（予定）就任者（1人）に対して設立に関連する一切合切を全権委任するという場合には，設立総会と同時に，就任したばかりの取締役による設立登記申請書のための署名認証等もその場で同時に行われる。正確に言えば，設立総会の手続きが終了してから，設立登記申請書のための署名認証等が行われるという順序である。

### (1) 設立総会の開催

ここでは，取締役就任予定者（日本本社からの被委任者）は，準備された各種の書類に署名をする，あるいは公証人による事実確認であるが，どのような書類に署名するのか以下に解説する。この際，確かに本人であることの確認が行われるために，パスポートの持参は必須である。

① 設立総会議事録への署名（公正証書の作成）

予め準備された議事録ドラフトに，取締役就任予定者は，日本本社の代表権者の設立に関する全権委任を受けた者として署名する。通常，公証人は，有限会社が設立される旨ならびに定款を一字一句すべて読み上げ，それに相違がないかを確認した上で，取締役就任予定者（被委任者）そして公証人により署名が行われる。タイミングとしては，この時点で有限会社が誕生し，取締役就任予定者は取締役となる。

② 取締役就任者の資格確認

ここでは書類に署名するわけではないが，取締役就任者が有限会社法にいう資格，前提条件を満たしているかの確認が公証人より行われる。具体的には，①自然人で無制限の法律行為能力を有する者であること，②監査役会が設置される場合，監査役会のメンバーではないこと，③ドイツ刑法第283条から第283d条の犯罪（破産引延し行為，簿記記帳義務への抵触等の経済犯罪）に問われた者の場合には，5年を経過していること，④会社の営業目的に含まれている事業活動への従事を禁止さ

れていないことが確認される。
### ③ 設立登記申請書への署名
　有限会社は，既に上の設立総会議事録への署名で誕生はしているのであるが，対外的な認証はなされておらず，法人格はまだ確立されていない。それは商業登記簿への登記によって初めて完了する。取締役就任者は，これに署名し，公証人はその署名が確かに本人のものであることを認証する（署名認証）。この設立登記申請書には取締役全員が署名することが要求されていることから，設立当初から複数の取締役が任命され，その中の1人または複数の人が日本在住の場合，この書類が日本に送付され，日本の公証人の面前で署名される必要があり，手続き上面倒になる。もちろん，取締役が複数名任命される場合でも，すべての者がこのドイツの公証人のもとでの設立総会に居合わすことができるのであれば，最初から取締役を複数名任命することの時間的ロスは回避される。

### ④ 出資者リストへの署名
　100％出資の現地法人（子会社）の場合，この書類は実に簡単なものである。出資者氏名（会社名），生年月日（個人の場合），住居所在地（登記所在地），出資額，出資持分番号が記載された出資者が記載された出資者リストに，取締役就任者は署名する。

## （2）資本金額の送金
　日本本社の担当者は，（仮）開設した銀行口座に資本金を送金する。設立総会開催前の入金は，本当に資本金の送金であるかに対して疑念を抱かれる可能性があることから回避したい。設立総会開催後の入金であれば問題がなく，開催後の何日以内に入金していないといけないという明確な規定はないが，登記手続きを迅速にするという観点から，開催後数日以内に入金するように送金手配をかけておくことが望ましい。ちなみに従来は，入金したら銀行から入金確認書を送ってもらい，それを公証人に送付することも必要であった。2008年有限会社法改革で，原則的には，この義務は「大きな疑念」が想定される場合にのみに限定されるようになった。実務的には，今なお入金確認書が送付されていることが多い。

　在独日系企業の現地法人（子会社）の場合，定款で決められた登記資本金の全額を送金することが殆どである。しかしながら，有限会社法上（第7条）は，登記資本金金額の全額を払込む必要はなく，4分の1の払込みでよいとされている（ただし，最低でも最低資本金金額25,000ユーロの半分である12,500ユーロ）。そして従来，全額の払込みを行わなかった場合，未払込額について保証を差し入れることが義務

付けられていたが，この義務も2008年有限会社法改革によって撤廃された。
## (3) 登記の完了
　公正証書として作成された設立総会議事録，署名認証が付された設立登記申請書ならびに出資者リスト等一式を，公証人は管轄の登記裁判所〈Amtsgericht〉にオンラインで送付する。登記裁判所の係官は，提出された書類を確認し，問題がなければ商業登記簿に登記することになる。この登記により，有限会社の法人格が確立されることになる。その際，新設された有限会社のもと，あるいは公証人のもとに，登記申請手数料の請求書が送付されてくる。会社の責任者，担当者はすぐに振込み手続きを行わなくてはならない。公証人から書類が提出されてから実際に登記簿に登記されるまでの期間は，登記裁判所毎あるいは登記裁判所のその時の込み具合で異なり，一般的なことは言えないのであるが，1～2週間から4週間くらいを見ておいたほうがよい。他方で，2007年に商業登記簿が電子化されたことから，以前より各種の手続きが迅速になり，設立登記手続きも以前よりスピードアップしている。

## 4　ビジネス活動の開始
　ビジネス活動自体は，登記完了前の設立総会開催日以降に開始することができる。但し，登記完了日までの間は，各種のビジネスレター等に会社名を記載するに際して，必ず「i. G.」の略号を会社名に付すことが義務付けられている。これはドイツ語の「in Gründung」の略号であり，設立中の意味である。また，設立総会の開催により，会社は誕生しているのであるが，法人格は確定していないことから，もしこの設立総会開催日から登記完了日までの間に何か問題が発生し，損害賠償等の義務が問われる場合，それは取締役個人の責任となる点には留意する必要がある。ここのところは，問題なく行っている事例がたくさんあり，余りに過敏になる必要はないが，その問題点を認識しておくことは重要である。
　さらに，設立総会開催日後ただちに，特に本格的な売買活動を開始する場合，納税者番号あるいはVAT-ID番号（「第4章　会社の税務上の留意点」を参照）が必要となる場合がある。納税者番号またはVAT-ID番号は，税務署への届出後に交付されるものであり，税務署への届出は，通常，登記完了後あるいは設立総会開催後に管轄の税務署とコンタクトを取り開始される。そのため，もし設立総会開催日後，あるいは登記完了後にただちに本格的なビジネス活動を開始する場合，納税者番号あるいはVAT-ID番号が必要となる取引が発生するのかどうかの事前のチェックを

しておき，発生する場合には，税務署への届出の準備を会計事務所に早期に依頼しておくことが重要である。

## 5　営業届・その他の当局への届出

営業届，労働局への届出，健康保険事務所への届出，労災保険機関への届出については，基本的に駐在員事務所，支店の設立手続きの場合と同じである（駐在員事務所に関する「Ⅲ1②　税務署ならびにその他の当局への届出」：105頁以下，ならびに支店に関する「Ⅲ2①　未登記支店の設立」：107頁以下を参照）。

# IV ドイツ有限会社の経営責任者の会社法上の基礎知識

　3つのビジネス拠点の中でも，現地法人（子会社）は，ドイツの会社法に準拠して運営されなくてはならない。それゆえ，取締役〈Geschäftsführer〉本人ならびにそれをアシストする者（経営責任者）は，ドイツの会社法について，その基礎的な事項を理解しておく必要がある。ここでは，在独日系企業の現地法人の法形態として最も多く採用されている有限会社を中心として解説していきたい。

## 1　取締役の地位について

　ドイツ有限会社法上の「取締役〈独 Geschäftsführer, 英 managing director〉」は，出資者（出資者総会）から委任を受けて，会社の経営業務を執行し会社を代表する。法律上の議論として，自らの責任で経営を執行するドイツ株式会社の取締役（会）〈Vorstand〉と比較して，出資者に対する従属性が強く，それゆえ有限会社はグループ内企業の子会社としてより適した会社法形態であると言われている。

### 1　取締役間の序列

　取締役が1人しか任命されていない場合，それを日本語で「社長」と呼んでもおかしくないであろう。他方で，複数任命されている場合でも，後述する代表権（単独代表権か共同代表権か）の相違以外，取締役間の上下の序列を規定する条項は，ドイツ有限会社法上存在していない。2人の取締役が任命されていて1人が単独代表権を有し，もう1人は「共同代表権」だけであるという場合，前者を社長と呼び，後者を副社長と呼ぶことは，それなりにドイツ有限会社法上の法的地位の相違をも考慮した序列と言えるかもしれない。いずれにせよ，日本語の社長，副社長に直接的に対応する地位，名称は，ドイツ有限会社法上想定されていないことには留意しておく必要がある。逆に，単独代表権を有した取締役が2人任命されている場合でも，社内的に1人を社長と呼び，他の1人を副社長と呼び，社内規定で異なる権限を附与すること自体は，ドイツ会社法上の規定に抵触するものではない。

## 2 取締役に次ぐプロクリストという地位

　有限会社法の中にではないが，商法（商法第48条～第53条）の中に規定されている会社内の地位として，「プロクリスト〈Prokurist〉」というものがある。日本語では「支配人」と訳されている。会社法（商法）に定められた地位としては，有限会社の中では，上記で解説した取締役に次ぐもので，商業登記簿に登記される。取締役よりは限定されているが，一定範囲の代表権（署名権限）を付与される。在独日系企業の有限会社においても，特に現地スタッフを昇進させる際，あるいは，ある現地スタッフを将来的にはローカル化の観点から取締役にしたいが，まだ時期的に尚早といったような場合に，よく採用されているものである。プロクリストの地位の付与は，出資者総会の決議または取締役による直接的な指名により行われ，商業登記簿に登記される。

　代表権の種類としては，取締役の場合と同様に，単独代表権（Einzelprokura）と共同代表権（Gesamtprokura）とがある。単独代表権においては，付与された者が例えば単独で署名した場合でもその署名が有効となる。それに対して，共同代表権の場合は，他のプロクリストあるいは取締役と署名して初めて，署名の有効性が確保される。プロクリストができない業務（代表権の行使）としては，事業活動閉鎖の決定，決算書・税務申告書の署名，登記申請，破産申請，不動産の売却・抵当権設定（但し，特別の許可があれば可能）等であり，会社の存続に関わる行為あるいは対当局への代表権行使である。それ以外の売買契約の締結（署名），融資の受入れ，不動産の取得と賃貸借といった日常的な取引行為と共に，訴訟の遂行ならびに和解の締結においても代表権を行使できる。もちろん，商法上は可能とされている場合でも，内部的に権限内容を制限することは可能である。プロクリストが署名する場合，「ppa.」というローマ字の短縮形を付すことが行われている。「ppa.」は，ラテン語の「per procura autoritate」の短縮形であり，「プロクリストとしての権限で」という意味である。

## 3 取締役会の不存在

　よく日本本社の担当者から，ドイツ有限会社に取締役会あるいは取締役会決議が存在しているのかという照会をされることが多い。結論から言って，ドイツ有限会社法に取締役会の設置は規定されていない。原則として，会社の経営業務を執行し，その意味で会社を対外的に代表することは，あくまで取締役の代表権の行使を通じて行われる。例えば，単独代表権を有する取締役が2人任命されていて，1人の取

締役が他方の取締役の意に反して会社としての契約書に署名した場合でも，会社法上何ら問題はない。他方の取締役の合意を取り付けた上で署名するかどうかは，社内内部，出資者（総会）との関係において規定されるべきものである。他方で，後述するように，代表権の相違に関わらず，「増資・減資登記申請」のように取締役全員が署名をすることが義務付けられている法律行為があり，それについては，取締役全員の全会一致が前提にされていると見なされる。

## ４　任命・就任の資格・前提条件

ドイツの有限会社の取締役〈Geschäftsführer〉に任命され，就任する前提条件として，

① 自然人で無制限の法律行為能力を有する者であること
② 監査役会が設置される場合，監査役会のメンバーではないこと
③ ドイツ刑法第283条から第283d条の犯罪（破産引延し行為，簿記記帳義務への抵触等の経済犯罪）に問われた者の場合には，５年を経過していること
④ 会社の営業目的に含まれている事業活動への従事を禁止されていないこと

等が挙げられる（有限会社法第６条）。また，金融機関や保険会社等のいわゆる各種の国家的規制に服する業界の会社の場合には，別途の特別の資格が前提とされている場合がある。原則として，国籍・居住地は問われないことから，そして，「取締役＝当該有限会社の従業員」である必要がないことから，在独日系企業の場合，理論的には全員日本人で全員が日本居住であっても構わない。

任期は決められていないが，出資者総会決議によりいつでも解任され得る。ただし，取締役の有限会社の「役員」としての解任は常時できるものの，「従業員」としての地位は別途のものである。そのような理由から，日本本社からの駐在員が取締役に任命される場合には問題が発生する可能性は殆どないかもしれない。しかし，現地スタッフを取締役に任命する場合には，労働法分野の専門の弁護士との協議が不可欠である。雇用契約書あるいは社内規定により，権限・職務内容を通常の従業員の場合以上に入念に規定しておくことが必要である。

## ５　取締役の代表権

ドイツの会社法では，「共同代表権」と「単独代表権」を区別している。共同代表権とは，２人以上（通常は２人）で行使されて初めて有効となる代表権である。それに対して単独代表権は，１人で行使されても有効となる代表権である。通常，ド

イツの会社法上は，特に規定されていない場合は共同代表権を意味する。単独代表権を附与する場合には，その旨を定款または出資者総会決議で明確に規定しなくてはならない。以下の事例は，代表権に関してよく見られるドイツ有限会社の定款のテキストの日本語訳である。

「会社は，1人ないし複数の取締役を有する。複数の取締役が任命されている場合，1人の取締役は，他の取締役かプロクリストと共同で会社を代表する。出資者総会の決議により，1人または複数の取締役に対して，単独代表権を附与することができる。1人の取締役しか任命されていない場合，当該取締役が単独で会社を代表する」

日本の会社法では，2005年の改正において，「共同代表取締役制度（共同代表権）」（改正前商法第261条第2項）が廃止されて，単独代表権のみとなった（会社法第349条）。ドイツの有限会社の各種の手続きに際して，親会社である日本本社（株式会社）の代表取締役の代表権限が単独代表権であるか共同代表権であるか，ドイツ側の公証人，弁護士等からよく問題にされる。蛇足になるが，日本の会社法制度では，代表権があるという場合，単独という言葉がなくともそれは原則として単独代表権を意味している。それに対して，ドイツの制度では，代表権があると言われただけでは，それが単独代表権なのか共同代表権なのか分からない。この会社法上の制度的相違が，日本の登記簿謄本（現在事項全部証明書または代表事項証明書）のドイツ語翻訳に際して，トラブルを発生させる原因となっている。ここのところは，日独の差異を明確に頭に入れておくことが重要である。

また，会社に対する督促や解約等の相手方の意思表示を受ける場合（受動的代表権）は，全員が単独代表権を有するものと見なされている。また，会社を代表して書面に署名する場合，必ず会社名を添えて署名することが要求されている。さらに，単独代表権を有しているか共同代表権を有しているかに関わりなく，取締役が複数いる場合，全員が署名しないといけない特別なケースがあることにも留意する必要がある。具体的には，設立登記申請書，増資・減資登記申請書，合併登記申請書，年度決算書等である。

## 6 ドイツ民法第181条―自己代理の禁止の免除

ドイツ民法第181条は，「自己取引〈Insichgeschäft〉」の禁止を謳っている。ここで禁止されている自己取引には，自己代理と双方代理の2つの内容が含まれている。自己代理とは，A社の社長であるB氏が，A社社長としてのB氏と個人としてのB氏

が1つの契約書に署名するような場合である。双方代理とは，A社の社長であるB氏が同時にC社の社長でもあるような場合で，A社社長としてのB氏とC社社長としてのB氏が1つの契約書に署名するようなケースである。在独日系企業の場合でも，現地法人の取締役（社長）は複数の会社の社長を兼任することも多くある。自己取引の禁止にそのまま服さなければならないということであると，色々支障が出ることから，定款や出資者総会決議により，その義務に服することを免除している場合が殆どである。

## 7 任命・退任の手続き

　取締役の任命（就任）・退任は，出資者総会決議により行われ，その後に，通常ドイツ在住の有限会社の（新）取締役により商業登記簿への登記申請が行われて登記される。新規就任の登記申請は，単独代表権を有している限りにおいて，新任の取締役1人によってなされても問題がない。日本本社の代表取締役（多くの場合，代表取締役社長）による出資者総会決議書への署名は，公証人の面前で行われる必要はないが，署名している日本本社の代表取締役（通常は代表取締役社長）が確かに代表権限を有するかの資格証明を要求されることがある。その場合，ほとんどの登記裁判所で，現在事項全部証明書ではなく代表事項証明書で受容される。しかし，代表権のドイツ語訳には注意しなくてはならない（122頁参照）。場合によっては，翻訳事務所にきちんと日独の代表権制度の違いを説明しておく必要がある。また，有限会社の取締役による登記申請に際しては，その登記申請書への署名は公証人の面前で行われる（署名認証。但し，ドイツの公証人の面前である必要はない）。ドイツの公証人のもとでの新任取締役の署名認証の場合，同時に，ドイツ有限会社法の就任資格を満たしているかの資格確認教示〈Belehrung〉が行われる。取締役交代の場合，新任取締役が単独代表権を有していれば，自分の就任と前任者の退任をまとめて1人で登記申請することが殆どであるが，退任する者が自分の退任の登記申請をすることは不可能である。

　出資者総会決議書の中に任命日・退任日が明記されていればその日が，明記されていなければ決議日が，任命日・退任日となる。あくまで出資者総会決議が基準であり，その後に行われる商業登記簿への登記は，それを対外的に確認するためだけのものである。そのため，取締役の登記は，「確認的効力」を有する登記と言われることが多い（それに対して会社設立の登記等は「創設的効力」を有する登記と言われる）。決議書の中で「4月1日就任」と謳われている場合，様々な理由から，登

記が5月31日に完了した場合でも，4月1日以降，取締役として各種の書類に署名すること，あるいは会社を代表することに問題はない。

　日本に在住しているドイツ有限会社の取締役の交代・新規任命の場合，出資者総会決議書についてはまったく同じである。日本在住の新任の取締役が日本の公証人の面前で登記申請書に署名して（日本の公証人による署名認証），それをドイツの公証人を通じて，登記裁判所に提出することでもよい。しかし，そのような日本の公証人による署名認証には，管轄の法務局の局長認証ならびに外務省が交付するアポスティーユ（場合によってはそれらすべてのドイツ語訳）が必要となることから，ドイツ在住の取締役が登記申請書にドイツの公証人の面前で署名するという形で登記申請するケースが多いようである。但しその場合でも，日本在住の新任取締役は，ドイツから送られてきた「資格確認教示書〈Belehrung〉」に署名して，ドイツの公証人のもとに送付する必要がある（公証人による署名認証は必要ない）。

## 2　取締役の義務

　一般的な話として，会社経営者としての取締役の義務は細かいものまで含めると無数にわたり，それを網羅的に列挙することは不可能である。本書のテーマである会社法，税法，社会保険法，労働法の分野に限定してみたとしても，まだ数多くの義務が課せられているが，とりわけ在独日系企業の現地法人（子会社）の経営責任者として留意すべき，より包括的で重要な義務は，以下のようなものが挙げられるだろう。

### 1　いわゆる善管注意義務

　日本の民法でも会社法でも，「善管注意義務」（善良な管理者としての注意義務）ということが規定されている。それに相当するドイツ有限会社法の規定は，第43条に謳われている。

> 有限会社法第43条［取締役の責任］
> (1) 取締役は，分別のある経営者としての注意をもって会社の案件の処理にあたらなければならない。
> (2) 当該義務を遵守しなかった場合，取締役は，発生した損害について連帯で責任を負うものとする。

(3) （略）
(4) 上記の損害賠償請求権の時効は5年とする。

　ドイツの上場株式会社について，その根拠法である株式法第93条第1項にほぼ同じ表現の規定が盛り込まれている。昨今の企業不祥事や公的救済の場合でも，株主，債権者，取引先からの善管注意義務に依拠しての訴訟が増加している。在独日系企業の現地法人（子会社）の取締役の場合，企業グループ内の一企業という理由から，有限会社法第43条の善管注意義務が問題にされて，ドイツでの提訴に至ることは殆どないと思われる。しかしながら，基礎的知識として頭に入れておくべきである。

## 2　取締役の義務の一覧

　これらの義務ならびに不履行の場合のペナルティ，あるいは強制金等の強制手段の賦課は，あくまで会社の代表者としての取締役に向けられている場合と，会社の代表者ということではあるが取締役個人に向けられている場合とが混在している。その義務毎にそのペナルティの内容，誰に向けてのものなのかも明確にするようにしたい。

- 簿記記帳義務
- 決算書（貸借対照表，損益計算書，注記）ならびに状況報告書の作成義務
- 決算書（貸借対照表，損益計算書，注記）ならびに状況報告書の開示義務
- 取締役報酬の開示義務
- 統計目的でのデータの届出義務
- 税務申告書の提出義務
- 税金の納付義務
- 税務調査時の書類提出，協力義務
- 支払給与についての所得税（賃金税）の源泉徴収，申告義務
- 支払給与についての社会保険料の源泉徴収義務
- 社会保険料の申告，納付義務
- 企業年金制度の設置義務
- 出資者リスト提出義務（変更のあったつど）
- 出資者総会の招集義務
- 資本金の半額以上の損失時の出資者への報告義務

- ○　倒産手続申請の義務
- ○　登記裁判所への各種の届出義務
- ○　ビジネスレター形式の遵守義務

## ③　会社法関連の取締役の義務について

　会計・経理，税金，社会保険等の分野の義務については，次章以降で詳細に解説する。ここでは商法，会社法関連の出資者リスト提出義務以下の最後の6つの義務に関して解説を加えておきたい。2008年有限会社法改革については，先に若干その概要に言及した。当該改革において，様々な規制緩和措置が取られ，会社法上の様々な処置，対応が簡便化された一方で，それに比例して，取締役自身の義務，責任が強化されたという点は留意しておく必要があろう。

### (1)　義務不履行の場合のペナルティ

　取締役が所定の義務を履行しなかった場合や秩序規定に抵触した場合に，ペナルティが課される。そのペナルティの内容には以下のようなものが考えられる。

#### ①　禁錮・懲役刑または罰金刑〈Freiheitsstrafe oder Geldstrafe〉

　刑法上の犯罪。三権分立の中の司法機関である裁判所の判決に基づいて科される。

#### ②　過料〈Bußgeld〉

　秩序規則に対する違反〈Ordnungswidrigkeit〉であり，行政当局（行政機関）の判断に基づき賦課される。具体的な例としては，交通違反（飲酒運転やスピード違反）の場合や独占禁止法違反の場合のペナルティ等である。

#### ③　強制金〈Zwangsgeld〉

　義務の不履行に対して，行為を強制するための手段として行政当局が賦課するもの。通常，書面が行政当局から送付されてきて，所定の期間内に義務が履行されなかった場合に支払わなくてはならない。その義務が履行されれば支払う必要がなくなるが，何度でも賦課される。

#### ④　損害賠償〈Schadensersatz〉

　義務が履行されないことにより実際に損失が発生した場合に，民法を根拠として補填を義務付けられているものである。これも，三権分立の中の司法機関である裁判所の判決に基づいて義務付けられる。

### (2)　財務状況の監視の義務

　この義務は，次章の会計，経理分野の義務にも属するのであるが，月次試算表（月次の貸借対照表，損益計算書）等を通じて，現地法人（子会社）の財務状況に常

に注意を払っていなければならない。その結果，貸借対照表の資本の部が基本資本金の2分の1を下回ることが確認された時（＝資本金の半額損失時）には，以下のような会社法上の義務が課され，そしてそれが遵守されない場合のペナルティが規定されている。

(a) 出資者総会の招集義務（有限会社法第49条第3項）

義務不履行：適時に召集されなかったことによって，実際に会社に損失が発生した時，取締役は場合によっては会社から損害賠償請求を受ける。

(b) 出資者への報告義務（有限会社法第84条第1項）

義務不履行：最長3年までの禁固・懲役刑または罰金刑（刑法上の犯罪）

この召集義務と報告義務との関連が必ずしも明確ではないのであるが，さらに財務状態が悪化して，支払不能状態または債務超過状態になった時には，

(c) 3週間以内に破産手続きの申請（破産法第15a条第4項）

義務不履行：最長3年までの禁固・懲役刑または罰金刑（刑法上の犯罪）

という義務が課される。さらに，これはもう財務状況の監視の義務の範囲を超えるのであるが，債務超過状態，支払不能状態になった後，各種の現地法人として支払を行う場合，あるいは税務署への税金の納付を意図的に後回しにしたような場合については，取締役自身がそれを会社に対して補填する，あるいは会社の代わりに納付する義務も課されていることにも留意する必要がある（破産法第15b条［支払不能・債務超過時の支払：時効］，租税通則法第34条ならびに第69条［税務署への不当対応］）。

以上のような会社法上の義務・ペナルティ（場合によっては刑法犯罪に問われること）は，企業グループの一構成員である現地法人の場合で，取締役が日本本社から派遣されている駐在員というケースにおいては，ドイツ有限会社法が前提にしている出資者と取締役との間の緊張関係がないことから，現実的に問題になることは皆無であると思われる。殆どの場合，次章の「**第3章 会計・経理上の留意点**」（147頁参照）のところで詳細に解説するように，会計・経理上の債務超過回避策，支払不能回避策が取られ，そのような事態に陥らないようにしている。但しその場合でも，自明のことではあるが取締役が現地法人の財務状況に常に注意を払っていることが前提となる。他方で，他の外国人を含む現地人スタッフが取締役に任命されている場合，このペナルティの受け止め方がかなり厳格，敏感になることには，そのような現地法人を有している企業グループの日本本社の担当者は，常に頭の中に入れておくべきであろう。

### (3) ビジネスレター形式要件の遵守

　会社が取引先あるいはその他の関係者に送付する「ビジネスレター〈Geschäftsbriefe〉」には，最低限，以下のような事項が記載されていなければならない（有限会社法第35a条）。

- ○　会社法形態（会社名［会社法形態は略称でも構わない］）
- ○　会社登記所在地
- ○　登記裁判所名と登記番号（略称可）
  例：AG　Düsseldorf HR B 3514
  「AG」は「Amtsgericht（登記裁判所）」の略称，「HR」は「Handelsregister（商業登記簿）」の略称，A部門とB部門があり，「B」は法人（資本会社）部門で，「A」は人的会社部門である。
- ○　取締役（全員）の氏名（姓名）：清算中の会社の場合はすべての清算人の氏名，破産手続き中の会社は破産管財人の氏名
- ○　監査役会の議長の氏名：設立理由はどうあれ，設立されている場合に義務となる

　ビジネスレターとは，特定の者に宛てた書面（Eメールを含む）である。具体的には，価格リスト，請求書，領収書，納品書，見積書，注文書，取引条件確認書，督促状，従業員雇用契約の解約通知書等である。ただし，以上のもののうち，既存の取引関係の中での送付の場合で，かつ定型的な内容のものについては，先の記載事項がなくともよいとされている。ビジネスレターに含まれないものとしては，ダイレクトメール，新聞広告，社内文書，従業員宛て連絡レター，有価証券，小切手，手形等が挙げられる。

　上記のような記載事項は，ビジネス取引を円滑にするための前提条件を確保するという性格のものである。この義務を遵守しなかったからといって，それだけでビジネスレターの内容がすべて無効になるというものではない。しかし，内容の有効性に疑念を差し挟む根拠の１つにされてしまう可能性は排除できない。また，記載の欠如，間違った記載によって具体的に損害が発生した場合に，取締役に損害賠償請求がなされる可能性もある。さらに，義務が遵守されていない場合，取締役は登記裁判所から最高で5,000ユーロまでの強制金を課される場合がある。

### (4) 出資者リストの提出義務

　出資者の変更，出資額の変更時（本社の社名等の変更の場合も），そのつど取締役は出資者リスト〈Gesellschafterliste〉を登記裁判所に提出しなくてはならない

（有限会社法第40条第1項）。その出資者リストに記載されるべき事項は，以下のようになっている。

- 出資者氏名（または会社名）
- 生年月日（個人の場合のみ）
- 住居所在地（または登記所在地）
- 出資額
- 出資持分番号

　提出に際して署名が必要とされるが，単独代表権を有する取締役であれば，当該取締役の署名だけで十分で，公証人による署名認証は必要とされていない。他方で，この出資者リストに関わる義務は，取締役にのみ課せられたものではなく，公証人にも義務付けられているものである（有限会社法第40条第2項）。通常，ドイツ有限会社の出資持分の譲渡は，その譲渡契約書が（ドイツの）公証人の面前での公正証書として作成されることが前提とされている。そのために，在独日系企業が関わるような出資者の交代は，ほとんどが公証人を通じて行われる。そのような場合は，公証人が登記裁判所へ出資者リストを提出し，当該会社の経営責任者（取締役）にそのコピーを送付することになっている。

　出資者リストに関しては，2008年有限会社法改革において大きな改正が行われた。2008年以前においても，出資者リストの登記裁判所への提出は必要とされていた。しかしながら，提出に関わる手続きが必ずしも厳格なものではなく，そこに記載されている出資者が本当に正真正銘の出資者であるかの法的信頼性については疑義が差し挟まれ，原則的に「善意の取得者による持分取得」を承認していなかった。それゆえ，出資持分に対する所有権の正式な確認は，設立後からのすべての譲渡証書（公正証書）の提示をもってして初めて可能だった。その結果，包括的な「法律（リーガル）デュー・デリジェンス」が必要となり，譲渡者側から出資持分に関する保証も不可欠となっていたことも相俟って，譲渡時のコストが高くなり，時間的にも契約当事者の大きな負担となっていた。2008年有限会社法改革により，取締役と公証人に対して提出手続きに関連する義務を厳格にするとともに，出資者リストは登記事項として取り扱われるようになった。それにより，法的な位置付けは格段に引き上げられ（有限会社法第16条），初めて「善意の取得者による持分取得」が認められるようになったという歴史的経緯を経てきている。

　この出資者リストの提出義務が取締役によって遵守されずに実際に損害が発生した場合，それに対して取締役は損害賠償責任を負うことになる。また，複数の取締

役が任命されている場合，取締役はその損害賠償責任について連帯責任を負う。

## （5） 登記裁判所への各種の登記申請義務

現地法人（子会社）について何らかの会社法上の変更があった場合，原則として，取締役は登記裁判所への登記申請手続きをしなくてはならない。金融機関，保険会社等の場合や支店等の場合に異なった事項の登記が規定されているが，通常の現地法人について登記されている主要な事項は，以下のようなものである。

- ○ 商号（有限責任である旨要明示）
- ○ 登記所在地（会社所在地の市町村名）
- ○ 会社住所
- ○ 定款認証日（公証人役場の日付）
- ○ 事業目的
- ○ 基本資本金
- ○ 会社の存続期間（定款に定めがある場合）
- ○ 取締役の姓名，生年月日および居住地
- ○ 支配人（Prokurist）の姓名，生年月日および居住地
- ○ 取締役，支配人の代表権の種類（単独代表権か共同代表権か）
- ○ 民法第181条（自己取引，双方代理の禁止）の免除
- ○ 損益譲渡契約等の企業契約

この登記事項は，定款の一部（商号，登記所在地等）とそれ以外の情報の部分（取締役名等）とから構成されている。ちなみに，2022年8月以降，以上のような登記事項情報は，誰でもインターネットを通じて入手できるようになっている。

一般的に登記という場合，法律上の登記の効力の観点からして，2つに分けて考えられている。すなわち，1つは「確認的効力」と呼ばれている。本来の法律的行為の法的効力は既に確立しているが（例えば出資者総会等において），登記により追認・確認されるという性格のものである。具体的には，取締役の就任・退任ならびにその代表権の変更，支配人の就任・退任等が挙げられる。もう1つは「創設的効力」と呼ばれている。登記によって初めて本来の法律的行為が法的効力を有するようになるというものである。具体的には，設立登記，増資・減資等を含む定款変更，損益譲渡契約等の企業契約，組織再編法に基づく合併・会社分割・法形態変更などが挙げられる。

確認的効力の登記の場合，それが法律で義務付けられている。それゆえ，もしそれを怠っている場合，登記裁判所により，商法上の一般原則（商法第14条）に基づ

く最高5,000ユーロまでの強制金が賦課される可能性がある。重ねての賦課もあり得る。それに対して，創設的効力の登記の場合，登記によって初めて法的効力が確立するという理由から，逆にそこに任意性が認められ，原則として強制金は賦課されない（有限会社法第79条第2項）。これらの強制金は，所定の期間内に要求された登記手続きを行えば，撤回されるものである。

　通常，登記申請手続きは，単独代表権を有する取締役が1人で署名するか，または，共同代表権を有する取締役が2人（またはそれ以上の人数）で署名する。公証人の目前で署名を行い，公証人はそれについて署名認証〈Beglaubigung〉を交付する。この署名認証については，ドイツの公証人の面前である必要はない。新任の取締役は自らの就任に関する登記申請手続きを行うことができる。他方で，複数の取締役が任命されている場合で，その代表権の種類に関わりなく，取締役全員の署名認証付の署名が必要とされる登記申請手続きがある。具体的には，設立登記，増資，減資，各種の合併・会社分割等の組織再編に関係する多くの登記申請手続きである。

# V ビジネス拠点の閉鎖

 各種の事情により，ビジネス拠点を閉鎖するケースも当然のことながら起こる。以下において，その大筋と留意点の概要を解説する。

## 1　駐在員事務所の閉鎖

 基本的に駐在員事務所は，会社法上，届出事項となっている。そのため，税務署関係を除き，各種の当局への閉鎖の手続きに関連して待機期間は考えなくてよい。原則として，ビジネス活動の終了でもって，それを当局に連絡するということになる。関連当局への連絡の主要なものは以下の通りである。
- 営業届の抹消手続き（営業届を行っている場合）
- 健康保険事務所への連絡
- 労災保険機関への連絡
- 労働局への連絡

### 1　税務署関係の対応と残務処理

 管轄の税務署に対して，例えばxx年8月からビジネス活動を停止して，従業員もいなくなることを連絡するだけである。しかし，税務調査（賃金税税務調査［「第4章　税務上の留意点」を参照］）が告知され，実際に調査を受けなければならないことがある。また，付加価値税申告は年度申告も義務付けられていることから，駐在員事務所が閉鎖された後でも，閉鎖年の年度の手続きを終了するまでは残務整理が続くことになる。また，これは駐在員事務所とは直接的には関係がないのであるが，駐在員の個人所得税の申告も年度単位で行われていることから，それも残務整理として残ることになる。さらに，閉鎖後も駐在員事務所の書類は，原則として10年間ドイツでの保管が義務付けられている。ここのところは，税務コンサルティングを依頼している会計事務所等と協議して，実務的な対応を考える必要がある。以上のようなことから，多くの場合，駐在員事務所の銀行口座も駐在員の銀行口座も，閉

鎖後1年から2年くらいは開設したままにしておく必要があろう。

## 2 その他の留意点

　これは，駐在員事務所の閉鎖を検討し始めるときに最初にやるべき作業であるが，オフィスの賃借契約，施設・機器・備品等のレンタル契約・リース契約，電話・通信回線・電気・水道等の各種のサービス受益契約等，駐在員事務所が結んでいる契約関係をすべてリストアップする。そして，その契約期間，解約告知期間，解約料，そして，目標解約時点をすべて確認し，実際に発生するであろう解約料ならびに残存支払義務の見積りを加えた一覧表を作成しなくてはならない。その中でも影響が大きいのは，オフィスの賃借契約である。延長オプション付の1年契約の場合もなくはないが，殆どの場合2年契約とか5年契約，あるいは10年契約という複数年間で締結されていることが多く，当然のことながら，契約残存期間に対する支払義務が発生する。他方で，契約相手ならびに所有者との交渉も行われる余地があり，交渉可能なものから交渉を開始していくことになる。

　日本本社から派遣されている駐在員の住居の賃借契約やその電話・ガス・水道等の契約関係は，あくまで駐在員個人の問題ではあるが，そのような駐在員個人の契約関係も，上記の一覧表に加えてリストアップして，対応，処理していく必要がある。

　従業員の問題は，解雇保護法の適用の可否の問題があり，場合によってはその適用を前提にしてスケジュールを設定する必要がある（後述の現地法人［子会社］の清算の場合の「3 3 (2) 従業員の解雇」144頁以下を参照）。通常は，個々の雇用契約に明記してある解約告知期間を考慮して，事務所の閉鎖の時期または各従業員の退職時期（閉鎖より前に退職させる必要がある場合）から逆算して，閉鎖の意向が連絡されて，解約の手続きがなされなければならない。

## 2　支店の閉鎖

　支店の閉鎖については当然のことながら，未登記支店と登記支店とで異なってくる。

## 1 未登記支店の閉鎖

　未登記支店も，会社法上は届出事項となっていることから，税務署関係を除き，

各種の当局への閉鎖の手続きに関連して待機期間は考えなくてよい。原則として，ビジネス活動の終了でもって，それを当局に連絡するということになる。関連当局への連絡の主要なものは，以下の通りである。

- ○ 営業届の抹消手続き
- ○ 健康保険事務所への連絡
- ○ 労災保険機関への連絡
- ○ 労働局への連絡

### (1) 税務署関係の対応と残務処理

　未登記支店か登記支店かに関わりなく，月次毎あるいは四半期毎に行われている賃金税申告ならびに付加価値税申告については，通常，管轄の税務署に対して，例えば××年8月からビジネス活動を停止して，従業員もいなくなることを連絡する。それと同時に，税務調査（賃金税税務調査［「**第4章　税務上の留意点**」を参照］）が告知され，実際に調査を受けなければならないことがある。

　また，法人税，営業税，付加価値税については，年度申告が行われていることから，支店が閉鎖された後でも，閉鎖年の年度の手続きを終了するまでは残務整理が続くことになる。後述の現地法人（子会社）の清算とは異なり，支店の場合は，本店の連絡先が分かれば，いつでも（法人税）税務調査に入れるということから，原則として，税務調査の実施によって閉鎖手続きの進行がストップさせられてしまうということはない。しかし，閉鎖が終了して数年経ってから（法人税）税務調査が入ったという事例もよく見られる。

　また，これは支店とは関係がないのであるが，駐在員の個人所得税の申告も年度単位で行われていることから，それも残務整理として残ることになる。さらに，閉鎖後も支店の書類は，原則として10年間ドイツでの保管が義務付けられている。ここのところは，税務コンサルティングを依頼している会計事務所等と協議して，実務的な対応を考える必要がある。以上のようなことから，多くの場合，支店の銀行口座も駐在員の銀行口座も，閉鎖後1年から2年くらいは開設したままにしておく必要があろう。

### (2) その他の留意点

　これも，駐在員事務所の場合と同様に，そして未登記支店か登記支店かに関わりなく，支店の閉鎖を検討し始めるときに最初にやるべき作業であるが，ビジネス対象の商品・部品・部材の仕入・購入契約・製品の販売契約，オフィス・倉庫等を賃借している場合の賃貸契約，施設，機器，備品等のレンタル契約・リース契約，電

話・通信回線・電気・水道等の各種のサービス受益契約等，支店が結んでいる契約関係をすべてリストアップする。そして，その契約期間，解約告知期間，解約料，そして，目標解約時点をすべて確認し，実際に発生するであろう解約料ならびに残存支払義務の見積りを加えた一覧表を作成しなくてはならない。とりわけ，本来的ビジネスの納入業者・顧客に対していつの時点で連絡すべきなのか，代替策がある場合，それをどのように連絡するのか等のプランもその中に入ってくる。その中でも影響が大きいのは，オフィス・倉庫等を賃借している場合の賃借契約である。延長オプション付の1年契約の場合もなくはないが，ほとんどの場合2年契約とか5年契約，あるいは10年契約という複数年間で締結されていることが多い。当然のことながら，契約残存期間に対する支払義務が発生する。他方で，契約相手ならびに所有者との交渉も行われる余地があり，交渉可能なものから交渉を開始していくことになる。

日本本社から派遣されている駐在員の住居の賃借契約やその電話・ガス・水道等の契約関係は，あくまで駐在員個人の問題ではあるが，そのような駐在員個人の契約関係も，上記の一覧表に加えてリストアップして，対応・処理していく必要がある。

従業員の問題は，解雇保護法の適用の可否の問題があり，場合によってはその適用を前提にしてスケジュールを設定する必要がある（後述の現地法人［子会社］の清算の場合の「3③(2) 従業員の解雇」144頁以下を参照）。通常は，個々の雇用契約に明記してある解約告知期間を考慮して，支店の閉鎖の時期または各従業員の退職時期（閉鎖より前に退職させる必要がある場合）から逆算して，閉鎖の意向が連絡されて，解約の手続きがなされなければならない。

## ② 登記支店の閉鎖

登記支店は商業登記簿に登記されていることから，未登記支店の場合に必要な手続きに加えて，商業登記抹消手続きがなされなければならない。しかしながら，通常の会社の場合，支店の商業登記は任意的行為であることから，会社の意思決定に基づき，登記を抹消することが可能である。

### (1) 法的手続き—商業登記抹消手続き

商業登記抹消のための登記申請を行う。ドイツの弁護士に依頼して，抹消手続登記申請ドラフトを作成してもらう。それに日本の代表取締役（日本本社の支店の場合）の1人が日本の公証人の面前で署名し，署名認証，管轄の法務局の法務局長認

証，アポスティーユを添付して，ドイツの弁護士，公証人のもとへ送付して，公証人から管轄の登記裁判所に提出してもらう。

### (2) その他の当局関連の手続き

この部分は，駐在員事務所ならびに未登記支店の場合と基本的に同じである。
- ○ 営業届の抹消手続き
- ○ 健康保険事務所への連絡
- ○ 労災保険機関への連絡
- ○ 労働局への連絡

### (3) 税務署関係の対応と残務処理

この税務署関係の対応と残務処理に関しては，基本的に未登記支店の場合と同じなので，未登記支店の閉鎖のところの「2①(1) 税務署関係の対応と残務処理」（135頁参照）を参照していただきたい。

### (4) その他の留意点

このその他の留意点に関しても，基本的に未登記支店の場合と同じなので，未登記支店の閉鎖のところの「2①(2) その他の留意点」（135頁参照）を参照していただきたい。

## 3 現地法人（子会社）の閉鎖（清算）

現地法人（子会社）が解散して，商業登記簿から抹消されるという場合，会社法理論上，大きく言って，①「倒産によるもの」，②「裁判所判決，行政当局の命令等によるもの」（各種のケースが色々ある），③「存続期間の満了」，④「清算手続きによるもの」という4つに分かれる。前2者（①と②）は，公権力に基づき市場から退場させられるという意味合いである。それに対して，最後の2つの会社存続期間の満了と清算手続きによる会社の解散は，債権者，税務署等の役所，その他の取引先に対する債務をすべて満足させて，自主的に市場から退場するというものである。在独日系企業の現地法人の閉鎖という場合，ほぼ100％が清算手続きによるものである。この手続きは，純粋に法務上の手続きの話であるが，上述の駐在員事務所や支店というビジネス拠点の閉鎖と同様に，それ以外の各種の手続きが付随する。ここでも在独日系企業の現地法人の最も典型的な法形態である有限会社の清算手続きを中心に解説する。

## 1  法的手続き（清算手続き〈Liquidation〉）

　法務手続きである清算手続きの大筋をいうと，①出資者総会清算決議，②清算決議登記申請，③債権申出催告（公告），④残余財産の出資者への分配，⑤登記抹消申請というプロセスから成り立っている。債権申出催告（公告）と登記抹消申請との間に，債権者保護のための1年間の待機期間が設定されている。そのために，その前後の期間も考慮すると，事がすべてスムーズに進んだとしても，最短「1年数ヵ月」の期間を要することはスケジュールの策定の際に頭に入れておかなくてはならない。

### (1)　清算決議と清算決議書の作成

　出資者総会において清算決議を行い，清算決議書が作成されなければならない。100%出資の現地法人（子会社）であれば，まったく気にする必要はないのだが，原則として，出資者総会での投票された票数の持分比率75%以上の多数の賛成が必要とされている。そこで決議される内容は，以下の3つである。

○　清算の旨と清算期間開始日
○　取締役〈Geschäftsführer〉の解任
○　清算人〈Liquidator〉の選任

　この清算決議によってただちに会社が消滅してしまうわけではなく，正確に言えば，清算決議により，解散を目的とした会社（清算会社）に生まれ変わるというのが正しい。清算決議の中で特定の日を指定していれば，その日が清算期間開始日（清算会社への転換）になる。指定されていない場合，決議日が清算期間開始日となる。清算期間開始日は，現地法人の通常の事業年度の開始日であっても通常の事業年度の途中であっても構わない。通常の事業年度の途中に清算期間開始日が置かれる場合，当該事業年度の開始日から清算期間開始日の前日までを一事業年度（短縮事業年度）として決算を行い，決算書類を作成し，監査義務に服する場合は監査を受ける必要があり，清算期間開始日については清算開始貸借対照表を作成する必要がある。それもあって，通常の会社事業年度の開始日を清算会社への移行と決議することもよく行われる。この清算会社への移行時点から実際に商業登記簿から登記抹消されるまでの清算期間中，会社名には「GmbH i.L.」と「i.L.」を付けて清算期間中の会社であることを明示しなければならない。「i.L.」は「in Liquidation（清算中）」の略である。原則として，会社の活動は，清算を目的とした活動に限定されるが，残余在庫や資産の販売，資金回収を行うことは問題ない。場合によっては，清算期間をそれでもって遅延，延長させることがないこと等を前提に，商品の仕入

れとその販売という通常の取引も認められる場合もある。

　清算人は，1人であっても複数であっても構わない。そして，ドイツ在住者でなくても構わず，それまでの取締役を選任することも可能である。100％出資の現地法人の場合，日本本社の代表権を有する者（通常は代表取締役社長）が当該清算決議書に署名するが，設立の場合とは異なり，公正証書にする必要はなく，また署名認証も必要とされていない。但し，署名した人が確かに日本本社の代表権を有する者であるかの証明を通常要求される。取締役選任の手続きをよく記憶されている方はすぐに思いつくかもしれないが，それも取締役選任の出資者総会決議書と同じ処理である。

(2)　清算決議の登記申請

　清算決議について，管轄の登記裁判所に登記申請手続きがなされる必要がある。当該登記申請は，定款変更を伴う場合等，取締役により行われることもあるものの，原則として清算人によって行われる。登記申請書への署名は公証人の面前で行われ，その公証人の署名認証が登記申請書に付される。

(3)　債権申出の催告（官報公告）

　会社自身が清算人の名義で，会社定款に規定されている公告手段（通常は連邦官報，2005年4月以降から電子連邦官報）により，債権者に債権申出を催告するという目的で公告を出す。これは債権者保護の原則に基づくものである。登記申請を受理した登記裁判所も清算決議がなされたことの公告を行うが，この2つはまったく別物である。この債権申出催告（公告）は，以前は3回行うことが義務付けられていたが，現在は1回でよいとされている（有限会社法第65条第2項）。この公告から，債権申出期間（待機期間）の1年間が起算される。

(4)　残余財産の出資者への分配

　債権申出催告（公告）の後1年経過後，出資者以外との債権，債務が完済されていれば，原則として出資比率に応じて，出資者への残余財産の分配が行われる。当然のことながら，日本本社の100％出資の現地法人（子会社）の場合，全額日本本社に分配される。

(5)　最終税務申告書の提出

　これは会社法上の手続きではないが，通常，出資者への残余資産の分配が終了した後，清算最終決算書が作成され，それに基づき最終税務申告書が作成されて，税務署に提出される。税務署は査定書を送付してくる。ここで，必要に応じて，登記裁判所に提出するために，査定がすべて終了しているかについての特別の証明書の

交付を税務署に対して申請する場合もある。しかしながら，この時点で税務調査の告知がなされる場合があり，その場合，登記抹消申請はできない。また，そのような税務署から証明書が交付された場合でも，税務調査がそれ以後行われないという保証ではなく，あくまで査定（仮査定）が終了しているという証明でしかない。

## (6) 登記抹消申請

通常，出資者へ残余財産が分配され，税務申告書が提出され，税務署から査定書が送付された（仮査定）後，登記裁判所へ清算結了登記抹消申請を提出する。清算結了登記抹消登記申請には，公証人の面前での清算人の署名が必要とされている（署名認証）。この清算結了登記抹消申請が登記裁判所から受理されると，清算会社は商業登記簿から抹消される。但し，一旦最後の税務申告が行われて，税務署の方から仮査定が終了した時点で税務調査の実施が通告されることもあり得るし，また，登記抹消がなされた後でも，税務調査が通告され，その税務調査ゆえに登記抹消が撤回され，清算手続きが再開される可能性もなくはない。このような税務調査による再開は，他の理由から追加清算手続きがなされる場合もあるものの，「追加清算手続き〈Nachtragsliquidation〉」と呼ばれる。この時の清算人〈Nachtragsliquidator〉は，原則として裁判所によって指名される。但し，この追加清算手続きにおいて，再度債権申出催告ならびに債権申出期間（待機期間）を実施，設定する必要はない。

## (7) 書類の保管

ビジネス関連書類（決算書ならびにその関係書類，ビジネスレター，証憑類等［商法第257条ならびに租税通則法第147条］）は，商法・会社法上の観点からは，清算手続終了後（出資者への残余財産の分配後）から原則として10年間（一部のものは6年間），出資者または他の第3者のもとで保管されなければならない（有限会社法第74条第2項）。通常，清算決議の際に誰のもとで保管されるか決められ，清算結了登記抹消申請の際に，その申請書の中にそれを記載することになっている。

当然のことながら，古いビジネス関連書類については，その保存期間期限（ビジネスレター6年間，それ以外の書類10年間）が経過すれば廃棄処分できる。税法上の観点からの書類保存期間もほぼ同様の規定になっているが，清算手続き後の場合に限らず，税法上は，外国（EU域外）で書類保管を行う場合，税務当局の同意が必要とされている。清算手続き後の場合も，清算された現地法人（子会社）のビジネス関連書類を日本の本社が保管する場合，同様に管轄税務署の同意を取得する必要がある。そのため，業務を依頼していた弁護士事務所や会計事務所，あるいは，他の第3者に保管を委託しているケースも多い。

## 2 会計・経理，税務関係の対応

　会社法上の清算手続き以外で留意すべき点もかなりの広範な領域にわたるが，重要なものの1つとして，会計・経理，税務関連の対応がある。会計・経理関連の対応については，「**第3章　会計・経理上の留意点**」，税務関連の対応については，「**第4章　税務上の留意点**」で解説すべき内容であろう。しかしながら，現地法人（子会社）の閉鎖に関連する点は，内容的まとまりという観点からこの場で言及しておきたい。但し，税務調査については，基本的に現地法人の閉鎖時の税務調査も，通常の税務調査と何ら変わることはないことから，その部分については，「第4章　税務上の留意点」の中の税務調査に関する解説を参照していただきたい。

### （1）清算期間開始日前日までの（短縮）事業年度

　清算開始日は，通常の事業年度の開始日でも事業年度の途中であってもどちらでも構わない。事業年度の途中で清算を開始した場合，まずは，清算開始日前日までの1年に満たない期間について決算を行い，通常の決算書類を作成する。その会社規模に応じて，中会社，大会社については，まったくそれ以前の事業年度と同様に会計監査を受け，所定の決算書類は開示義務に従う。そして，当該短縮事業年度を税務上の査定年度として申告書を提出する。ちなみに，この短縮事業年度は，法律により強制されているものであることから，定款の変更は必要ないとされている。

　通常の事業年度の開始日を清算期間開始日にした場合も含めて，清算開始直近の年度決算書（場合によっては短縮事業年度決算書）の会計原則は，基本的に通常の計上，評価原則に従うものとされている。但し，清算決議により近い将来において主たるビジネス活動を停止することが決まっていることを理由に，既にこの時点において，「継続企業原則〈going concern〉」がもはや適用できないという見解もある。すなわち，それに従えば，清算開始の直近の年度決算書について，あるいは，種々の理由からそれ以前の年度の決算書が確定していない場合にはその年度決算書についても，それに沿って評価原則が変更されなければならないという見解である。この点に関しては，残念ながら専門家の間でも意見の一致を見ていない。

### （2）清算開始貸借対照表の作成

　清算開始日について，清算人は，原則として3ヵ月以内（小会社の場合は6ヵ月以内）に「清算開始貸借対照表〈Liquidationseröffnungsbilanz〉」ならびに「補足報告書〈erläuternder Bericht〉」を作成することを義務付けられている。通常の事業年度の年度当初の期首貸借対照表に相当するものであることから，損益計算書はない。補足報告書は，通常の年度決算の場合の注記と状況報告書をあわせたものを想

像すればよい。そして，資産の評価原則の説明ならびに清算の今後の推移（清算後の収益，清算費用の予測）等について記載することが想定されている。会計上の計上，評価原則は，原則として通常の年度決算書のそれを適用するが，とりわけ固定資産は売却を前提にした資産評価に服する等，継続企業原則が適用できなくなることを踏まえた計上，評価が行われる。その結果，場合によってはその直前の年度決算書の貸借対照表の数値と異なってくることがあり得る。その場合，補足報告書に説明を加える。

　この清算開始貸借対照表と補足報告書は，外部監査人による会計監査を受け，開示されることが義務付けられている。この会計監査は，直前の年度決算書の監査と同時的に実施されているケースが多い。

### (3) 清算期間中の年度決算書

　清算期間開始後の事業年度については，専門家の間で甚だしい見解の相違がある。1つは，清算期間開始日が基準となるというもので，それに従えば，もし清算期間開始日が7月1日であれば，清算期間中の事業年度は7月1日開始6月30日終了となる。もう1つは，清算期間中は暦年事業年度というもので，同様に清算期間開始日が7月1日であれば，その年は7月1日から12月31日までの短縮事業年度で決算を行い，翌年以降1月1日開始12月31日終了で決算する。但し，そのような大きな見解の相違にもかかわらず，どちらの見解においても，現地法人（子会社）の本来の事業年度がそれと異なる場合，出資者総会決議により，本来の事業年度を清算期間中の事業年度とすることができるとされている。

　清算期間中の決算書類の作成，監査，開示については，原則として，通常の事業年度の決算書類のそれと変わるところはない。但し，既に清算開始貸借対照表の作成の際に適用される計上，評価原則の部分的変更が，清算期間中の決算書類の作成においても引き続き適用される。

### (4) 清算最終決算書と最終税務申告書

　早ければ，債権者への債権申出催告から1年を経過した時点で，その他の前提条件が満たされていることを条件に，清算人は，「清算最終決算書〈Liquidationsschluß bilanz〉」を作成する。その決算日は清算期間中の事業年度の決算日と同一でなくても構わないことから，短縮事業年度になることが多い。当該決算書は，清算期間中を含めて通常の事業年度の決算とは異なり，貸借対照表，損益計算書，注記は作成されるが，状況報告書は必要ないとされている。

*142*

## (5) 清算期間中の税務

　清算期間開始日以降の事業年度についての税務申告は，3年間分をまとめて申告することができるが，毎年申告しているケースも多い。

　これは清算期間中に限られたことではないが，現地法人（子会社）の閉鎖に際して，その在庫を他の国に位置する関連会社に売却したり，あるいは，当該現地法人が担当していた販売地域を他の国の関連会社へ移管することがよく行われる。このような行為は，移転価格税制の観点から，ドイツの税務署が目を光らせるところであり，適正な価格での売却，あるいは適正な対価での譲渡に留意する必要がある。

## 3　その他の留意すべき点
### (1)　各種の契約（書）の解約

　これは，現地法人（子会社）の閉鎖を検討し始めるときに最初にやるべき作業であるが，ビジネス対象の商品・部品・部材の仕入・購入契約・製品の販売契約，工場・オフィス・倉庫等を賃借している場合の賃借契約，施設・機器・備品等のレンタル契約・リース契約，電話・通信回線・電気・水道等の各種のサービス受益契約等，現地法人が結んでいる契約関係をすべてリストアップする。そして，その契約期間，解約告知期間，解約料，そして目標解約時点をすべて確認し，実際に発生するであろう解約料ならびに残存支払義務の見積りを加えた一覧表を作成しなくてはならない。とりわけ，本来的ビジネスの納入業者，顧客に対して，いつの時点で連絡すべきなのか，代替策がある場合，それをどのように連絡するのか等のプランもその中に入ってくる。その中でも影響が大きいのは，工場，オフィス，倉庫等を賃借している場合の賃借契約である。延長オプション付の1年契約の場合もなくはないが，殆どの場合2年契約とか5年契約，あるいは10年契約という複数年間で締結されていることが多い。当然のことながら，契約残存期間に対する支払義務が発生する。他方で，契約相手ならびに所有者との交渉も行われる余地があり，交渉可能なものから交渉を開始していくことになる。

　日本本社から派遣されている駐在員の住居の賃借契約やその電話・ガス・水道等の契約関係は，あくまで駐在員個人の問題ではあるが，在独日系企業の現地法人の場合，会社の総務，人事担当者がそこのところの世話をやっていることも多い。その場合には，そのような駐在員個人の契約関係も，上記の一覧表に加えてリストアップして，対応，処理していく必要がある。

## (2) 従業員の解雇

　現地法人（子会社）が清算手続きにより閉鎖される場合，通常，従業員は解雇されることになる。社内に「従業員代表委員会〈独 Betriebsrat, 英 work council〉」（詳しくは「第5章　労働法」を参照）が存在している場合には，このような閉鎖に際して，従業員代表委員会に対して適時に連絡し，協議しなければならない。個々の従業員の雇用契約上の解約告知期間を遵守しつつ解約手続きを行えば，合法的な解雇と見なされ，原則として，個々の従業員の解雇手当に対する法律上の請求権は存在しない。その意味で，閉鎖が検討され始めた段階で，取引先等の外部との各種の契約書の場合と同様に，従業員すべての雇用契約書をリストアップして（雇用契約リスト），解雇の企業年金に対する影響ならびに個々の雇用契約において解約に際してそれ以外の何らかの特別な取決めがなされていないかも含めて，すべての雇用契約書の解約告知期間を確認する必要がある。さらに，どの従業員をどの時点で解雇するかの計画も同時に作成されなければならない。その際，以下のような点が留意されなくてはならない。

① 従業員代表委員会への連絡・協議または従業員全体への発表

　従業員代表委員会が社内に設置されていて，20人超の従業員代表委員会有権者の従業員を要している現地法人（子会社）の場合，その従業員代表委員会に対して，現地法人の閉鎖の予定を適時にそして包括的に連絡し協議する必要がある（事業所組織法第111条）。この義務は，ドイツのいわゆる「共同決定制度〈Mitbestimmung〉」の一環として規定されているものである。適時にの意味は，遅くとも従業員の雇用契約の解約手続きが始まる前とされる。協議の意味するところは，従業員代表委員会の抵抗で，閉鎖ができないということではないが，従業員にとっての経済的負担を緩和する方策を探り（「利害調整策〈Interessenausgleich〉」），両当事者の合意点を見出すということである。但し，閉鎖の場合，他の部署への配置転換等の代替策は不可能であることから，殆どの場合，従業員代表委員会側から解雇手当の要求が出され，それに対して会社側がどう折り合いを付けるかという形で進んでいく（「社会プラン〈Sozialpaln〉」の合意）。本来的に，「社会プラン＝解雇手当」ではないのであるが，清算手続きに基づく現地法人の閉鎖の場合は，「社会プラン＝解雇手当合意」と言っても過言ではない。また，ドイツの会社，他の外資系企業の場合も大きく違わないのであるが，そしてあくまで従業員側の法律的な請求権はないのではあるが，在独日系企業の現地法人の場合，日本における功労金という性格の退職金の延長線上で，あるいは，「立つ鳥跡を濁さず」の考え方から，会

社側から解雇手当の支給を提示しているケースも多い。

　もちろん，従業員代表委員会が社内に設置されていない現地法人の場合，あるいは設置されている場合でも従業員が20人以下の場合，上記に解説したような連絡，協議義務はない。その結果，従業員代表委員会と対峙，対決するということはないことから，現地法人の経営責任者側の精神的負担は少し軽いとも言えるかもしれない。しかしながら，従業員全体に対して，閉鎖の意向を適時に公表しなくていけないことは当然のことであり，結果的には従業員代表委員会の有無は大きな相違にはならない。逆に，従業員側の交渉窓口が明確になっていることから，従業員代表委員会が設置されている方が話を進めやすいという側面もある。

② **企業年金の調整**

　2004年以降，従業員から要請があった場合に，雇用主側は，最低限でも従業員負担型の企業年金制度を導入する義務を負わせられている。その結果，現地法人（子会社）の閉鎖の場合も，企業年金の調整，整理も大きな問題となる。ドイツの企業年金制度には，従業員，雇用主，外部運営者の3者の関係から区別された「直接確約方式」，「年金基金方式」，「直接保険方式」，「共済基金方式」，「年金ファンド方式」という5つの運営方式がある。そして各々に「従業員負担型」と「雇用主負担型」（場合によっては，「確定拠出型」と「確定給付型」の区別）がある。会社側の事務負担が最も少なく，会社が変わった場合でも簡単に次の職場に持っていけるポータブルタイプの直接保険方式から，在独日系企業において数としては少ないのであるが，従業員が定年で退職した場合に会社自身が直接的に一定の年金額を給付することを約束する直接確約方式（年金引当金方式とも呼ばれている），そしてその中間形態といった風に多種多様である。そして，1つの会社の中で複数の運営方式が併用されていることも珍しくないことから，ある意味でかなり複雑になっている。

　とりわけ，会社自身が直接的に年金を支払う直接確約方式（年金引当金方式）の場合，現地法人が閉鎖された場合，確約された従業員が定年を迎えた時には会社は存在していないということになり，閉鎖時までの勤務年数等に応じた一時金等の支払で調整することが不可欠となる（色々な方法がある）。いずれにせよ，従業員毎の企業年金運営方式のリストを作成し，あるいは先の雇用契約リストの中に企業年金の欄も設けるなりして，個別の調整，対応が必要となる。

③ **大量解雇の労働局への届出**

　上の共同決定制度の一環としての従業員代表委員会への連絡，協議義務とは別に，解雇保護法第17条に基づき，暦日30日以内の間に，

- ○ 20人超60人未満の事業所の場合で5人超を解雇する
- ○ 60人以上500人未満の事業所の場合で従業員数の10％または25人超を解雇する，あるいは，
- ○ 500人以上の事業所の場合で30人以上を解雇する

場合，「大量解雇〈Massenentlassung〉」として見なされる。その場合，やはり個々の従業員の雇用契約の解約手続きを取る前に，従業員代表委員会に連絡し，協議すると共に（この部分は重なりあっている），現地法人（子会社）の管轄の「労働局〈Agenturfür Arbeit〉」にその旨を届け出る義務が会社側に負わせられている。この義務は，組織再編等による人員削減一般の場合にも適用され，あくまで不当な解雇から従業員を保護するという観点から規定されているものである。清算手続きによる現地法人の閉鎖の場合も同様であり，また，少なくとも労働局への届出義務は，従業員代表委員会が社内に設置されているかどうかに関係なく負わせられている。この義務の遵守を怠った場合，解雇の合法性が問題になり，場合によっては，個々の従業員による解雇手当の請求権が発生してしまう可能性があることには留意する必要がある。

④ 従業員への雇用契約解約手続き

　以上のような手続きを踏んだ後，個々の従業員に対して書面での雇用契約解約通知を送付する。先に作成した雇用契約リストに基づき，解約告知期間ならびに当該従業員の解雇時点を考慮して個別に送付することになる。

# 第3章

## 会計・経理上の留意点

## 会社の会計・経理上の留意点

　会計・経理上の処理は，会社の経営上，欠くべからざるものである。本書の重要なキーワードである「駐在員事務所」，「支店」，「現地法人（子会社）」という在独日系企業のビジネス拠点の区分に即していうと，最初の駐在員事務所には，ドイツ商法に基づく帳簿記帳義務ならびに決算書作成義務は課されていない。しかし，税法規定に基づいて，少なくとも支出明細表を作成し，お金の動きが分かるようにしておく必要がある。後の2つの支店と現地法人については，その法律的根拠は異なるものの，複式簿記をもとにして会計帳簿を記帳し，ドイツの会計基準に則った年度決算書類を作成しなければならない。さらに，現地法人の場合は，その会社の規模に応じて，会計事務所（会計士）による年度末会計監査を受け，その決算書類を開示しなくてはならない（会計監査を受ける義務がない会社の場合も開示義務はある）。本章では，とりわけ支店と現地法人の関係者にとっては必須の基礎知識である，ドイツ商法会計基準ならびにそれに基づく具体的な会計・経理処理の原則を解説する。駐在員事務所については，あくまで税法規定上の要請なのであるが，支出明細表とそれに関する経理処理について，やはり本章で解説したい。

# I ドイツにおける様々な会計基準

　現在，在独日系企業の現地法人（子会社）を含めたドイツの会社は，1つの会社がいつも同時的に併用しているという意味ではないが，3つの会計基準を使い分けていると言える。その3つの会計基準とは，「ドイツ商法会計基準」，「国際会計基準（国際財務報告基準）」，「税法会計基準」である。その使い分けは，上場会社か非上場の会社であるか，連結決算書であるか単体決算書であるか，税務申告目的か商法上の義務であるか等の区別によっている。

## 1　ドイツ商法会計基準と国際会計基準

　ドイツ商法会計基準は，商法第238条〜第342e条をその主要根拠とするものである。在独日系企業の現地法人（子会社）と支店の経営責任者にとって，最も重要なドイツの会計基準である。ドイツ語で商法のことを「Handelsgesetzbuch」ということから，ドイツ商法会計基準のことを「HGB」という短縮形（ハーゲーベーと発音）で呼ぶことが多い。当然のことながら，HGBは「ドイツ商法」の意でも使われる。2004年までは，原則として連結決算書にも単体決算書にも，このドイツ商法会計基準を適用することが義務付けられていた。2005年から，ドイツだけではなくEU全体で，EU域内で上場している企業の連結決算書には，「国際会計基準（国際財務報告基準）〈IFRS又はIAS〉」を採用することが義務付けられている。そして，それ以外の決算書，すなわち，非上場の会社の連結決算書，上場・非上場を問わない単体決算書に対してどのようにするかは，EU加盟国各国の政府当局の裁量に委ねられている。その結果ドイツでは，現在以下のような状況になっている。

○　上場企業の連結決算書作成基準として「国際会計基準（国際財務報告基準）〈IFRS又はIAS〉」を採用

　　これはEUレベルでの規定の通りである。但し，ドイツでは，2004年12月31日まで，ダイムラー・クライスラー（当時）等のように，ニューヨーク証券取引所に上場するドイツ企業を考慮して，商法第292a条により上場会社の連結

決算書を国際会計基準または米国会計基準〈US-GAAP〉で作成することにより，ドイツ商法に基づく連結決算書の作成義務を免除することが認められていた。2005年1月1日以降は，原則として米国会計基準〈US-GAAP〉に基づく決算書に対してのこの免除が認められなくなった。それ以降，国際会計基準または国際財務報告基準に関する「EC規則1606/2002（IAS Regulation）」第4条に基づき，上場会社の連結決算書は，国際会計基準に基づき作成されなければならない。なお，表示はドイツ語，通貨はユーロとなっている。また，ドイツ商法会計基準の取扱いとの平準化の観点から，国際会計基準には規定されていない連結状況報告書の作成が義務付けられている。

○ **非上場企業の連結決算書作成基準として国際会計基準（国際財務報告基準）〈IFRS又はIAS〉の選択採用を認容**

2005年以降，非上場企業（株式未公開又は有価証券取引法第2条第5項に定める市場に上場していない会社）が国際会計基準（国際財務報告基準）による連結決算書を作成した場合，ドイツ商法会計基準に準拠した連結決算書の作成義務が免除される。但し，国際会計基準による連結決算書の作成の際にも，特定のドイツ商法規定（例：通貨，言語，連結状況報告書）などの国内規定の遵守は必要とされている。

○ **単体決算書はドイツ商法会計基準に準拠**

2005年以降，単体決算書については，大会社，中会社，小会社（プラス極小会社）のすべてのカテゴリーにおいて，以前と同様にドイツ商法会計基準に基づく決算書の作成が義務付けられている。そして，このドイツ商法会計基準に基づく決算書を，連邦電子官報に送付，開示する義務が存続する。但し，大会社が連邦電子官報へ開示する単体決算書に関しては，国際会計基準（国際財務報告基準）で作成されたもので代替できる。

在独日系企業の現地法人は，ドイツ（EU）で上場しているわけではない。そして，（少数の例外はあるものの）多くの場合，連結決算書の作成義務を負わせられているわけでもない。その結果，国際会計基準で決算書を作成する義務はない。そして，ドイツ商法会計基準に準拠して単体決算書を作成しなくてはならないことから，ドイツ商法会計基準についての基礎知識は必須である。

## 2　ドイツ商法会計基準と税法会計

　以上は，ドイツで使用されている3つの会計基準のうちのドイツ商法会計基準と国際会計基準（国際財務報告基準）との間の関係である。さらに，ドイツ商法会計基準と税法会計基準との間には，所得税法第5条第1文に基づき，「税法決算書〈Steuerbilanz〉はドイツ商法会計基準を基準にして作成される」という原則がある。この原則は，「基準性の原則〈Grundsatz der Maßgeblichkeit〉」と呼ばれている。これがドイツにおけるドイツ商法会計基準と税法会計基準との間の近似性の根拠となっている。さらに2009年までは，税法で認められている償却・準備金等に関する様々なオプション規定が，商法会計基準の規定の中に細かく規定されていない場合でも，税法規定に従って計算した金額をドイツ商法会計基準で作成する決算書に反映させるという原則があった。この原則は，「逆基準性の原則〈Grundsatz der umgekehrten Maßgeblichkeit〉」（所得税法第5条第2文（旧））と呼ばれている。米国会計基準との比較で，よくドイツ商法会計基準は，原則論を明記しているに過ぎないといわれる。そして，個別項目によってはより詳細な規定が取り決められている税法会計基準による処理が，実質的な商法会計処理の指針となっている事例が多い。その具体例としては，年金引当金の計上処理等が挙げられていた。

　もちろん，2つの決算書（商法会計基準の決算書と税法会計基準の決算書）がまったく同じということではない。すなわち，税法上の規定に基づき，商法上の収益がすべて税法上の益金にはならず，同様に，商法上の費用がすべて税法上の損金になるわけではない。そして，商法上の年度利益と税法上の課税対象所得は，従来からも一致することはなかった。しかし，基準性の原則と逆基準性の原則により，決算書作成の根幹である計上原則，評価原則は乖離しないようにされているために，ドイツ商法会計基準と税法会計基準は謂わば「蜜月関係」にあったと言える。そして実務的にも，法人税の申告に際して，通常は商法上の（単体）年度決算書（貸借対照表，損益計算書，注記［付属明細書］）を，そして，商法上の監査の対象となる中会社以上の場合は，（単体）年度決算書（貸借対照表，損益計算書，注記［付属明細書］）を含む監査報告書を，法人税申告書に添付して提出していた。

　このような蜜月関係に変化の兆しが現れたのが1999年税制改正の頃である。当時ドイツの税法専門家の間でも「基準性原則からの訣別」といったことが盛んに議論されていた。そのような乖離傾向の具体例としては，税法上の資産評価減規定の

厳格化（価値の長期的下落が認められる場合にのみ許容［1999年］）や税法上における債務ならびに負債性引当金の計上時の金利効果の導入（1999年）等が挙げられよう。そして，2010年1月1日以降に開始する事業年度から施行されている2010年ドイツ商法会計基準改革において，逆基準性の原則（所得税法第5条第2文［旧］）は撤廃された。もちろん，基準性の原則はまだ維持されていることから，この2つの会計基準の蜜月関係が一挙に「離婚」に発展したわけではない。しかし，毎年のように繰り返される税制改正により，今後乖離現象がより一層進行することは間違いない。

　在独日系企業のドイツ支店は，本店が日本かそれ以外の外国であるかに関わらず，ドイツ商法会計基準に基づく決算書類の作成の義務は負わせられていない。しかしながら，ビジネス活動を行い利益を計上することから，法人税税務申告を行わなくてはならず，そのためには，税法会計基準に基づく決算書を作成しなくてはならない。過去におけるドイツ商法会計基準と税法会計基準との間の蜜月関係から，外国企業のドイツ支店も，ドイツ商法会計基準に基づく決算書類の作成の義務は負わせられていないにもかかわらず，ドイツ商法会計基準に基づく決算書類を作成して税務申告書を作成してきている。確かに，ドイツ商法会計基準と税法会計基準との乖離は，今後進行することは間違いない。しかし，基準性の原則が維持されている限りにおいては，ドイツ商法会計基準が税法会計基準のベースになる関係はまったく霧消してしまうことはないであろう。その意味で，在独日系企業のドイツ支店の経営責任者にとっても，ドイツ商法会計基準に関する基礎知識は必須のものである。

# II 「ドイツ商法会計基準」の概要

　ドイツ商法会計基準，国際会計基準（国際財務報告基準），税法会計基準という3つの会計基準が並存する中で，上記で述べてきた理由から，在独日系企業の現地法人（子会社）と支店の双方の経営責任者あるいは会計・経理実務に携わる人にとって，ドイツ商法会計基準に関する基礎知識は，極めて重要なものである。

　会計・経理の現在の日常業務に携わる者あるいはそれを管理，監督する者にとって，その会計基準の過去がどうであったかは差し当たり関係がないかもしれない。しかし，少しでもその歴史的背景を知っていることで，日常の業務においても，余裕を持った見方が可能になり，適切な判断が下せることも少なくない。また，2010年1月1日からは新しいドイツ商法会計基準が施行されている。この改正された商法会計基準は，その改正一括法案の名称がドイツ語で「Bilanzmodernisierungsgesetz」（会計基準近代化法）ということから，「BilMoG」の短縮形（ビルモックと発音）で呼ばれている。これにより，ドイツ商法会計基準の国際会計基準への近接化が図られたと言われている。2010年から数年の間は，実務的にも，旧基準から新基準への移行措置が数多くあった。また，数は圧倒的に少なくなったが，今でもその時の移行措置が適用されているケースもある。旧基準についても一応の知識を持っていることは決して無駄ではないであろう。そのような観点から，伝統的に保守主義，債権者保護がその原則となっているドイツの商法会計基準の簡単な歴史的背景に言及しておきたい。

## 1　ドイツ商法会計基準の歴史的発展

　現在の「（ドイツ）商法典〈Handelsgesetzbuch〉：HGB」は，その前身が1861年の「一般ドイツ商法典〈Allgemeines Deutsches Handelsgesetzbuch〉」に求められる。1897年5月10日に公布され，ドイツ民法典と共に,1900年1月1日付で施行された。その中に盛り込まれていた会計帳簿と財産目録の作成に関する規定の中には，既に当時から，破産に際しての債権者に対する影響を最小化するという観点からの

債権者保護と保守主義の原則が貫かれていたという。1920年代後半の世界恐慌と共に，その傾向はより一層強められた。第2次世界大戦後の経済復興期には，その2つの原則に対しては否定的な見解も見られた。他方で，ドイツ企業のファイナンスは，株式・証券取引を通じての直接金融ではなくて，銀行による融資がその中心となっている間接金融であったために，債権者保護と保守主義の原則は根強く残り，1980年代前半まで至った。

## 1 1987年ドイツ商法会計基準改革

現在のEU（欧州連合）の前身である欧州経済共同体〈EEC〉は，その時点での加盟国間の会計基準の調和を目指して，1978年にEEC会社法第4指令（単体決算書）を可決，公表した。次いで1983年には，EEC会社法第7指令（連結決算書）を可決，公表した。そして，その内容を国内法に導入するという形で，ドイツにおける1987年ドイツ商法会計基準改革（施行：1986年1月1日，適用：1987年1月1日以降開始の事業年度から）が行われた。しかし，法形態による会計基準の差異の解消等において大きな変革が見られたものの，保守主義，債権者保護の会計基準原則は，基本的に変更されることがなかったという。それは，欧州経済共同体加盟国間の会計基準の調和を目指したEEC会社法第4指令自体が，ヨーロッパの会計基準における2つの伝統的潮流の「妥協の産物」といわれていたことに帰着する。その伝統的潮流の1つは，ドイツ，フランスに代表され，貸借対照表中心で債権者保護に重点を置き，税法会計との間に緊密な連関性が存在する「ヨーロッパ大陸型会計基準」である。もう1つは，ヨーロッパにおいてはイギリスに代表され，損益計算書中心で投資家保護に重点を置き，税法会計から独立した「アングロ・サクソン型会計基準」である。EEC会社法第4指令のプロジェクトにより，EECレベルでの会計基準の調和という点においてある程度（かなりの程度）の前進はあった。しかしながら，その2つの伝統的潮流の鬩ぎ合いの中で特定の方針を一律に強制しない（あるいはできない）という理由から，EEC会社法第4指令の中には多くのオプション規定が盛り込まれていた。ドイツの当局（あるいは立法機関，政治家，各方面のロビイスト等）も，その国内法への導入に際して，オプション規定を最大限に活用でき，結果としてドイツの伝統的な会計基準上の保守主義，債権者保護の原則は温存されたという。この話は，1980年代半ばの話である。しかし，「債権者保護に基づく会計原則と投資家向けの会計原則の鬩ぎ合い」という基本的な対立図式は，後述するように，2008年秋から活発に繰り広げられた2010年ドイツ商法会計基準

改革を巡る議論，議会審議でも再度繰り返されている。

## 2　1990年代の株式投資ブーム

　以上のような経緯から，1987年以降も（さらに言えば1987年以降特に），保守主義，債権者保護に根ざしたドイツの会計基準を，時代遅れの計上選択権等の撤廃，引当金計上方法の改正等によって，時代の要請に沿ったものにしなくてはならないという議論が幾度となく繰り返されてきた。ここでいう時代の要請とは，ドイツ企業を取り巻く経済的環境変化である。すなわち，銀行等の金融機関からの資金融資に依存した「間接金融システム」から株式・証券市場からの資金調達に中心を置く「直接金融システム」への暫時的な移行である。そのような移行プロセスは，1994年の株式法第2条の改正（1人株主の株式会社が設立可能になった），1996年のドイツテレコムの上場，1997年のドイツ版ナスダックといえる「ノイアー・マルクト」の設立といったドイツにおける「国民的株式投資ブーム」によって促進されたと言える。しかしながら，この1990年代の国民的株式投資ブームは，それに付随した数多くの粉飾決算等の企業不祥事により，冷水を浴びせられることになった。

## 3　1990年～2000年前後までの企業不祥事続発

　粉飾決算あるいは会社業績情報の虚偽，不正公表が問題になった1990年代におけるドイツの企業不祥事の代表的なものとしては，次のようなものが挙げられる。
- 　　メタルゲゼルシャフト社（1993年：複合ビジネス企業）
- 　　ユルゲン・シュナイダー社（1994年：大手ゼネコン）
- 　　バルザム社（1994年：スポーツ関連施設製造・建設）
- 　　ブレーマーブルカン社（1996年：造船）

2000年以降のものとしては，
- 　　EM.TV社（2000年：メディア）
- 　　インフォマテック社（2000年：インターネット・サーフステーション）
- 　　フローテックス社（2000年：ボーリング機械製造）
- 　　フィリップ・ホルツマン社（2002年：大手ゼネコン，但し，1999年11月に国家支援により倒産の危機を一度は回避したという経緯がある）
- 　　コムロード社（2002年：テレコミュニケーション）
- 　　フェノメディア社（2002年：ソフトウエア）
- 　　ベルリン銀行（2002年：金融）

○　EnBW社（2004年：電力）

におけるものが挙げられる。

　さらには，粉飾決算あるいは業績情報の虚偽公表というものではないが，人事担当役員の辞任に至ったフォルクスワーゲン社（自動車）における会社幹部と従業員代表委員会との癒着問題（2005年）やボーダフォン（英）による敵対的買収の際の当時の社長を含む役員に対する特別一時金支払の適正性をめぐるマンネスマン裁判の一審差戻し（2006年）といったことが，ドイツにおける企業コーポレートガバナンスをめぐる事件として，当時のマスコミで大きく取り上げられた。

　以上のようなドイツにおける企業不祥事を概観すると，確かに，フィリップ・ホルツマン社のように，1894年にベルリンの現在の連邦議会議事堂を建設しドイツの「3大ゼネコン」の1つに数えられていた伝統的な企業もあった。しかし，EM.TV社，インフォマテック社，コムロード社，フェノメディア社は，ドイツ版ナスダックと呼ばれたノイアー・マルクトの上場企業としてマスコミの脚光を浴び，ドイツ・ニューエコノミーの「希望の星」と見なされた企業が多く含まれており，関係者にとっての衝撃は大きかったと言える。しかしながら，どのような観点から見るかにもよるが，とりわけ2000年以降の企業不祥事の多くが新興企業におけるものだということもあり，約10兆円規模の株式総額による企業価値を誇った大会社が問題が発覚してから1年内外の短い期間の間に倒産してしまうというアメリカにおける企業不祥事と比較すると，その粉飾あるいは不正の金額ベースでの規模は相対的に小さいという印象を抱いてしまう。マスコミでひっきりなしに報道されたEM.TV社の絶頂期の株式総額による企業価値は約1.5兆円ほどであり，不祥事発覚の前年の業績が当初の約300億円の黒字という予想から，実際には約1,600億円の赤字になってしまったという経緯を辿った。コムロード社は不祥事発覚の年（2002年）の数年前から売上数値の水増しを行い，それが不祥事発覚の前年には約110億円ほどになっていたというものである。但し，コムロード社の場合，その不祥事発覚の前年の実際の売上は決算書に計上されていた売上の1.4％に過ぎず，その「虚偽の悪質性」が問題にされていたと言えよう。

　そのような企業不祥事続発を受けて，2003年2月25日に連邦法務省，連邦財務省が合同で発表したのが「10項目改革プログラム」である。当該プログラムは，そのような企業不祥事の発生に対する対策であり，2001年に始まったコーポレートガバナンス改革をより具体的に進めるために，政策当局が掲げたものである。そこでは，ドイツの単体決算書の会計基準を欧州の基準，国際的な基準に適応させるこ

とが謳われている。ある意味で，ここで謳われている原則を実行に移したのが2010年ドイツ商法会計基準改革である。

## 4　2005年の上場企業の連結決算書への国際会計基準の強制適用

　これはドイツだけでの話ではないが，2005年からEU域内上場企業の連結決算書には国際会計基準（国際財務報告基準）が強制適用されている。その後もドイツにおいては，会社の規模や上場・非上場に関わりなく，単体決算書はドイツ商法会計基準に基づき作成されなければならない（但し，大会社については開示目的で国際会計基準に基づく決算書が許容）。それに対して，非上場の会社の連結決算書は，オプションとして国際会計基準に基づく作成が認められている。

　2005年以降，ドイツ国内においても様々な理由から，他の決算書（非上場の会社の連結決算書ならびに上場・非上場の会社の単体決算書）への国際会計基準の拡大採用がさかんに議論されている。その中で，「国際会計基準は，証券市場を志向した大企業のためのものであるため，複雑で多大なコストがかかり，ドイツ経済の中核を担っている多くの中小企業にとっての会計基準としては不適切である」という見解も根強い。ちなみに，国際会計基準が中小企業には重荷であるという意見は，周知のようにドイツに限られたことではない。その意見に対する対応として，「中小企業向けの国際会計基準」が議論され，公表されているが，それでもまだ複雑でコスト負担が大きいというのがドイツでの議論である。

　次に述べる2010年ドイツ商法会計基準改革は，この認識に対するドイツ政策当局のその当時の回答とも言えるものである。すなわち，「情報開示力」という点で，ドイツ商法の会計基準を国際会計基準に近接させる。しかし，決算書作成当事者のコストならびに労力の負担の増加をできる限り低く抑えることを目指していた。これは「近接路線（コンバージェンス）」とでも呼べるかもしれない。

## 5　2010年ドイツ商法会計基準改革

　2010年ドイツ商法会計基準改革におけるドイツ政策当局の意図は，単体決算書のためにドイツ商法の会計基準を存続させるが，そのドイツ商法の会計基準自体を時代の要請に即して改良し，その情報開示力において国際会計基準（国際財務報告基準）に近づけるという近接路線であった。それに対しては，当初より，専門家からの原則論的な批判があった。そのような専門家からの批判は，債権者保護のための会計基準と投資家保護のための会計基準は根本的に相容れないものであり，その

2つの折衷を試みることで，どちらの長所も手にすることができないのではないかというものであった。とりわけ時価評価の導入のところでは，専門家の間でも意見の対立が大きかった。また，2007年夏のサブプライム危機から2008年9月のリーマン・ブラザーズの倒産に端を発した金融危機，世界同時不況という世界経済の状況変化の中で，「時価評価がそのような危機を助長している」という実務家からの声がよく聞かれた。そのような議論，議会審議の中で，当初の政府原案から見て，

(1) 非金融機関における売買目的の有価証券等に対する時価評価の導入の撤回（原案では非金融機関も含めて時価評価を導入しようとしていた）
(2) 自社開発の無形資産について計上選択権への変更（原案は義務）
(3) 単体決算書における繰延税金資産の計上選択権への変更（原案では義務）
(4) 特別目的会社を連結範囲に包含
(5) 金融機関における売買目的の有価証券等の時価評価義務に加えて，例外的に「売買目的の有価証券等」の他の資産種類への組替えを許容

という変更が加えられた。とりわけ最終可決案の内容がほぼ確定した2009年2月頃，マスコミで「会計基準改革の空洞化」ということまで言われていた。しかしながら，細かく見ていくと，以上のような当初の政府原案から後退した点があることは否めないが，ほぼ35年ぶりの「1987年以来のドイツ会計基準の大改革」であることには間違いない。

## 6 2016年ドイツ商法改正

　EUレベルでの加盟国間の会計基準の調和のプロジェクトは，2005年における上場会社の連結決算に対する国際会計基準（国際財務報告基準）の導入により，一区切りがついたと言える。他方で，単体決算書と非上場企業の連結決算書の会計基準の調和に関しては，国際会計基準を拡大適用する動きと共に，2005年以前からのEEC会社法第4指令（単体決算書［1978年］）ならびにEEC会社法第7指令（連結決算書［1983年］）が存続していた。EUにおける将来の会計基準の調和に関する様々な議論を経て，その2つの会社法指令が2013年に発展的に統合されて，「EU会計基準指令（213/34/EU）」が誕生した。2つの指令が単純に合体させられただけではなく，内容的な改正も行われている。その基本的な方向性は，ドイツにおける2010年商法会計基準改革と同様に，国際会計基準に近接させるというものである。

　2013年に可決，公表されたEU会計基準指令（213/34/EU）に基づき，ドイツの

国内法化が図られたのが2016年ドイツ商法改正である。2016年ドイツ商法改正の内容として，細かいものを挙げると色々ある。しかし，重要なものは，①会社規模区分基準値ならびに連結決算書作成義務基準値の引上げ，②有償取得の営業権または自社内創設無形固定資産の耐用年数の変更，③売上の定義の変更，④特別損益科目の撤廃，⑤注記記載事項の変更（新規記載項目と内容詳細化）等である。

## 2　ドイツ商法会計基準の法的根拠と各種の義務

　ドイツ商法会計基準の最も重要な法的根拠は，ドイツ商法典第3部「会計帳簿〈Handelsbücher〉」（第238条～第342e条）に求められる。また，ドイツ連邦法務省により承認された会計基準設定のための民間団体としてのドイツ会計基準委員会が設立され，連結決算書に対するものが中心であるが，「ドイツ会計基準書〈Deutsche Rechnungslegung Standards〉」が公表されている。2010年商法会計基準改革で撤廃されたが，逆基準性の原則（税法会計基準のオプション規定を採用する時に，商法会計基準の処理もそれに合致させるという原則）に基づき，税法会計基準の規定が商法会計基準の一部として適用されている場合もある。さらに，「ドイツ公認会計士協会〈Institut der Wirtschaftsprüfer〉」が様々な解釈指針や意見書を公表しているし，民間の専門家による数多くの商法解釈コメンタールが出されている。これらの法的根拠あるいは指針等が重奏して，ドイツにおける日常的な会計・経理業務が進められている。

### ① 帳簿記帳〈Buchführung〉の義務

　ドイツ商法第238条ならびに第239条に基づき，年度の売上や利益額で一定額を上回らない「個人商人〈Einzelkaufleute〉」等に対する例外規定はあるものの，在独日系企業の現地法人（子会社）を含むすべての「商人〈Kaufleute〉」は，原則として複式簿記による「会計帳簿〈Handelsbücher〉」を作成する義務を負わせられている。「正規の簿記の原則〈Grundsätze ordnungsmäßiger Buchführung〉」に従い，会計帳簿を記帳して「財産目録〈Inventar〉」を作成しなければならず，会計帳簿は，完全性，正確性，適時性，秩序性が確保されるように記帳し，かつ証憑およびその他の書類により裏付けられなければならない。また，財産目録は毎決算期末日を基準として作成しなければならない。そして，ドイツ商法会計基準上，これらの帳簿は，死語（ラテン語，サンスクリット語など）以外の現在使用されている言語であ

れば，ドイツ語以外の言語，例えば英語やその他の外国語（極端な話としては日本語）で作成してもよいとされているが，金額表示はユーロ建てでなければならない。

(1)　帳簿記帳・決算書作成のためのソフトウエア

　今日では，帳簿記帳業務あるいは年度決算書の作成は，若干の個人事業者を除いて，コンピュータ・ソフトウエアを使用してなされているのが普通である。上述の帳簿記帳義務の内容からもある程度推測できるように，使用されるソフトウエアに関して，どのソフトウエアは使用してはいけないといった直接的な規制あるいは認定制度があるわけではない。たとえ外国製のソフトウエアであっても，上述の正規の簿記の原則に則った記帳が可能で，後述の年度決算書の前提条件を満たしたものがそれで作成できるのであればそれで構わないとされており，それなりの融通性が確保されている。会計監査を受ける義務に服する会社が，特に自社開発の会計ソフトウエアを投入する場合，あるいは外国製の会計ソフトウエアを採用する場合に際しては，会計ソフトウエアのシステム上の信頼性の確認も会計監査の一環であることから，通常，会計監査を担当している会計事務所がシステム監査を行うことが多い。

　他方で，在独日系企業の支店ならびに現地法人（子会社）の場合，ドイツで出回っている既製のソフトウエアを使用していることも多い。とりわけ，ドイツの税理士が中心となってニュールンベルクに1966年に設立された「DATEV」（協同組合組織でダーテフと発音）の会計ソフトウエアを使用しているケースがよく見られる。DATEVは，本来的には組織の名称なのであるが，ソフトウエアをDATEVと言っている時も多い。このDATEVの会計ソフトは，税法会計基準を正確に反映するとともに，毎年のように変更される税法規定をよくフォローしており，恐らくドイツで最も普及している会計ソフトであろう。勘定科目の英語表記も可能で，あくまでドイツ商法会計基準あるいは税法会計基準の一定の枠組み内ではあるが，月次の日本本社へのレポーティング用に勘定科目の構成を調整することも可能となっている。このDATEVの会計ソフトウエアに限らず，支店・現地法人を設立して，ドイツで出回っている既製の会計ソフトを使用する場合，月次の日本本社へのレポーティングのための調整作業も重要である。

(2)　支店の帳簿記帳義務

　在独日系企業の支店のような外国企業のドイツ支店それ自体に，ドイツ商法会計基準に基づく帳簿記帳義務があるかどうかについては，専門家の間でも必ずしも見解の一致を見ていない。例えば，ドイツ連邦中央税務庁〈Bundeszentralamt für

Steuern〉が公表している資料においては,「未登記支店〈unselbständige Betriebsstätte〉」には,ドイツの商法上の記帳義務がないが,「登記支店〈Zweigniederlassung〉」にはあるとされている。他方で,未登記支店か登記支店を問わず,外国企業のドイツ支店には,ドイツ商法会計基準に基づく独自の帳簿記帳義務はないと明確に言明している商法解釈コメンタール等も多数ある。しかし,税法会計基準に基づく帳簿記帳義務が支店に対しても負わせられていることは明確にされている。それゆえ,上述のような商法会計基準と税法会計基準との間の蜜月関係により,実務的には,未登記支店か登記支店であるかを問わず,(ドイツ商法会計基準に基づく)帳簿記帳義務ありと考えて間違いはない。

(3) 帳簿記帳〈Buchführung〉の場所と保管

以上の会計帳簿ならびに財産目録を作成して保管する場所については,ドイツ商法会計基準上は特別の規定はなく,ドイツ以外の外国で作成・保管してもよい。しかしながら,税法会計基準上は,少なくとも2008年までは租税通則法第146条第2項に基づき,国内主義が原則とされていた。そして,後述の決算書類を含む経理関連書類の作成・保管は,外国で行うことは許されず,原則としてドイツ国内で行うこととされていた。他方で,2008年までも,租税通則法第148条に基づき,納税義務者側からの個別の申請に応じて税務当局が書面で承認した場合,経理関連書類の作成・保管が外国で行われている事例が皆無ではなかった。しかしながら,その承認を税務署が行うのは極めて稀であった。そして,認可された場合でも,様々な制限(保管だけが認められるとか,仕訳はドイツ国内でなされるべき等)が課されているというのが現実であった。そのような税法規定あるいは税務当局のスタンスは,「適正・公正な課税ならびにそのコントロール」を確保するためという観点から説明されていた。少なくとも2008年までは,商法会計基準上では必ずしも制限されていないにもかかわらず,税法規定が厳格であったために,結局のところ,ドイツでビジネス活動を営む会社は,ドイツ国内で経理関連書類の作成・保管を行ってきていたと言える。

(4) 2009年と2020年の税法会計基準における場所に関する規制の緩和

2008年に税法上の規定が改正されたことにより,2009年以降(正確には,2008年12月25日以降),電子データ処理の場合であれば,外国での経理関連書類の作成・保管について,税務署から承認が下りやすくなった。一定の条件を満たした場合,管轄の税務署へ書面で申請し,まずはEU加盟国および欧州経済地域加盟国(リヒテンシュタインを除くノルウェーとアイスランド)の一国で,電子経理記帳業務

を行い，電子経理関連書類をそこで保存することが許可されることになった。そしてさらに，2010年12月9日以降は，日本・スイス・アメリカ等の第三国への移管・保管も許可対象となった。また，2020年末以降（正確には，2020年12月30日以降），同様に電子経理記帳業務における電子経理関連書類についてであるが，EU加盟国および欧州経済地域加盟国への移管については，管轄税務署への申請・その同意も，必要とされなくなった。

　2009年に新たに追加され，2020年に改定された租税通則法第146条第2a項によると，税務当局側では，以下の条件を満たした場合においてのみ，外国（正確には，日本・スイス・アメリカ等の第三国）での経理関連書類の作成・保管の許可が下りるとされている。

　○　納税義務者は，管轄の税務署に対して，データ処理システムの場所，第三者に委託する場合はその外注先の名称と住所を通知すること

　○　納税義務者は，過去において，法で定められた「経理記帳」を行い，協力義務を正規に果たしてきたこと（租税通則法第90条・第93条・第97条・第140～147条・第200条第1～2項）

　○　租税通則法第146b条第2項第2文と第147条第6項ならびに付加価値税法第27b条第2項第2～3文に規定されているドイツの税務当局によるデータアクセスが可能であること（税務調査官による税務調査時の電子データ・アクセス）

　○　これにより，課税が妨げられないこと

　外国（正確には，日本・スイス・アメリカ等の第三国）で経理記帳業務を行い経理関連書類をその外国で保管することに対しての認可の裁量権限は，2009年以前と同様，税務署側にある。予め事前許可のための申請をしなくてはならない。しかしながら，電子経理記帳ならびに電子経理関連書類データの保管という部分的にではあるものの，2020年末以降，EU加盟国および欧州経済地域加盟国へは税務署への申請・同意なしに可能となった。第三国への移管も，その認可のための前提条件が明確にされたことにより，かなり容易になったと言えるであろう。

(5)　帳簿記帳の場所の規定に対する抵触時の制裁措置

　税務当局による事前の認可なしに，外国（正確には，日本・スイス・アメリカ等の第三国）で経理記帳業務を行い，そのデータを保管していた場合，税務当局側は，正式かつ正規の会計帳簿が存在していないということを根拠に，推定課税を行うことができる。それに加えて，納税義務者が外国（正確には，日本・スイス・アメリ

カ等の第三国）での経理記帳業務ならびに経理関連書類の保管のための前提条件である義務を果たさなかった場合，または，事前の認可なしにそれを実行に移した場合等，租税通則法第146条第2c項に基づき，税務当局は，EUR 2,500からEUR 25,000までの遅滞金を課すことができる。

(6) 2009年と2020年の税法会計基準の場所の規制の緩和の具体的な影響

　上で見たように，2009年以降，徐々にであるが，経理処理作業・データ保管の外国移管が緩和された。2009年以前において，稀であったとはいえ，外国への移管の認可が下りる場合の前提条件として，多くの場合，原則として証憑類の「仕訳〈Kontierung〉」は常にドイツ国内で行われなければならないとされていた。他方で，同様に2009年以前において，ドイツ国外（外国）のデータ処理センターにて証憑が仕訳・データ入力・データ処理される場合でも，そのような業務がドイツ国外に実際に委託される時に，ドイツ国内で「仮仕訳〈Vorkontierung〉」がなされているのであれば問題はないとの税務当局側の実務的な対応も見られた。その当時，税務当局がどのように・どこまでそれをコントロールできるのか，といったことがよく議論されていたものである。翻って，現在においても（2020年末以降においても），ドイツ商法会計と税法会計の緊密な関係から，仕訳あるいは仮仕訳の作業を完全にドイツ国外に移管することが当該企業にとって実務上現実的なのか，といった問題も出てくるであろう。いずれにせよ，当該問題に関しては，二重の意味で，税法会計基準における規定に十分に留意する必要がある。

## ② 年度決算書・状況報告書の作成義務

　上記に述べた会計帳簿ならびに財産目録を基にして，事業年度の終了後一定の期日までに，決算書類として，「年度決算書〈Jahresabschluss〉」と「状況報告書〈Lagebericht〉」を作成しなければならない。その期限は，後述の会社規模区分に基づき，大・中会社の場合は決算日後3ヵ月以内，小会社・極小会社の場合は6ヵ月以内である。（狭義の）年度決算書は，原則として，「貸借対照表〈Bilanz〉」と「損益計算書〈Gewinn- und Verlustrechnung〉」から構成されるが，在独日系企業の現地法人（子会社）のような資本会社の場合は，それに「注記（付属明細書）〈Anahng〉」が加わる。詰まるところ，ドイツにおける決算書類は，貸借対照表，損益計算書，注記（付属明細書），状況報告書の4つから構成されていると覚えておけばよい。会計帳簿ならびに財産目録と同様に，これらの決算書類はユーロ建てで作成しなければならないが，言語に関しては会計帳簿ならびに財産目録の場合とは

異なり，ドイツ語での作成が義務付けられている（商法第244条）。当然のことながら，外貨建ての資産あるいは負債を保有している場合には，ユーロに換算する必要があり，為替差損益の計上により，年度損益に大きな影響が出てくる。

　状況報告書は，主として数値からなる年度決算書とは異なり，会社の対象事業年度の状況ならびに将来的見通し等を文章で叙述したものである。記載される内容の詳細は異なるところがあるものの，日本の2006年までの商法に基づく「営業報告書」（2006年会社法改正後は「事業報告」）に対応するものである。但し，日本の現在の事業報告は，計算書類ではなくなり，外部の会計監査人の監査対象から外れているが，ドイツにおける状況報告書は会計監査の対象となる。また，後述する会社規模の区分で小会社と極小会社の場合，この状況報告書は作成する必要がない。また，極小会社，小会社，中会社の場合，作成しなければならない決算書類（貸借対照表，損益計算書，注記，状況報告書）の詳細度ならびに開示内容に，いくつかの簡易化規定が設けられている。

　この4つの決算書類の作成の義務は，「第2章4②　取締役の義務の一覧」（126頁以下参照）のところで解説したように，現地法人の取締役の責任である。支店の場合は，アナロジカルに支店長の責任と考えられている。現地法人に複数の取締役が任命されている場合，全員が決算書類に署名しなくてはならない。また，この決算書類の作成を外部（会計事務所等）に委託する場合でも，登記裁判所や税務署等の管轄当局，債権者，その他の関係者に対しては，取締役の責任で作成されたものとして見なされる。決算書類に間違いがあり，それが会計事務所のミスであった場合，外部（会計事務所等）に対する業務委託関係の中においてそれを追及することはできても，対外的には（登記裁判所や税務署等の管轄当局，債権者，その他の関係者に対しては），取締役の責任となる。

### ③　会計監査を受ける義務

　在独日系企業の現地法人（子会社）のような資本会社は，その総資産，売上，従業員数に基づき，大会社，中会社，小会社，極小会社の4つに区分される。作成された決算書類（貸借対照表，損益計算書，注記［付属明細書］，状況報告書）について，中会社と大会社の決算書類に対しては，一定の資格を有した者，すなわち「公認会計士〈Wirtschaftsprüfer〉」あるいは会計事務所による「会計監査〈Jahresabschlußprüfung〉」を受ける義務が負わせられている。会計帳簿の記帳・決算書類の作成と会計監査は，どちらも公認会計士あるいは会計事務所の業務範囲で

あるという点では共通点を有している。他方で，会計監査においては，作成された会計帳簿，決算書類を吟味，チェック（監査）するのであり，会計帳簿，決算書類を作成した会計士・会計事務所が，それを監査することは，自分で作成したものを自分で監査することになり，「独立性の原則」から禁止されている。

以下の表は，大会社，中会社，小会社，極小会社の基準値を示したものである。総資産は決算日のもの，売上高は事業年度の年間売上高であり，従業員数については，決算日に関係なく，3月，6月，9月，12月の各月末の従業員数の平均を採用している。

〔大会社・中会社・小会社・極小会社の基準値〕

|  | 極小会社 | 小会社 | 中会社 | 大会社 |
|---|---|---|---|---|
| 総資産 | EUR350,000 以下 | EUR6,000,000 以下 | EUR20,000,000 以下 | EUR20,000,000 超 |
| 売上高 | EUR700,000 以下 | EUR12,000,000 以下 | EUR40,000,000 以下 | EUR40,000,000 超 |
| 従業員数 | 10人以下 | 50人以下 | 250人以下 | 250人超 |

商法第267条と第267a条

2事業年度連続して上記の3基準値のうち2基準値以上の条件を満たすか，または達しなかった場合に，その会社は，その連続した2事業年度の2年目より，該当する大・中・小・極小会社の区分にランク変更される。新設会社や合併会社等は，最初の事業年度の状況のみで判断される。上記の基準値は，2016年商法改正により，2016年1月1日以降に開始する事業年度から適用されているものである。また，上記の表の極小会社は，2012年末から新たに設けられた区分である。従来の小会社に区分される会社の中でも，より小規模の会社にとっては，決算書作成・開示に関する「小会社に対する緩和措置」でもまだ負担が大き過ぎるという考えから，「EU会社法ミクロ会社指令」に沿って導入されたものである。

在独日系企業の現地法人の場合，総資産と売上高の2つの基準値が大きくなって上のランクに区分されることがほとんどである。例えば，設立1年目と2年目は，どの基準値も上の小会社のところの基準値を下回っていたが，3年目の総資産が7百万ユーロ，売上高が13百万ユーロで，4年目の総資産が7.5百万ユーロ，売上高が15百万ユーロという場合，設立4年目（連続した事業年度の2年目）から中会社に区分される。その4年目の決算書類から会計監査を受けなくてはならない。在独日系企業の現地法人の場合，設立当初，会計帳簿記帳・決算書類の作成を会計事務所に委託しているケースが多い。今のようなケースでは，設立4年目の会計帳簿記帳・決算書類の作成を委託されていた会計事務所は，会計監査を行うことは禁

止されているので，とりわけ小会社から中会社への区分変更にさしかかる現地法人の場合，十分な予想を立てて対応しないと混乱を招くことになる。

(1) 支店の会計監査

　日系企業の場合も含めて，ドイツから見ての外国企業の在ドイツ支店に関しては，ドイツ商法会計基準に基づく決算書類の会計監査は義務付けられていない。また，当然のことながら，税務調査はあるかもしれないが，税法会計基準に基づく会計監査は存在していない。但し，支店のビジネス活動の規模が大きい場合，本店の会計士・会計事務所の会計監査の対象範囲に入る場合もあろう。そして，本店の管理会計上の理由から，任意に会計監査を受けているケースが多い。また，銀行等の外国金融機関ならびに外国の保険会社の在ドイツ支店については，別途の会計監査に関する規定があることに留意しなくてはならない。

(2) 決算書類の出資者総会での承認と出資者総会決議書の内容

　商法に基づき会計監査を受ける義務がある会社（中会社，大会社）の場合は，会計監査が終了後，決算日から8ヵ月以内に，そうでない会社（小会社，極小会社）の場合は，決算日から11ヵ月以内に，（定例の）出資者総会を開催しなければならない。そして，出資者により，①当該事業年度の決算承認，②取締役の免責，そして，③利益処分を決議してもらう。また，会計監査を受ける義務がある会社の場合，その3つに加えて，④次の年度の会計監査の外部監査人の指名も決議することが多い。100％出資の現地法人（子会社）の場合，ドイツで作成した出資者総会決議書ドラフトを日本に送り，日本本社の代表権者（通常は代表取締役社長）に署名してもらうという簡略的な手続きで済ませる（公証人手続きは不要）。

## 4　年度決算書・状況報告書等の開示義務

　決算書類（貸借対照表，損益計算書，注記［付属明細書］，状況報告書）を作成した会社は，利益処分決議ならびに会計監査を受けた場合は「監査人意見〈Bestätigungsvermerk〉」とともに，それを決算日から12ヵ月以内に開示する義務を負っている（極小会社には例外規定あり）。具体的には，所定の電子ファイル形式を入手して，そのファイル形式に入れ込み，2022年1月1日以降開始の事業年度分は企業レジスター（Unternehmensregister）に電子データで送付する（それ以前は連邦官報出版社）。通常，12ヵ月以内に送付しなかった場合，連邦法務局から6週間以内に送付するようにとの督促状が送られてくる。その際，督促手数料（少なくとも50ユーロ余り）の納付命令書が同時に同封されている（これはただちに納

付しなくてはならない）。もし6週間以内に送付されなかった場合には，強制金（2,500ユーロ～25,000ユーロ）の納付義務が発生することが明記されている。但し，この強制金の最低額は，小会社の場合1,000ユーロ，極小会社の場合500ユーロとなっている。開示しなかった場合，この強制金の賦課は1回に限らず何度でも賦課される。

　これまで解説してきた決算書類の作成，会計監査，決算書類の承認，開示期限等を一覧表にすると以下のようになる。

〔決算書類の作成，会計監査，決算書類の承認，開示期限等〕

| | | 小会社（極小会社） | 中　会　社 | 大　会　社 |
|---|---|---|---|---|
| 作成・開示義務 | 貸借対照表 | 簡　略 | 詳　細<br>（開示は簡略版） | 詳　細 |
| | 損益計算書 | 簡　略<br>（開示は不要） | 簡　略 | 詳　細 |
| | 注記 | 簡　略<br>（開示はB／Sのみ） | やや簡略 | 詳　細 |
| | 状況報告書 | 不　要 | 必　要 | 必　要 |
| | 作成期限 | 6ヵ月以内 | 3ヵ月以内 | 3ヵ月以内 |
| | 開示期限・方法 | 12ヵ月以内に企業レジスターにて開示 | | |
| 会計監査 | | 不　要 | 8ヵ月以内 | 8ヵ月以内 |
| 決算書類の承認 | | 11ヵ月以内 | 8ヵ月以内 | 8ヵ月以内 |

　極小会社について，作成期限・開示期限・決算書類承認期限は小会社と同じである。決算書作成については，大勘定科目だけからなる「簡易化された貸借対照表」ならびに「簡易化された損益計算書」，特定事項に関する注記作成の免除という緩和措置がある。さらに，決算書開示については，企業レジスターに対して，極小会社の基準が該当する会社であることを連絡すると共に，簡易化された貸借対照表だけを提出して，保存しておいてもらうだけでもよいとされている。

　開示された決算書類等は，「www.unternehmensregister.de」，場合によっては「www.bundesanzeiger.de」というウエブサイトにアクセスすれば，誰でも閲覧できる。上記の表からも見て取れるように，大会社の場合はどうしようもないのであるが，中会社・小会社・極小会社については，開示に際しての簡易化規定が設定されている。誰でも閲覧できるということを踏まえて，簡易化規定をうまく活用して，合法的に不必要な情報は開示しないようにするという対応も必要であろう。

第3章　会計・経理上の留意点　　*167*

【支店の決算書類の開示義務】

　本店が日本のような第3国に位置する外国会社の在ドイツ支店の決算書類等の開示については，未登記支店か登記支店かに関わらず，開示の義務はないとされている。しかしながら，本店が他のEU加盟国（＋欧州経済領域EEA）内に位置し，通常の事業会社であり，それがドイツ国内に「登記支店〈Zweigniederlassung〉」を有している場合については，商法第325a条に基づき，本店の決算書類等をドイツ語で開示することが義務付けられている。例えば，ある日本の会社がオランダに現地法人（子会社）を設立していて，当該オランダ現地法人がドイツ支店を有し，そして，そのドイツ支店が登記支店の場合というケースである。但し，決算書類等の開示は，原則ドイツ語であるが，この場合の開示においては，英語でも構わないとされている（商法第325a条第1項第1号）。

## 5　経理関連書類の保管義務

　会計帳簿，財産目録，年度決算書・状況報告書という決算書類，そして，それに関連する取引関連書類（請求書，見積書等）の会計・経理に関連する書類（経理関連書類）は，商法第257条に基づき，一定期間の間，保存しておくことが定められている。

〔対象書類と保存期間〕

| 保存期間 | 対　象　書　類 |
| --- | --- |
| 10年 | 単体年度決算書および連結決算書，単体および連結状況報告書，開始財務諸表，会計帳簿，財産目録，業務指図書等 |
| 6年 | 取引関連書類，すなわち，受け取った見積書，注文書，納品書，請求書，領収書，取引条件確認書等，ならびに，自らが作成したそれらの書類のコピー |

　保存期間はそれぞれ，決算書類は出資者総会等によって確定した日（場合によっては作成された日），会計帳簿は記帳が最後に実施された日，伝票や目録は作成された日等の属する暦年末から起算する。開始財務諸表ならびに決算書類（単体・連結）以外の書類は，法定の保存期間中いつでも参照できる状態になっていることを条件に，電子媒体で保存することもできる。税法に基づく保存期間もほぼ同様の規定内容になっているが（租税通則法第147条），いわゆる経理関連書類でないその

他の書類でも，課税に関連する限りにおいてはすべてが保管対象となることが謳われている。保管の場所については，前述の「2①(3) 帳簿記帳〈Buchführung〉の場所と保管」(161頁以下参照) を参照していただきたい。保管対象の書類についても，文字通りに取れば，税法規定の方がより広範囲（厳格）になっているが，実質的にはそれほど大きな相違はない。

## ⑥ 連結決算書の作成義務

在独の現地法人（子会社）がドイツ国内か国外であるかを問わず，その子会社（日本から見れば「孫会社」）あるいは孫会社（日本から見れば「ひ孫会社」）を有している場合，当該在独日系企業の現地法人は，自らを頂点とする「（部分）連結決算書」を作成する義務を負わせられる。その（部分）連結決算書の作成義務の基準値は，以下のようになっている（商法第293条）。

〔(部分) 連結決算書作成義務の基準値〕

|  | 単純合算ベース | 連結ベース |
|---|---|---|
| 総資産 | EUR 24,000,000 超<br>(EUR 23,100,000 超) | EUR 20,000,000 超<br>(EUR 19,250,000 超) |
| 売上高 | EUR 48,000,000 超<br>(EUR 46,200,000 超) | EUR 40,000,000 超<br>(EUR 38,500,000 超) |
| 従業員数 | 250 人超 | 250 人超 |

上記の基準値は，2016年ドイツ商法改正により，若干引き上げられたものである。2016年1月1日以降に開始する事業年度から適用されている。カッコ内は2015年までの基準値である。

### (1) 連結対象子会社と連結決算書

連結対象子会社に該当するか否かの判断は，実質的支配基準に基づいて行われる。すなわち，2010年商法会計基準改革により変更が加えられた。それまでの実質的支配基準の判断根拠の1つである，親会社と同一の指揮監督下にあるという条件が不要となった。その結果，商法第290条第1項ならびに第2項に基づき，他の会社の経営に対して支配的な影響力を及ぼすことが可能であれば，当該他の会社は連結対象子会社として扱われる。親会社が議決権の過半数を保有する他の会社は，常に連結対象子会社として扱われる一方で，仮に議決権を全く保有していない場合でも，他の会社の経営の実質的な支配権を持っている場合は，連結対象子会社として取り扱う必要がある。この2010年の改正により，連結対象が大幅に拡大された。

連結決算書作成義務ありとなった場合，決算日から4ヵ月以内に，連結決算書（連結貸借対照表，連結損益計算書，注記，連結キャッシュフロー計算書，連結資本増減表）および連結状況報告書を作成し，会計監査を受け，監査された連結決算書類等を開示しなければならない。単体決算書の場合とは異なり，キャッシュフロー計算書と資本増減表の作成・開示も義務付けられていることには留意しなくてはいけない。原則として，ドイツの連結決算書類は，ドイツ商法会計基準に従って作成されなければならないが，上場企業の連結財務諸表作成に関しては，国際会計基準（国際財務報告基準）による作成が義務付けられている。また，非上場企業の連結決算書についても，国際会計基準を採用しての作成が認容されているという点は，前述の通りである。

## (2) （部分）連結決算書の作成・開示義務の免除

在独日系企業に限定されない一般的な規定として，ドイツ商法の中に，「部分連結決算書の作成・開示義務の免除規定」がある。具体的には，自ら子会社を持つドイツの会社が，同時にEU域内（ドイツも含めて）または欧州経済領域内にある親会社の子会社であるといったケースである。EU域内または欧州経済領域内の最終親会社の連結決算書の作成に当たって，当該ドイツの会社とその子会社を連結対象に含めているとしよう。そのようなケースにおいて，このEU域内または欧州経済領域内の親会社が作成した最終連結決算書および最終連結状況報告書ならびに監査人意見（監査報告書）のドイツ語版をドイツで開示している場合には，当該ドイツの会社は，ドイツにおける部分連結決算書および部分連結状況報告書の作成義務から免除されるというものである（ドイツ商法第291条第1項）。但し，その場合には，部分連結決算書の作成義務から免除された在独企業の年度決算書の注記において，最終親会社の社名と登記所在地，最終親会社の最終連結決算書がドイツ商法会計基準とは異なる計上基準，評価基準，連結方法に基づいて作成されている場合は，その概要の説明，部分連結決算書作成義務を免除されている理由を記載しなければならない等の追加要件がある（商法第291条第2項）。

このドイツにおける「部分連結決算書の作成・開示義務の免除規定」は，在独会社の親会社がEU加盟国外ならびに欧州経済領域外の第3国に位置する場合にも適用することができるとされる（商法第292条第1項）。具体的には，スイス企業，アメリカ企業あるいは日本企業等が対象となる。これをその下に自らの子会社を有する在独日系企業の現地法人（子会社）に当てはめて考えると，最終親会社である日本親会社の最終連結決算書をもって在独の現地法人の部分連結決算書の作成義務の

免除を受ける条件としては，次のような2つの条件の充足が必要となる。①その日本親会社の最終連結決算書が，EU会計基準指令に合致するEU加盟国，欧州経済領域の法律に基づいて作成されたものか，あるいは，それに基づいて作成された連結決算書と「同価値の〈gleichwertig〉」ものであるか，そしてさらに，②その最終連結決算書がEU会計監査指令の規定に準拠した会計監査人によって会計監査を受けたものか，あるいは，当該指令が要求するものと「同価値の」資質，能力を有する会計監査人により会計監査されたものであるかという前提条件である（商法第292条第1項ならびに第3項）。すなわち，日本の連結決算書ならびに会計監査人が，EUの連結決算書ならびにEUの会計監査人と同価値のものであるかがキーポイントとなっている。まだ明確でないところもあるが，原則的に2009年以降，日本の会計基準に基づいた最終連結決算書を作成し，それを日本の公認会計士が監査した場合，上の前提条件を満たしている，と理解されている。そして実務的には，日本本社の連結決算書類をドイツ語訳してドイツで開示すれば，自らが子会社を有している現地法人自身の部分連結決算書の作成・開示義務は免除されている。

## 3　ドイツ商法会計基準の基本原則

### 1　会計原則

　会計原則とは，年度決算書を作成する際に考慮しなくてはならない各種の会計規則の上位に位置し，会計基準の基本的な概念を定めた，いわば会計規則における憲法のようなものである。ドイツ商法会計基準における会計原則は，伝統的に債権者保護の観点から，保守主義原則（商法第252条第1項第4号）を基本原理として位置付けているところに特徴がある。このような保守主義原則から導き出されて，「未実現の費用・負債は，より多くより早期に計上するが，未実現の収益・資産は，より少なくより遅くに計上する（場合によっては計上しない）」という日常的な実務処理対応が取られる。それゆえ，費用・負債側の計上と収益・資産側の計上とがバランスしないことが発生する。そのことを「不均衡原則〈Imparitätsprinzip〉」と呼んでいる。このようなドイツ商法会計基準の伝統的な会計原則は，基本的に2010年1月1日以降に開始する事業年度から施行されている2010年ドイツ商法会計基準改革後も受け継がれている。すなわち，2010年ドイツ商法会計基準改革において，具体的処理方法レベルでは変更を受け，その結果，国際会計基準（国際財務報告基準）に近接してきたところはあるものの，計上・評価においては，なお

維持されていると言える。

## 2 計上原則

　会社のもとで発生する各種の取引行為を貸借対照表ならびに損益計算書の中に取り込むべきかどうかを判断する基準が，計上原則と呼ばれるものである。それについてのドイツ商法における原則として，「完全性原則〈Vollständigkeitsprinzip〉」がある。商法第252条第1項ならびに商法第246条第1項に規定されている。それに基づき，会社に経済的に帰属する資産・負債，収益・費用をすべて網羅的に計上しなければならず，一旦採用された計上方法は，継続して適用する必要がある。この経済的帰属原則と計上方法継続原則は，以前から「正規の簿記の原則」から導き出されて，暗黙裡に適用されていた。驚く方も多いかもしれないが，2010年ドイツ商法会計基準改革において，商法条文の中に明文化されたものである。また，収益および費用は，実際に対価の受取・支払が行われた時点ではなく，「発生主義〈Verursachungsprinzip〉」に基づき，その権利・義務が発生した時に計上しなければならない。また，「実現主義〈Realisationsprinzip〉」に基づき，契約が未履行である等の理由により未実現の収益は，損益計算書に計上することが認められない。さらに，「期間配分原則〈Prinzip der Periodenabgrenzung〉」に従い，収入および支出のうち，当期の収益および費用に帰属しない部分の金額は，借方経過勘定科目または貸方経過勘定科目として貸借対照表に計上する必要がある。

## 3 評価原則

　会社のもとで発生する各種の取引行為が貸借対照表ならびに損益計算書に取り込むべき（計上すべき）となった場合に，どのような価額（金額）でもって計上するのかという原則が，評価原則と呼ばれているものである。資産および負債について，「企業継続性原則〈Fortführung der Unternehmenstätigkeit〉」（企業が予見可能な将来にわたり事業を継続していくという仮定）に基づき，決算日において個別に評価・計上を行わなければならない（個別評価原則）。また，前事業年度に採用した評価方法を継続して適用する必要がある（評価方法継続原則）。評価方法を変更した場合は，注記にその旨およびその影響を記載しなければならない。
　具体的には，資産の評価は，取得原価または製造原価，または場合によってはその価額から減価償却額を控除した金額を上限として評価・計上する。決算日における価額が，取得原価または製造原価（場合によってはそれから減価償却額を控除し

た価額）を下回っていた場合，決算日の価額まで評価減する（低価法原則）。その後，価額が回復した場合は，取得原価または製造原価を上限として「評価減戻入処理」を行う。2010年ドイツ商法会計基準改革後，金融機関についてのみ，売買目的の金融商品については，決算日時点の時価で評価するものとされている。負債の評価・計上は，債務については履行額で，引当金は理性的な商人の判断に基づいて必要と見積もられた履行額で評価・計上する。

　個別評価原則が基本であるが，商法第240条第3項ならびに第4項により，例外規定が設けられている。1つは，その金額において重要性の原則からして副次的であり，定期的に補充される有形固定資産，あるいは棚卸資産のうち，原材料・補助材料・消費材料等は，年間を通じて総数量，価額や構成に大きな変化がない限り，「固定評価法〈Festwert〉」を採用することができるというものである。但し，この例外規定を採用する場合，原則として3年毎に実地棚卸を実施しなければならない。また，同種の棚卸資産や，同種またはほぼ等価の動産や債務は，それぞれをグループ化して「移動平均原価」で評価してもよいとされている。

## 4　報告原則

　会社のもとで発生する各種の取引行為が，貸借対照表ならびに損益計算書に取り込むべき（計上すべき）とされ，そして，具体的にどのような価額でもって計上するのかということも確定した後，実際に，貸借対照表ならびに損益計算書にどのように記載・表示するのかという原則が報告原則である。商法第246条第2項第1文の「総額主義原則〈Bruttomethode〉」に従い，原則として，貸借対照表の借方項目と貸方項目，収益項目と費用項目を相互に相殺すること，例えば，顧客Aに対する債権と同じ顧客Aに対する債務を相殺してネット額で表示することは認められない。但し，従来から貸倒引当金や棚卸資産評価引当金等の評価性引当金を設定する場合は，設定対象となった売掛金またはその他の債権あるいは棚卸資産額と相殺表示する。また，固定資産の減価償却費および評価減は，対象資産の取得原価あるいは製造原価から直接控除して表示しなければならないとされている。この評価性引当金に関して言うと，引当金を一旦計上して，それを借方の資産科目の価額と相殺するというよりは，対象となる資産の評価・計上額を直接的に減額する（評価減する）という考え方である。

　他方で，2010年ドイツ商法会計基準改革によって，総額主義原則は明確に維持されたままで，年金等引当金（貸方）とそれに対応する一定の条件を満たした場合

の年金資産（借方）の相殺義務が導入された（商法第246条第2項第2文）。「一定の条件」とは，当該年金資産が，従業員に対する年金給付義務と直接的に連動し，破産の場合にも他の債権者の請求権から保護されていることである。

# III 支店・現地法人における会計・経理処理

　以上のようなドイツ商法会計基準の歴史的背景ならびに原理に関する知識は，決して無用の長物ではない。ここでは，それを踏まえた上で，在独日系企業のビジネス拠点形態である支店，現地法人（子会社）の日常の会計・経理業務を，最終的に作成しなくてはならない決算書類（貸借対照表，損益計算書，注記［付属明細書］，状況報告書）のそれぞれの科目に即して解説していきたい。

## 1　貸借対照表

　ドイツ商法会計基準の貸借対照表〈Bilanz〉の大勘定科目ならびに小勘定科目に基づく構成は，以下のようになっている（商法第266条第1項ならびに第2項）。

〔貸借対照表〕

| 貸借対照表 ||
|---|---|
| A　固定資産<br>Ⅰ　無形固定資産<br>　1．自ら創出・開発した，事業上保護の対象となる権利，ならびに，それに類した権利および価値<br>　2．有償で取得された，認許・事業上の保護の対象となる権利，ならびに，それに類した権利および価値<br>　3．営業権（のれん）<br>　4．前払金<br>Ⅱ　有形固定資産<br>　1．土地・土地に対してと類似した権利・構築物<br>　2．技術的施設・機械<br>　3．その他の施設・事業用設備<br>　4．前払金・建設中の設備/施設<br>Ⅲ　財務資産<br>　1．子会社（親会社）出資持分<br>　2．子会社（親会社）貸付<br>　3．関連会社出資持分<br>　4．関連会社貸付金<br>　5．固定資産としての有価証券<br>　6．その他の貸付金 | A　自己資本<br>Ⅰ　資　本　金<br>Ⅱ　資本準備金<br>Ⅲ　利益準備金<br>　1．法定利益準備金<br>　2．多数支配会社の出資持分のための利益準備金<br>　3．定款に基づく利益準備金<br>　4．その他の利益準備金<br>Ⅳ　繰越利益／繰越欠損<br>Ⅴ　当期利益／当期欠損<br>B　引当金<br>　1．年金等引当金<br>　2．納税引当金<br>　3．その他引当金<br>C　債務<br>　1．社債（そのうち転換社債は別途明記）<br>　2．金融機関に対する債務<br>　3．前受金<br>　4．買掛金<br>　5．手形債務 |

第3章　会計・経理上の留意点　175

| | |
|---|---|
| B　流動資産<br>　Ⅰ　棚卸資産<br>　　1．原料・材料・補助材料<br>　　2．仕掛品・仕掛作業<br>　　3．完成品<br>　　4．前払金<br>　Ⅱ　売掛金およびその他資産<br>　　1．売掛金<br>　　2．親子関係にある会社に対する債権<br>　　3．関連会社に対する債権<br>　　4．その他資産<br>　Ⅲ　有価証券<br>　　1．子会社（親会社）出資持分<br>　　2．その他の有価証券<br>　Ⅳ　現預金・小切手 | 6．親子会社関係にある会社に対する債務<br>7．関連会社債務<br>8．その他債務（そのうち税金と社会保険料の納付額は別途明記） |
| | D　貸方経過勘定 |
| C　借方経過勘定 | E　繰延税金負債 |
| D　繰延税金資産 | |
| E　前払年金費用 | |

　他国でよく見られるような「報告式」（借方勘定科目，貸方勘定科目の順序で上から並べていく方式）ではなく，「勘定式」（借方を左側，貸方を右側に平行・対照させて並べる方式）で表示することが義務付けられている（商法第266条第1項第1文）。また，借方側ならびに貸方側それぞれの内部での上下の配列は，日本と異なっている。日本では，流動性が高いものから上から配列されている「流動性配列法」である。それに対してドイツでは，流動性の低いものから上から配列する「固定性配列法」になっている。見慣れていないと違和感を覚えるかもしれない。

　このドイツ商法会計基準の貸借対照表における固定性配列法は，19世紀の後半，鉄道業や炭鉱業，製鉄業等の大規模な固定資産を備えた製造業を中心にして，ドイツ経済がその当時の先進工業国イギリス，フランスに追いついていった時，固定資産が充実していることを明確にする必要があったことの歴史的名残りだと言われている。

## 1　固定資産

　「固定資産〈Anlagevermögen〉」は，無形固定資産，有形固定資産，財務資産の3区分に従って表示される。そして，現地法人（子会社）あるいは支店の事業経営に長期的に資する資産と定義されている。固定資産増減表を貸借対照表または注記に含めて開示しなければならない。

## （1）　無形固定資産

　無形固定資産は，商法第266条第2項において，4つに区分されている。すなわち，「自ら創出・開発した，事業上保護の対象となる権利，ならびに，それに類した権利および価値」，「有償で取得された，認許・事業上の保護の対象となる権利，ならびに，それに類した権利および価値」，「営業権（のれん）」，「前払金」の4つである。具体的には，商標権（ブランド），特許権，意匠権，ソフトウエア，著作権，版権，使用権，ライセンス，各種の製造・生産ノウハウ等が挙げられよう。資産計上される場合，原則として会社が見積もった経済的耐用年数に基づいて減価償却を行い，ほとんどの場合定額法が採用される。そして，決算日時点の評価額が簿価（取得原価または製造原価から減価償却額を控除した価額）を下回り，それが長期的と判断される場合には評価額の引下げを行わなければならない。但し，評価額引下げ後に価値が上昇した場合には，当初の貸借対照表価額を上限として評価損を戻し入れる必要がある（有償取得の営業権は例外）。

　2009年まで，無形固定資産は，外部から有償取得した場合にのみ，取得原価での資産計上が認められ（計上選択権），自社内開発・創出の無形固定資産の資産計上は認められていなかった。選択権を行使して資産計上された場合，原則として会社が見積もった経済的耐用年数に基づいて減価償却を行い，税務上の耐用年数を使用することも一般的であった。無形固定資産のうち，「営業権（のれん代）〈Geschäfts – oder Firmenwert〉」も，外部から有償で取得した場合には，資産計上・費用処理の選択が可能で，同様に自社内創出の営業権の資産計上は認められていなかった。他方で，資産計上された営業権の償却期間は，商法会計基準に基づく場合は5年以内または効果の及ぶ期間，税法会計基準に基づく場合は15年であった。

　2010年ドイツ商法会計基準改革により，無形固定資産については，①有償取得した営業権の資産計上義務の導入（自社内創出の営業権は引続き計上禁止），②自社内開発・創出の一定の無形固定資産の資産計上選択権の導入（例：特許権，意匠権等），③研究開発費の開発費部分の製造原価としての資産計上の可能性（研究費部分は引き続き費用処理），という3つの重要な改正がなされている。さらに期末評価において，価値の下落が短期的と見込まれる場合でも，2009年までは評価減が任意で可能であったが，原則として2010年以降は評価減できないとされた。

　有償取得した営業権は，期間が限定されて使用される資産として資産計上する（商法第246条第1項第4文）。そして，その効果が及ぶと予想される期間にわたって，減価償却する義務が負わせられている。2009年までと同様に，2010年以降も，

自社内創出の営業権を資産計上することは認められていない。また，決算日時点の評価額が簿価（取得原価から減価償却額を控除した価額）を下回り，それが長期的と判断される場合には評価額の引下げを行わなければならない点は，他の無形固定資産と同じである。しかしながら，その後の期間において評価額が回復した場合でも，評価減額繰戻しをすることはできない点には留意する必要がある（商法第253条第5項第2文）。また，有償取得の営業権を5年を超える経済的耐用年数を用いて償却する場合は，当該耐用年数を見積もった理由を注記に記載する必要がある。

それに加えて，2016年1月1日以降に開始する年度に有償取得した営業権については，微妙な変更が加えられた。原則は，あくまで会社側のビジネス上の観点からの合理的な耐用年数の評価，そして，それに基づく減価償却年数である。但し，減価償却期間（耐用年数）を確実に評価することができないという例外的なケースの場合は，10年で減価償却ができるとされた（商法第253条第3項第4文）。そしてさらに，10年償却を適用する場合には，注記の中に，なぜ合理的な耐用年数の評価が不可能かをきちんと説明できるようにしておかなくてはならない。

商標権，著作権，版権，顧客リストまたはこれらに類似するものを除き，自社内開発・創出の無形固定資産のうちの一定のものに対して，資産計上の選択権が認められている（商法第248条第2項）。具体的な例としては，自社内創出・開発の特許権，意匠権，ノウハウ・製造・生産方法・ソフトウエアシステム等が挙げられよう。評価原則，減価償却，評価減・評価減の繰戻し義務については，他の無形固定資産の処理に従う。但し，有償取得された営業権の場合と同様に，2016年1月1日以降に開始する年度に計上された自社内開発・創出の無形固定資産については，微妙な変更が加えられた。原則は，あくまで会社側のビジネス上の観点からの合理的な耐用年数の評価，そして，それに基づく減価償却年数である。但し，減価償却期間（耐用年数）を確実に評価することができないという例外的なケースの場合は，10年で減価償却ができるとされた（商法第253条第3項第3文）。そしてさらに，10年償却を適用する場合には，注記の中に，なぜ合理的な耐用年数の評価が不可能かをきちんと説明できるようにしておかなくてはならない。これも有償取得の営業権の場合と同様である。

自社内開発・創出の無形固定資産の貸借対照表計上額は，配当制限の対象となる。税法会計基準においては，自社内開発・創出の無形固定資産の資産計上は認められておらず，商法決算書と税務決算書の間に乖離が生じるため，繰延税金負債を計上することになる。したがって，配当可能利益を計算する際には，自社内開発・創出

の無形固定資産の貸借対照表計上額と繰延税金負債を相殺した後の金額を控除する必要がある。

　研究開発費については，開発段階で生じた開発費を製造原価として資産計上することができる（任意選択権）。但し，研究段階に生じた研究費は，従来通り費用処理しなければならない。そして，研究段階と開発段階を明確に区別できない場合は，両段階で生じた費用の全てを費用処理する必要がある（商法第255条第2項ならびに第2a項）。単体決算書，連結決算書とも，該当事業年度において生じた研究開発費の総額，および，そのうち自社内創出・開発の無形固定資産として貸借対照表に計上した金額を注記に記載しなければならない。

## （2） 有形固定資産

　有形固定資産は，「土地，土地に対してと類似した権利，構築物」，「技術的施設，機械」，「その他の施設，事業用設備」，「前払金，建設中の設備・施設」の4つの小区分に分けて貸借対照表上に表示される。その貸借対照表価額は，取得原価あるいは製造原価をもとに，当事業年度までの減価償却累計額を直接控除した金額で計上する。土地は，減価償却の対象外である。取得原価には，当該有形固定資産が使用に供されるまでに要した諸掛費用，改善・取替費用が含まれるが，修繕・維持費用は含まれない。値引きを受けた場合には，取得原価から控除する必要がある（商法第255条第1項と第2項）。

　商法会計基準上の「耐用年数〈Nutzungsdauer〉」には，原則として会社が見積もった経済的耐用年数を採用しなければならない。しかし，税務当局からの詳細な「税務耐用年数表〈AfA-Tabelle（アーファータベレと発音）〉」が公表されている。税法会計基準上は，これに従っていれば，税務当局（税務調査官）に対して別段の立証の必要がないため，商法会計基準上も税務上の税務耐用年数表を使用して償却計算をするのが一般的である。そして，これも税法会計基準上の規定であるが，期中に取得した資産の減価償却費は，すべて月割り計算によることとなっている。もちろん，税法上，この表以外の耐用年数が認められないという意味ではなく，会社が見積もった合理的な経済的耐用年数を適用して，税務調査時に議論を経ながらも，それを貫徹している事例もある。減価償却法としては，「定額法〈lineare Methode〉」，「定率法〈degressive Methode〉」の他，機械の場合は運転時間をベースにする償却方法も認められる。商法会計基準上は，いずれの償却方法も認められていると言えるが，税法上は，2008年以降，定率法が認められなくなっている。他方で，2010年商法会計基準改革により逆基準性の原則が撤廃されたことで，原則として2010

年以降，商法会計基準上において定率法の採用が可能になった点は留意する必要が
あろう。

　決算日時点の時価が簿価よりも低く，その状態が長期的と見込まれる場合は，評
価損を計上しなければならない。過去に評価損を計上した有形固定資産の評価額は，
評価損計上のもととなった時価下落という事由がなくなった場合，取得原価または
製造原価から正規の減価償却額を控除した価額を上限として，評価損を戻し入れる
必要がある（商法第253条第5項第1文）。

　商法会計基準上の有形固定資産に対する経理上の処理は，その価額の高低に関係
なく，固定資産台帳に計上・評価し，減価償却処理するというのが原則である。そ
れに対して，あくまで税法会計基準上の規定ではあるものの，商法会計基準に基づ
く実務現場でも容認されているものとして少額資産処理（geringwertige
Wirtschaftsgüter：略称GWG）がある。それ以前から制度的には存在していたが，
2008年に改正が行われ，2010年から選択肢が拡大されると共に，2018年には基
準値が引き上げられるという経緯を経て，現在に至っている。独立して使用可能な
動産という前提条件のもと，商法会計基準の基本原則である固定資産台帳に記載し
て耐用年数に応じて減価償却する方法を「選択肢1」とすると，「選択肢2」の少
額資産処理は，800ユーロ（2018年から）以下の資産は当該年度において全額費用
処理でき，ただし，250ユーロ（2018年から）超で800ユーロ（2018年から）まで
の資産は，取得・製造年度において全額費用処理しつつも，固定資産台帳への記載
をしなくてはならないというものである（所得税法第6条第2項）。そして，250
ユーロ（2018年から）以下の資産は，当該年度で費用処理して，固定資産台帳に記
載しない。それに対して「選択肢3」は，250ユーロ（2018年から）超で1,000ユ
ーロまでの資産は，購入年度毎にまとめて，5年の定額償却（その中の1つの資産
が除却された場合でも価額は変更されない）を行うことができ，250ユーロ（2018
年から）以下の資産は，固定資産台帳に記載せず，購入・取得年度に全額費用処理
できるというものである（所得税法第6条第2a項）。またこの2つの選択肢（「選
択肢2」と「選択肢3」）は，取得した事業年度毎に変更が可能であるが，1事業
年度において，2つの選択肢を併用することはできないとされている。

## （3）　財務資産

　「財務資産〈Finanzanlagen〉」は，子会社（親会社）出資持分，子会社（親会社）
貸付，関連会社出資持分，関連会社貸付金，固定資産としての有価証券，その他の
貸付金〈sonstige Ausleihungen〉の6つに小区分されている（商法第266条第2

項)。ここでいう子会社とは，ドイツ語の「verbundene Unternehmen」の訳語であり，直訳では関連会社または関係会社となる。しかしながら，この言葉「verbundene Unternehmen」は，ドイツ商法第271条第2項において，「親子関係にある会社」と定義されているので直訳を避けて意訳している。また，ここでいう関連会社出資持分とは，ドイツ語の「Beteiligung」の訳語である。直訳では出資あるいは資本参加ということになるが，商法第271条第1項において，「継続的な関係の確保により，被資本参加会社を自己の事業経営に資するようにしている場合の持分を『出資〈Beteiligung〉』と定義し，さらに出資比率が20％を上回る場合，それを『出資〈Beteiligung〉』と推定するに足る」とされている。このような定義は，日本の関連会社の定義にほぼ相当するところから，上記のような訳としている。

　このような財務資産は，他の固定資産と同様に，取得原価で計上する。そして，決算日時点の評価額が簿価を下回り，その下落が長期的と見込まれる場合には，特別償却を行い評価損を計上しなければならない（減損処理［商法第253条第3項第1文〜第3文］）。とりわけ子会社出資持分ならびに関連会社出資持分の減損処理に際して，通常，決算日時点の評価額は，将来予測キャッシュフローに基づき算定することが多い。その際，会計監査人から将来的収益予想の資料の提出を求められる。また，現地法人（子会社）がユーロ圏以外の国に子会社・関連会社を有している場合，為替レートの影響も反映されてくるので注意を要する。

　評価損を計上した財務資産の評価額が後の事業年度において回復した場合には，評価損を戻し入れる必要がある。他方で，財務資産の場合，評価額の下落が短期的であると見込まれる場合でも，評価損を計上することもできる（商法第253条第3項第4文）。この下落が短期的な場合の評価損の計上選択権は，2009年までは，在独日系企業の現地法人のような資本会社にのみ認容されていたものであった。それが，2010年ドイツ商法会計基準改革でその適用が拡大されている。

　財務資産に区分されている「金融商品〈Finanzinstrumente〉」については，期末時点の評価額が簿価を下回っているにもかかわらず評価損を計上しなかった場合には，個別資産毎または適度にグループ分けした資産毎の簿価および時価，時価の下落が継続的ではないと判断した理由を注記に記載する必要がある（商法第285条第18号）。

　なお，外貨建の財務資産の為替差損益の処理については，「3　個別特殊会計項目」の中の「外貨換算」（207頁以下参照）で，他の資産・負債における問題と一緒に解説している。

## 2　流動資産

「流動資産〈Umlaufvermögen〉」は，商法第266条第2項において，棚卸資産（在庫），売掛金/その他資産，有価証券，現預金/小切手の4つに区分されている。そして，現地法人（子会社）あるいは支店の事業経営に長期的に資する資産ではないものと定義される。取得価格または製造価格で計上される。他方で，流動資産の場合，固定資産とは異なり，決算日時点の時価が取得価格または製造価格よりも低い場合は，予測される価値下落の期間の長短にかかわらず，時価で貸借対照表に計上し，評価損を損益計算書に計上しなければならない（商法第253条第4項）。また，評価損の理由がなくなった場合，評価損の繰戻し処理を行う点は，固定資産の場合と同様である（商法第253条第5項第1文）。

### (1)　棚卸資産

「棚卸資産（在庫）〈Vorräte〉」は，「原料，材料，補助材料」，「仕掛品，仕掛作業」，「完成品」，「前払金」の4つの小区分に分けて貸借対照表上に表示される。貸借対照表上の価額は，原則として個別評価の原則に基づき，取得原価あるいは製造原価で計上する。これは棚卸資産に限定されているわけではないが，取得原価には，購入する資産価格に加え，当該資産を使用できる状態にするまでに掛かった費用等の諸掛費用を含めなければならない。諸掛費用に含まれるのは輸送費，運送業者への報酬，仲介手数料，輸送保険料，倉庫保管費，検査費用，関税等の費用である。さらに，製造原価には，直接材料費あるいは直接加工費等の直接原価費用〈Einzelkosten〉に加えて，製造に要した間接材料費，間接加工費，固定資産の減価償却費の間接費用〈Gemeinkosten〉の適正部分を考慮する。この間接費用の考慮は，2010年ドイツ商法会計基準改革以降に義務付けられたものである。また，それらが対象となる資産（棚卸資産）の製造期間に当たる限りにおいて，一般管理費〈allgemeine Verwaltungskosten〉の適正部分，従業員福利厚生費・企業年金掛金等の適正部分も算入に入れてよいとされている。但し，販売費および研究費は考慮することはできない（商法第255条第2項第2文～第4文）。また，借入金利子も，当該借入金が対象となる資産の製造に充当され，しかも，当該製造期間に当たっている限りにおいて，含めてよいとされている（商法第255条第3項）。

評価方法として，2009年までは，「先入先出法〈FIFO〉」，「後入先出法〈LIFO〉」，同種の棚卸商品を種類毎にグループ化しての「移動平均法〈gewogener Durchschnittspreis〉」のほか，「総平均法」等，経済的に合理的な評価方法を選択することが認められていた。しかし，2010年ドイツ商法会計基準改革以降，先入先

出法〈FIFO〉, 後入先出法〈LIFO〉(商法第256条), 移動平均法 (商法第240条第4項) の3種類の方法のいずれかを採用することが義務付けられている。先入先出法〈FIFO〉は認められていないものの, 後の2つの評価方法は, 税法会計基準においても同様に認められている。

　棚卸資産等の資産の実地棚卸は, 原則として, 決算日に, そして実際に網羅的に数える形で実施しなければならない。しかしながら, 簡便法として (商法第241条), 数量統計学的に認められた手続きに基づくサンプル計量・計数法も認められている。さらに, 決算日その日ではなくて, 決算日前3ヵ月以内および決算日後2ヵ月以内に実施することも認められる (商法第241条第3項第1号)。但し, 当該簡便化法を適用できるのは, 棚卸日の残高に決算日時点までの入出庫あるいは決算日以降の入出庫を加減算することで, 決算日時点の残高を評価できるように帳簿が整備されている場合である。また, 資産の種類によっては適さないケースもあるが, 継続記録法と呼ばれているもので, 事業年度を通じての資産の出入りを厳格に管理する体制を確立し, 決算日時点の帳簿残高をその決算日の残高とし, 決算日時点 (あるいはその前後の時点) の実地棚卸を行わない方法もある。その際, 実地棚卸は事業年度中のいつの時点かで1回は行うことが前提とされている。また, 1つの会社で複数の倉庫を要している場合等, 上記に挙げた各種の簡便法を併用することもよいとされている。

　期末決算時には, 低価法原則に基づき, 取得原価, 再調達原価および正味実現可能価額を比較し, 最も低い価額まで評価損を計上しなくてはならない。但し, 税法規定では長期滞留しているという理由だけではなく, 市場価格が長期的に下落した状態にあることを立証しなければならない。また, 評価損の理由がなくなった場合, 評価損の繰戻し処理を行う点は, 流動資産・固定資産一般の原則に準じている。

　棚卸資産としての計上時期は, 検収基準, 出荷基準, 船荷基準 (B/L基準) に基づいて判断する。また, 棚卸資産か売上原価かの判定は, 商品の場合は通常, 出荷基準による。但し, あくまでもリスクと経済的便益がいつ取引相手に移転したかに基づいて判断するのが原則である。

## (2) 債権・その他資産

　「債権・その他資産〈Forderungen und sonstige Vermögensgegenstände〉」は, ①売掛金, ②親子関係にある会社に対する債権, ③関連会社に対する債権, ④その他資産の4つに小区分されて, 貸借対照表上に表示される。留意すべき点は, 商品売買取引ならびに役務提供取引からの売掛金は, 3つの小区分勘定科目 (①売掛金,

②親子関係にある会社に対する債権，③関連会社に対する債権）に分散されて表示される。また，親会社・子会社に対する売掛金，あるいは，出資比率20％超のその他の関連会社に対する売掛金は，それらの会社に対する短期的な貸付金等とまとめられて，「親子関係にある会社に対する債権」あるいは「関連会社に対する債権」に表示されるという点である。その結果，小区分勘定科目としての①売掛金には，通常の第3者である取引先に対するものだけが表示されることになる。

なお，外貨建の債権，売掛金，その他資産の為替差損益の処理については，「3 個別特殊会計項目」の中の「外貨換算」（207頁以下参照）で，他の資産，負債における問題と一緒に解説している。

① 売　掛　金

ここで問題にしているのは，上記の4つの小区分勘定科目の1つとしての①売掛金だけではなく，親会社・子会社・関連会社等に対する売掛金一般のことである。売掛金は，付加価値税額を控除した額面金額（ネット金額）で貸借対照表に計上する。決算日時点において，回収可能性に応じた貸倒見積額に対する「貸倒引当金〈Wertberichtigung zu Forderungen〉」の計上を行う必要がある。後述のように，貸倒引当金の更なる区分として，「個別貸倒引当金〈EWB：Einzelwertberichtigung〉」と「一括貸倒引当金〈PWB：Pauschalwertberichtigung〉」の2種類がある。しかしながら，貸倒引当金とはいっても，貸借対照表の勘定科目の引当金のところには計上されずに，売掛金価額から直接相殺控除して，そのネット額を表示する。その意味で，「評価減する」と考えた方が適切かもしれない。また，長期債権の場合で無利子の場合，現在価値への割引が必要な場合もある。売掛金のうち，決算日時点において回収までの期間が1年を超えるものがある場合には，その金額を貸借対照表に別途に内訳として付記しなければならない。

個別貸倒引当金を計上する場合，対象となる顧客に関する情報に基づいて，最大で100％の貸倒引当金を積むことができる。破産管財人からの債権者会議の開催通知がある場合は，50％以上を引当計上することが一般的である。これら個別貸倒引当金を計上した残りの売掛金について，一括貸倒引当金を設定する。引当率は，原則として過去の貸倒実績に基づいて算出しなければならない。実務上は，税法会計基準上，損金算入することができる対象債権金額の1％を基準に，これに近い割合を乗じた金額を引当計上することが多い。この一括貸倒引当金の計上根拠は，一般的な経済リスクを考慮することと，額面計上であることから金利損の計上が必要であることにある。なお，税務上は（税務調査において），引当率算定根拠の提出が要

請されることもある。

② その他資産

「その他資産〈sonstige Vermögensgegenstände〉」は，貸借対照表で独立表記が要求されていない資産項目を集めた勘定科目である。その他資産として計上される主な項目として，(前段階)付加価値税，輸入付加価値税，法人税等の仮払金，立替金，従業員貸付金，オフィスや社宅の敷金，仕入先への過剰支払額，買掛金のマイナス残高等が挙げられる。貸借対照表への計上は額面で行い，流動資産の評価規定に従って，場合によっては期末評価減を実施する必要がある。期末時点において，その他資産の全額を回収できない恐れがある場合には，それに見合う引き当てを実施しなければならない。売掛金とは異なり，個別引当金〈EWB〉の計上のみが認められ，一括引当金〈PWB〉の計上は認められていない。

付加価値税〈Umsatzsteuer oder Mehrwertsteuer〉は，在独日系企業の現地法人（子会社）あるいは支店のような事業者にとって，原則として収益でも費用でもない（銀行，保険会社には別途の規定）。したがって，債権・債務金額に付加価値税が含まれている場合でも，損益計算書上の収益および費用は，付加価値税抜きのネット額で計上しなければならない。税務署に納付する（要納付）付加価値税は，顧客への請求額に含まれており，顧客から受け取り，それを税務署へ納付する。仕入先に支払った前段階税（仕入時の付加価値税〈Vorsteuer〉）は，税務署から還付される。その結果，付加価値税の月次申告に際して，要納付の付加価値税と還付される前段階税を相殺し，差額は納付するかまたは還付される。ここのところ，実務現場においては，現金収受ベースではなく，請求書ベースで行われる。それゆえ，顧客から代金を（すなわち付加価値税も含めて）受け取る前に税務署に付加価値税を納付する，あるいは，その逆のことが起こる。その意味で，ちょっと複雑なのであるが，仕入先に支払った（あるいは請求書を受け取った）付加価値税（前段階税）は，輸入付加価値税とともに，現地法人または支店にとっては，税務署に対する債権（資産）と見なされ，その他資産に計上する。通常，納め過ぎの税金の還付分についても同様にその他資産に計上するが，それは例外的なものである一方で，この前段階税の還付分は，仕入がある限りにおいて，恒常的なものである。

法人税および営業税には，四半期毎の前払納税制度がある。前払納税額は，税務署に提出されている直近の年度税務申告書をベースに計算され，その額は納付額通知書（査定書）によって通知される。前払納税額は，未確定の課税利益に基づいて計算されており，仮払税金としての性質があるため，日次の記帳では仮払いとして

記帳する。年度末決算時の貸借対照表においては，税引前利益から配当予定額，商法規定と税法規定の差を原因とする課税利益の修正計算等を考慮して，実際の課税額を計算する。仮払計上した前払納税額と実際の予定納税額の間に差があり，それが過剰納付である場合には，差額を還付請求額として計上し，納付不足の場合には，差額を納税引当金として計上する。還付請求額がその他資産の中で計上される。

### (3) 有価証券

「有価証券〈Wertpapiere〉」は，「子会社（親会社）出資持分」と「その他の有価証券」という2つに小区分されて貸借対照表上に表示される。原則として証券化されたもので，事業経営に長期的に資することが想定されていない資産である。子会社（親会社）出資持分の呼称は，固定資産の中の財務資産（「①(3) 財務資産」）（180頁参照）のところで言及したものとまったく同じ呼称で，そのドイツ語の原語は「Anteile an verbundenen Unternehmen」である。但し内容的には，長期的に事業経営に資することが想定されていない株式（例えば親会社の株式を保有している場合等），ならびに，その歴史的な経緯から，自社出資持分（証券化されていない有限会社の持分も含めて）等が想定されている。他方で，事業経営に長期的に資することなく，さらに，子会社（親会社）出資持分には含められない他の（ドイツの）有限会社に対する出資持分は，証券化されていないということで，ここのその他の有価証券のところで表示されるのではなくて，同じ流動資産の中ではあるが，「その他資産〈sonstige Vermögensgegenstände〉」のところで表示される。

なお，外貨建の有価証券の為替差損益の処理については，「3 個別特殊会計項目」の中の「① 外貨換算」（207頁以下参照）で，他の資産・負債における問題と一緒に解説している。

### (4) 現預金および小切手

「現預金および小切手〈Kassenbestand, Bankguthaben und Schecks〉」のうち，現預金は額面で貸借対照表に計上する。現金の管理には，現金出納帳〈Kassenbuch〉を補助簿として使用するのが一般的である。年度末決算書の作成に際して，預金に掛かる未収利息を計上しなければならない。外貨現金や外貨建預金は，原則として取得日レートで記帳を行い，期末時点において決算日レートが取得日レートを下回っている場合には，前者を用いて換算した上で（未実現の）為替差損益を計上する。なお，外貨現金や外貨建預金の為替差損益の処理については，「3 個別特殊会計項目」の中の「① 外貨換算」（207頁以下参照）で，他の資産・負債における問題と一緒に解説している。

### ③ 借方経過勘定科目

「借方経過勘定科目〈aktive Rechnungsabgrenzungsposten〉」は，決算日前に支払をしたものの，決算日以降に費用となる項目を借方経過勘定項目として計上する前払費用を意味する。具体例として，前払家賃，前払保険料，業界団体等の前払年会費等が挙げられる。

### ④ 繰延税金資産

「繰延税金資産〈aktive latente Steuern〉」は，税務上の課税利益（課税所得）が商法上の利益よりも大きく，その差が将来の期間において解消されると見込まれる場合（将来減算差異）に，将来の税負担軽減額を計上する貸借対照表の借方項目である。2010年ドイツ商法会計基準改革において独立した勘定科目として導入された。連結決算書においては，1987年1月1日以降に開始した事業年度から，計上が義務付けられているものである。そして，単体決算書においては，2010年ドイツ商法会計基準改革後も，計上は任意とされている。但し，計上する場合，この繰延税金資産に計上し，注記においてその概要を記載する必要が生じ，場合によっては配当制限の対象となる（商法第268条第8項第2文）。なお，計上した繰延税金資産は，実際に税負担の軽減が生じた場合および税負担の軽減が見込まれなくなった場合に取り崩さなければならない。なお，税効果会計の詳細については，「3 個別特殊会計項目」の中の「② 税効果会計」（207頁以下参照）において解説している。

### ⑤ 前払年金費用

「年金前払費用〈aktiver Unterschiedsbetrag aus der Vermögensverrechnung〉」は，比較的に新しい勘定科目である。2010年ドイツ商法会計基準改革により，年金債務（年金引当金）（貸方）と年金資産（借方）に関して改正が行われたために新たに設けられた。すなわち，年金債務とそれに対応する一定の条件を満たした場合の年金資産の相殺義務が導入された（商法第246条第2項第2文）。「一定の条件」とは，当該年金資産が，従業員に対する年金給付義務と直接的に連動し，破産（倒産）の場合にも他の債権者の請求権から保護されていることである。この場合，年金資産を時価評価し，その時価評価額が年金債務額を上回った場合，その差額（前払年金費用）をこの勘定科目に計上する。また，この前払年金費用から当該前払年金費用のために計上された繰延税金負債分を控除した額に対して配当制限が加えられる。なお，年金会計の詳細については，「3 個別特殊会計項目」の中の「④ 年金会計」

(211頁以下参照）において解説している。

## 6　自己資本

「自己資本〈Eigenkapital〉」は，①登記資本金，②資本準備金，③利益準備金，④繰越利益/欠損，⑤当期利益/欠損の5つの小区分に分けて貸借対照表上に表示される。

### (1)　支店の場合の自己資本

支店の場合の自己資本に関して，各種の国家的な規制に服する銀行等の金融機関ならびに保険会社の支店の場合は，別途の取扱いがなされる。それ以外の業種においては，登記支店か未登記支店かに関わりなく，会社法上，基本的に支店においては，支店固有の登記資本金は存在していない。そして，登記支店の場合でも，登記されているのは本店の資本金額である。

他方で，支店の貸借対照表上，現地法人（子会社）の自己資本あるいは登記資本金に相当する勘定科目が本支店勘定（残高）である。但し，自己資本あるいは登記資本金とは異なり，本支店間の取引の残高であることから常に変動する。また，それを一歩進めて，本店の意思決定のもと，子会社への資本投資であるかのように，一定の資金を支店用に用立てて，実際に支店の貸借対照表に表示しているケースもある。これは，「支店自己資本金〈Dotationskapital〉」と呼ばれているものである。もちろんこれは，本店の意思決定に基づいて行われることから，外部からの規制に服するものではなく，現地法人の場合の自己資本に比較して極めて融通性がある。

さらに，あくまで税務上の観点からだけの話ではあるが，特に外国企業のドイツ国内支店についての2015年以降の年度申告において，税務申告目的での支店資本金（無償資本金）の認識が義務付けられるようになっている。これは，ドイツでは2013年から暫時的に導入されている「AOA（OECD承認アプローチ）」によるものである。このAOAは，クロスボーダーの本店・支店関係について，税務目的では，支店を独立した会社であるかのごとく想定して，支店の課税所得を算定しようというものである。

### (2)　登記資本金

「登記資本金〈gezeichnetes Kapital〉」は，登記裁判所（日本の法務局に対応）に登記されている資本額であり，出資者の責任範囲を示し，会社という法人組織の信用の元本となっているものである。この登記資本金の価額を変更する（増資または減資の）場合，会社の設立あるいは清算に匹敵するような会社法上の手続きが必要

となっている。ある意味で，貸借対照表の中で最も触ることの少ない，そして変化のない勘定科目である。その結果，1999年ユーロ導入，2008年有限会社法改革，2010年ドイツ商法会計基準改革という社会変革，制度改革にもかかわらず（あるいはそれゆえに），登記資本金は，最も過去の痕跡を残した勘定科目になっている。ここで少し，登記資本金をめぐる歴史的経緯の解説を加えておく。

① 1999年ユーロ計算通貨の導入

1999年の計算通貨としてのユーロの導入に際して，有限会社のドイツ・マルク建て最低資本金額，最低出資額，可除数が，以下のようにすべてユーロ建てに変更された。1998年までは，在独日系企業の現地法人（子会社）の登記資本金は，DM100で割り切れる必要があったことから，「DM 50,000」とか「DM 75,000」とか，最低下2桁，多くの場合下3桁が0になった「きれい」なものになっていた。

〔有限会社の登記資本金に関する規定〕

|  | 旧規定要件<br>（1998年まで） | 新規定要件<br>（1999年から） | 端数処理要件 |
|---|---|---|---|
| 最低資本金 | DM50,000 | EUR25,000 |  |
| 最低出資額 | DM500 | EUR100 | EUR50 |
| 各出資額の可除数ならびに議決権単位 | DM100 | EUR50 | EUR10 |

1999年以降に設立された現地法人は，当然のことながら，可除数がEUR 50と半分になったとはいえ，ほとんどの場合，「EUR 25,000」や「EUR 50,000」というように，マルクとユーロの違いはあるものの，また下3桁が0の登記資本金額になっている。しかしながら，1998年以前に設立された現地法人の場合，1999年以降に出資者自らの必要性から登記資本金額を変更するのでないならば，すなわち減資・増資をしないのであれば，ドイツマルク建て登記資本金をユーロ建てに登記上変更する必要はないとされた。その結果，実際に今でも，登記上ドイツマルク建ての登記資本金は残存している。そして，貸借対照表上の通貨はユーロ建てと規定されているため，「1ユーロ＝1.95583ドイツマルク」の為替レートで換算した価額が表示されている。20年余りになる現在でも，

| A | Eigenkapital：自己資本 | | |
|---|---|---|---|
| I | Gezeichnetes Kapital (DM 50.000)：登記資本金 | 25.564,59 | 25.564,59 |

というように，貸借対照表上，登記資本金が小数点以下を有する数字になっている

現地法人がまだ見られる。このような措置は，ユーロ導入時，移行期間の基本原則である「強制せず，禁止せず」に由来している。そして20年余り経た現在でも，今のところ，将来的にそれを強制的に変更する予定はない。このような規定は，在独日系企業の現地法人の一般的な会社形態である有限会社〈GmbH〉に適用されるものであるが，株式会社〈Aktiengesellschaft＝AG〉にもほぼ同様に適用されている。ただし，上場会社は，記帳・決済通貨の移行猶予期間の終了時，すなわち，2001年12月31日までに定款・登記上の資本金ならびに株式のユーロ切替，端数処理を終了しておくことが義務付けられていた。

② 2008年有限会社法改革の登記資本金への影響

ほぼ20年ぶりの大改革といわれた2008年有限会社法改革が2008年11月1日付で施行された。この改革の概要については，「第2章Ⅰ4④ ドイツ有限会社の歴史的発展と定款の内容」（87頁以下参照）のところで言及している。この改革による登記資本金への影響は以下のようになっている。

最低資本金は25,000ユーロに据え置かれたものの，有限会社の会社法形態の特殊形態として「起業家有限会社」というものが導入された。そしてその場合には，登記資本金は1ユーロでも構わないとされた。さらに，通常の有限会社の場合でも，「出資持分構成の簡易化」という観点から，それまで1人の出資者の出資について最低100ユーロで，50ユーロで割り切れる金額という「縛り」があったものが，それも撤廃されて，1ユーロの出資でも構わないという規定になった。その結果，通常の有限会社でも，さすがに小数点以下の数字はないが，「登記資本金：25,132ユーロ」というような金額が理論的には起こり得るようになった。

また同時に，授権資本制度が導入された。その結果，取締役〈Geschäftsführer〉は，授権資本を認める定款を有する会社が設立登記されてから5年以内，または，授権資本を認める定款変更の登記後5年以内に，公証人の面前での出資者総会決議なしで，授権時の資本金額の50％まで，登記資本金を増額する権限を出資者から付与されるようになっている。

③ 2010年ドイツ商法会計基準改革の登記資本金への影響

在独日系企業の現地法人（子会社）の典型的な法形態である有限会社の場合，現金出資のケースでは，「最低資本金：25,000ユーロ」の最低半分（12,500ユーロ）は払い込まれている必要はあるものの，登記資本金が全額払い込まれている必要はなく，4分の1だけ実際に払い込まれていればよい（有限会社法第7条第2項）。登記資本金が40,000ユーロの場合，12,500ユーロ払い込まれていなければならな

いが（40,000ユーロの4分の1の10,000ユーロでは不十分），登記資本金が50,000ユーロの場合でも，12,500ユーロの払込みで十分とされている。

　この登記資本金が全額払い込まれていない場合，2009年までの貸借対照表上の表示は，払い込まれていない額を控除したネット額を表示するか，あくまで払い込まれていない額も合計したグロス額を表示するか，選択権があった。それが，原則として2010年以降，ネット額で表示することが義務付けられている（商法第272条第1項）。

### (3) 資本準備金

　「資本準備金〈Kapitalrücklage〉」は，それを規定している商法第272条第2項に，具体的に4つのものが挙げられている。簡単に言えば，出資者が登記資本金以外で，会社に投資または出資として払い込んだ金額と考えればよい（会社側から見て借入ではないので，当然のことながら利子は払わない）。在独日系企業の現地法人（子会社）の場合で言うと，登記資本金の最初の払込みや増資と抱き合わせで払い込まれる場合と，資本準備金が単独で払い込まれる場合の両方がある。ドイツ側の会社法上は，単純に出資者としての日本本社が送金してきただけでも，当該資本準備金勘定に仕訳すれば十分とされているが，投資勘定であることを明確にするという意味から，出資者総会決議を作成しておくことが勧められる。

　増資という場合，通常，①登記資本金の増資，②資本準備金の増資，③その抱き合わせの3つの方法がある。登記資本金の増資は，定款の変更を伴うために，会社法上の手続きが非常に面倒で時間もかかる。そのため，登記資本金の金額を大きくしなくてはならない特別の理由があるような場合を除き，資本準備金の増資を採用することが多い。

　税法の観点からいうと，出資者が払い込んでいる金額であることから，現地法人のもとで，法人税・営業税上課税されてはいない。この点においても資本準備金は，課税済みの自己資本部分である利益準備金から区別される。

　資本準備金の回収は，通常の形で出資者より送金されたものである限りにおいて，繰越欠損が存在している状況では不可能であるものの，単純な出資者総会決議（公証人手続きは不要）を行い，日本本社に送金するだけでよい。

### (4) 利益準備金

　「利益準備金〈Gewinnrücklagen〉」は，将来の突発的な損失等に備えての現地法人（子会社）にとっての「財務的緩衝材」になるという点，あるいは登記資本金のみでは不足した内部投資の元本になるという2つの点で，資本準備金と共通すると

ころがある。しかしながら，現地法人の過去の利益から，すなわち，法人税・営業税の課税が行われた後の内部留保利益から形成されているという点において，資本準備金から区別される。資本準備金は，出資者からの払込みであり，当然のことながら課税されてはいない。この利益準備金は，商法第266条第2項において，①法定利益準備金，②多数支配会社の出資持分のための利益準備金，③定款に基づく利益準備金，④その他の利益準備金の4つにさらに区分されている。①法定利益準備金は，株式会社の場合にはその計上が義務付けられているが，有限会社の場合には義務付けられていない（但し，起業家有限会社の場合は例外）。利益準備金が貸借対照表上に計上されている在独日系企業の現地法人は稀であるが，存在しないわけではない。

　利益準備金は，究極のところ出資者のものである。それゆえ，通常，年度決算書の作成後（場合によっては会計監査後），当期利益・欠損（場合によっては，それに加えて繰越利益・欠損）から，出資者総会の利益処分決議によって計上，繰入れが行われる。この利益準備金の計上またはそれへの追加繰入れは，本来年度決算書の表示が変わり，利益処分の枠組み内で行われることから，作成済み（監査済み）の年度決算書にその変更を反映させるのではなく，翌期の期首貸借対照表にそれを反映させる。ところが，利益準備金を取り崩して，例えば配当に充当しようという場合は，通常出資者総会決議でそれを行う。しかしながら，会計監査済みの年度決算書について，利益準備金を取り崩しを行うと，年度決算書の変更ということになり，商法第316条第3項にいう追加監査の対象となる。利益準備金も配当可能原資ではあるのだが，その取り崩しの時期については，少し留意する必要がある（後述の貸借対照表利益を参照）。

## (5)　繰越利益・欠損

　「繰越利益・欠損〈Gewinnvortrag/Verlustvortrag〉」は，過年度の当期利益または当期欠損を単純に累積したものである。当期利益の繰越利益・欠損への繰入れは，年度決算書が作成された後（場合によってはそれの会計監査を受けた後），出資者総会での年度決算書の確定と同時になされる利益処分決議を通じて行われる。当期欠損は，当然のことながら利益処分決議の対象にはならないが，繰越利益と相殺する，あるいは繰越欠損に追加繰入れする。

　繰越利益の場合，会社が蓄積した課税済みの内部留保利益であり，配当可能原資でもあるという点において利益準備金と同じである。但し，利益準備金は，後述する貸借対照表利益に一旦取崩しが行われた後で配当されるのに対して，繰越利益は，

後述の当期利益とともに，年度決算書が作成された後（場合によっては会計監査を受けた後），利益処分決議の対象となり，直接的に配当されるというところに相違がある。

## (6) 当期利益・欠損

「当期利益・欠損〈Jahresüberschuss/- fehlbetrag〉」は，損益計算書と貸借対照表を繋ぐ連結器の役割を果たしている。法人税・営業税・連帯付加税の企業収益に対する税額が控除された後の税引後利益である。当期利益の場合，決算書類作成（場合よっては会計監査終了）後に決算確定のために開催されることになっている出資者総会において，それをどうするのか（利益処分決議），すなわち，配当するのか，配当する場合にいくら配当するのか，繰越利益に繰り入れるのか，繰越欠損と相殺するのか，あるいは利益準備金に繰り入れるのか決議されることになっている。この利益処分決議において，当期利益の貸借対照表上での行き先が決まるわけである。それによって修正した年度決算書を作成することは行われず，翌事業年度の期首貸借対照表に反映される。しかしながら，開示対象となる当該年度の貸借対照表だけからは，現地法人（子会社）が計上した当該年度の利益がどのように使われたのか外部の者には分からないため，利益処分決議も開示の対象となっている。

### ① 債務超過

当期欠損が計上された場合，概念的に利益処分決議の対象にならないが，自動的に繰越利益と相殺されるか，あるいは繰越欠損に繰り入れられる。もし，繰越欠損と合計した金額，あるいは繰越利益と相殺した後の金額がなお欠損である場合のその金額が，登記資本金，資本準備金，利益準備金の合計額を上回る場合，その状態を債務超過と呼んでいる（破産法第19条）。この債務超過状態に陥った場合，破産法第15a条第1項に基づき，取締役は，3週間以内に，登記裁判所に破産手続き申請を行う義務を負わせられている。もし，その義務が履行されなかった場合，取締役は最長3年までの禁固・懲役刑または罰金刑という刑法上の犯罪に問われる（破産法第15a条第4項）。

他方で，2008年のリーマン・ショックに端を発する世界大不況の中で，この「（貸借対照表上の）債務超過」になったらただちに破産手続き申請を行わなくてはならないとした場合，破産手続き申請が大量発生するという状況になった。それに対して，債務超過概念の緩和措置が講じられ，たとえ（貸借対照表上の）債務超過に陥った場合でも，それでも企業存続が恐らく確実だという限りにおいて，「（破産手続き申請に結果する）債務超過」と見なさないことになった。この緩和措置は時

限立法であり，一度延長されて2013年末まで有効とされたが，結局のところ永久化されて現在に至っている（破産法第19条第2項）。この緩和された債務超過概念のもとで，（貸借対照表上の）債務超過＝破産手続き申請ではなくなったものの，その時点で「当該企業の存続が恐らく確実だ」と証明すること，あるいは，後日その時点で「当該企業の存続が恐らく確実だった」と証明するのはかなり困難であり，その意味では，従来同様の破産手続き申請回避策を講じる必要がある。

　（貸借対照表上の）債務超過に陥らないように，取締役は常に財務状況に監視の目を光らせていることが最上であるが，もし陥った場合でも，通常，在独日系企業の現地法人（子会社）の場合，次の3つの方法
　　○　増資
　　○　親会社債権の劣後化
　　○　コンフォートレター（経営支援念書）の日本本社による差入れ
を用いて，破産手続き申請の義務を回避する。増資は，①登記資本金の増資，②授権資本制度に基づく基本資本金の増資，③登記資本金と資本準備金の抱き合わせの増資，④追出資条項適用による増資，⑤資本準備金のみの増資にさらに区分される。

　2008年有限会社法改革で導入された授権資本制度を適用しての登記資本金の増資も考えられる。しかし，定款に前もって規定しておくことが前提となることから，規定されていなければ使用できない。また，有限会社法第26条～28条の追出資〈Nachschuss〉条項に基づく増資は，登記資本金の増資と資本準備金の増資の中間形態である。登記手続きを必要としないことから，登記資本金の増資より手続き的にもずっと簡略で，時間的にも短期間で行い得る。しかしこれも，定款の中に前もって，有限会社法第26条に基づく追出資条項を規定していない場合には使用できない。在独日系企業の現地法人の一部には，追出資条項を規定した定款を持っているケースもある。他方で，単純な資本準備金の増資でもって代替できるため，在独日系企業の現地法人の間では，それほど普及してはいない。その結果，在独日系企業の現地法人の多くの場合，上記の5つの中の①登記資本金の増資，③登記資本金と資本準備金の抱き合わせの増資，⑤資本準備金のみの増資という3つの増資方法が，増資を通じての債務超過の回避策となっている。

② **債務超過の回避策(1)—増資**

　増資による債務超過の回避は，後述の親会社売掛金等の劣後化とは異なり，原則としてキャッシュの動きが発生する。確かに，日本本社から見た場合の売掛金を資本金に転換する（正確には日本本社が売掛金を放棄して，それを登記資本金あるい

は資本準備金に転換する）ということも，ドイツの会社法上可能である。そして，そうであればキャッシュの動きなしに，自己資本の増額が行い得る。他方で，税法上は，転換時点において売掛金が額面上の価値を有していない場合（債務超過が問題になる時にはほとんどそれが該当する），額面価額と実際の価値額との差額は，現地法人（子会社）側で収益（益金）と見なされるために，たとえ多額の繰越欠損がある場合でも（債務超過が問題になる時にはこれも該当する），1事業年度内に繰越欠損と相殺できる利益額に限度額を定めた「最低課税制度」（詳細は，「第4章　会社の税務上の留意点」の248頁を参照）により，課税が発生してしまう可能性があり，多くの場合，そのデメリットが大きいため採用に至らない。

　増資額は，債務超過額あるいは予定債務超過額を上回る金額となる。登記資本金の増資（資本準備金との抱き合わせの場合も含めて）と資本準備金のみの増資の相違は，手続き上の煩雑さと時間的な長短の相違である。登記資本金の増資は，定款を変更することを意味する。定款変更のためには，ドイツの公証人の面前で日本本社の代表取締役社長（あるいは副社長）かその委任を受けた者（通常は現地法人の取締役）が，定款変更出資者総会決議書に署名し，登記裁判所に登記変更申請をしなければならない。会社設立時に匹敵する手続き上の煩雑さがある。時間的にも，委任状の準備（最低2週間は見ておく必要がある），登記裁判所に登記申請してから実際に登記されるまで，数週間から1ヵ月を見ておく必要がある。それに対して，資本準備金のみの増資においては，年度決算書作成時（正確に言えば決算日前の作成準備段階）に債務超過の危惧が判明した場合，遅くとも決算日までに実際に送金された金額が到着していることが必要であるものの，出資者総会決議（ドイツの会社法上必ずしも必要とされていないが，準備しておくことが勧められる）を用意して，日本の代表取締役が公証人手続きなしでそれに署名して，ドイツに送金してくるだけでよい。

　年度決算書作成時に債務超過の危惧が判明して，増資による回避策を取った場合，そうして出来上がった年度決算書の貸借対照表は，当然のことながら，もはや債務超過状態ではないものになっている。これも下記の日本本社の債権の劣後化による回避策との相違である。

③　**債務超過の回避策⑵―日本本社の債権の劣後化**

　増資の場合との相違点は，キャッシュの動きが伴わないという点である。しかしながら，日本本社が現地法人（子会社）に対して債権（売掛金等）あるいは貸付金を有していることが前提である。しかも，その債権額が債務超過額あるいは予定債

務超過額を上回るものでないと，この方法だけでは債務超過の完全な回避策とはならない。この前提条件が満たされている場合，日本本社の代表取締役社長（あるいは副社長）は，予め準備された劣後化宣言書に公証人手続きなしで署名して，現地法人に送付するだけでよい。劣後化宣言書は，内容的には，記載された金額までの日本本社の債権（現地法人から見れば債務）は，他の債権者の債権（債務）が弁済された後に初めて弁済され得ると謳っており，言わばこれに基づき当該債権を自己資本と見なしてしまうというものである。要式は定められていないが，税務上の問題が発生する可能性があることから，弁護士あるいは税理士に作成してもらうことが勧められる。

　この回避策の場合，キャッシュの動きがないことから，貸借対照表上の変化はない。すなわち，年度決算書作成時に債務超過状態の危惧が判明して，この回避策を取った場合でも，年度決算書（年度末貸借対照表）上の債務超過状態は残存したままであり，後述の自己資本不足額が貸借対照表上に計上されたままである。ただし，監査対象会社の場合，会計事務所による監査報告書で劣後化宣言書が差し入れられていることの言及はなされるし，会社側が作成する状況報告書においても言及される必要がある。

④　債務超過の回避策(3)─コンフォートレター（経営支援念書）の日本本社による差入れ

　「経営支援念書」（英 comfort letter，独 harte Patronatserklärung）は，日本本社が現地法人（子会社）の財務的な支援を全面的に行うことの宣言書であり，かなり包括的なものである。もちろん，差入れは日本本社（親会社）によるものでなくとも構わない。日本本社によるものという前提で話をすると，差入れの時点でキャッシュを動かす必要がないという意味では，「日本本社の債権の劣後化」と共通点を有するが，将来的な財務的支援であることから，その時点での債権（ドイツ現地法人から見たら債務）の存在またはその金額が問題にならない。そして，より融通が利く反面，日本本社が現地法人の状況をきちんと把握できていない場合には，泥沼に陥る可能性も出てくることに対する留意は必要である。

　要式は定められていないが，弁護士あるいは税理士に作成してもらうことが勧められる。この回避策の場合も，日本本社による債権の劣後化の場合と同様に，キャッシュの動きがない。それゆえ，貸借対照表上の変化はなく，年度決算書作成時に債務超過状態の危惧が判明して，この回避策を取った場合でも，年度決算書（年度末貸借対照表）上の債務超過状態は残存したままであり，後述の自己資本不足額が

貸借対照表上に計上されたままである。ただし，監査対象会社の場合，会計事務所による監査報告書でコンフォートレターが差し入れられていることの言及はなされるし，会社側が作成する状況報告書においても言及される必要がある。

⑤ **自己資本不足額**

債務超過状態に陥る寸前まで行ったが，増資による回避策ではなく，日本本社の債権を劣後化することで，あるいは，コンフォートレター（経営指導念書）の差入れによって，債務超過に起因する破産申請手続きの義務を回避している場合，貸借対照表上の債務超過状態は残存したままである。商法第268条第3項に基づき，その際の自己資本不足額は，原則として借方の一番下に計上されなければならない。

⑥ **貸借対照表利益**

利益準備金あるいは資本準備金を取り崩して配当に充当する場合等，年度決算書作成終了前に，出資者総会決議を前提にして，繰越利益/欠損と当期利益/欠損の2つの勘定科目の代わりに，「貸借対照表利益〈Bilanzgewinn〉」を計上することが行われる（有限会社法第29条第1項第2文）。この場合，貸借対照表利益は，繰越利益/欠損と当期利益/欠損と利益準備金あるいは資本準備金からの取崩し金額の3つの総和となる。利益準備金あるいは資本準備金は，本来的には出資者のものである。しかしながら，そのまますぐに配当（正確に言えば資本準備金の場合は投資撤収）に回すことができない。一旦，出資者総会決議を行い，この貸借対照表利益に振り替えなければならない。

## 7 引当金〈Rückstellungen〉

### (1) 引当金の特徴

「引当金〈Rückstellungen〉」は，①決算日時点に既に債務が発生しているがその金額が未定である場合，②契約履行が完了していないが損失が見込まれる場合，また，③決算日時点において，当期およびそれ以前の年度に帰属する費用が発生する可能性が高いが，その金額や発生する日が不確実である場合等の見込費用を対象（費用性引当金）に計上する。日本会計基準の未払費用の大部分も，ドイツ商法会計基準では引当金に含まれる。また，日本における会計学上の概念としての引当金は，大きく言って，貸倒引当金や在庫評価引当金等の評価性引当金と退職給付引当金や有給休暇引当金等の負債性引当金とに分けられる。ここでも日本の会計基準と異なるのは，ドイツ商法会計基準においては，評価性引当金はここの「引当金」の中に含められず，資産項目（売掛金や在庫等）と直接に相殺して，借方側で個々の

資産額がネット額で表示される。すなわち，引当金というより，資産評価減と考えられている点は留意する必要がある。

　ドイツの会計基準において，引当金と後述の負債との相違は，決算日時点で，その債務ならびに金額が確定しているかどうかによるものである。負債においてはどちらも確定しているが，引当金においては，そのどちらも確定していない，または，そのどちらか1つが確定していない。例えば，12月決算の会社で，12月15日に購入した商品の納品が行われ，納品と一緒に請求書が送付されてきたが，支払送金は，1月3日になって初めて行われたというケースを想定する。この会社の12月31日付の年度決算書の貸借対照表では，この商品代金は負債（買掛金）として計上される。他方で，同じケースで，請求書が1月3日に初めて送付されてきたとしよう。この場合，12月31日時点で正式に金額が確定されていないということで，12月31日付の年度決算書の貸借対照表では引当金として計上される。

## （2）具体的な引当金項目

　引当金は，商法第266条第3項に基づき，「年金等引当金〈Rückstellungen für Pensionen und ähnliche Verpflichtungen〉」，「納税引当金〈Steuerrückstellungen〉」，「その他引当金〈sonstige Rückstellungen〉」の3つに小区分されている。

　年金等引当金は，ドイツの企業年金の5つある運営方式「直接確約方式」，「直接保険方式」，「年金基金方式」，「共済基金方式」，「年金ファンド方式」（詳細は「**第5章　労働法**」338頁以下を参照）のうちの一部に関わるものである。理論的には，直接保険方式を除く他の4つの運営方式についても問題になるものであるが，多くのケースおいて，直接確約方式（従業員が退職して年金受給年齢になった場合，会社が直接に年金を支給するという方式）からのものが最も頻繁に対象になる。これについては，後述の「3　個別特殊会計項目」の「4　年金会計」（211頁以下参照）において詳細に取り扱っている。

　納税引当金は，最も典型的な例が，年度決算書作成時において税引後利益（当期利益）を計算した後の当該事業年度についての予想納税額（法人税，営業税，連帯付加税の合計額）である。但し，実際にここに来る数字は，主として当該事業年度になされた前払納税額ならびに繰越欠損額により変動するので，当該事業年度の予想納税額がそのままここに計上されるわけではない。以前は，繰延税金負債もこの納税引当金に含められていたが，2010年ドイツ商法会計基準改革以後，貸方の一番最後の勘定科目としての繰延税金負債という独立した科目を設定することになった。

その他引当金に含まれる主要なものとしては，不確定債務に対する引当金，契約履行から見込まれる損失引当金，修繕引当金，製品保証引当金，訴訟引当金，有給休暇引当金，残業引当金，賞与引当金，労災保険料引当金，未払費用引当金等が挙げられる。修繕引当金は，決算日の翌日から起算して3ヵ以内に実施される修繕に対する引当金である。また，2010年ドイツ商法会計基準改革により，それまで認められていた費用引当金の計上選択権ならびに決算日から3ヵ月経過後12ヵ月以内に支出される修繕引当金の計上選択権は撤廃された。

### (3) 引当金の計上

　引当金は，理性的な商人の判断に基づいて必要と見積もられた履行額で計上しなければならない。その見積りに当たっては，将来における引当金の設定対象債務の評価額変動（例えば将来的な物価・賃金上昇等）を考慮に入れる必要がある。また，2010年ドイツ商法会計基準改革以降，見積もった引当金額は，その設定対象である債務の履行までの期間，通貨単位を考慮した市場利子率を用いて決算日時点の現在価値に割引計算を行わなければならない。すなわち，引当金のうち期末における残存期間が1年を超えるものは，過去7事業年度の市場利子率で現在価値に割り引く。割引計算に用いる利子率は，各引当金設定対象債権の残存期間に対応するもので，ドイツ連邦銀行が公表するものを使用することが求められる。

### 8　負　　　債

　「負債〈Verbindlichkeiten〉」は，①社債（そのうち転換社債は別途明記），②金融機関に対する債務，③前受金，④買掛金，⑤手形債務，⑥親子会社関係にある会社に対する債務，⑦関連会社債務，⑧その他債務（そのうち税金と社会保険料の納付額は別途明記）の8つに小区分されている（商法第266条第3項）。社債と手形債務の2つは，在独日系企業の現地法人（子会社）と支店には，その法形態ならびにビジネスモデルの観点からほとんど見られないものである。
　商法第268条第5項に基づき，決算日から起算して1年以内に返済すべき金額と1年超の金額に分けて，上記の8つの小項目毎にその金額を貸借対照表上にその内訳として明記する必要がある。また，これは注記記載事項ではあるが，商法第285条第1号aに基づき，返済・支払が終わるまでの期間が5年超の負債がある場合には，その総額を注記に記載しなければならない。

### (1) 買　掛　金

　「買掛金〈Verbindlichkeiten aus Lieferungen und Leistungen〉」は，商品の購入取

引および役務受益取引から生じたものである。履行額（通常は額面）で貸借対照表に計上する。そして，そこにドイツの付加価値税が含まれている場合は，売掛金の場合と同様に，ドイツの付加価値税額を控除した後の金額となる。また，外国の付加価値税が含まれている買掛金の場合にも，還付を当初より放棄していない限りにおいて，付加価値税控除後の金額を計上する。返済までの期間が長期にわたる場合であっても，現在価値への割引は行わない。この点，債権の評価と異なるが，保守主義の原則によるものである。この買掛金は，上の負債勘定科目の中の8つの小区分の1つであり，日本本社ならびにその他の姉妹会社に対する買掛金は，親子会社関係にある会社に対する債務あるいは関連会社債務にそれぞれ計上され，ここの買掛金に計上されるのは，通常の取引先に対する買掛金のみになる。

(2) その他負債

その他資産と同様に，独立表示をすることが要求されていない負債項目を集めた勘定科目が「その他負債〈sonstige Verbindlichkeiten〉」である。例えば，（要納付）付加価値税，未払給与，未納付所得税（賃金税），未納付社会保険料，取引先からの過剰支払（売掛金のマイナス残高）などが挙げられる。

労災保険料を除く社会保険料は，納付期限が，対象月の月末から3営業日遡る日までである。その結果，きちんと納付している場合であれば，月末（年度末）を超えて未納分が残高として残ることは例外的なケースである。それに対して，従業員の給与額から源泉徴収して税務署に納付する賃金税（個人所得税源泉徴収分）は，対象月の翌月の10日までが支払期限であるため，常に1ヵ月分は，年度末決算時に未納分残高として残ることになる。付加価値税についても原則的に同様である（継続的月次申告期限延長の制度があるために場合によっては2ヵ月分）。

ここの付加価値税や未納付所得税と上述の納税引当金との相違は，納税債務が確定しているかどうかの違いによる。付加価値税や未納付所得税の場合，申告納税方式に服していることもあり，月次ベースで確定している納税債務の未納付分である。それに対して，納税引当金のところで例示されていた当該事業年度の法人税・営業税の未納付分は，賦課決定方式に服していることもあり，その金額まで算定されてはいる。しかし，その正式な確定（仮確定）は，現地法人（子会社）ならびに支店が年度申告書を提出して，税務署が査定を行って初めて（仮）確定する。そのため，後者は，債務性が確定していないという観点から引当金勘定科目に計上される。

## 9 貸方経過勘定項目

「貸方経過勘定項目〈PRAP：passive Rechnungsabgrenzungsposten〉」には，決算日前に取引相手から入金されたが，決算日以降に実現して収益となるもの，すなわち，前受収益ならびにそれに類似したものを計上する。

## 10 繰延税金負債

「繰延税金負債〈passive latente Steuern〉」は，商法上の利益が税務上の課税利益を上回り，その差が将来の期間において解消されると見込まれる場合（将来加算差異）に，将来の税負担増加額を計上する貸借対照表の貸方項目である。従来は，納税引当金〈Steuerrückstellungen〉の内訳項目として計上されていた。2010年ドイツ商法会計基準改革以降，貸方の最終勘定科目として設定された独立した勘定科目に計上されるようになっている。なお，計上した繰延税金負債は，実際に税負担が生じた場合および税負担の増加が見込まれなくなった場合に取り崩さなければならない。税効果会計の詳細については，「3 個別特殊会計項目」の中の「2 税効果会計」（207頁以下参照）において解説している。

# 2 損益計算書

ドイツ商法会計基準においては，「損益計算書〈Gewinn- und Verlustrechnung〉」の法定様式として，商法第275条第2項に基づく「総原価方式〈Gesamtkostenverfahren〉」と，同条第3項に基づく「売上原価方式〈Umsatzkostenverfahren〉」の2通りがあり，どちらの様式を採用してもよい。総原価方式は，生産高および費用の性質別表示に重点を置いた表示方法である。ドイツで古くから採用されている形式であるため，現在もこれを採用するドイツ企業も多い。売上原価方式は，売上高および売上原価に重点をおいた表示方法である。在独日系企業の現地法人（子会社）・支店においては，日本の損益計算書の様式により近いという理由から，この売上原価方式を採用する場合が多いようである。この商法の損益計算書様式は，年度報告書作成および開示の際に遵守すればよく，日本本社への報告や内部管理目的の月次決算・報告には適用されない。表示方法としては，後述のような報告式のみで，勘定式は認められていない。

売上原価方式のドイツの損益計算書は，確かに，日本の損益計算書様式に近いのではあるが，微妙な違いがあることには留意しなくてはならない。また，2016年

商法改正において，売上原価方式と総原価方式の双方において，「税引き後利益/損失」という新しい勘定科目が導入され，逆に，特別損益勘定科目，すなわち「特別収益」，「特別費用」，「特別利益/特別損失」が撤廃された。さらに，それに連動する形で，「通常の営業活動より生じた損益」も撤廃されている（商法第275条第2項・第3項）。他方で，これらの損益計算書の特別損益項目の1：1での代替物ではないものの，金額が相当額に上るもので，「通常外の〈außergewöhnlich〉意義を有する収益・費用」または「通常外に〈außergewöhnlich〉金額が大きい収益・費用」は，2016年以降，今後は注記の中に別途記載されないとならなくなっている（商法第285条第31号）。

〔損益計算書〕

| 総原価方式 | 売上原価方式 |
|---|---|
| 1．売上 | 1．売上 |
| 2．完成品および未完成品の在庫の増減 | 2．売上原価 |
| 3．その他の資産化された社内役務 | 3．売上粗利益 |
| 4．その他営業収益 | 4．販売費 |
| 5．材料費 | 5．一般管理費 |
| 　a）原材料・補助材料・消費材料・仕入商品の費用 | 6．その他営業収益 |
| 　b）役務受益費用 | 7．その他営業費用 |
| 6．人件費 | 8．親子を含む関連会社出資からの収益 |
| 　a）給与・賃金 | 9．その他の有価証券ならびに財務資産貸付金等からの収益 |
| 　b）社会保険料ならびに老後保障費用／その他福利厚生費 | 10．その他の受取利息 |
| 7．減価償却費 | 11．財務資産ならびに流動資産有価証券からの評価損 |
| 　a）無形固定資産・有形固定資産 | 12．支払利息 |
| 　b）流動資産（資本会社においての通常な額を上回る場合） | ~~13．通常の営業活動より生じた損益~~ |
| 8．その他営業費用 | ~~14．特別収益~~ |
| 9．親子を含む関連会社出資からの収益 | ~~15．特別費用~~ |
| 10．その他の有価証券ならびに財務資産貸付金等からの収益 | ~~16．特別利益／特別損失~~ |
| 11．その他の受取利息 | 13．所得および収益に関わる税金 |
| 12．財務資産ならびに流動資産有価証券からの評価損 | 14．税引き後利益／損失 |
| 13．支払利息 | 15．その他の税金 |
| ~~14．通常の営業活動より生じた損益~~ | 16．当期利益／損失 |
| ~~15．特別収益~~ | |
| ~~16．特別費用~~ | |
| ~~17．特別利益／特別損失~~ | |
| 14．所得および収益に関わる税金 | |
| 15．税引き後利益／損失 | |
| 16．その他の税金 | |
| 17．当期利益／損失 | |

それらの変更は，原則として，2016年1月1日以降に開始する事業年度から適用されている。上に，比較のために，売上原価方式と総原価方式と並べて記載するが，2016年以降は撤廃されている特別損益項目等も，数年前の損益計算書を見ることも想定されることから，過去のものであるが参考のために記載しておく。

## ① 小会社（極小会社）・中会社に対する緩和措置

　商法第276条において，小会社ならびに中会社に対する緩和措置が講じられている。総原価方式の場合には，「1.売上」，「2.完成品および未完成品の在庫の増減」，「3.その他の資産化された社内役務」，「4.その他営業収益」，「5.材料費」の5つの勘定科目を，売上原価方式の場合には，「1.売上」，「2.売上原価」，「3.売上粗利益」，「6.その他営業収益」の4つの勘定科目を「売上総利益〈Rohergebnis〉」として1つの勘定科目にまとめて表示することができる。この場合には，売上が表示されない，すなわち，開示しないで済ますことができる。

## ② 売上とその他営業収益

　「売上〈Umsatzerlöse〉」は，特別損益勘定科目の変更（撤廃）等と同様に，2016年商法改正において，2016年以降について内容的変更が加えられている。それまでの「通常の事業活動における〈der gewöhnlichen Geschäftstätigkeit〉売上」という限定が外され，他の勘定科目（特に「その他営業収益〈sonstige betriebliche Erträge〉」）に区分されていたもののいくつかが，「売上」に区分されるようになった。すなわち，売上の範囲が拡大された。具体的な事例で解説する。例えば，2015年以前において，資産のリースからのリース料収入は，リース業をその主たる事業とするリース会社においては，当然のことながら，売上に計上されていた。しかし，電子部品の販売を主たる事業とする会社においては，その他営業収益に計上されていた。2016年以降においては，電子部品の販売を主たる事業とする会社においても，売上に計上されている。2015年まで他の勘定科目（多くはその他営業収益）に計上されていたが，2016年以降は「売上」に計上されているものとしては，それらを主たる事業活動としてはいなかった会社においての，

- ○　各種の資産の賃貸借・リース収益
- ○　ロイヤリティ（使用料）収入
- ○　人材派遣等に際しての受取の費用補填
- ○　グループ企業間サービス提供等についての対価の受取

○　余剰の材料・部材・資材等の売却益
　　　○　社員食堂等の社内の福利厚生施設からの収益
等が具体的，代表的なものとして挙げられる。他方で，
　　　○　社内使用の固定資産の売却益
　　　○　引当金取崩し額などの評価に関係する収益
等は，引き続き「その他の営業収益」に計上されるものと考えられている。またそのような議論とは別に，売上値引〈Rabatt〉，割引〈Skonto〉，割戻〈Bonus〉等の売上高の減少〈Erlösschmälerungen〉は，売上と相殺して表示する。

　売上の収益認識は，リスクと経済的便益が取引相手に移転した時点で行い，通常は，引渡基準または検収基準による。収益認識における特殊な個別論点としては，長期請負工事や割賦販売等がある。長期請負工事（長期プロジェクト）に関わる収益認識基準としては，完成基準のみが認められており，原則として工事進行基準の採用は禁止されている。割賦販売は，販売基準に基づいて収益計上するのが原則であり，回収基準の採用は認められていない。

　「その他営業収益〈sonstige betriebliche Erträge〉」は，受取利息および受取配当を除く企業の事業活動以外からの収益である。上述の2016年商法改正による売上の範囲の拡大に伴い，それまでこのその他営業収益に計上されていたものの一部が売上に計上されるようになったため，その限りにおいて範囲は狭められた。他方で，同様に2016年商法改正で，特別収益が撤廃されたために，それまでその特別収益に計上されていたであろうものが，このその他営業収益に計上されることになるため，それについては，その範囲は拡大されたと言える。いずれにせよ日本の損益計算書に慣れた者にとって，その他営業費用と共に，最も戸惑いの大きい勘定科目である。主なものとして，固定資産売却益，引当金戻入益，為替差益，保険金等が挙げられ，日本では，営業外収益あるいは特別利益として取り扱われているものである。また，前期までに損失処理した債権に対する支払額，親会社あるいは子会社に対する管理費等の付替え，駐在員のネット保証給与の場合の個人所得税あるいは社会保険料の還付等も，ここのその他営業収益に含まれる。

## ③　売上原価

　「売上原価〈Wareneinsatz〉」は，総原価方式の損益計算書のもとでは独立項目としては表示されず，材料費支出総額や人件費等の項目に，在庫増減額，「資産化した社内役務（固定資産など）」の項目を加減することにより，間接的に表示される

ことになる。売上原価方式の損益計算書における売上原価は，取得原価または製造原価をもとに算定される。そのため，仕入材料・製品の価格に加え，当該購入資産を使用できる状態にするまでに掛かった費用や，その他の諸掛費用が含まれる。諸掛費用は，例えば輸送費，運送業者への報酬，仲介手数料，輸送保険料，倉庫保管費，組立費，検査費用，関税等の諸費用から構成される。また，棚卸差異，在庫評価減等も，売上原価に含めて計上する必要がある。

　この売上原価，そして総原価方式のもとでの対応する勘定科目についても，上述の2016年以降の売上の範囲の拡大に連動して，費用サイド側の範囲の拡大に留意しなくてはならない。すなわち，新たに売上に計上されるようになったものに関連する費用は，同様に売上原価に計上されなければならない。

## ④　その他営業費用

　「その他営業費用〈sonstige betriebliche Aufwendungen〉」は，その他営業収益の対極概念である。「その他」で始まる他の決算書構成項目と同様に，特定の項目に属さない費用を集めたもので，主に販売費および一般管理費から構成される。主なものとしては，貸倒引当金（売掛金評価減額）繰入額，固定資産売却損，為替差損，賃借料・支払リース料，広告宣伝費，搬出運賃，保険料，通信費，税務上の延滞金，強制金等が挙げられる。日本の損益計算書では，営業外費用あるいは特別損失に計上されるものである。

　また，2016年商法改正により売上の範囲が拡大され，それに連動して，売上原価ならびに総原価方式における対応する勘定科目の範囲が拡大されている。その結果，2015年までであればその他営業費用に計上されていたものが，2016年以降はそうではなくなったものが出てきている。また逆に，後述する特別費用が撤廃されたことから，2015年までであれば特別費用に計上されていたであろうものが，2016年以降は，このその他営業費用に計上される可能性が大きいことは留意しておく必要がある。

## ⑤　特別収益および特別費用

　これらの勘定科目は2015年までのものである。2016年商法改正により撤廃された。まだ現在でも，年々稀なことになっているとはいえ，2015年までの損益計算書を見ることもあると思われることから，どんなものであったかの解説を加えておきたい。「特別収益〈außerordentliche Erträge〉」と「特別費用〈außerordentliche

Aufwendungen〉」の「特別」の意味は，通常の経営活動の範囲外という意味である。異常で希な事柄に起因する収益および費用が，当該項目に計上される。例えば，行政当局による接収からの補填金，行政当局からの命令による事業部門縮小・閉鎖時に発生した損害，重要な事業部門の売却からの売却損益，他会社との合併，天災・火事に際しての損失等が挙げられる。金額が重要でない場合は，その他営業収益あるいはその他営業費用に計上することもできた。日本の会計基準では，固定資産の売却損益，投資有価証券の売却損益，同じく投資有価証券の評価損等は，特別損益項目として表示される。それに対して，ドイツでは，これらの項目は極めて異例な事由に伴って発生するものでない限り，特別損益項目には含まれないことに注意が必要であった。

　他方で，これらの損益計算書の特別損益項目の1：1での代替物ではないものの，金額が相当のもので，「通常外の〈außergewöhnlich〉意義を有する収益・費用」または「通常外に〈außergewöhnlich〉金額が大きい収益・費用」は，2016年以降，注記の中に別途記載されなくてはならないとされている（商法第285条第31号）。

## 3　個別特殊会計項目

　ドイツ商法会計基準は，債権者保護の観点から保守主義の傾向が強い。2010年ドイツ商法会計基準改革を通じて，従来と比較して，国際会計基準（国際財務報告基準）により近接したものになったといわれる。それでもまだ，保守主義の傾向を色濃く残している。ここでは，在独日系企業の現地法人（子会社）ならびに支店においてよく問題になる外貨換算，税効果会計，リース会計，年金会計の4つについてまとめて解説しておきたい。

### 1　外貨換算

　会計帳簿および年度決算書は，ユーロ建てで作成する必要がある。他方で，多くの在独日系企業の現地法人（子会社）ならびに支店においては，ユーロ建て取引と並存して，ドル建て取引あるいは円建て取引が行われていることも多い。その際，当然のことながら，為替換算ならびに為替差損益の問題が発生する。換算レートには，電信買相場〈Briefkurs，TTB〉，電信売相場〈Geldkurs，TTS〉，電信仲値相場〈TTM〉，月間平均レート，あるいは，税務当局が公表する付加価値税のための為替レート等がある。

従来，ドイツ商法会計基準の中には，外貨換算に関する明確な規定はなかった。しかしながら，2010年ドイツ商法会計基準改革に際して導入された商法第256a条により，外貨建ての資産・負債は，決算日の電信仲値相場〈TTM〉で為替評価替えされるべきことが明確にされた。

　外貨建て資産・負債（売掛金，買掛金，未払金等）は，取引日レートで換算した上で記帳を行い，もし決算日前に決済等が行われた場合には，取引日レートと決済日レートを比較してその換算差額を為替差損益として処理し，その他営業収益あるいはその他営業費用に計上する。もし決算日前には決済が行われず，決算日に残高として残った場合には，商法第256a条により，その「外貨建て資産・負債（売掛金，買掛金，未払金等）」を決算日レート（TTM）で換算して評価替えし，その換算差額を（未実現の）為替評価差損益として，決済時と同様にその他営業収益あるいはその他営業費用に計上する。但し，決算日時点で残存期間が1年超のものについては，資産の場合については取得原価を上回るような，そして，負債の場合は取得原価を下回るような為替評価差益は計上しない。

　ドイツ商法会計基準においては，長らく為替評価差損のみを計上し，為替評価差益の認識は禁止されてきた。近年になって，短期のもの（1年以内）に対しての決算日の為替評価差益の計上については，継続適用を条件として計上も認められるという見解あるいは実務が広がっていた。2010年ドイツ商法会計基準改革において，外貨建ての資産および負債の為替換算方法が明確にされるとともに，決算日から1年以内に満期になるものについては，為替評価差益の計上が認められるようになった。

## 2　税効果会計

　「税効果会計〈Steuerabgrenzung〉」は，法人税等の期間按分処理とも言われ，商法会計基準による決算書と税法会計基準による決算書の利益額が一致しない場合，あるいは，税法上の繰越欠損金がある場合に適用される。ドイツにおいては，制度としては1987年ドイツ商法会計基準改革で既に導入されていた。しかし，様々な理由から，それほど注目を浴びてこなかったし，在独日系企業の現地法人（子会社）においても適用されているケースは殆どなかった。様々な理由とは，①連結決算書においては義務ではあるものの，単体年度決算書の繰延税金資産の計上は任意であること，②繰越欠損金は税効果会計の対象とならないこと，そして，③基準性の原則ならびに逆基準性の原則により，商法会計基準と税法会計基準との間は蜜月

関係にあったことの3つが主要なものとして挙げられる。

## (1) 2010年ドイツ商法会計基準改革による改正

既に1999年税制改正の頃から，税制改正により，税法規定が商法会計基準から乖離するケースが増加していた。そして，2010年ドイツ商法会計基準改革において（商法第274条の改定），まずは逆基準性の原則が撤廃された（所得税法第5条第2文［旧］の削除）。さらに，単体年度決算書における任意計上というところに改正はなかったものの（小会社については繰延税金負債の計上も免除：商法第274a条第4号），一旦計上するとなった場合，繰越欠損金のうち，翌年度以降5年間以内に利益と相殺できると期待される金額については，繰延税金資産として計上するとされた（商法第274条第1項第4文）。より正確に言うと，繰越欠損金の金額が膨大で，その時点の収益予想では相殺に15年かかるという場合，5年間で相殺できるという金額（按分）だけについて税効果会計が適用される。また，貸借対照表上，それまでは独立したそのための勘定科目は設けられていなかったが，借方は下部の前払年金費用のすぐ上に繰延税金資産として，貸方は最下部に繰延税金負債として別途の勘定科目が設けられるようになった。それに加えて，計上・評価については，損益計算書の「期間差異〈timing difference〉」に基づくものから「一時差異〈temporary difference〉」に基づくものに変更され，より多くのものが税効果会計の対象になると考えられている。

## (2) 繰延税金資産と繰延税金負債

「繰延税金資産〈aktive latente Steuern〉」は，税務上の課税利益が商法上の利益よりも大きく，その差が将来の期間において解消されると見込まれる場合（将来減算差異）と税法上の繰越欠損金が存在する場合に，将来の税負担軽減額を計上する貸借対照表の借方項目である。商法会計基準の単体の年度決算書では，資産計上するか否かは任意である（商法第274条第1項第2文）。計上する場合は，借方最下部の前払年金費用のすぐ上に設定された繰延税金資産という勘定科目に計上し，注記においてその計算内容等を記載する。また，この繰延税金資産額から貸方に計上されている繰延税金負債の額を控除した後の金額が配当制限の対象となる。なお，計上した繰延税金資産は，実際に税負担の軽減が生じた場合，および税負担の軽減が見込まれなくなった場合，取り崩さなければならない。繰越欠損金は，向こう5年間の収益予想に基づき評価・計上される。また，ドイツ税法では，繰越欠損金に使用期限は設けられていないが，各事業年度における課税利益が百万ユーロを超える場合には，その超えた部分の40%は，繰越欠損金との相殺ができない点には留意

する必要がある（「最低課税制度」）。

　「繰延税金負債〈passive latente Steuern〉」は，商法上の利益が税務上の課税利益を上回り，その差が将来の期間において解消されると見込まれる場合（将来加算差異）に，将来の税負担増加額を計上する貸借対照表の貸方項目である。従来は，「納税引当金〈Steuerrückstellungen〉」の内訳項目として計上されていた。2010年ドイツ商法会計基準改革以降，貸方最下部に別途の勘定科目として設けられた繰延税金負債という勘定科目に計上する。繰延税金資産の場合と同様に，注記にその計算内容を記載しなければならない。なお，計上した繰延税金負債は，実際に税負担が生じた場合および税負担の増加が見込まれなくなった場合に取り崩さなければならない。

## （3）　税効果会計の対象

　税務上は損金算入が認められていないため，商法上と税法上の利益の差異が永久に相殺されない永久損益差異に対しては，税効果会計は適用されない。なお，将来において税率が変更される場合には，変更後の税率を考慮に入れる必要がある。税効果会計の適用対象となるもののうち，主要なものとして以下のようなものが挙げられる。なお，将来減算差異に挙げられている5つのうち，最初の4つは商法上と税法上の差異に起因するものであるが，5つ目の（税法上の）繰越欠損金は，それとは性格を異にしている。

- ○　将来減算差異（繰延税金資産）
    - ・　債務履行から見込まれる損失引当金
    - ・　年金等引当金
    - ・　営業権を税法よりも短期間で償却している場合
    - ・　固定資産の耐用年数が税法基準よりも短い場合
    - ・　税法上の繰越欠損金（向こう5年間の収益予想に基づく）
- ○　将来加算差異（繰延税金負債）
    - ・　自社開発無形固定資産の任意計上
    - ・　固定資産の耐用年数が税法基準よりも長い場合
    - ・　年金資産と年金引当債務の相殺後の年金前払費用の計上
    - ・　過年度に特別償却を行った資産の評価額の戻入

## ③　リース会計

　ドイツ商法会計基準には，リース会計に関する具体的な規定がないため，一般的

に税法会計基準を準用して処理を行う。税法規定では，資産の所有権の有無を経済的実態に基づいて判断する。そして，法的所有者ではなく経済的所有者が資産として計上しなければならないと定めているため，「リース対象資産〈Leasing Gegenstand〉」を，「貸手〈Leasinggeber〉」または「借手〈Leasingnehmer〉」のどちら側で資産計上するのかが問題となる。借手が資産計上する場合には，割賦購入の場合と同様の処理を行う。なお，長期リース債務等は，注記にその記載をしなければならない。

リース対象資産が動産または建物である場合，大まかな目安として，下記の判断基準が適用される。

| リース対象資産の経済的耐用年数がリース期間に占める割合 | リース資産の計上者 |
| --- | --- |
| 40％未満 | 借手 |
| 40％以上90％以下 | 貸手 |
| 90％超 | 借手 |

なお，上表の40％以上かつ90％以下の区分に該当する際，借手に有利な資産購入選択権がある場合やリース期間の延長を選択できる場合には，下記の判断基準も考慮に入れる必要がある。

| 資産購入選択権がある場合 購入時点の資産の残存価値が | リース期間延長権がある場合 延長期間の資産価値の減少が | リース資産の計上者 |
| --- | --- | --- |
| 借手の購入価額以下 | 延長期間のリース料総額以下 | 貸　手 |
| 借手の購入価額超 | 延長期間のリース料総額超 | 借　手 |

また，リース対象資産が不動産であるファイナンス・リースは，建物と土地とで別個の判定基準を用いる必要がある。土地は，原則として貸手が資産計上を行うが，土地購入選択権がある場合に限り，建物と同一の判定基準に則って資産計上者を判断しなければならない。

### 4　年金会計

貸借対照表上の引当金の小区分勘定科目である年金等引当金は，ドイツの企業年金制度の5つある運営方式，すなわち，直接確約方式（年金引当金方式），直接保険方式，年金基金方式，共済基金方式，年金ファンド方式（詳細は「**第5章　労働法**」338頁以下を参照）のうち，理論的には，直接保険方式を除く他の4つの運営方式について問題になるものである。しかしながら，多くのケースおいて，直接確約方式からのものが最も頻繁に対象になる。この運営方式は，年金引当金方式とも

呼ばれる。多くの場合，社内で決められた一定の勤務年限に達し，その他の前提条件も満たした従業員に対して会社が年金支給を確約するものであり，当該従業員が年金受給年齢になった場合，会社が直接に年金を支払う。従業員に対して確約した時点から，年金引当金の計上が行われる。直接確約方式は，ドイツの伝統的な企業年金制度で最も普及したものである。数年前，この直接確約方式による企業年金充当額は，企業年金充当額全体の約60％を占めていた。

　最も普及したものであるにもかかわらず，この直接確約方式に関して，2010年以前は，ドイツ商法会計基準の明確な規定はなかった。所得税法第６a条の規定による年金数理計算に基づいて計算した税法上の「公正価値〈Teilwert〉」で計上していた。そして，その他の税法会計基準の運用指針も採用され，それらは，逆基準性の原則により商法会計基準の年度決算書にも反映されていた。実質的に，この年金会計部分に関しては税法会計基準に基づいて年度決算書が作成されていたと言える。その税法規定に従うと（すなわち，2009年までは），以下のような前提条件で処理対応がなされていた。

- 全ての年金受給者が28歳で年金制度に加入したと推定する
  （従業員拠出型の場合は年齢に関係なく年金受給資格確定時より計上する）
- 年金現価係数（割引利子率）は6.0％とする
- 将来の昇給や，年金受給額の引上げは考慮しない
- 物価上昇率を考慮しない
- 離職率を考慮しない

　これだけですぐに判断できるように，この税法規定に基づくドイツの年金会計においては，国際会計基準（国際財務報告基準）やアメリカ会計基準と比較して，明白に引当金計上額が不足している状態になっていた。その結果として，年度決算書が会社の財務状況を明確に反映していないという批判がたびたび出されていた。実際に，1990年代にドイツの大企業がニューヨーク証券取引所に上場する時に，あるいはその後においても，アメリカ会計基準に基づいた連結決算書の利益とドイツ商法会計基準に基づいた年度決算書の利益の間の乖離が著しいことがよく指摘されていた。その最たる理由は，年金会計のところの処理の相違によるものであった。

　2010年ドイツ商法会計基準改革において，この年金会計について大きな改正が行われた。その主要な内容は以下の通りである。

- 年金等引当金の計上の算定根拠となる割引利子率は，他の長期の引当金の割引に用いる利率と同様に，原則として，ドイツ連邦銀行が毎月公表する過去７

年間の平均市場利率を用いて，その平均市場利子率の中の年金給付時までの期間を考慮した利子率を適用することを原則とすることとなった。そして，年金給付時までの期間の考慮に関して，従業員毎の異なる期間にかかわらず，15年ものの平均市場利率を採用してもよいとされた（15年もの定率処理）。他方で，世界的な低利子率状況を背景として，2016年の商法改正で，年金等引当金については，過去7年間ではなくて，過去10年間のドイツ連邦銀行が公表する平均市場利子率を適用してもよいことになった（商法第253条第2項）。さらに，商法第253条第6項に基づき，過去10年間のドイツ連邦銀行が公表する平均市場利子率を適用し，そして，年金給付時までの期間の考慮に関して，15年もの定率処理を行う場合，ドイツ連邦銀行が毎月公表する過去7年間の平均市場利率と過去10年間の平均市場利率の差額を算定し，それを注記に記載することが義務付けられている。

○ 将来に期待される昇給や年金受給額，一般物価の上昇も考慮に入れなければならない（商法第253条第1項）

○ 年金債務（年金引当金）とそれに対応する一定の条件を満たした場合の年金資産の相殺義務が導入された（商法第246条第2項第2文）。「一定の条件」とは，当該年金資産が，従業員に対する年金給付義務と直接的に連動し，破産の場合にも他の債権者の請求権から保護されていることである

この年金数理計算の前提条件の変更に伴い，その時点で年金引当金額の追加計上が必要になった場合には，年金引当金の増加額は，遅くとも2024年12月31日までの期間に，15分の1以上の金額を均等計上しなければならないとされていた（商法導入法第67条）。なお，年金引当金の額を計算するに当たって使用した年金数理計算の方法，計算の前提条件（割引利子率，予想した昇給率等）を注記に記載する必要がある（商法第285条第24号）。

## 4 注記（付属明細書）

ドイツ商法会計基準における決算書類として，年度決算書と状況報告書を作成しなければならない。年度決算書は，原則として，貸借対照表と損益計算書から構成される。在独日系企業の現地法人（子会社）のような資本会社の場合は，それに注記（付属明細書）〈Anhang〉が加わる。注記は，大きくまとめると2つの内容から構成されている。1つ目は，数値データ情報の集積である貸借対照表ならびに損益

計算書の各勘定科目について，より詳細な情報あるいは数値データを補足する情報を提供するものである。2つ目には，貸借対照表ならびに損益計算書の作成段階で捨象されている事実関係や背景情報，あるいは，事の性質からして貸借対照表ならびに損益計算書には取り込めない，あるいは表現され得ないが，会社の資産状況，財務状況，収益状況の判断にとって重要な事実関係や背景情報を明記するというものである。

　2010年ドイツ商法会計基準改革ならびに2016年商法改正において，この注記に記載すべき項目が大幅に増加させられた。それ以降，それ以前に比較してより多くの情報，より詳細な情報を開示することが義務付けられている。このような義務の強化は，ドイツ商法会計基準が国際会計基準（国際財務報告基準）に近接させられ，ドイツ商法会計基準の年度決算書の情報開示力が高められたことの付随現象である。在独日系企業の現地法人に対して，改正強化された内容がすべてそのまま該当するというわけではないが，年度決算書の作成により大きな労力の投入が要求されている。在独日系企業の現地法人の注記によく見られるものを中心にして，主要なものを挙げると以下のようになる。

- 商号・登記所在地・登記裁判所・登記番号・清算中の場合のその旨（商法第264条第1a項）
- 詳細な負債明細表〈Verbindlichkeitenspiegel〉（商法第268条第5項）
- 貸借対照表に計上されていない財務上の負債・保証・偶発債務等（商法第268条第7項）
- 貸借対照表項目および損益計算書項目に対して適用した計上および評価方法（商法第284条第2項第1号）
- 前期から計上方法・評価方法を変更している場合，その旨およびその理由，ならびに，資産状況・財務状況・収益状況に与える影響（商法第284条第2項第2号）
- 棚卸資産の評価方法に，グループ別平均原価法，先入先出法，後入先出法を採用している場合，決算日直近の時価と簿価の差額（商法第284条第2項第3号）
- 製造原価に含まれる借入金利子（商法第284条第2項第4号）
- 固定資産明細表〈Anlagenspiegel〉（商法第284条第3項）
- 返済までの期間が5年を超える債務の総額，担保または類似の権利により保証されている債務の総額，保証の方法および形態（商法第285条第1号）

- 上記の第285条第1号の2項目を貸借対照表に合計額で表示している場合，勘定科目別の金額の内訳（商法第285条第2号）
- 簿外取引のリスクとメリットならびにその他の財務上の義務（商法第285条第3号ならびに第3a号）
- 相違が著しい場合の事業分野別，市場のある地域別の売上高，その記載が会社に著しいデメリットをもたらすと考えられる場合には不要であるが，その場合，例外規定の適用の旨は明記（商法第285条第4号）
- 事業年度のグループ別平均従業員数（商法第285条第7号）
- 損益計算書を売上原価方式で作成した場合，総原価方式を採用した場合の当期材料費ならびに当期人件費（商法第285条第8号）
- 取締役会・監査役会・顧問会等の経営執行・監督機関の構成員の年間報酬額（上場の株式会社以外で，これを記載することで各人の報酬を特定できてしまう場合や，株主総会で報酬額を決定した場合は記載不要）（商法第285条第9号）
- 取締役会・監査役会・顧問会等の経営執行・監督機関の構成員の氏名・職業（商法第285条第10号）
- 20％以上の持分を所有している企業の名称および登記所在地，直近の事業年度の資本金および年度損益（重要性が低い場合，これを記載することで著しい不利益を蒙る場合等には記載不要）（商法第285条第11号）
- 貸借対照表のその他引当金に含まれる個別の引当金で，それが大きな金額になっている場合のその内容の説明（商法第285条第12号）
- 有償取得の「営業権（のれん代）」の減価償却についての記載（商法第285条第13号）
- 連結決算書を作成している親会社の名称および登記所在地，場合によってはその連結決算書が入手できる場所の記載（商法第285条第14号）
- 連結決算書に記載がない場合の内容別に区分された外部監査人報酬総額（商法第285条第17号）
- 評価減がなされていない財務資産とそのなされていないことの理由（商法第285条第18号）
- 時価評価されていない金融派生商品とその理由等（商法第285条第19号）
- 時価評価された金融商品についての時価評価の基本的な考え方ならびに金融（派生）商品の具体的な内容（商法第285条第20号）

- ○ 通常外の取引とみなされる限りの「その他の関係会社等」と行われている取引（商法第285条第21号）
- ○ 自社開発の無形固定資産を資産計上している場合の研究費と開発費（商法第285条第22号）
- ○ ヘッジ会計（商法第285条第23号）
- ○ 年金引当金の計算根拠となった基本情報（商法第285条第24号）
- ○ 相殺された年金引当金とそれに対応する年金資産（商法第285条第25号）
- ○ 簿外債務関係（商法第285条第27号）
- ○ 配当制限に服する金額（商法第285条第28号）
- ○ 繰延税金資産・債務の計算（商法第285条第29号）
- ○ 税効果会計の適用の場合の繰延税金負債と繰延税金資産の残高ならびにその事業年度内における推移（商法第285条第30号）
- ○ 金額が相当のもので、「通常外の〈außergewöhnlich〉意義を有する収益・費用」または「通常外に〈außergewöhnlich〉金額が大きい収益・費用」（商法第285条第31号）（1：1の対応ではないものの、2016年に撤廃された損益計算書の中の特別損益項目の代替物）
- ○ 他の事業年度に帰属させられる収益費用で、その個々の金額が大きい場合のそれについての言及
- ○ 決算日後の偶発的事象の記載（商法第285条第33号）
- ○ 利益処分内容（商法第285条第34号）

注記に関しても，上記に既に記載しているように，一定の前提条件を満たした場合の記載免除措置があると共に，小会社（極小会社）・中会社に対しては，別途の記載免除規定が設けられている。それに該当する現地法人の場合，実際の注記の作成に際しては，そのメリットを十分に有効利用することも重要である。

## 5　状況報告書

「状況報告書〈Lagebericht〉」は年度決算書の一部ではないが，決算書類を構成する書類である（小会社・極小会社を除く）。状況報告書は，貸借対照表，損益計算書等の数値データ報告の限界を補足し，会社の状況や将来予測について文章で報告するもので，経営責任者の公正な見解を提供しなくてはならない。状況報告書において記載しなければならない主な項目は，商法第289条に基づき，下記の通りである。

- 〇　事業経過および会社の状況に関する報告
- 〇　将来の経営予測および発生する可能性のある主要な機会とリスク
- 〇　決算日後に発生した重要な事象（2016年以降は，注記の中に記載）
- 〇　リスクマネージメントの目的と手法
- 〇　価格変動，信用，支払能力に掛かるリスク，およびキャッシュフローの変動に関するリスク
- 〇　研究・開発
- 〇　支店の状況

　会社の事業経過と会社の状況は，原因と結果の関係にあり，また，将来の経営予測をする際には潜在的なリスクの予測も欠かせない。したがって，会社の事業経過，会社の状況，将来の経営予測および主要な機会とリスクに関する記載をする際には，それらの相互関連性を考慮しなければならない。

　会社の事業経過と会社の状況には，経営責任者が判断した業績の良否についての記載を含めるのが望ましい。この事業経過での報告の対象の例には，会社の属する業界の状況および経済全体の状況，販売および受注の変動，製造，商品・部品調達，投資，資金調達，人事福利厚生，公害対策等が挙げられる。会社の状況として，現在の資産状況，財務状況，収益状況について記載する必要がある。これを記載するのに際し，財務指標に関連付けて決算書中の金額や注記等を説明しなければならない（会社内部の通期比較と業界での指数との比較等）。大会社は，会社の事業経過の理解に資すると思われる場合には，財務指標に加えて非財務指標（例えば環境や従業員の利害関係等に関する情報）も用いた説明を記載する必要がある。資産状況の報告においては，資本および資産構成，資産項目の増減理由等，財務状況の報告では資金の流動性，収益状況の報告では収益率や損益に影響を及ぼす会社内外の原因，収益予測等が記載対象となる。いずれの記載事項，分析も，決算書の数字を引き合いに出した説明を記載する必要がある。

　「将来発生する可能性のある機会とリスク」についての記載は，会社の事業経過と会社の状況についての報告を補完するものである。状況報告書で報告するべきリスクは，将来の会社業績への悪影響が相当な高確率で発生すると予測されるリスクのうち，継続企業の前提を脅かすリスクと，その他会社の資産，財務および収益の状況に重要な影響を与えるリスクに区分される。報告の対象期間は決算日の翌日から起算して，会社の継続性に関するリスクの場合は1年，その他のリスクの場合は2年が妥当とされている。

状況報告書には，企業に顕在的または潜在的に存在するリスクの判断に重要と思われる事項をすべて含めなければならない。将来会社にもたらされる影響が一部相殺されることが予測されても，それぞれのリスクに関して個別に状況報告書に記載しなければならない。しかし，特定のリスクに対して既に具体的な対策が講じられており（例えば保険契約の締結等），次期以降の業績に負の影響を及ぼさないのであれば，状況報告書における報告義務が免除される。

# IV
# 駐在員事務所における会計・経理処理

　駐在員事務所には，ドイツ商法に基づく帳簿記帳義務ならびに決算書作成義務は課されておらず，上記で説明してきたような「ドイツ商法会計基準」に沿った面倒な経理処理は必要がない。しかし，税法規定に基づいて，少なくとも支出明細表を作成し，駐在員事務所全体のお金の動きが分かるようにしておく必要がある。さらに，それに関連する書類，とりわけ旅費精算書を作成し，そして，支出明細表，旅費精算書に対応する証憑ならびに銀行口座明細（残高確認）のオリジナルを整理して，一緒に保管しておく必要がある。

## 1　支出明細表

　これについては，ドイツの税法規定においてその作成が明確な義務として謳われているということではない。しかしながら，色々な観点からその作成が勧められる。これが作成されていると，まず，税務調査（賃金税税務調査：個人所得税の源泉徴収漏れがないかの調査）において，税務調査官の照会・質問に回答しやすくなり，迅速な対応ができる。また，PE課税問題の疑念をかけられた場合，その支出明細表のお金の動きを説明することで，その疑念を振り払うことが容易になる。そして，付加価値税の還付処理手続きについて，その事務処理が簡略化される。そのような背景から，決まった様式はなく，駐在員事務所全体のお金の動きが把握できるようになっていれば，どのような形式であっても構わない。

　ドイツの税法規定からの要請でなくとも，駐在員事務所の所長は，通常，日本本社の担当者に毎月業務報告書（業務活動レポート，支出明細表＋その支出の詳細な内容解説）を義務付けられていることが多い。その結果，その日本本社へのレポート目的の支出明細表とドイツの税法目的からその作成が勧められる支出明細表を兼用しているケースが多い。すなわち，日本本社からの要請とドイツ税法目的からの要請の双方を満たす形式のものを作成し，英語・日本語の2言語表記にするか，または，英語表記にして，月毎に作成して一部は事務所内に保管し，他の一部は日本

*218*

本社に送付するということがよく行われている。

　形式としては，駐在員事務所全体のお金の動きが分かるようにという観点から，月初の銀行残高を記載し，その後の入出金毎に（当然のことながら出金がほとんどである），その内容（出張旅費，客先接待，賃借料振込，税金納付，その他の経費支出等）を付記して時系列に記載し，月末に再度銀行残高を記載して締めるという形式になっていることが多い。その際，必ず付加価値税税率と付加価値税額の２つの欄も特別に設けることが勧められる。駐在員事務所が会社として購入している様々な備品や賃借料その他の支払には，19％または７％の付加価値税が賦課されている。この付加価値税（前段階税）は，現地法人（子会社）や支店の場合と同様に，駐在員事務所の場合でも税務署から還付してもらえるものである。付加価値税税率と付加価値税額の２つの欄を設定しておくと，付加価値税の申告処理が迅速にできる。

## 2　旅費精算書

　旅費精算書というよりも，その一部である出張記録が問題である。ドイツでも，出張した従業員に対して「日当・食事手当」が支給される。これは支給することが労働法上義務付けられているわけではなく，従業員に対する福利厚生の観点から，そして，出張に対するインセンティブということで，支給することが慣例となっているものである。また，個人所得税上，一定額までは非課税扱いで支給することができる（非課税限度額：その一定額まで支給しなくてはならないというものではない）。しかしながら，その非課税限度額は，会社また自宅を不在にしている時間（８時間以上24時間未満，24時間：日当・食事手当の非課税の表［297頁］を参照），行先がどこなのかによって（ドイツ国内なのか，イギリスなのかフランスなのか，あるいは日本なのか），事細かく決められている。他方で，駐在員事務所は日本本社の一部ということで，日本本社から派遣された駐在員に対してだけではなく，そこで採用された現地スタッフに対しても，日本本社の出張旅費規定に基づき日当・食事手当（名称は会社ごと異なるかもしれない）が支給されていることが多い。日本本社の出張旅費規定に基づいて支給されていること自体はまったく問題ではないのだが，支給額がドイツ税務当局が定めた非課税限度額より多い場合（少ない場合は問題がない），その差額分は課税処理がなされなければならない。その結果，××月××日の何時に自宅（会社）を出て，どこに行って（どこで宿泊して），××月××日の何時に自宅（会社）に帰ってきたのかという出張記録を作成し，実際に支

給されている日当・食事手当額と非課税限度額との比較作業は必ず行わなくてはならない。ドイツの所得税法に基づいて日当・食事手当が支給されている場合，この比較作業は必要ないが，出張記録の作成はいずれにせよ必要である。

## 3　証　憑　類

　付加価値税の還付処理の観点から，原則として，請求書または領収書等の証憑類はすべてオリジナルをドイツに保管しておく必要がある（「（3）帳簿記帳〈Buchführung〉の場所と保管」以下［161頁以降］を参照）。請求書または領収書を受け取る際，250ユーロ以下のいわゆる少額請求書は別だが，原則として，自分の会社名と会社の住所を入れてもらう必要がある。とりわけ，ホテルの請求書（領収書）には，チェックアウトの際に，出張した従業員の氏名が入ること自体は問題がないが，必ず会社名・会社住所が記載されたものを発行してもらうようにしなくてはならない。これは会社の出張目的で宿泊したことの形式的証明というものである。またこれは，一義的には現地法人（子会社）や支店の場合に該当することであるが，接待飲食費の請求書（領収書）について，社名・会社の住所入りで発行してもらうことと同時に，接待飲食費を経費で落としてもらう（損金算入してもらう）ための規定，追加情報記録（接待された客先の人名・会社名，接待の理由等の記録）を作成しておく必要がある。

# 第4章

# 税務上の留意点

# 会社の税務上の留意点

　駐在員事務所，支店，現地法人（子会社）という在独日系企業のビジネス拠点が，実際にドイツでビジネス活動を展開していく際，当該ビジネス拠点にとって問題になってくる主要な税金として，
- 法人税
- 営業税
- 連帯付加税
- 付加価値税
- 賃金税（個人所得税源泉徴収分）

という5つの税金がある。

　最後の賃金税（Lohnsteuer）は，ビジネス拠点が支払うというより，日本人駐在員を含めたビジネス拠点（駐在員事務所，支店，現地法人）に雇用されているスタッフへの給与支払時に，その給与額から源泉徴収し，当該ビジネス拠点の地域の管轄の税務署に納付するものである。ドイツでは賃金税とあたかも1つの税金のように言っているが，給与所得の個人所得税の源泉徴収分をそう呼んでいるに過ぎない。その歴史的な経緯からも，その大筋において日本の給与所得の源泉徴収制度を想像してもらって間違いはない。また，社会保険料も納付義務者は従業員であるが，やはり源泉徴収に服し，会社負担分があることに加えて，賃金税の源泉徴収事務と密接に関係していることから，ここであわせて解説する。

　法人税・営業税・連帯付加税は，支店ならびに現地法人がビジネス活動を展開し，収益（利益）を計上することで納税が発生する。それに対して，付加価値税は，支店，現地法人（場合によっては駐在員事務所）が売上を計上することで，その納税義務が発生するものである。そのような理由から，法人税・営業税・連帯付加税はまとめて解説し，付加価値税はそれらとは別途にして言及していきたい。

# I 法人税・営業税法の概要

　支店ならびに現地法人（子会社）がドイツでビジネス活動を展開し利益を計上すると，その利益（課税所得）に対して，法人税〈Körperschaftsteuer（KSt. と略される）〉・営業税〈Gewerbesteuer（GewSt. と略される）〉・連帯付加税〈Solidaritätszuschlag（Soli. と略される）〉の3つの税金が賦課される。その税金は，管轄の税務署（営業税は市町村自治体税務課）に納付しなくてはならない。駐在員事務所は，既に「**第2章Ⅰ2　駐在員事務所と支店の相違**」（66頁参照）で解説したように，支店，現地法人のようなビジネス活動を行わず，法人税・営業税・連帯付加税を納付しないがゆえに，駐在員事務所であるという定義になっている。また，法人税・営業税・連帯付加税の3つの税金うちの連帯付加税は，常に法人税税額の5.5％と自動的に計算，査定が行われるもので，独自の課税ベース（算定根拠）が存在しているわけではない。それゆえ，ここでは法人税と営業税の課税に焦点を絞って解説していきたい。

## 1　法人税・営業税の納税義務の発生

　法人税（＋連帯付加税）と営業税の納税義務が，どのような根拠によって発生するのか，あるいは発生しないのか，発生しない駐在員事務所も含めた在独日系企業の3つのビジネス拠点の形態に沿って見ていきたい。

### ① 現地法人（子会社）の納税義務の発生

　在独日系企業の現地法人（子会社）の法形態としては，理論上は，有限会社〈GmbH〉，株式会社〈AG〉，有限合資会社〈GmbH & Co. KG〉，欧州会社〈SE〉等と色々なものが考えられる。しかしながら，その99.9％までが有限会社〈GmbH〉である。ドイツ法人税法（全40条［枝番条項があるので実際の条項の数としてはさらに多い］）の第1条において，法人税の課税対象となる組織形態として，法人，人的結合，財団の3種類が挙げられている。そして，それらの組織体がドイツ国内に

「管理機能所在地」または「登記上の所在地」を有している場合に、「法人税無制限納税義務（居住者としての法人税納税義務）」を負わされ、原則として全世界所得がその課税に服するものとされている。

上記の法人税の課税対象となる法人、人的結合、財団の3つの組織形態のうち、ビジネスに関連する組織形態が「法人〈Körperschaften〉」である。その法人の中には、株式会社、有限会社、株式合資会社、欧州会社等の資本会社（日本の物的会社に相当）、営業・経済協同組合、相互保険会社、その他の私法上の法人等が含まれている。日本との比較でいうと、ドイツの合資会社〈KG〉や合名会社〈OHG〉等の人的会社、そして民法上のパートナーシップ〈GbR〉においては、原則として、出資者（社員）レベルで個人所得税課税が行われ（パススルー課税）、ドイツでは法人税の課税対象とはなっていない。また、まれに日系企業の進出形態として見られる有限合資会社〈GmbH & Co. KG〉は、それ自体としては法人税納税義務には服していない（但し、2022年以降、法人税課税に服するオプションが導入されている）。

管理機能所在地は、人間の身体に喩えるならば企業法人の頭脳に相当するところである。日常的な経営意思決定が行われるところと定義されている。在独日系企業の現地法人は、殆どが「登記上の所在地＝管理機能所在地」である。ちなみに、現地法人の新規設立の場合、納税義務開始は登記完了時点ではなくて、設立出資者総会の開催時点となる。

また、営業税法第2条第1項には、営業税納税義務を負うのは、事業経営〈Gewerbebetrieb〉とあり、欧州会社、株式会社、有限会社等の資本会社は、常に事業経営として見なされると規定されている。細かいことではあるが、その定義ゆえに、営業税の納税義務は、登記完了時点で発生する。数週間の相違であるが、法人税の納税義務の発生より遅れる。いずれにせよ、在独日系企業の現地法人（ほとんどが有限会社）は、その法形態ゆえに、そしてその本社機能、登記所在地がドイツにあるがゆえに、ドイツにおける法人税・営業税（＋法人税の付加税である連帯付加税）の納税義務に服している。

## 2　支店の納税義務の発生

日本本社のようなドイツからみた場合の外国企業が、ドイツ国内に管理機能所在地（本社機能）も有せず、本拠地としての登記所在地（支店登記という意味ではない）も有していないとしよう。しかしながら、ドイツでのビジネス活動の展開のためにビジネス拠点を有している場合には、ドイツ租税通則法第12条と第13条の規定、

または，日独租税条約第5条の「PE〈permanent establishment〉（日本語では恒久的施設と訳されている）」を通じて，現地法人（子会社）のように，やはりドイツの法人税・営業税の納税義務に服する。ドイツ租税通則法第12条，第13条ならびに日独租税条約第5条は，以下のようになっている。ちなみに，日独租税条約の原文テキストは，旧条約と本質的に異なるところはないが，2017年1月1日施行の新条約の原文テキストである。

---

**ドイツ租税通則法第12条**

恒久的施設〈Betriebsstätte〉とは，企業の活動に資するところの，固定的な事業施設または事業設備すべてである。とりわけ，以下のもの，すなわち，1．管理機能所在場所，2．支店，3．事務所，4．工場，5．商品倉庫，6．販売所・買付所，7．鉱山，石切場，または，その他の地域的に固定した，または，地域的に移動する天然資源採取場所，8．建設現場または組立工事現場で，a) 個々の建設現場または組立工事現場が6ヵ月を超えて存在する場合，b) 複数の同時並行的に遂行されている建設現場または組立工事現場の1つが6ヵ月を超えて存在する場合，または，c) 複数の中断なく存在している建設現場または組立工事現場が6ヵ月を超えて存在する場合が恒久的施設として見なされる。

**ドイツ租税通則法第13条**

常設代理人とは，その指示に従い，継続的にある企業の事業活動を監視・遂行する者である。常設代理人は，とりわけ，ある企業のために，継続的に，1．契約を締結し，または，仲介し，または，外部から業務委託を取ってくるか，または，2．物資または商品を保管し，そこから納品を行う者である。

**日独租税条約第5条第1項，第2項，第3項**

(1) この協定の適用上，恒久的施設とは，事業を行う一定の場所で，企業がその事業の全部又は一部を行っているものをいう。
(2) 恒久的施設には，特に，次のものを含む。
 (a) 事業の管理の場所，(b) 支店，(c) 事務所，(d) 工場，(e) 作業場，(f) 鉱山，石油又は天然ガスの坑井，採石場その他天然資源を採取する場所
(3) 建物工事現場又は建設若しくは据付けの工事については，これらの工事現場又は工事が12ヵ月を超える期間存続する場合には，恒久的施設を構成するものとする。

---

このようなビジネス拠点を通じての課税を，総称的に広義の意味において支店課税あるいはPE課税と呼ぶことが多い。但し，現地法人の法人税無制限納税義務（居住者として納税義務）とは異なり，ドイツのビジネス活動に関する収益のみ（日独租税条約第7条）についての納税義務である。それゆえ，ドイツ税法の用語として

は，法人税制限納税義務（非居住者としての納税義務）と呼ばれている。そして，税務目的で損益計算書・貸借対照表を作成し，それを添付して法人税・営業税申告書を管轄税務署に提出しなければならない。

　一応，ドイツ国内法（租税通則法）と日独租税条約の双方の規定を列挙したが，一般的な話として，国内法の規定に対して，租税条約が優先的に適用される。日本の会社がドイツにビジネス拠点を有している場合，日独租税条約が優先適用される。また，イギリスの現地法人がドイツにビジネス拠点を有している場合には，独英租税条約が優先的に適用される。通常のビジネス拠点の場合であれば，租税条約ごとの相違はそれほど大きくないが，建設現場等の場合の支店課税は，租税条約ごとの差異が大きいので，そのつど，ドイツが締結している租税条約に個別に当たることが重要である。

　現地法人の場合，基本的には，その法形態ゆえに，法人税・営業税の納付義務が発生していたが，支店の場合は，外国の会社（日本本社）がドイツにビジネス拠点を有しているがゆえに，法人税・営業税の納付義務が発生している。そしてこの点は，未登記支店と登記支店の双方（第2章　会社法上の留意点Ⅰ2(3)　登記支店と未登記支店（67頁参照））に該当する。すなわち，税務面から見て，未登記支店と登記支店との間に相違はない。

## ③　駐在員事務所の法人税・営業税の納税義務の欠如

　駐在員事務所も，ほとんどの場合，ドイツの都市においてオフィスを賃借し，場合によっては現地スタッフも雇用し，日独租税条約第5条第1項にいう「事業を行う一定の場所」（ビジネス拠点）を有している。その意味で，支店課税に服して，ドイツで法人税・営業税の納付義務に服すべき存在である（PE課税）。他方で，その「PE」（恒久的施設）の例外を明記した日独租税条約第5条第4項において，①保管・展示・引渡し・他の企業による加工のために日本の法人企業がドイツで商品・物品の在庫を持つこと，あるいは，そのために施設を利用すること，②買付・情報収集のための場所を保有すること，③以上の活動を組み合わせて行うことが，全体として補助的・準備的性質に留まる限りにおいて，「PE」（恒久的施設）とはみなされないと明記されている。その結果，上のビジネス活動の範囲の駐在員事務所であれば，支店課税（PE課税）が行われない。

　(4)　協定第五条の規定にかかわらず，次の活動を行う場合には，「恒久的施設」に当たら

> ないものとする。ただし，その活動（次の(c)の規定に該当する場合には，次の(c)に規定する事業を行う一定の場所における活動の全体が準備的又は補助的な性格のものである場合に限る。
> (a) (i) 企業に属する物品又は商品の保管，展示又は引渡しのためにのみ施設を使用すること。
> 　　(ii) 企業に属する物品又は商品の在庫を保管，展示又は引渡しのためにのみ保有すること。
> 　　(iii) 企業に属する物品又は商品の在庫を他の企業による加工のためにのみ保有すること。
> 　　(iv) 企業のために物品若しくは商品を購入し，又は情報を収集することのみを目的として，事業を行う一定の場所を保有すること。
> (b) 企業のために(a)に規定する活動以外の活動を行うことのみを目的として，事業を行う一定の場所を保有すること。
> (c) (a)及び(b)に規定する活動を組み合わせた活動を行うことのみを目的として，事業を行う一定の場所を保有すること。

　駐在員事務所は，ドイツにビジネス拠点を有しているにもかかわらず，日独租税条約の例外規定に即して，ビジネス活動の内容を限定しているがゆえに，ドイツの法人税・営業税の納付義務に服さない。しかし，たとえ駐在員事務所と名乗っていたとしても，そのビジネス活動の実際の内容が，日独租税条約の例外規定に合致しなくなっているのであれば，当然のことながら，ドイツの法人税・営業税の納付義務に服することになる。ちなみに，既に言及してきたように，日独租税条約は2017年1月1日付で改定された新条約が発効されているが，このPE（恒久的施設）の例外規定も改訂された。それに加えて，2012年からスタートしたOECDのBEPSプロジェクトに基づく多国間協定により，この日独租税条約のPE（恒久的施設）の例外規定も若干修正されて2021年4月に発効している。上の条文テキストは，2021年4月に改定・発効したものである。180度の変更ではなく，従来から言われていたことではるが，例外規定の適用は，その駐在員事務所の活動があくまで準備的・補助的である場合だという点がより明確にされたことである。

## 2　法人税と営業税に関する基礎知識

　ここでは，法人税（＋連帯付加税）と営業税が，どのような法的根拠に基づいて賦課されているのか，どの税率が課されているのか等を解説する。

## 1　法人税・営業税・連帯付加税とは？

　「法人税〈Körperschaftsteuer〉」（KSt.と略記されることが多い）は，ドイツ法人税法（全40条［枝番条項があるので実際の条項の数としてはさらに多い］）を根拠にして賦課されている。但し，法人税法の条項数からもすぐに判断されるように，法人税法それ自体はそれほど詳細な税法規定ではなく，多くの規定が所得税法に依拠して執行されている。税率は15％であり（2008年から），商法会計基準によって作成された年度決算書の当期利益をベースにして算定された課税所得に，税率が乗じられて税額が計算される。その税収は，連邦政府と州政府がそれぞれ半分ずつ分け合うことから共同税と呼ばれている。しかしながら，法人税収のドイツの税収全体に占める比率は5％以下であり，日本における法人税税収の比率と比較すると格段に低い。そして，過去における大きな税制改正により，マイナス税収になったという前代未聞の歴史も有している。但し，内容的には，大筋において日本の法人税に相当するものである。

　「営業税〈Gewerbesteuer〉」（GewSt.と略記されることが多い）は，1997年まで，「営業資産税〈Gewerbekapitalsteuer〉」と「営業収益税〈Gewerbeertragsteuer〉」の2種類があった。しかし，営業資産税は1998年に廃止され，現在では営業収益税だけが徴収されている。営業税法（全37条［枝番条項があるので実際の条項の数としてはさらに多い］）を根拠にして賦課されている。日本の事業税に相当するものであり，その税収はほとんどが市町村自治体に帰属し，ドイツにおける地方自治の根幹的財源となっている。実際，営業税は管轄の税務署に納付するのではなく，現地法人（子会社）あるいは支店（事業所）が位置する市町村自治体の税務課に納付する。法人税の課税所得をベースにして，営業税法上の観点からの加算と減算の処理が行われ，営業税の課税所得である営業収益が算定される。営業税税収のドイツの税収全体に占める比率は，年度によってかなり変動しているが，5％～10％の間になっていることが多い。いずれにせよ，若干ではあるが法人税税収よりも多い。また，営業税の税率は，後述するように，ドイツ全国で共通の基準税率と市町村自治体が自らの裁量で決定できる税率の2段階になっている。後者の税率を引き下げて，積極的な企業誘致策を講じている市町村自治体がある。

　「連帯付加税〈Solidaritätszuschlag〉」（Soliと略記されることが多い）は，当初，1991年7月から1992年6月までの1年間，個人所得税ならびに法人税に対する付加税として7.5％の税率で徴収された。当時の暦年ベースに換算すると，結局半分の3.75％となり，法人税額100だった場合，3.75の追加負担が発生していた。こ

の連帯付加税は，1990年のドイツ再統一でドイツ連邦共和国の領域となった旧東ドイツ地域の経済発展のための資金需要と当時勃発した湾岸戦争支援の資金需要のために臨時的に徴収された時限立法税であった。1993年と1994年にはその徴収が行われなかったが，1995年から再度徴収されるようになり，1998年以降は，5.5％に税率が引き下げられて徴収されている。いつ徴収が行われなくなるのかについては，2018年春に発足した大連立内閣（キリスト教民主社会同盟と社会民主党）において，部分的・段階的撤廃が取り決められ，2021年からは個人所得税に関しては一定額を超える高額所得者からのみ徴収されている（法人税・配当源泉税については変更なし）。連帯付加税法（全5条）がその賦課・徴収の根拠となっている。

## 2 法人税・営業税の申告手続，前払制度，査定，納付
### (1) 法人税・営業税の事業年度と申告書の提出

　法人税および営業税の査定・納付は，現地法人（子会社）ならびに支店の事業年度毎に行われる。租税回避の疑いがある場合等を除き，現地法人の新規設立の場合，あるいは支店が日本本社と同じ3月決算の場合，原則としてその非暦年事業年度はそのまま税務当局に認められる（未登記支店の場合は原則として暦年事業年度になることには留意）。また事業年度の変更は，暦年事業年度から非暦年事業年度への変更と，ある非暦年事業年度から別の非暦年事業年度への変更の場合は，税務署の許可が必要とされている。営業税の納付は，市町村自治体の税務課であるが，その申告書の提出は，法人税申告書の提出の場合と同様に管轄の税務署に対して行う。

　日本との違いで注意すべきは事業年度の数え方である。例えば2022年3月31日に終了した事業年度は2022年度とみなされる（事業年度が終了した暦年が基準）。すなわち，2022年12月31日に終了した事業年度（暦年事業年度）と2022年3月31日に終了した事業年度は，同じ2022年度となる。そして，法人税年度申告書の提出期限は，2018年度分以降，それまでよりさらに延長されて（租税通則法第149条ならびに租税通則法導入法第10a条），納税義務者自身が提出する場合には，翌暦年の7月31日まで（2017年度分までは翌暦年の5月31日まで），税理士・会計事務所等を通した場合には，翌々暦年の2月28日（29日）までとなっている（2017年度分までは翌暦年の12月31日まで）。2019年度分以降は，コロナパンデミックの社会的混乱ゆえに，時限立法的にさらに延長されているので（2024年度分まで），通常の年としての2018年度分について，少し具体的に解説する。2018年12月31日に終了した事業年度の法人税年度申告書の提出期限は，原則として2019

年7月31日までであった（その日が週末だったりすると、月曜日に延長される）。税理士・会計事務所等を通した場合には、2020年の2月29日までとなっていた（週末の特別ルールは同じ）。また、在独日系企業の現地法人（子会社）によく見られる3月決算の場合、2018年3月31日で終了した事業年度の申告提出期限は、上記の年度の数え方のゆえに、2018年12月31日で終了する暦年事業年度と同じにみなされることから、2019年7月31日または2020年2月29日までとなっていた。すなわち、税理士・会計事務所等を通した場合には、年度終了から2年弱の時間があることになる。ここのところは、日本との比較で大きな違いになっており、日本本社の担当者から驚愕の対象となる事象である。

　また、ドイツの法人税と営業税の申告・納付は、いわゆる賦課決定方式で行われている。納税義務者は申告書に収益と費用（控除額）ならびにその他の必要事項を記入して、税務署に提出する。税額を計算するのは、その申告書の提出を受けた税務署の担当者である。そのため、ドイツの法人税・営業税の申告書には税額を記入する欄がない。年度申告書が管轄の税務署に送付されてから、通常2ヵ月から6ヵ月ほどで、税務署から税額が記載された査定書が送付されてくる。法人税も営業税も、その納付は査定書が送付されてから原則として4週間以内である。その査定書の内容に納得できないところがある場合、同様に4週間以内に異議申立を提起する。非新設法人企業の場合で利益を計上している場合、最新の査定書に基づき前払法人税額が査定され、四半期毎（3月、6月、9月、12月の10日まで）に前払法人税の納付を行う。法人税と同様に、利益が計上されている場合、営業税も四半期毎の前払営業税の制度があるが、支払期日は法人税とは異なり2月、5月、8月、11月の15日までである。決算日が過ぎてから当該年度の法人税年度・営業税年度申告が提出されるまで、かなりの時間的余裕があることから、場合によっては、前払法人税あるいは前払営業税の「後払い」ということがよく発生する。

　年度申告書が提出された後に現地法人ならびに支店に送付された査定書は、いわば仮確定である。原則として、3年から5年までの期間を対象とする一般税務調査を経た後で送付されてくる査定書で仮確定が外れる。また、この仮確定の状態は、申告書の提出年の暦年末から数えて4年経過すると、原則として時効が成立して仮確定が外れ、一般税務調査の対象から外れることになる。すなわち、暦年事業年度の現地法人の2017年度の仮確定の法人税・営業税の査定書は、2018年に申告書が提出されていた場合、2022年12月31日を経過すると、時効が成立して自動的に仮確定が外れることになる。

## (2) 営業税の査定・徴収

　営業税の査定は，原則として，法人税の課税所得を基礎にして行われる。それに営業税法で定められた加算項目と減算項目を考慮して「営業収益額〈Gewerbeertrag〉」（下2桁は切捨て）が確定される。在独日系企業の現地法人（子会社）や支店の場合，この営業収益額に3.5％（2008年以降［これはドイツ全体で共通］）が乗じられて，「課税基準額〈Steuermeßbetrag〉」が求められる。多くの在独日系企業の現地法人や支店のように，事業所がドイツの1つの市町村自治体にしか存在していない場合（すなわちドイツ国内に他に事業所，支店がない場合）は，その課税基準額に当該市町村自治体の「乗率〈Hebesatz〉」が乗じられて営業税額が算定される。この場合，当該市町村自治体の税務課が，営業税額が記載された査定書を会社に送付して，会社は営業税額をその税務課に納付する。営業税の乗率は，慣れていないと違和感を覚えるが，3桁数値％の形（例えば440％）で表される。これは市町村自治体が自ら決めるもので，最低200％で（2004年以降），最高は決められていない。連邦での共通の基準税率である3.5％の何倍になるのかという考え方である。

　とりわけ，現地法人がドイツ国内に本店とは別に事業所，営業所，支店等を有し，それらが異なる市町村自治体に位置している場合，その営業税の課税は，税務当局内部だけの話であるものの，少し複雑な手続きとなる。営業税の申告書を受理した税務署が，営業収益額ならびに課税基準額を査定すると共に，本店，事業所，営業所，支店に雇用されている従業員に対する支払給与報酬額をベースとして，課税基準額を割り振る作業を行う。本店，事業所，営業所，支店の位置するそれぞれの市町村自治体の税務課は，その割り振りされた課税基準額に自らの乗率を乗じて営業税額を算定し，査定書を現地法人の本店に送付してくる。

## 3　法人税と営業税の税率

　ドイツの法人税は，連邦政府と州政府全体（全部で16州ある）がその税収を半分ずつ取得することから，共同税と呼ばれている。営業税は，本来的には市町村税であるが，1970年以降連邦政府・州政府への営業税税収の一部の配分制度が導入され，現在に至っている。

## 1　法人税率　―過去と現在―

　2001年1月1日以降に開始する事業年度から，内部留保利益，配当利益，支店利益の区別なく1つの税率になっている。2003年度は，2002年8月のエルベ川・ドナウ川大洪水による被害の復興資金に充当するということで，当時の25％の税率に1.5％上乗せの26.5％であった。それに加えて旧東ドイツの復興支援という目的の連帯付加税が徴収されており，2018年時点では法人税額の5.5％（100の法人税課税所得に対していうと0.825％）となっている。ここは，最近の最も大きな法人税改正が行われた2008年以降変わっていない。

〔法人税率・連帯付加税率の推移〕

|  | 1977 | 1990 | 1993 | 1994 | 1995 | 1998 | 1999 | 2001 | 2003 | 2004 | 2008 | 2022 |
|---|---|---|---|---|---|---|---|---|---|---|---|---|
| 対内部留保利益 | 56% | 50% | 50% | 45% | 40% | 40% | 40% | 25% | 26.5% | 25% | 15% | 15% |
| 対配当利益 | 36% | 36% | 36% | 30% | 30% | 30% | 30% | 25% | 26.5% | 25% | 15% | 15% |
| 支店利益 | 50% | 50% | 46% | 42% | 42% | 42% | 40% | 25% | 26.5% | 25% | 15% | 15% |
| 連帯付加税 | ― | ― | ― | ― | 7.5% | 5.5% | 5.5% | 5.5% | 5.5% | 5.5% | 5.5% | 5.5% |

　対内部留保利益または対支店利益に関する税率で見ると，1995年における連帯付加税の再導入に伴う増税を無視すれば，ドイツの法人税率は，1990年を基準にして現在まで30％近くまでに半分に引き下げられている。これは，「EU（欧州連合）域内の税率引下げ競争」の影響である。この「EU（欧州連合）域内の税率引下げ競争」は，1970年代に当時の欧州経済共同体（EEC）に加盟した当初，「欧州の貧民街」と呼ばれていたアイルランドが，法人税率を引き下げることで外資導入を積極的に押し進め，国内経済の活性化に成功したことに触発されたものである。

## 2　営業税の税率

　営業税の税率は，「基準税率〈Steuermesszahl〉」と「乗率〈Hebesatz〉」の2つから構成されている。基準税率は，在独日系企業の現地法人（子会社）のような資本会社の場合は3.5％であり（個人事業主等に対しては軽減税率がある），これはドイツ全体で共通になっている。乗率は，440％（デュッセルドルフ）や490％（ミュンヘン）というように3桁％の形で表され（最低200％［2004年以降］），市町村自治体が自らの裁量で決定するものである。この営業税の負担を非常に単純化した形で示すと以下のようになる。

> 営業収益：100×3.5％（基準税率）×400％（乗率）
> ＝100×3.5％× 4
> ＝14

　法人税上の課税所得と営業税上の営業収益との間には，営業税上の観点からの加算・減算の処理が入ることから，「（法人税上の）課税所得＝営業収益」ではない。しかし，ごく大雑把に言って，100の利益を上げると，乗率400％の市町村自治体にある現地法人は，14％の営業税負担を負わせられることになる。

　乗率０％となった場合，上記の算式からも分かるように，営業税はゼロとなり徴収されない。実際，最北端の連邦州であるシュレスヴィッヒ・ホルシュタイン州に位置するノルダーフリードリヒスコークという自治体は，長らく乗率０％で営業税を納付する必要がなく，ドイツ国内の「タックス・ヘイブン」として，マスコミでも注目を浴びていた。2003年に，「中央による地方自治への介入」ということで色々な議論がなされたが，乗率最低200％の規定が導入され（2004年施行），税法規定上は営業税ゼロの自治体はなくなった。総じてこの乗率は，大都市になればなるほど高くなっている（例外はベルリン）。そして特に，地方都市あるいは大都市の近隣市町村では，この乗率を低くして企業誘致の手段にする傾向が見られる。その具体的な例として，ミュンヘン近郊のグリュンバルト（Grünwald），フランクフルト近郊のエッシュボルン（Eschborn），そして，デュッセルドルフ近郊のモンハイム（Monheim）が有名である。

### ③　法人税と営業税の合計の総合負担

　法人税だけを見ると，その税率は15％（連帯付加税も加えると15.825％）である。現地法人（子会社）あるいは支店がビジネス活動を展開して収益を上げた場合，それについて負担するのは法人税（＋連帯付加税）だけではなく，営業税が加わる。営業税の負担は，その現地法人あるいは支店が位置する市町村自治体毎に違ってくる。全国の自治体の平均に近い切れのいい数値である「乗率：400％」で計算してみると，100の課税所得が計上された場合の総合税負担は，以下のように計算される。

```
法 人 税（100×15%）              15.00
連帯付加税（15.00×5.5%）          0.82
営 業 税（100×3.5%×400%）       14.00
合計税負担                        29.82
```

簡単にするために，法人税上の課税所得と営業税上の営業収益を同じにしてあるが，「法人税率：15％」は，国際的に見ても他国に引けを取らない低さである。しかし問題は，企業収益課税という点では営業税負担が加わり，結果的には30％前後の総合税負担になっていることである。但し，上記の例は営業税の平均乗率に近い「乗率：400％」で計算したが，その他の条件はまったく同じで，「最低乗率：200％」で計算すると以下のようになる。

```
法 人 税（100×15%）              15.00
連帯付加税（15.00×5.5%）          0.82
営 業 税（100×3.5%×200%）        7.00
合計税負担                        22.82
```

2003年まで「乗率：0％」の自治体であったノルダーフリードリヒスコークは，長い間最低乗率の200％であったが，現在では，364％である。現在でも最低条率200％の自治体が存在している。しかしながら，それらの自治体は，その交通の便，その他のインフラから見て，在独日系企業の現地法人あるいは支店の立地に適してはいない。とはいえ，理論的には，ここまで営業税負担が軽減される可能性があるという点は非常に興味深い。

前述の「① 法人税率─過去と現在─」（232頁参照）の表からも分かるように，1977年当時の内部留保利益に対してのみであるが，法人税だけで56％であった。それに営業税負担が加わることから，100の利益を上げた場合，半分どころか70％近くを税金として納付しなくてはいけないという時代であった。他方で，この当時よく言われていたのは，確かに名目税率は途方もなく高いが，引当金の計上・各種の優遇措置・例外規定が多数存在していて，実効税率ベースで見ると，その税負担は100の利益に対して30％〜40％くらいだったということである。ただし，これらの優遇措置や例外規定等を駆使して，低い実効税率ベースの負担を享受できたの

は，複雑なドイツ税法を知り尽くした税務エキスパートをスタッフとして要していたドイツ企業だけであった。日系企業を含む外資系企業の場合，高い名目税率ベースの負担をそのまま甘受しなくてはいけなかったと言われている。

法人税率が「対内部留保利益：50％」（対配当利益：36％）であった1990年以降において，1998年の保守・中道の連立政権から左派連立政権への政権交代，2005年の左派連立政権から大連立政権への政権交代にもかかわらず，ドイツにおいて一貫して追求されているのが，「税率引下げ」と「課税ベースの拡大」という政策である。すなわち，法人税率を引き下げるとともに，法人税法の中の特定の業界・特定のビジネスモデルのみに適用されるような優遇措置・例外規定を徹底的に排除するという政策である。在独日系企業の現地法人あるいは支店の立場から見ると，次の企業収益課税のEU域内比較からも見て分かるように，ドイツはなお「高税率国」にランクされてしまうものの，そして2008年以降に引下げは行われていないものの，過去30年前後の間の税率引下げと課税ベースの拡大という政策は，極めて歓迎されるべきものである。

## 4　企業収益課税のEU域内比較

ドイツの法人税・営業税の総合負担を客観的に見るために，他のEU加盟国と比較すると，以下のようになる。

〔EU加盟国の企業収益に対する税負担（2022年）〕

| 国　　名 | 税　率 |
| --- | --- |
| ベルギー | 25.00 % |
| ブルガリア | 10.00 % |
| デンマーク | 22.00 % |
| ドイツ | 30.00 % |
| エストニア | 20.00 % |
| フィンランド | 20.00 % |
| フランス | 25.80 % |
| ギリシャ | 22.00 % |
| アイルランド | 12.50 % |
| イタリア | 27.80 % |
| クロアチア | 18.00 % |
| ラトビア | 20.00 % |
| リトアニア | 15.00 % |
| ルクセンブルク | 24.90 % |

| マルタ | 35.00 % |
| --- | --- |
| オランダ | 25.80 % |
| オーストリア | 25.00 % |
| ポーランド | 19.00 % |
| ポルトガル | 31.50 % |
| ルーマニア | 16.00 % |
| スウェーデン | 20.60 % |
| スロバキア | 21.00 % |
| スロベニア | 19.00 % |
| スペイン | 25.00 % |
| チェコ | 19.00 % |
| ハンガリー | 10.80 % |
| キプロス | 12.50 % |

　ドイツを上回っているのは（高い乗率の自治体を前提にして算定したもの），ベルギー，ポルトガル，マルタの3ヵ国だけであり，とりわけ1990年以降のドイツにおける過去の法人税税率の引下げ努力にもかかわらず，EU域内で見ると，ドイツはなお高税率国になる。

## 5　営業税における加算・減算

　営業税の税額は，法人税上の課税所得を出発点にして，その課税所得に加算手続きならびに減算手続きを行い，その課税ベースとなる営業収益を算定する。加算項目も減算項目も，どちらかと言うと，人的会社ならびに個人事業者に関わるものが多い。在独日系企業の現地法人（子会社）ならびに支店にとって頻繁に出てくる加算項目は，債務利息等の25％，その他の債務利息等に類似したもの（使用・用益賃借料，リース料，ライセンス料のファイナンス部分）の25％，法人税上損金算入された寄付金，法人税上益金不算入扱いされた配当収益・株式（出資持分）売却益，株式（出資持分）の評価減，特定の外国税金等が挙げられる。減算項目の主要なものは，土地の課税基準価格の1.2％，営業税上の規定に基づく寄付金控除額，出資比率15％以上の資本会社等からの配当収益等がある。

　債務利息等の25％，その他の債務利息等に類似したものの25％というのは，2008年企業収益税改革で導入されたものである。そこで，従来加算対象になっていなかったものにまで拡大されている。債務利息等には，その満期期限の長短に関係なく，通常の借入金の支払利子に加えて，通常の取引において付与されることのないようなスコンティ（割引）や，手形割引部分，ならびに，債権譲渡時の割引部

分も含まれる。その他の類似したもののファイナンス部分というのは，動産の支払リース料・賃借料の20％，不動産の賃借料の50％（2008年と2009年は65％），各種の権利の賃借料（支払ライセンス料）の25％を意味している。これを2007年以前，2008年・2009年，2010年以降とで，その変遷を表にすると以下のようになる。

〔営業税の加算項目：債務利息等の比率の推移〕

|  | 2007年以前 | 2008年・2009年 | 2010年以降 |
|---|---|---|---|
| 債務利息等 | 50.00％ | 25.00％ | 25.00％ |
| ロイヤリティ | 0.00％ | 6.25％ | 6.25％（25％×25％） |
| 動産の賃借・リース料 | 50.00％ | 5.00％ | 5.00％（20％×25％） |
| 不動産の賃借・リース料 | 0.00％ | 16.25％ | 12.50％（50％×25％） |
| 非 加 算 額 | 200,000ユーロ（100,000ユーロ：2019年まで） |||

　上の動産のうち一定の条件を満たした電気自動車・ハイブリッド車のリースについては，2020年から2.50％（10％×25％）が適用されている。なお，この非加算額のEUR 200,000は，「債務利息等全額＋ロイヤリティの25％＋動産の賃借・リース料の20％＋不動産の賃借・リース料の50％の合計額」から控除するという点は留意しておく必要がある。このような2008年の改正で，ドイツの営業税が外形標準化の傾向を強めたと言われている。

## 6　商法会計と税法会計　—基準性の原則—

　ドイツで法人税の課税対象となる法人企業の課税所得は，原則として商法会計基準（正確には商法の正規の簿記の原則）に基づき算定される。商法会計基準が税法会計の基準となるという意味で，これは「基準性原則〈Maßgeblichkeitsprinzip〉」と呼ばれている（ドイツ所得税法第5条第1項第1文）。そして実務的にも，法人税の申告に際して，通常は商法上の決算書類（貸借対照表，損益計算書，注記［付属明細書］），商法上の監査の対象となる中会社以上の場合は，監査報告書を申告書に添付して提出する。ちなみにここのところを正確にいうと，2013年度分から，少なくとも決算書類（貸借対照表，損益計算書，注記［付属明細書］）について，電子データとしてオンライン送付することが義務付けられている（Eバランス）。このようなドイツにおける商法会計と税法会計との間の関係については，以下の2つの点が指摘されなければならない。
　第1点目は，税法会計あるいは税法規定の商法会計基準の年度決算書に対する影

響である。2010年ドイツ商法会計基準改革以前は，税法会計処理と商法会計処理の双方に同じような選択権が確保されていて，税法上の観点からある選択的処理を選ぶ場合，商法上も同一にしなくてはならないという逆基準性の原則（所得税法第5条第1項第2文［旧］）が存在していた。また，アメリカ会計基準との比較において，よくドイツ商法会計基準は原則論を明記しているに過ぎず，詳細な規定が欠如しているといわれる。そして，個別項目によっては，より詳細な規定が取り決められている税法会計基準による処理が，実質的な商法会計処理の指針となっている事例が多い。2010年ドイツ商法会計基準改革により，逆基準性の原則は撤廃されたものの，基準性の原則はまだ維持されていることから，商法会計基準と税法会計基準との関係が，一挙に「離婚関係」に至るとは考えられない。

　他方で第2点目は，既に2000年前後から，税法会計の商法会計からの乖離傾向が見られるという点である。まずは，従来から商法決算書上では費用計上されているが，接待飲食費（30％［2003年までは20％］）や取引先への1人/1年当たりの金額が35ユーロを超えた場合の贈物等の申告調整項目（損金算入自己否認）の税効果会計でいうところの永久差異に属するものがあった。それに加えて，とりわけ過去20年近くの間の税制改正により，税法会計が商法会計から乖離する事例が増えており，ドイツの税法専門家の間でも「基準性原則からの訣別」といったことが盛んに議論されていた。2010年ドイツ商法会計基準改革においては，年金等引当金の処理のように，商法会計基準の処理が税法会計の処理から乖離するというものもいくつか出ている。今後も税制改正により，税法会計の処理が商法会計基準による処理から乖離するという方向がより強まることは間違いない。

# II 支店・現地法人における法人税・営業税

　法人税上の課税所得は，原則として，商法会計基準に基づく当期利益（税引前利益）をベースにして計算される。営業税は，その法人税上の課税所得をベースにして，「5　営業税における加算・減算」（236頁以下参照）で解説したように，営業税法上の観点から規定された加算・減算の処理をして，営業税上の課税所得である営業収益を算定する。2010年商法会計基準改革により，商法会計基準と税法会計基準との蜜月関係は終わり，今後も両者は漸次その乖離傾向を強めていくであろう。しかしながら，実務的には，商法会計基準の当期利益（税引前利益）が，法人税上の課税所得（営業税上の営業収益）の算定のベースになるという点は，当分の間大きく変わることはないと思われる。以上の理由から，ここでは在独日系企業の現地法人（子会社）あるいは支店に深く関連する規定について，あくまで「第3章　会社の会計・経理上の留意点」で解説したドイツ商法会計基準の内容をベースにして，そこから異なっている点，あるいは税法上の規定として強調すべき点を取り上げていく。

## 1　法人税上の課税所得の計算⑴─計上・評価原則の乖離

　2010年ドイツ商法会計基準改革以前から存在していた乖離項目も含めて，在独日系企業の現地法人（子会社）ならびに支店の法人税上の課税所得の計算に際して，商法会計基準による年度決算書（貸借対照表）とは異なる処理を行う必要がある項目の主なものは，以下のようになる。

### 1　固定資産・流動資産の評価減の計上

　一般的な原則として，ドイツの商法会計基準では，固定資産について，決算日において「長期的価値の下落」が見込まれる場合，評価減を計上することが義務付けられている（商法第253条第3項第5文）。流動資産については，低価法に基づき，決算日の評価額が取得原価また製造原価より低い場合，同様に評価減を計上するこ

とが義務付けられている（商法第253条第4項）。この評価減のことを，固定資産については「通常外償却〈außerplanmäßige Abschreibungen〉」と呼び，流動資産については単に「償却〈Abschreibungen〉」と呼んでいる。他方で税法規定では，この評価減は，流動資産については低価法に加えて「長期的価値の下落」という追加的条件が加わるものの，固定資産についても流動資産についても任意計上となっている（所得税法第6条第1項第1号第2文，第2号第2文）。税務当局側の見解では，基準性の原則が強制的に適用されず，商法会計基準上の処理とは無関係に税法上の任意計上権が行使できるとしている（2010年3月12日付連邦財務省通達）。

## 2　無形固定資産

　上記のことを前提にして，無形固定資産については，2010年ドイツ商法会計基準改革により，(1)有償取得した営業権の資産計上義務の導入（自社内創出の営業権は引き続き計上禁止），(2)自社内開発・創出の一定の無形固定資産の資産計上選択権の導入（例：特許権，意匠権等），(3)研究開発費の開発費部分の製造原価としての資産計上の可能性（研究費部分は引き続き費用処理），という3つの重要な改正がなされ現在に至っている。あくまでこれは，商法上の話である。

　自社内創出の営業権に関しては，商法会計基準と税法規定上のどちらも計上禁止なので，乖離が発生することはない。有償取得の営業権についても，商法会計基準と税法規定のどちらも，計上義務でしかも減価償却の対象なので，そこだけでは乖離が発生しない。しかしながら，減価償却期間の相違により乖離が発生する可能性がある。商法会計基準では，それ以上の期間の耐用年数を証明できない限り，2015年までは原則として5年償却であった。そして，2016年からは会社側の合理的計算にもとづいて耐用年数を算定することが原則であるが，どうしてもそれが不可能である場合には10年でもよいとされている。それに対して税法規定では，在独日系企業の現地法人（子会社）のような事業会社の場合，原則として15年である（所得税法第7条第1項第3文）。また，有償取得の営業権について，長期的価値の下落と見込まれる場合，商法会計基準でも税法規定でも評価減（通常外償却）をする。その後，評価額の回復が見られた場合，税法規定上は，取得価格から定期的な減価償却額を控除した価額を最高限度として，評価額の振り戻しが義務付けられている（所得税法第6条第1項第1号第4文）。しかしながら，商法会計基準ではそれが認められていない。

　また，商法会計基準上，自社内開発・創出の一定の無形固定資産（例：特許権，意

匠権等）の資産計上選択権が，2010年ドイツ商法会計基準改革によって導入された。その際，研究開発費の中の開発費を製造原価として資産計上できる。これに対して，税法規定上は，この資産計上は研究費と開発費のどちらも認められていない（所得税法第5条第2項）。

## 3 有形固定資産

　償却固定資産の償却方法として，商法会計基準においては，定額法，定率法，その他の派生的な償却方法も認められている。しかしながら税法規定上は，特定の例外を除き，原則として定額法である（所得税法第7条第1項第1文）。その特定の例外としては，まずは2007年以前に取得・製造された動産や，2005年以前にその建築許可申請が提出されたものまたは購入契約が締結された建物について，定率法あるいは級数法が認められている。さらに，一部のものについて生産高比例法（所得税法第7条第1項第6文）も見られる。また，2009年1月1日以降から2010年12月31日までに取得・製造された動産については，時限立法措置として，再度定率法の採用が認められている（定額法の2.5倍だが最高で25％）。定率法が採用されている場合，定額法への移行は認められているが，定額法が採用されている場合に定率法へ移行することは認められていない（所得税法第7条第3項）。ちなみにこの時限立法措置に基づく定率法は，2020年1月1日から2022年12月31日までの期間について再度導入された。

　償却固定資産の耐用年数については，経済的合理性が主張できる場合には必ずしもそれに従う必要はないが，連邦財務省から税務耐用年数表（AfA表）が公表されている。しかし，実務的にはほとんどのケースにおいて，それに基づいて減価償却処理が行われ，商法上の決算書が作成され，法人税上の課税所得の計算がなされている。具体的な償却固定資産の耐用年数としては，パソコン：3年（ハード，ソフト），自動車：6年，建物：25年（または33年），オフィス家具：13年等があげられる。税務当局側の傾向として，税務耐用年数表に規定してある耐用年数より長い耐用年数で減価償却を行っている場合には受容するが，その逆の場合は，経済的合理性の根拠が厳格に調査される。

　取得・製造の事業年度における減価償却について，税法上の規定として，2003年までは半年単位の簡便法処理が認められていたが，2004年から月割計算することが義務付けられている。すなわち，暦年事業年度の会社で11月中にある償却固定資産を取得・製造して計上した場合，当該事業年度の償却額は年度償却額の6分の1

となる。これはあくまで税法上の規定であるが，商法会計基準上もそれに沿った処理が行われている。

　商法会計基準上の有形固定資産に対する経理上の処理は，その価額の高低に関係なく，固定資産台帳に計上・評価し，減価償却処理するというのが原則である。それに対して，あくまで税法会計基準上の規定ではあるものの，商法会計基準に基づく実務現場でも容認されているものとして少額資産処理（geringwertige Wirtschaftsgüter：略称GWG）がある。それ以前から制度的には存在していたが，2008年に改正が行われ，2010年から選択肢が拡大されると共に，2018年には基準値が引き上げられるという経緯を経て，現在に至っている。独立して使用可能な動産という前提条件のもと，商法会計基準の基本原則である固定資産台帳に記載して耐用年数に応じて減価償却する方法を「選択肢1」とすると，「選択肢2」の少額資産処理は，800ユーロ（2018年から）以下の資産は当該年度において全額費用処理でき，ただし，250ユーロ（2018年から）超で800ユーロ（2018年から）までの資産は，取得・製造年度において全額費用処理しつつも，固定資産台帳への記載をしなくてはならないというものである（所得税法第6条第2項）。そして，250ユーロ（2018年から）以下の資産は，当該年度で費用処理して，固定資産台帳に記載しない。それに対して「選択肢3」は，250ユーロ（2018年から）超で1,000ユーロまでの資産は，購入年度毎にまとめて，5年の定額償却（その中の1つの資産が除却された場合でも価額は変更されない）を行うことができ，250ユーロ（2018年から）以下の資産は，固定資産台帳に記載せず，購入・取得年度に全額費用処理できるというものである（所得税法第6条第2a項）。またこの2つの選択肢（「選択肢2」と「選択肢3」）は，取得した事業年度毎に変更が可能であるが，1事業年度において，2つの選択肢を併用することはできないとされている。この少額資産処理は税法規定であり，商法会計基準には具体的に対応する規定はないが，商法会計基準上も，経済性の観点から受容されると考えられている。

　税法規定では，一定の条件を満たした土地と建物に関して，所得税法第6b条に基づく「買替え資産の圧縮記帳」の規定がある。それによれば，旧資産の売却益を買替え後の代替資産の取得原価から控除する経理処理をするか，また，4年以内に代替資産を取得・製造することを条件に，非課税扱いの資本準備金への繰入れを行うことで，旧資産の売却益の課税繰延べが可能となっている。このような処理は，商法会計基準上は認められていない。ここでも，商法会計基準による貸借対照表から税法規定による課税所得の数値が乖離する。この圧縮記帳措置についても，コロ

ナパンデミック危機に対する緩和策として，4年の期限の延長が行われた（2020年～2022年）。

### 4　財務資産

　商法会計基準上，財務資産については，価値の下落が一時的なものと見なされる場合であっても，評価減を行う選択権がある（商法第253条第3項第5文）。しかしながら税法規定上は，この場合の評価減は認められていないことから，もし商法決算書において当該選択権を行使している場合には，商法会計基準による評価額と税法規定の評価額に乖離が発生することになる。

　他方で，長期的価値下落の場合の評価減について，商法上は義務，税法上はオプション（可能）という原則は変わらないが，上場されている株式等の有価証券については，固定資産としての財務資産であるか，流動資産としての財務資産であるかに関わりなく，税法上，連邦税務裁判所の判例に基づく特別の処理基準が明確にされている（2016年9月2日付連邦財務省通達参照番号17）。すなわち，決算日の株価（有価証券価格）が当該有価証券の取得時より，5％超（95％未満に）下落している場合（5％超基準），税法上の長期的価値の下落が認定される。そして，その後（決算日から決算書作成時まで）の価格変動は考慮する必要がない。また，前事業年度末で既に長期的価値下落を計上している場合で，さらに当該有価証券の価格が下落している場合，その前事業年度の計上額が基準となって，それより5％超の下落が更なる長期価値下落の計上の基準となる。それに対して，有価証券価格が回復している場合，例えば3％あるいは4％の回復であっても，取得時の価格が上限ではあるが，それは計上されるべきものとされている。すなわち，回復時については，5％超基準は適用されない。

### 5　流動資産

　流動資産の商法会計基準上の評価は，低価法（Niedrigwertprinzip）に基づき行われ，決算日の評価額（再調達価格あるいは，正味実現価格）が取得原価あるいは製造原価より低ければ，ただちに決算日の評価額まで評価減を行わなければならない（商法第253条第4項）。その意味で，商法上では固定資産の場合のような長期的な価値下落ということが必ずしも問題にならない。他方で，税法規定（所得税法第6条第2項）では，決算日の評価額（再調達価格あるいは正味実現価格）が，簿価上の評価額より低く，それが長期的な価値の下落と見込まれる場合に，評価減を

計上できるとされている。固定資産の場合と同様に，あくまで義務ではなく，計上が可能という規定である。ここにも商法会計基準と税法基準との評価額の間に乖離が発生する可能性がある。とはいえ，流動資産はその本質からして会社（納税義務者）の下に短期的にしか留まらないものであり，そのような資産においての長期的な価値下落には，定義上の難しさも付随している。それでも税務当局側の見解では，決算日から決算書作成日までの間の様々な情報あるいは決算書作成日までに簿価より低価で販売された場合等，長期的な価値下落の有無の判断材料になるとしている（2016年9月2日付連邦財務省通達参照番号16）。なお，短期的な保有目的の上場された有価証券等（流動資産としての財務資産）の評価減については，上記の「5 財務資産」の該当箇所を参照されたい。

棚卸資産の評価は，原則として個別評価が原則であるが，商法会計基準も税法会計基準も簡便化規定の採用が認められている。但し，商法会計基準は，同種の棚卸資産をグループ分けしての移動平均法（商法第240条第4項），払出順序に目をつけた簡便法である先入先出法〈FIFO〉と後入先出法〈LIFO〉（商法第256条）の3つを認めている。それに対して，税法規定上は，やはり個別評価を原則としつつも，簡便法として，移動平均法が標準的な方法と見なされ，後入先出法〈LIFO〉は認められているものの，先入先出法〈FIFO〉は認められていない（所得税法第6条第1項第2a号）。在独日系企業は移動平均法を採用していることが多いので，その場合は問題がないが，そうでない場合は乖離が発生する可能性がある。

## 6 引　当　金

商法会計基準上において計上されるが，税法規定上は計上が禁じられている「その他引当金」として，「未実現損失のための引当金」，「将来の製造・取得原価のための引当金」等が挙げられる。また，税法規定上において禁じられてはいないが，制限が課されているものとしては，「永年勤続報奨金のための引当金」，「知的財産権侵害に起因する損害賠償請求引当金」等が挙げられる。

年金等引当金とその他引当金の計上額に関して，2010年商法会計基準改革以降，商法会計基準においては，理性的な商人の判断に基づいて必要と見積もられた履行額で計上するものとされ，将来の評価額変動（物価変動や賃金上昇等）を考慮しなければならない。それに対して，税法規定においては，その考慮が明確に否認されている（所得税法第6条第1項第3a号f）。さらに，やはり2010年商法会計基準改革以降，商法会計基準において，利息がついていないあるいは考慮されていないも

ので，返済期限あるいは義務の発生が1年を超えるものについては，現在価値に割り戻す義務が課されている。この点は税法規定においてはすでに1999年からそれが義務付けられていたことから，商法規定と税法規定が合致した（ただし，1年以上のもの）。しかしながら，割引率について，商法会計基準では，ドイツ連邦銀行が公表している過去7事業年度の平均市場利子率で割り引くのに対して，税法規定では5.5％の利率で割り戻すものと決められている（所得税法第6条第1項第3a号e）。この2点に関して，引当金の評価額において乖離が発生する。

年金等引当金は，2010年商法会計基準改革において，商法会計基準の貸借対照表の勘定科目の中で最も大きく変更されたものの1つである。将来的な評価額変動要素（賃金上昇，年金額の変動や従業員の退職等）が考慮されるようになった。これは，税法規定では考慮されない。割引利子率については，原則として，ドイツ連邦銀行が公表している過去10事業年度の平均市場利子率を採用することを原則とし（2016年商法改正以降），従業員毎に異なる引当金計上期間については，15年ものの平均市場利子率を採用してもよいとされている。税法規定では6％である（所得税法第6a条第3項第3文）。また，年金等引当金とそれに対応する一定の条件を満たした場合の年金資産（借方）の相殺義務が導入されている。これらはすべて税法規定とは異なるもので，乖離が発生する。

## 7 負　　債

商法会計基準においては，2010年商法会計基準改革において，履行まで1年超の期間がある引当金に対しては，現在価値への割引が義務付けられるようになっているが，負債についてはその義務は存在していない。しかしながら，税法規定においては，既に1999年以来，履行まで1年以上の期間がある負債で利子がついていないか，あるいは考慮されていないものについては，引当金の場合と同様に，5.5％の利子率で現在価値に割り引き，債務の額面金額と現在価値との差額は収益計上する必要があった。それに対して，この税法上の負債に関する現在価値割戻し義務は，2023年1月1日以降に終了する事業年度から撤回されている。また，過去の事業年度についても，まだ確定していない場合，納税義務者側の申請に基づき，遡及して撤回することも可能とされている。

## 2　法人税上の課税所得の計算(2)——損金不算入項目・益金不算入項目

### 1　配当収益と出資持分売却益の取扱い

　法人税上の益金不算入項目の代表的なものは，「出資持分（株式）からの配当収益」，「出資持分の売却益」に対する非課税措置である（2001年税制大改革で導入）。2004年からは，出資先がドイツ国内であるか国外であるかを問わず，そして法人税上は出資比率とは無関係に，配当収益ならびに売却益については，益金不算入処理（非課税扱い）が行われる（法人税法第8b条第1項・第2項）。その例外は，出資比率10％未満の会社からの配当収益であり，それは課税扱いとなる（同上第4項第1文）。この例外措置は2013年3月1日からであり，2011年10月20日付の欧州司法裁判所判決に対応したものである。

　さらに，出資比率10％以上の会社からの受取配当額ならびに売却益についても，その5％はその収益獲得のための直接関連経費と見なされて損金不算入となるために，実質的には95％が非課税扱いとなる（法人税法第8b条第3項・第5項）。そのような（部分的）非課税措置の裏面として，出資持分評価減ならびに売却損は出資比率に関係なく，損金不算入となる。これらの措置は，あくまで法人税に服する法人企業のもとでの処理である。個人事業主等については，別途の規定になっていることは留意しなくてはならない。

　営業税上の配当収益の取扱いも，該当する事業年度当初の出資比率が15％（10％［2007年まで］）以上か15％未満（10％［2007年まで］）であるかによって異なってくる（営業税法第9条第2a号）。出資比率が15％以上の場合，法人税上の取扱いとまったく同じで，益金不算入処理のままで，やはり法人税の場合と同様に，5％部分は収益獲得のための直接関連経費と見なされて損金不算入となっているために，やはり実質的に95％が非課税扱いである。他方で，出資比率が15％未満の配当収益の場合は，その全額が益金算入処理（課税扱い）になる。但し，売却益はその出資比率に関係なく益金不算入となり（5％の扱いも上記と同様），そして，出資持分評価減ならびに売却損は，その出資比率に関わりなく，全額損金不算入になる。

### 2　外国支店の収益

　本店所在地国での外国支店の利益の課税方法（二重課税回避の方式）として，

「国外所得免除方式」と「外国税額控除方式」の2つがある。国外所得免除方式のもとでは，外国支店の所得はドイツ本店の所得からまったく切り離され，ドイツ本店だけの課税所得が計算されて，ドイツの税務署への納付が行われる。外国支店においては，当該外国の税法規定に基づき課税所得が計算されて，当該外国税務当局への税金の納付が行われる。すなわち，まったく独立した会社のごとく税金を計算して納付するわけである。それに対して，外国税額控除方式のもとでは，外国支店においては当該外国の税法に基づき課税所得が計算されて，当該外国税務当局への納付が行われるというところは変わりがない。しかし，ドイツ本店において，本支店全体の課税所得を計算して，ドイツ税務当局に税金を納付する。そしてその際，外国支店で当該外国の税務当局に納付した税金を，ドイツ税務当局への納付する税額から控除して二重課税を排除する。ドイツの税務当局は，在独日系企業の現地法人（子会社）のようなドイツの会社が，原則としてドイツと租税条約を締結している外国に支店を有している場合，国外所得免除方式で二重課税を排除する方式を採用している。この方式が徹底して適用されている場合，外国支店で欠損が発生しても，ドイツ本店ではこの欠損を取り込むこと（相殺）はできない。

　しかしながら，1998年までのドイツ税法規定は，あくまで国外所得免除方式の枠組みの中ではあるが，外国支店で欠損が発生した場合，申請によりその欠損をドイツ本店の利益と相殺できるようになっていた。但し，そのような国境を越えた本支店間の欠損・利益相殺の前提条件として，次年度以降に当該外国支店で利益が発生した場合，あるいは，当該外国支店が資本会社に組織変更された場合等，ドイツ本店において「振戻し課税」を行う必要があった。いずれにせよこの例外規定のもとでは，外国支店の欠損を一時的にではあるものの，本店の利益と相殺できる。

　1999年の税法改正において，外国支店の欠損をドイツ本店の利益と申請により相殺できる制度が廃止された。それと同時に，それ以前にドイツ本店に取り込まれていた欠損を「振戻し課税」しなくてはいけない期限として，10年間，すなわち2008年末までと規定された。当時の税務当局側の予測では，10年間あれば外国支店が利益を出して，ドイツ本店での振戻し課税により，過去の税収逸失分は取り戻せるであろうというものであった。しかし，2007年頃のドイツ税務当局側の調査では，ほぼ10年近く経過したにもかかわらず，まだ数十億ユーロ（3,200億円～4,800億円［1ユーロ＝160円換算］）以上の1998年以前にドイツ本店の利益と相殺された振戻し課税ポテンシャルがなお存在すると言われ，税収逸失分がまだなお取り戻せていないことが判明した。これを踏まえて，2008年の税制改正で，振戻

し課税の義務を無期限に延長した。この結果，1998年以前に外国支店が欠損を計上し，その当時にドイツ本店の利益と相殺していたケースにおいては，もし外国支店が利益を出した場合には，それ以降も（すなわち半永久的に），課税ポテンシャルが存在する限りは振戻し課税が行われる，ということで現在に至っている。

### ③ 個別費用項目の損金不算入

個別の経費項目で申告調整が必要なものとして，①業務目的の接待飲食費の30％損金不算入（2003年までは20％），②取引先への贈物について1年1人当たり35ユーロ（付加価値税を含む［2003年までは40ユーロ］）を上回った場合の全額損金不算入，③脱税額に対する利息，④ゲストハウス費用，⑤受取人が明記されていない経費等が挙げられる。接待飲食費は，業務目的で適正な金額の範囲内であることが前提条件であるが，業務目的であることの証明として，誰と，いつ，どのような内容の話しをした時のものかという記録を残しておくことが義務付けられている。また，取引先への贈物についても，どの取引先の，誰に，どれだけの金額のものを贈呈したかの記録が要求されている。そして，このような記録作成・保存は，原則として他の申告調整項目についても必要となっている。

## 3　繰越欠損と年度欠損の繰戻し

法人税上（営業税上も），原則として欠損は無期限に繰り越せる。但し2004年度に過年度からの繰越欠損がある場合，まず無条件に当該事業年度の利益と相殺できる金額は1,000,000ユーロまでとされた。そして，それを超える分については，そのうちの60％までしか当該事業年度の利益とは相殺ができないという制限措置が導入された（所得税法第10d条第2項）。「最低課税制度」と呼ばれている。残りの40％部分については，繰越欠損が十分あるにもかかわらず，一旦税金を納付することになる。その相殺できなかった繰越欠損金は失われてしまうわけではなく，翌事業年度に繰り越すことになる。また，営業税上は認められておらず，法人税上だけであるが，1,000,000ユーロ（2012年までは511,000ユーロ）を限度に欠損金を繰り戻して前年度の利益と相殺できる（欠損繰戻し）。この欠損繰戻しに関して，コロナパンデミック危機による社会経済的混乱に対する税務上の対応措置として，当初2020年と2021年について，最終的には2023年まで延長されて，すなわち，当該4査定年度についてだけ，1,000,000（1百万）ユーロが10,000,000（10百万）ユ

248

ーロに引き上げられた（所得税法第10d条第1項）。2024年度からは，1,000,000（1百万）ユーロに戻る。それに加えて，2022年度から，欠損繰戻しが直近の2事業年度まで遡ることが可能になった。これは時限立法ではなく，2022年度以降，永続的に適用される。

## 4　利子損金算入制限制度の概要

　2008年企業収益税改革において，それまでの過少資本税制に代わって導入されたのが「利子損金算入制限」である。2010年税制改正で緩和措置が講じられ，現在の内容になっている。この利子損金算入制限の基本的内容は，次のようにまとめられる。

　一事業年度において，まずは，誰に対する支払か誰からの受取かに関係なく，支払利子額と受取利子額のそれぞれの合計を算定する。受取利子額が支払利子額を上回る場合は何も起きない。しかし，支払利子額が受取利子額を上回る場合は，上回った金額（支払ネット利子額）を「基準利益額」（EBITDA：利子，税金，減価償却費の考慮前の利益）と比較する。その比較の結果，支払ネット利子額が基準利益額の30％以内であれば，同様に何も起こらない。しかしながら，30％を上回った場合は，その上回った支払利子額は，当該事業年度には損金算入できず，翌事業年度に繰越しすることになる（繰越利子）。他方で，とりわけ銀行融資等で経営を回している中小企業ならびに同族企業等のために，

(1)　非適用限度額の設定（支払ネット利子額が，3,000,000ユーロ未満の場合，利子損金算入制限は適用しない（所得税法第4h条第2項a））

(2)　対非グループ内企業非適用条項（企業グループに属しない企業，または僅少な出資比率においてしか企業グループの出資を受けていない企業には適用しない［所得税法第4h条第2項b］）

(3)　対グループ内企業非適用条項（企業グループに属するが，その自己資本比率が企業グループ全体の自己資本比率と同じか［下回る場合でも2％以内の場合は許容：「2％ルール」］，あるいはそれより高い企業には適用しない［所得税法第4h条第2項c］）

(4)　EBITDA枠の繰越相殺制度（「EBITDA」：利子，税金，減価償却費の考慮前の利益）

という3つの非適用条項と緩和措置が設けられている。

最後のEBITDA枠の繰越相殺制度の内容は次のようにまとめられる。ある事業年度の「基準利益額（EBITDA）の30％」を「税務上の相殺可能なEBITDA」とし，その税務上の相殺可能なEBITDAがある事業年度において支払ネット利子額を上回る場合，その上回る税務上の相殺可能なEBITDAは，翌年度以降に繰り越すことができる（繰越EBITDA）。但し，5年経過すると繰越EBITDAは喪失する。3つの非適用条項のどれかが適用された事業年度においては，繰越EBITDAは生じない。ある事業年度において，支払ネット利子額が税務上の相殺可能なEBITDAを上回った時に初めて，その上回った支払ネット利子額を過年度からの繰越EBITDAと相殺するが，その繰越EBITDAとの相殺は，先入先出法に基づき，すなわち古い事業年度のものから相殺の対象になる。5年経過による喪失に加えて，繰越EBITDAは，事業所の放棄・譲渡，人的会社の場合の共同経営者の撤退（比率按分），資本会社が人的会社に吸収合併される場合，資本会社資産のスピンオフ（比率按分），組織再編税法に基づく現物出資等があった場合にも，繰越利子と同様に喪失してしまう。但し，後述の出資者交代の場合の繰越欠損金利用制限が適用される場合でも，繰越EBITDAは存続するという点は留意する必要があろう（法人税法第8a条第1項第3文）。

　在独日系企業の現地法人（子会社）のドイツにおけるビジネス活動からいうと，支払ネット利子額が3,000,000ユーロ未満という非適用限度額は，年利5％から逆算すれば，60,000,000ユーロの借入金でも大丈夫ということになり，殆どの場合，利子損金算入制限適用を危惧しなくてもよいと思われる。他方で，数的に少ないと思われるが，それを上回る規模のファイナンスでドイツ・ビジネス展開している場合には，対グループ内企業非適用条項（自己資本比率比較）ならびにEBITDA枠の繰越相殺制度の利用等の検討が不可欠である。

## 5　繰越欠損金利用制限と2010年緩和措置

　繰越欠損金利用制限は，以前からあったものであるが，2008年企業収益税改革で厳格化された（法人税法第8c条）。その基本的な内容は，次のようなものである。繰越欠損を抱える会社に対して，1人の出資者が出資比率25％超の出資持分の取得を行った場合，それまで累積していた繰越欠損の利用・相殺を部分的にまたは全額否認する。具体的には，1人の出資者が5年以内に合計で25％超で50％までの出資持分の取得を行った場合，その出資持分比率でその時点までの繰越欠損金と当

該年度の比率按分の欠損金の利用・相殺を否認する（按分否認）。1人の出資者が同様に5年以内に合計で50％超の出資持分の取得を行った場合には，その時点までの繰越欠損金と当該年度の比率按分の欠損金の利用・相殺は全額否認される（全額否認）。さらに，直接的出資者の変更ばかりでなく間接的出資者の変更の場合にも適用対象となり，営業税上の繰越欠損も同様に否認される（営業税法第10a条第10文），というものである。この規定自体は，繰越欠損金を大量に抱える会社を二束三文で買収して節税に利用するという行為に対して規制を加えるという趣旨のもとで導入された。ちなみに，この1人の出資者による5年以内に25％超から50％までの出資持分の取得がなされた場合の按分否認について，2017年3月29日付の連邦憲法裁判所の判決により，違憲であるとの判断が出された。その結果，同判決に基づき税制改正が行われ，この按分否認の規定は，2008年1月1日に遡及して撤回されている。

## 1　2009年における緩和措置

　利子損金算入制限の場合と同様に，まずは，2009年7月22日に可決された「市民負担軽減法：健康保険」という税法一括改正法案の中で，2009年の緩和措置が講じられた。「再建時持分移転非適用条項」と呼ばれているもので，その基本的内容は，会社の事業経営の再建目的の出資持分の取得の場合は，繰越欠損金利用制限は適用されないというものである。再建とは，支払不能または債務超過を阻止するか，または排除するかし，かつ同時に本質的な事業構造を維持することを目指した施策と定義されている。「本質的な事業構造の維持」とは，①会社が雇用に関する規定を有する社内協定を締結すること，または，②持分取得後5年以内の会社の「支払年額基準賃金」の合計額が，開始年度支払賃金の400％を下回らないこと，または，③会社に対して，出資により相当額の〈wesentlich〉経営資産が付加されることとされた。最後のところの「相当額の経営資産の付加」とは，出資持分取得後12ヵ月以内に，当該会社に対して，直前事業年度末の税務貸借対照表に計上されている借方資産の最低25％の新たな経営資産が付加される場合とされている。すなわち，会社の出資持分の一部分だけが取得される場合は，借方資産の按分比に応じた額だけが付加される。但し，この2009年の緩和措置も，出資持分取得が2008年1月1日から2009年12月31日までに行われた場合に限定された時限立法措置であった。

## 2 2010年における緩和措置

　以上のような2009年の緩和措置を踏まえ，2010年税制改正により，この繰越欠損金利用制限に対しては，
(1) 再建時持分移転非適用条項の永続化ならびにその部分的内容改正
(2) 対グループ内企業非適用条項の新規導入
(3) 含み益相当の繰越欠損金維持条項の新規導入

という3つの緩和措置（一部は厳格化）が講じられた。まず1番目の再建時持分移転非適用条項に関しては，2年間に限定された時限立法措置が撤回されて永続化された。それと共に，再建の1つの前提として，出資持分取得から12ヵ月以内に「相当額（25％）の経営資産の付加」が行われることというのがあるが，この前提条件が少し厳格なものにされた。すなわち，この相当額の経営資産の付加があっても，その付加から3年以内に新出資持分所有者に対して「配当等〈Leistungen〉」が行われた場合は，それは経営資産の付加のマイナスとして見なすというものである（法人税法第8c条第1a項第3号第5文）。

　2番目の繰越欠損金利用制限における「対グループ内企業非適用条項」は，2010年に最初に導入されたものである（法人税法第8c条第1項第5文）。そして，2015年に改正が行われた。その2015年に改正された規定は，①持分譲渡者に対して持分取得者が間接・直接を問わず100％出資し，当該持分取得者が個人・法人・人的会社である場合，②持分取得者に対して持分譲渡者が間接・直接を問わず100％出資し，当該持分譲渡者が個人・法人・人的会社である場合，③持分譲渡者ならびに持分取得者に対して，同一人（個人・法人・人的会社）が，間接・直接を問わずそれぞれ100％出資している場合，欠損利用制限が発生する出資持分取得とは見なされない（法人税法第8c条第1項第5文），というものである。

　最も典型的なケースでそれを例示すると以下の【図1】ならびに【図2】のようになる。【図1】についていうと，持分譲渡者はB-GmbH，持分取得者はC-GmbHであり，その両者に100％出資（この例では直接出資）しているのがA社ということになる。この事例は，上の③の規定に該当して，「対グループ内企業非適用条項」の前提条件に合致し，D-GmbHが移行前に計上していた繰越欠損金は，今回の60％の出資持分の移行（出資者の変更）にもかかわらず，取得された後に計上した利益と相殺できることになる。

　他方で，【図2】のケースは，持分譲渡者はC-GmbH，持分取得者はA社であり，持分取得者であるA社は，持分譲渡者に100％出資（この例では直接出資）してい

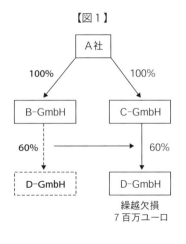
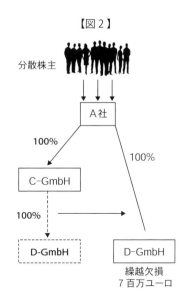

る。この事例は，上の①の規定に該当して，「対グループ内企業非適用条項」の前提条件に合致し，同様にD-GmbHが移行前に計上していた繰越欠損金は，60％の出資持分の移行（出資者の変更）にもかかわらず，取得された後に計上した利益と相殺できることになる。ちなみに，この【図2】の事例は，2010年の導入時の法人税法第8c条第1項第5文では，「対グループ内企業非適用条項」の適用が不可能であった事例である。2015年の改正でこれが可能になり，しかも2015年の改正内容は，2010年1月1日以降に行われた「持分譲渡」に遡及して適用されることになった。

最後の3番目として同様に新たに導入された含み益相当の繰越欠損維持条項は，繰越欠損の利用制限が適用される場合において，取得された出資持分の中に含まれる含み益相当部分までの繰越欠損に対しては，利用制限を課さないというものである。分かりやすくするために，持分取得の対象となる会社の期首における100％の取得を前提にして説明する。ここでいう含み益とは，100％の出資持分の「取得価格」（＝「公正価値〈gemeiner Wert〉」）と当該会社の前期末の税法上の自己資本額（登記資本金ならびに資本準備金等の合計額［繰越欠損金はマイナスしない］）との差額とされている。グループ内組織再編等の場合で「支払われた取得価格」が存在しない場合には，各種の企業価値評価方法で算定された値を適用することが想定されている。具体例でいうと，例えば，支払われた取得価格が10百万ユーロ，税法上

の自己資本額が8百万ユーロ、繰越欠損金が5百万ユーロの場合、含み益は2百万ユーロ（10－8）となり、3百万ユーロ（5－2）の繰越欠損金は取得後に計上された相殺・利用を否認されるが、含み益相当分の2百万ユーロの繰越欠損金は、出資持分取得後に計上された利益との相殺に利用できる。他方で、出資持分の取得対象となった会社の資産の中に、ドイツ国内で課税対象とならない資産が含まれている場合（例えば国外所得免除方式が適用されている外国支店や在外国の他の会社に対する出資持分）、そのような資産の含み益は、ここの含み益の計算から除外されなければならない。また、出資持分の取得対象となる会社の事業年度期中に持分取得が行われた場合、あるいは、100％未満の出資持分の取得については、按分計算が必要となることから、実務上の計算はかなり複雑になることには留意する必要がある。

## 6　税務調査と移転価格税制問題

　ドイツにおける企業収益に関する法人税一般税務調査（法人税、営業税が中心であるが付加価値税も対象）は、3年から5年を単位として行われている。

### ① 税務調査─その進行経緯の概要

　通常、調査開始の数ヵ月前に、調査対象の支店ならびに現地法人（子会社）またはその税務顧問となっている税理士・会計事務所に対して、調査実施の非公式の電話等での連絡がある。その際、開始日ならびに実際の調査期間の日程調整が行われて、公式の調査実施通知が送られてくる。事前の非公式の連絡なしに調査実施通知が送られてくることもある。しかしその場合でも、調査日程の移動の交渉は可能である。申告書を提出した暦年末から数えて4年経過すると（申告書の対象年度が問題になっているわけではない）、年度申告書は確定してしまう（時効となる）。そのため、4年経過による調査なしでの確定を回避するという目的から、暦年年度末に「駆込み」で調査実施通知を送ってきて、当該暦年年度末までまず1回のミーティングを行い、確定の延期を確保する調査官もいる。調査官が調査対象の支店ならびに現地法人のオフィスに実際に来て関係書類の精査を行う期間は、会社の規模により異なるが、多くの在独日系企業の現地法人・支店の場合、1週間から1ヵ月くらいである。しかし、調査官の他の税務調査の日程や調査対象の支店ならびに現地法人側での書類準備あるいは年度決算・会計監査等で中断が入ったりするので、関係

書類の精査だけで延べの期間で数ヵ月かかることもある。また，基本的関係書類の精査は終了しているが，調査官と調査対象の支店ならびに現地法人との間で見解の相違があり，そのために意見書のやり取りやミーティングがかなりの頻度で行われることもある。そのようなケースを含めると，調査開始ミーティングから税務調査報告書〈Prüfungsbericht〉が送られてくるまで，半年から1年ほど（場合によってはそれ以上）かかることもある。

　この法人税一般税務調査に関連して，日本との相違で留意すべきは，ドイツにおいては移転価格だけに限定した税務調査はなく，移転価格に関する調査は，法人税一般税務調査の枠内で行われる。他方で，在独日系企業のような多国籍企業の場合，移転価格問題が主要な調査対象項目であることから，実質的に「法人税一般税務調査＝移転価格調査」と言ってよいであろう。他方で，近年の法人税一般税務調査において，特に年間売上高100百万ユーロを超えるような大規模会社の場合，移転価格専門の調査官（場合によっては，連邦政府の税務当局から派遣）と法人税・営業税一般を担当する調査官（州の地理的管轄の税務署の調査官）が，チームを組んで調査を進める形態がよく見られる。

## 2　税務調査―隠れた利益分配

　以上のような法人税ならびに営業税に関わる税務調査の現場でよく聞かれる概念として，「隠れた利益分配〈verdeckte Gewinnausschüttung〉（略してvGA［ファウ・ゲー・アーと発音］）」というものがある。この隠れた利益分配は，法人税法第8条第3項に暗示的に規定されているものの，税法の中に明確な定義はなく，税務判例を通じて確立されてきた概念である。簡単な事例で言えば，ドイツの有限会社〈GmbH〉が保有する不動産（時価評価額500,000ユーロ）を単独出資者に対して300,000ユーロで売却したとしよう。その存在目的が利益獲得の最大化である営利企業としての有限会社は，もし第3者に売却する場合には少なくとも500,000ユーロを要求したであろうし，それを行わなかったのは（単独）出資者への売却という会社法関係（＝出資者・被出資者関係）に影響されたからと見なされ，その差額の200,000ユーロは有限会社から出資者に配当したものと断定される。その税務上の影響は，法人企業のもとでは，法人税・営業税・連帯付加税・配当源泉税の追加納付（繰越欠損金の範囲内での隠れた利益分配の認定であれば，配当源泉税のみの負担）であり，出資者のもとでは，配当収益課税（出資者が法人＝95%非課税）となる。この隠れた利益分配は，ドイツ税務当局にとって，ドイツ国内のビジネスしか

行っていない，あるいは，資本関係がドイツ国内で完結している法人企業に対しても，その課税所得額の修正を迫る最も有効な武器となっている。外国の関係会社との取引関係・資本関係がある在独日系企業の現地法人（子会社）ような多国籍企業に対しては，移転価格税制を執行する手段となっているものである。

### ③ 移転価格問題と記録文書化義務

　以上のようなプロセスを経て実施される日系企業の現地法人（子会社）・支店に対する法人税ならびに営業税に関わる税務調査（法人税一般税務調査）の中心は，やはり移転価格税制問題である。前述のように，ドイツにおいては，移転価格問題だけに焦点を絞った税務調査は行われていない。法人税一般税務調査の中で，移転価格問題も取り扱われる。

　具体的な否認項目あるいは最終的に否認はされなかったが日系企業に対する税務調査の中でよく議論の対象となる項目でいうと，①親会社（あるいは他の関係会社）からの仕入価格，②親会社（あるいは他の関連会社）への販売価格，③マネージメントフィー負担，④様々なグループ会社間のサービス提供時の報酬対価，⑤見本市費用，⑥宣伝広告費用，⑦日本払ボーナスの負担，⑧駐在員人件費等である。ドイツの移転価格税制は，1980年代初めに確立された。その当時から2000年代初めまでのドイツにおける移転価格税制に関する調査の内容をみると，関係会社間での「モノ（商品）の取引価格」の適正性に関する否認よりも，関係会社間での「費用分担」の適正性に関する指摘・否認が多かったと言える。これには，取引価格の適正性を客観的に判断するためのデータが税務当局において整備されておらず，税法上の関連する規定も未整備であったことから，調査官が税務調査の現場で本格的にモノの取引価格を取り上げて追及していく状況にはなかったからだということが言われていた。

　しかしながら，2003年税制改正における「移転価格税制の記録文書化義務の導入」は，税務調査におけるこの辺の状況を一変させた。すなわち，納税義務者（企業）は，2003年1月1日以降に開始する事業年度から，関連会社とのクロスボーダー取引がある限りにおいて，移転価格税制に関する特別の記録文書（報告書）を整備しておくことが義務付けられた（小規模会社に対する免除規定有り）。それを遵守しなかった場合には，最終的に移転価格自体が適正であったとしても，推定課税あるいはペナルティ支払が課されることになっている。

## 4 BEPSアクションプランに準拠した三層構成の移転価格文書ファイル

　ドイツにおいても，BEPSアクションプラン13に準拠して，国別報告書（CBCR）・マスターファイル・ローカルファイルの三層構成のBEPS移転価格文書ファイルのシステムが導入された。在独日系企業（現地法人・支店）の場合，日本本社（最終親会社）が作成している限りにおいて，原則として国別報告書ならびにマスターファイルの作成義務はない。そして，国別報告書（CBCR）は，日独の税務当局間の遣り取りの中でドイツ税務当局は入手できることから，在独日系企業が直接的に提出することは基本的にない。但し，在独日系企業は，最終親会社が日本のどこの税務当局に提出しているか，その申告書の中に記載しなくてはならない。他方で，マスターファイルについては，在独日系企業に単体ベースで1億ユーロ（100百万ユーロ）以上の売上がある場合で，税務調査に際して税務調査官から要請があった場合には，その提出を義務付けられている。その場合には，日本本社が作成したものを提出することになる。

　BEPSのローカルファイルは，基本的に，従来のドイツの移転価格文書と本質的な相違はないと言われている。しかしながら，移転価格の設定のタイミングの記載等，微妙な点において相違もあることから，BEPSのローカルファイルの内容規定の適用時点から（2017年1月1日以降に開始する事業年度から）は，従来の作成方法でいいのかの検討を行う必要があった。また，2003年からの従来の移転価格文書作成義務においても存在していた小規模会社免除規定の閾値が，BEPSローカルファイルにおいては引き上げられた。すなわち，関連会社との間の商品（棚卸資産）取引の一事業年度の対価報酬合計額6百万ユーロ（従来は5百万ユーロ）を超えず，かつ，関連会社との商品取引以外の取引（サービス提供取引等）の一事業年度の対価報酬合計額が60万ユーロ（従来は50万ユーロ）を超えない場合に，小規模会社と見なされ，ローカルファイルの作成・提出義務を免除される（記録文書内容法令第6条）。

## 7　税務調査官の電子データへのアクセス権とデジタル税務調査

　2002年1月1日以降の税務調査においては，税務調査官の電子データへのアクセス権が認められるようになっている。租税通則法第147条第6項では，「第1項に定める証憑類（保管義務のある証憑類）」が電子データ処理装置により作成されている場合には，税務当局は税務調査の枠内で，保存されたデータを調査する権利

を有するとされている。そして，この証憑類の調査に当たっては，電子データ処理装置（コンピュータ）を用いる権利も有する。税務当局は，税務調査の枠内で，これらのデータを調査官の指示に従って電子データ処理装置を用いて分析させ，もしくは，電子データ処理装置を用いて利用可能なデータ媒体に保存された証憑類や書類を提出するように求めることができる。そこで発生する費用は，納税義務者の負担とされている。

### 1　電子データへのアクセス権の適用範囲と行使

　電子データへのアクセス権は，課税上意義をもつデータ（税務関連データ）に範囲が限定される。これにより，総勘定元帳，資産台帳，賃金台帳などの電子ファイルは，データアクセスの対象として提供されなければならない。データプロセシング装置の他のエリアに税務関連データが含まれている場合には，税法上の「課税上重要なその他の資料」に該当する。その場合，納税義務者（会社）は，税務調査官の指示に従って，適当な方法によりデータアクセスができるようにしなければならない。具体例としては，契約や発注に関する資料，輸出入関連資料，価格表などが挙げられる。

　これに対して，課税上関連のある情報を含んでいない資料は，保管義務の対象とはならない。例としては，完成品および仕掛品の評価計算に使われているもの以外のコスト計算，会社内のEメール，実現には至らなかった事業計画などが挙げられる。これらの保管義務のない資料についても，税務調査官はその提出を要求できる場合があるが，これらのものについての電子データへのアクセス権までも要求されるものではない。したがって，たとえ税務調査の中でこのような資料のハードコピーの提出を税務当局が要求できるとしても（税務関連データ以外のものでも，利用可能な情報の一覧表などは税務調査官として要求することができる），これらの資料が電子データとして存在していたとしても，税務調査官がそれにアクセスする権利はない。

### 2　税務調査におけるデータアクセスの可能性と会社の協力義務

　電子データへのアクセス権の行使に当たっては，租税通則法に基づき，税務調査官は以下の3つの手段を用いることができる。どのデータアクセス手段を用いるかの決定は，税務調査官の裁量事項となっている。また，法律上，納税義務者は，調査官による電子データへのアクセス権の行使に当たり調査官に協力しなければなら

ず，それぞれの3つの手段ごとにこの協力の内容は異なってくる。具体的には，以下のとおりである。

(1) 直接的データアクセス

税務調査官は，電子データ処理装置に直接にアクセスすることができる。ここにいうアクセスするとは，読取り専用形式で電子データを読み，またマスターデータおよびリンクを含め，保存された電子データを調査のために用いることができることをいう。但し，調査官による電子データ処理装置に対するいわゆる遠隔調査（オンラインアクセス）は一切認められない。読取り専用アクセスとは，読むだけではなく，場合によっては電子データ処理装置にインストールされているデータ分析機能を利用してフィルター，ソートをかけることも含まれる。直接的データアクセスにおいては，納税義務者は，調査官に対してデータアクセスに必要な補助手段を提供しなければならず，電子データ処理装置への読取専用アクセスの方法を教えなければならない。すべての税務関連データへのアクセスが調査官に認められなければならず，アクセス権には電子データ処理装置に含まれている分析機能の利用も含まれる。電子的に保存されたデータに他の情報も含まれているような場合，調査官が納税義務者の税務関連データにのみアクセスできるようにするのは，納税義務者側の責任で行わなければならない。

(2) 間接的データアクセス

税務調査官自身がデータ処理を行う代わりに，それと同様の作業を納税義務者に対して，納税義務者自身もしくは委託を受けた第3者により，データ処理装置を用いてデータ処理を行うことを要求することができる。但しこの要求は，納税義務者もしくは第3者のデータ処理装置にすでにインストールされているデータ分析機能を利用して行い得る分析に限る。間接的データアクセスにおける納税義務者の協力内容としては，単にソフトウエアやハードウエアを提供することのみならず，電子データ処理装置の操作が行える人員の提供も含まれる。

(3) データのコピーの提出

税務当局は，保存されているデータ類をデータ処理装置を用いて利用できるデータのコピーとして提出することを要求することができる。データ分析のために提出されたデータのコピーは，遅くとも税務調査に基づいて作成される査定書の拘束力が生じた時点（税務調査の終了時点）で納税義務者に返却，もしくは消去されなければならない。データのコピーの提出にあたっては，単にデータのコピーだけでなく，データの分析に必要なすべての情報（データ構造，データフィールド，外部リ

ンクに関する情報等）がその取扱い説明文書とともに提供されなければならない。

　以上のように，税務調査時の3種類のデータアクセスの方法が取り決められている。しかしながら，実務現場では，最後の「(3) データのコピーの提出」が殆どである。すなわち，USBメモリやSDメモリカードでの税務関連データのコピーの税務調査官への引渡しとなる。この際，残念ながら発生してしまっているネガティブな事例は，提出義務範囲外のデータまで調査官に提出してしまい，不必要な議論（場合によっては追徴課税）を甘受してしまっているケースである。データコピーの提出に当たっては，必要に応じて専門家のアドバイスを仰ぐことが重要である。

## 3　デジタル税務調査

　2013年度分から，法人税年度申告書の添付書類として，少なくとも決算書類（貸借対照表，損益計算書，注記［付属明細書］）については，電子データとしてオンライン送付することが義務付けられている（Eバランス）。その結果税務調査官は，税務調査に来る前にそれらのオンライン送付された電子データを事前分析している。またそれに加えて，ほぼ同じ時期から，税務調査のデジタル化も推し進められている。すなわち，提出要求に応じて税務調査時に実際に提出されたデータコピー（電子データ）を，調査官は専用の分析用ソフトウェアを使用して，データ処理上の様々な観点から分析し，税務調査対象期間の問題点を見つけ出すという手法である。この分析用ソフトウェアは，「IDEA」と呼ばれているもので，元々はカナダの公認会計士協会が年度決算監査用に開発したものであった。このような税務関連データの分析用ソフトウェアの投入により，これまでの税務調査官の経験と「勘（かん）」のみに依拠した税務調査から，より体系的な税務調査スタイルへと変わってきている。そのようなデジタル税務調査への対応策も必要となっている。

# III 付加価値税への対応

　EU加盟国27ヵ国（2023年時点）すべてにおいて徴収され，その標準税率の最低が15％と決められ，しかも課税対象（課税ベース）もEU加盟国でほぼ統一化されている税金として「付加価値税〈英 value added tax（VAT）〉」がある。このEUの付加価値税は，10％の税率で賦課されている日本の消費税に当たるものである。そして，1989年の日本での導入に際してモデルとされた。また，このEUの付加価値税については，「1つの法律，27の解釈」（ドイツのある付加価値税の専門家）ということが言われている。厳密に言うと，「1つの法律」というのは正確ではないのだが，所得税とか法人税とは異なり，課税ベースについてはほぼ統一化されて1つの法律のようになっているものの，具体的な運用になると加盟国毎の違いが大きいという趣旨である。欧州に駐在しEUワイドでビジネスを展開されている駐在員の方の中には，EUの付加価値税とはなんと複雑怪奇で面倒なものだと思われている方も多い。

　この付加価値税は，ビジネス活動に関係するという意味において，既に取り上げた法人税・営業税・連帯付加税と同じである。他方で，法人税・営業税・連帯付加税は，ビジネス活動において計上された利益に賦課されるのに対し，付加価値税は，売上（課税売上）に対して賦課される。また，ビジネス活動を行う者（付加価値税法上「事業者」と呼んでいる）は，納税はするが最終的に負担する必要はない。在独日系企業のビジネス形態で言うと，駐在員事務所・支店・現地法人（子会社）の3つすべてに関わってくるものである。それどころか，直接的にドイツにビジネス拠点をまったく有さない日本本社（現地法人を子会社として有している場合は想定されていない）にも関わってくることがある。

　ここでは，法人税・営業税・連帯付加税の場合と同様に，制限されたビジネス活動しか行っていない駐在員事務所に関しては，付加価値税との関わり方も限定されていることから，支店と現地法人について，付加価値税の一般原則と詳細な内容を解説する。そして，駐在員事務所に関しては，「V 駐在員事務所の税務処理」（302頁以下参照）において，他の税金とあわせて解説したい。

## 1　付加価値税のドイツにおける税収・課税対象・納税義務者・税率

### 1　ドイツにおける付加価値税税収

　ドイツにおける付加価値税税収は，過去数年の平均でいうと税収総額の約30％～34％である（2022年：2,849億ユーロ＝37兆円370億円［換算率：1ユーロ＝130円］）。個人所得税に次ぐ第2位の税収源となっている。この税収は，連邦政府と州政府がほぼ半分ずつ分け合うが，市町村自治体にも数％で分配される。付加価値税の税収は，本来的に連邦政府と州政府にのみに帰属するものであった。しかし，市町村自治体の税収であった営業資産税の1998年の廃止（228頁参照）に伴い，その廃止の代替財源として市町村自治体にも分配されるようになったものである。

### 2　課税対象と納税義務者（事業者）

　付加価値税の本来的な課税対象は，「モノ」の消費と「サービス」の受益（消費）である。しかし，最終消費者は広く拡散して存在している。最終消費時点で課税するとなると，極めて徴税効率が悪くなる。そのため，その消費の前段階に位置する「売上」時点で課税が行われる。すなわち，現代の発達した経済活動のもとでは，モノやサービスの消費に際して，その前段階に消費する者に対してモノやサービスを販売（＝売上）している者がいるはずである。その売上を行う者に納税義務を負わせれば，より効率的ではないかという考え方である。そして，付加価値税の課税対象を「課税売上」と呼ぶ。ちなみに，ドイツにおける付加価値税を規定した税法は，正式には売上税法〈Umsatzsteuergesetz〉となっている。

　付加価値税法上，このモノを販売する者ならびにサービスを有償で提供する者を「事業者」と呼ぶ。この事業者は，まず管轄の税務署に登録し，モノやサービスの売上に際して，購入者または受益者から規定の付加価値税額（ドイツでは19％か7％）を商品・サービス代金に上乗せして請求して支払ってもらわなくてはならない。そして，それに関して定期的に付加価値税申告を行い（1ヵ月または四半期毎の仮申告と年度申告），その付加価値税額を管轄の税務署に納付する義務が負わせられている。但し，売上規模が小さい場合，例外的な申告義務免除規定としての「小規模事業者〈Kleinunternehmer〉」規定がある（売上税法第19条）。在独日系企業の進出形態である駐在員事務所・支店・現地法人（子会社）のどれも事業者と見なされる。

## 3  前段階税控除制度（仕入税額控除）

　付加価値税の最終的な負担者は，あくまで最終消費者であり，事業者は付加価値税を最終的に負担しないというのが原則である。この原則を可能にしているのが，「前段階税控除制度」と呼ばれている制度である。すなわち，事業者Aが事業者Bに対してある商品を販売する時，事業者Bが本当に事業者であるか最終消費者であるかを，事業者Aが事前に調査して，事業者であれば請求書に付加価値税を載せないで請求する，最終消費者であれば付加価値税を載せて請求するという形で事業者が付加価値税を最終的に負担しないような方法も当然考えられる。しかし，商売の相手方の付加価値税上のステータス（事業者か最終消費者か）を事前に調査して，その付加価値税の賦課の有無を判断するというのは，ビジネスの現場においては大変煩雑である。そのような理由から，ドイツ（EU）で採用されている方式は，モノやサービスの売上があった場合，原則として，まず付加価値税を載せて請求する。そして，モノの購入者・サービスの受益者が事業者であった場合，その事業者（上記の例で言えば事業者B）が，一旦支払った付加価値税（これを前段階税と呼んでいる）を，受け取った請求書（インボイス）をもとに後日税務当局から還付してもらうというものである。

　実務的には，事業者は，「税務署に対する要納付額」と「税務署からの還付額」を，通常月次ベースで相殺控除してその差額のみを納付するかあるいは還付してもらうという形を取っている。前者の税務署に対する要納付額は，商品・サービスの代金と一緒に他の事業者または最終消費者から受け取った付加価値税額である。後者の税務署からの還付額は，購入・受益したモノ・サービスの代金とともに他の事業者に既に支払った付加価値税額（前段階税額）である。

## 4  請求書の要件「請求書＝金券」

　前段階税控除制度のもとでは，受け取った請求書（インボイス）をもとに，事業者は他の事業者に支払っている付加価値税（前段階税）を税務署から還付してもらっている。その意味で，請求書は金券あるいは紙幣に相当する機能を担わされていると言えるだろう。もちろん，月次または四半期毎の仮申告に際して，オリジナルの請求書をいちいち税務署に提出しているわけではない。しかし，税務調査等があった場合に，原則として請求書オリジナル（場合によってはコピー）をしっかりと提示できなくてはならない。

　以上のような理由から，請求書に記載されるべき項目は厳格に規定されている。

取引内容により追加の記載が必要となる場合もあるが，標準的なケースの最低限の記載項目として（売上税法第14条第4項），
 ① 請求書発行事業者ならびに請求書受取人の正確な名称と住所
 ② 請求書発行事業者の納税者番号または「VAT-ID番号」
 ③ 請求書発行日付
 ④ 請求書発行番号
 ⑤ モノ・サービスの内容記載とその量
 ⑥ 請求書発行日付と異なる場合のモノの納品の日付またはサービスの提供の日付
 ⑦ 適用税率・課税免除毎の付加価値税込みのグロス金額
 ⑧ 適用税率の記載と適用税率毎の税額または課税免除の場合の課税免除であることの記載

が挙げられる。但し，付加価値税込みのグロス額が250ユーロ（150ユーロ［2016年まで］）以下の請求書の場合（少額請求書），請求書発行事業者の正確な名称と住所，請求書発行日付，モノ・サービスの内容記載とその量，適用税率と付加価値税額込みのグロス額，課税免除の場合の課税免除であることの記載で十分であるとされている（売上税施行令第33条）。すなわち，請求書受取人の会社名と住所は必要とされない。実務現場でこれは，大きな軽減措置である。

　発行する請求書が上記の規定を満たしたものになっているかの社内チェック体制を確立しなくてはならない。それと同時に，本来税務署から還付される付加価値税を否認されることもあり得ることから，受け取る請求書が前提条件を満たしているかの社内チェック体制もしっかりしておく必要がある。コスト管理の問題である。在独日系企業との関連でいうと，現地法人（子会社）・支店・駐在員事務所を新規に設立した場合，当然のことながらオフィス家具や様々な備品を購入することになる。その家具屋や商店に支払う付加価値税を後日税務署から還付してもらうために，その時に受け取る請求書（領収書）には，250ユーロ（150ユーロ［2016年まで］）を上回る限り，請求書受取人としての会社名とその住所が記載されている必要がある。また，（ドイツ国内の）出張の時のホテル代の請求書や取引先を接待した場合のレストランからの請求書（領収書）も同様である。ちなみに，この出張時のホテル代については，250ユーロ以下のケースにおいて，付加価値税上の観点からは，会社名・住所なしでも構わない。しかし，あくまでも出張時の宿泊であることを明白にするという観点から，会社名を入れてもらうことが勧められる。

## 5  付加価値税の税率

　ドイツにおいては，標準税率19％，軽減税率7％となっている。ドイツでは，そのように標準税率と1つの軽減税率というように，2段階である。しかし，他のEU加盟国では軽減税率が複数になっているケースがある。また，中間税率といった過去の歴史的経緯を引きずった税率も存在している。軽減税率の適用対象は，大まかにいうと，①「基礎食料品」，②「書籍・出版物類」，③その他の社会政策上優遇されるべきモノとサービスである。付加価値税の本質上，収入の多寡に応じて累進税率が適用される個人所得税とは異なり，裕福な人も貧しい人も同じ値段の商品を買った限りでは，同額の税金を納めることになる。そのため，相対的な税負担という観点から見て，付加価値税には「逆累進性」があると言われている。その逆累進性を緩和するという意図から，誰にとっても必要不可欠なものとしての基礎食料品と万人の文化的欲求充足手段の代表としての書籍・出版物類には，軽減税率が適用されている。標準税率ベースでEU加盟国の付加価値税率を一覧すると以下のようになる（2023年1月現在）。

〔EU加盟国における付加価値税の標準税率〕

| 国　　名 | 標準税率 | 国　　名 | 標準税率 |
| --- | --- | --- | --- |
| ベルギー | 21％ | スペイン | 21％ |
| デンマーク | 25％ | リトアニア | 21％ |
| ドイツ | 19％ | ラトビア | 21％ |
| フィンランド | 24％ | エストニア | 20％ |
| フランス | 20％ | ポーランド | 23％ |
| ギリシャ | 24％ | チェコ | 21％ |
| アイルランド | 23％ | スロバキア | 20％ |
| イタリア | 22％ | ハンガリー | 27％ |
| ルクセンブルク | 16％ | スロベニア | 22％ |
| オランダ | 21％ | マルタ | 18％ |
| オーストリア | 20％ | キプロス | 19％ |
| ポルトガル | 23％ | ルーマニア | 19％ |
| スウェーデン | 25％ | クロアチア | 25％ |
| ブルガリア | 20％ | | |

## 6  付加価値税上の登録・納税者番号・VAT-ID番号

　例えば現地法人（子会社）を新規に設立した場合，他の税金（賃金税・法人税・営業税）と一緒に付加価値税上も管轄の税務署に登録され，そこから納税者番号の交付を受ける。日系企業の進出形態でいうと，現地法人と支店は当然のことながら，駐在員事務所についても，付加価値税上の登録が行われる（これについては後述）。さらに，ザールルイという町にある連邦中央税務庁（支局）からVAT-ID番号の交付を受ける。他のEU加盟国においては，国によっては納税者番号とVAT-ID番号が同一の場合もある。ドイツのVAT-ID番号は，「DE＋9桁の数字」から構成されている。DEは，Deutschland（ドイツ）の略称である。もともと「EU域内取引」（後述）のためのものであったが，2004年税制改正で，ドイツ国内取引の場合にも請求書の納税者番号の代わりに最低記載項目の1つとして使用することができるようになった。

## 7  日本本社とドイツ付加価値税

　日本本社がドイツの付加価値税に関わってくる場合として，①非居住者である事業者としてドイツの付加価値税を還付だけしてもらうとき，②日本本社がドイツで課税売上を計上するときの2つのケースがある。

　①のケースは，まずは，日本本社のスタッフがドイツに出張して，日本に持ち帰ったホテル代・接待飲食費・その他の費用のドイツの付加価値税が載った請求書（領収書）がある場合である。通常このような還付のみのケースについては，翌年の6月30日までに，記入・署名した還付申請書，記入された質問書，オリジナル請求書（前記の請求書要件を満たしたもの），日本本社の管轄税務署から入手した居住者証明書をまとめてボンの連邦中央税務庁に送付すれば，ドイツ付加価値税は還付してもらえる。このような還付だけの手続きを前段階税還付手続きと呼んでいる。

　②のケースは，もっとも簡単な例でいうと，ミュンヘンの会社Aから日本本社Bが機械設備を購入してベルリンの会社Cに販売し，当該機械設備はミュンヘンからベルリンに直送されたというようなケースである（1国内の三角取引）。請求書が日本に送付されることはあっても，機械設備自体はドイツ国内でしか移動していない。この場合，会社Aは19％の付加価値税を載せた請求書を日本本社Bに送付し，日本本社Bは，会社Cに対して同様に19％の付加価値税を載せた請求書を送付しなければならない（課税売上の発生）。たとえこの取引が1回限りのものであっても，日本本社Bは，ドイツで付加価値税上の登録をし，申告・納付（相殺控除）を行わ

なければならない。すなわち，納付する付加価値税と還付してもらう付加価値税（前段階税）を両立てで申告する。付加価値税の最終的負担は発生しないが，登録・申告・納付に関わる事務管理コストは残念ながら負担しなくてはならない。

## 2 モノの売買に対する付加価値税

以下において，モノの売買とサービスの提供・受益に分けて，どこの国の課税権に服するのかという観点から，在独日系企業に関連の深い取引形態についてその基本的なポイントを解説していきたい。在独日系企業の多くの実務に鑑みて，原則として他の事業者との取引の場合（B2Bビジネスの場合）を前提とする。取引相手が最終消費者である場合（B2Cビジネスの場合），その処理が変わってくるケースがあることは，留意していただきたい。

### 1 2人の事業者の間の取引

まずもっとも基本的な2つの会社の間でのモノの売買取引を考えると，
① ドイツ国内での売買取引
② 第3国（例えば日本）との間の売買取引（輸出入取引）
③ EU域内の事業者との売買取引

の3つのパターンが在独日系企業に深く関わるものとして挙げられよう。そして，これらの3つのパターン（売りと買いを分けて考えると6つのパターン）は，複雑な取引を考える時の基本となる。その意味で，この3つ（6つ）の2社間取引を，その背景事情も含めてきちんと理解することは極めて重要である。

①のケース，例えば，在デュッセルドルフの日系企業の現地法人（子会社）が日本から輸入して自らの倉庫に在庫として保管していた機械部品（モノ）を在ミュンヘンのドイツ企業に発送・販売したというケースの場合，19％のドイツ付加価値税がそこに賦課されることは容易に理解できるであろう。但し，留意すべき点は，モノの動きがデュッセルドルフからミュンヘンというドイツ国内であるがゆえに，ドイツの付加価値税に服しているという点である。もし，当該在デュッセルドルフの日系企業現地法人がオランダのロッテルダムに倉庫を有していて，そこからミュンヘンに発送・販売した場合には，請求書はデュッセルドルフからミュンヘンに送付されるという点では同じであるが，付加価値税上はまったく違った処理になる。すなわち，ドイツ国内間売買取引ではなく，オランダ・ドイツ間の後述のEU域内取引

となる。モノの売買取引の付加価値税上の処理においては，あくまでもそのモノの物理的な動き・存在が基準になる。

②の第3国との輸出入取引においては，発行する請求書（輸出）ならびに受け取る請求書（輸入）に付加価値税が賦課されていないという意味では同じであるが，輸入の場合と輸出の場合とを分けて考える必要がある。日本に商品（モノ）を輸出する場合，日本の取引相手に対して発行する請求書にドイツの付加価値税を賦課する必要はない。この課税免除措置（輸出免税）は，まずは，付加価値税の課税対象は最終消費であり，最終消費がドイツ（EU）で行われないことが明確な第3国への輸出に対して課税するのはおかしいという「着荷地国原則」の観点から説明される。さらには，ドイツ産商品の国際市場での競争力あるいは税制上の中立化を確保するためという2つ目の観点からも説明がなされる。

在日本の親会社等の取引相手から商品をドイツに輸入する場合も，当然のことながら日本から送付されてくる請求書にドイツの付加価値税は賦課されていない。しかし，輸入時の通関の際，原則として「輸入付加価値税〈Import-VAT〉」の納付義務が負わせられている。この輸入付加価値税の賦課は，輸入された商品を，既にドイツ国内の流通ベースに載り付加価値税が賦課されている商品と同じ土俵に載せるための措置である。事業者の場合，この輸入付加価値税は，一旦納付する必要があるものの（キャッシュアウトが発生するものの），他の事業者に支払った付加価値税と同様に，前段階税として税務署から還付してもらえるものである（実務的には月次の仮申告時に相殺控除）。

③のEU域内取引の具体的事例として，在デュッセルドルフの在独日系企業の現地法人が在パリのフランス企業に対して商品をデュッセルドルフからパリへ発送・販売したケースを考える。当該在デュッセルドルフの日系企業の現地法人が在パリのフランス企業に送付する請求書には，ドイツの付加価値税もフランスの付加価値税も賦課しない（EU域内への納品）。すなわち，EU域内の国境を越えるもっとも基本的な2人の事業者間での取引では，売る側では課税免除（免税）される。他方で，買う側（ここでは在パリのフランス企業）では，このような購入を付加価値税上は「EU域内からの取得＝課税売上」として計上する。あくまでもそれは帳簿上ならびに月次・四半期仮申告書上においてだけであり，同時に前段階税として相殺控除の処理をすることから，第3国（日本等）からの輸入の場合とは異なり，キャッシュアウトが発生せずに済まされてしまう。このような課税免除扱いを受けるEU域内取引の前提として，買う側が自分のVAT-ID番号を売る側に伝え，売る側はそれを

自分のVAT-ID番号と一緒に請求書に記載する。さらに売った側は，通常の仮申告とは別途に行われるEU域内取引報告書でそのEU域内取引があったことを届け出なければならないという義務を負わせられている。

## 2 チェーン取引

より複雑な取引の具体例として，モノの流れと請求書の流れが異なる「三角取引」（3人の事業者間の取引）とか「チェーン取引」（通常4人[社]以上の事業者間の取引）と呼ばれているものがある。日系企業の場合，EU加盟国間でモノがクロスボーダーで移動しているチェーン取引が頻繁に見られる。そのような（クロスボーダーの）チェーン取引等を見ていく上で重要なポイントは，モノの流れを基準に，どこの国の付加価値税の課税権に服するかを判断するという点である。すなわち，請求書の流れはまったく関係がない。モノ（例えば機械設備）はドイツ国内のミュンヘンからベルリンに直送されるが，請求書はミュンヘンの会社Aから日本の会社Bへ送られ，さらに日本の会社Bからベルリンの会社Cに送られるという1国内の三角取引については既に言及した。ここでも，モノはドイツ国内でしか動いていないので，ドイツの付加価値税の課税権にのみに服するという原則が見て取れる。

典型的な（クロスボーダーの）チェーン取引の一例として，モノは在ミュンヘンの事業者Aから在パリの事業者Dへ直送されるが，請求書は，ミュンヘンの事業者Aから在日本の事業者Bへ，在日本の事業者Bから在ロンドンの事業者Cへ，そして最後に在ロンドンの事業者から在パリの事業者Dと送付されるという取引を考える。この場合，3つの請求書上の取引は，モノが動いているドイツかフランスの付加価値税の課税権に服するか（非移動取引），あるいは，課税免除扱い（免税）のEU域内取引となるかである（移動取引）。すなわち，会社の所在地国である日本の消費税やイギリスの付加価値税はまったく関係がないこと，さらに，課税免除扱いのEU域内取引は，3つの請求書上の取引の中の1つの取引にしか適用されないという点である。そして，課税免除扱いのEU域内取引に，理論上付加価値税上のEU域内国境（ここでは独仏国境）があると見なされる。そして，その前の取引は発送地国（ここではドイツ）の付加価値税の課税権に，その後の取引は着荷地国（ここではフランス）の付加価値税の課税権に服するものとして処理する（非移動取引の付加価値税処理）。例えば，B–C間の請求書上の取引が「EU域内取引」とされた場合，A–B間の請求書上の取引はドイツの付加価値税の課税権に服し，そしてC–D間の請求書上の取引はフランスの付加価値税の課税権に服する。その際，在日本の事業者

Bはドイツに付加価値税上登録されていること，在ロンドンの事業者Cはフランスに付加価値税上登録されていることが前提となる。

以上からも分かるように，どのようにして課税免除扱いのEU域内取引（移動取引：付加価値税上のEU域内国境）の位置を決定するかが重要になる。この点に関して，2010年から2020年まで，ドイツは過渡的状況にあった。すなわち，①輸送手配基準と②処分権移転時基準の2つの基準が並行して存在していた。前者の①輸送手配基準は，従来からのドイツ税務当局ならびに税務裁判所の支配的見解である。後者の②処分権移転時基準は，2010年の欧州司法裁判所判決（ユーロタイヤ・ホールディング判決）に依拠して，ドイツ連邦税務裁判所が2011年以降の各種の判決で明らかにしている見解であった。税務当局と税務裁判所の見解が乖離している状況であった。2020年1月1日付でEU（欧州連合）ワイドでほぼ①輸送手配基準に統一された（クイック・フィックス［Quick Fixes］）。EUレベルの法的根拠は，EU付加価値税システム指令の第36a条であり，ドイツにおける法的根拠は，ドイツ付加価値税法（売上税法）の第3条第6a項である。

輸送手配基準においては，A社・B社・C社・D社が関与し，商品はAからDまで直送される独仏間のクロスボーダー・チェーン取引において，その輸送手配をどの事業者が行ったかが基準になる。輸送手配の具体的内容としては，輸送業者に輸送依頼・発送指示を行い，輸送料請求書の宛先となっている者が輸送手配を行った者と見なされている。そして，原則として輸送手配を行った事業者の前の取引が「移動取引」と見なされ，その「移動取引」が同時に課税免除扱いの独仏間のEU域内取引と見なされる。例えば，事業者Bが輸送手配を行えば，A–B間の請求書上の取引が独仏間のEU域内取引と見なされ，事業者Cが輸送手配を行えば，B–C間の請求書上の取引が独仏間のEU域内取引と見なされ，事業者Dが輸送手配をすれば，C–D間の請求書上の取引が独仏間のEU域内取引と見なされる。そして，この連鎖の最初に位置する事業者Aが輸送手配を行った場合は，A–B間の請求書上の取引が独仏間のEU域内取引と見なされ，また例えば，事業者Bが輸送手配をした場合でも，Cに対する納品業者として輸送手配をしたという前提条件を満たした場合には，B–C間の請求書上の取引を独仏間のEU域内取引と見なすという例外規定もある。

## 3　サービスの提供・受益に対する付加価値税

サービスの提供に関する付加価値税の処理は，例えばサービス提供者も受益者も

ドイツ国内という場合は，殆どのケースにおいて，ドイツの付加価値税に服することは自明であり，大きな問題はない。しかしながら，サービスの提供者がドイツの会社で受益者がフランスの会社（あるいは日本）という「クロスボーダーのサービス提供」の場合，問題は複雑になる。クロスボーダーのサービス提供の場合，どこで該当するサービスが行われたか（＝サービス提供の場所）が基準となり，サービス提供の場所と見なされた加盟国の税率が適用される。もし，日本やスイスといった第3国がサービス提供の場所となる場合には，当然のことながら，EUの付加価値税は賦課されない。さらに，サービス提供の場所は，どのようなサービスが提供されたか（＝サービスの内容）によって決定されることから，サービスの内容の正確な把握が，サービスに関する正しい付加価値税の処理のために極めて重要である。

　サービスの提供に関する付加価値税処理については，2010年に大きな改革があった。これはEUワイドでの改革である。2009年までの規定では，一般原則ではサービス提供者がその事業を営む場所，特別原則では①不動産関連サービスは不動産の所在場所，②事業者の活動の場所，③仲介・斡旋サービスは該当する売上がなされた場所，④サービス受益者の所在地，⑤輸送サービスは輸送開始国または行程の所在地国，⑥サービスの利用・実現の場所，という構成になっていた。どの特別原則が適用されるかは，サービスの内容によって決定されていた（これは現在も変わっていない）。しかしながら，サービス提供者がその事業を営む場所がサービス提供の場所であるという一般原則は，適用されるケースが稀であり，例外規定である特別原則が適用されることが多く，それがサービスの提供に関する付加価値税の処理の複雑さの原因になっていたとも言える。

## 1　2010年のサービス提供の場所の決定方法の変更

　2010年から施行され，現在も有効なサービスに関する付加価値税法の規定は，「B2Cビジネス（対最終消費者との取引）」の場合と「B2Bビジネス（事業者間取引）」の場合で大きく異なっている。在独日系企業のビジネスのほとんどは，「B2Bビジネス」である。それゆえ，ここでもB2Bビジネスに焦点を当てて解説したい。簡潔に言うと，「事業者へのサービス提供（B2Bビジネス）」の場合について，「受益事業者所在地国原則」を「基本原則」に据えて，サービス提供の場所の決定方法が簡素化されている。そして，それまで（2009年まで）の規定の法的不明瞭さを排除し，「リバース・チャージ制度」の適用範囲を拡大して，実際のキャッシュ上のVAT賦課が発生しないように工夫されている。以下，これが意味するところを解説した

い。

## (1) 基本原則—受益事業者所在地国原則

　最終消費者へのサービス提供（B2Cビジネス）については，大きな変更はなく，2010年以降も「サービス提供者所在地国原則」が適用されている。但し，多くの例外規定が従来どおり存続している。それに対して，事業者へのサービス提供（B2Bビジネス）については，サービス受益事業者が経済活動の拠点を有している所（通常はその居住地国）がサービス提供の場所という受益事業者所在地国原則が基本原則となり，現在でも有効である（売上税法第3a条第2項）。

　この受益者の居住地国がサービス提供の場所という規定は，2009年までの規定にも特別原則として存在していた。例えば，ドイツの会計事務所が在独日系企業の現地法人（子会社）にコンサルタントサービスを提供すると，サービス提供の場所はドイツということから，同会計事務所は19％の付加価値税が賦課された請求書を発行する。それに対して，同じコンサルタントサービスが日本本社に対してなされた場合，サービス提供の場所は日本ということになり，ドイツの19％が賦課されていない請求書が発行されていた。2010年以降の規定との関連で重要な点は，これが基本原則となり，より広い範囲のサービス提供がこの基本原則の適用を受けるようになったことである。2009年まで別途のサービス提供の場所の決定方法が適用されていたが，新規定で（2010年から）この基本原則の適用を受けるようになった事業者へのサービス提供で重要なものは，仲介・斡旋サービス，貨物輸送サービス，貨物輸送関連サービス（積荷，荷降ろし，積替え作業等），動産関連サービス（自動車修理等）である。また，2011年からであるが，見本市・展示会に出展の場合の付加価値税処理が変更されている。歴史的な話（過去の話）ではあるが，このような変更の足跡を知っておくと，時に役に立つことも多い。

　2009年までの規定では，日本の本社が例えばハノーバー（ドイツ）で開催される見本市・展示会（メッセ）に出展して，ブースのアレンジをメッセ会社に依頼した場合，不動産関連サービスということで，サービス提供の場所は不動産が位置するところであるドイツとなり，メッセ会社は，ドイツの19％のVATを載せた請求書を日本本社に送付してきていた。それに対して2011年からは，メッセ会社のそのような見本市・展示会に関連するサービスは，「文化・芸術・スポーツ・学術・教授活動・エンタテイメントならびにその他の催し物に関連するサービス」という別途の括り方をされて，受益事業者所在地国原則が適用される。その結果，メッセ会社は日本本社に対してドイツのVATなしの請求書を送ってくる（但しメッセの入場券

にはドイツのVATが賦課）。これをより正確にいうと，次のようになる。2011年以降も，ブース面区画の賃貸料は不動産関連サービスと見なされる。しかし，それ以外の見本市・展示会関連のサービス（ブース設備の賃貸，ブース設計・組立，ブースへの電気・ガス・水道等の供給，ブースの管理・維持，ブースの清掃，事務機器の賃貸，秘書業務サービス，翻訳・通訳サービス等，連邦財務省通達には15項目に分けて列挙してある）のうち3項目以上が一緒の契約になっている場合，ブース面区画の賃貸料を含む全体を包括的な催し物関連サービスと見なして，受益者所在地国原則を適用する（連邦財務省売上税法ガイドラインS7117-a）。

(2) 例外規定―不動産関連サービス（不動産所在地規定：売上税法第3a条第3項第1号）

2009年までの規定でもそうであったが，不動産関連サービスは，2010年以降も，不動産が位置するところがサービス提供の場所と見なされ，付加価値税処理が行われる。このもっとも具体的な例は，オフィスの賃借料，不動産業者のアパート仲介手数料やホテル宿泊時のVATである。例えば，日本本社からのドイツへの出張者がドイツ国内のホテルに宿泊した場合，その請求書にはドイツのVATの7％（2009年までは19％）が賦課される。上述のように，見本市・展示会に関連するサービスは，2010年以降，ブース面区画の賃貸料を除き，不動産関連サービスとは見なされていない点には留意する必要がある。

(3) 例外規定―輸送手段の短期的リース（引渡地規定：売上税法第3a条第3項第2号）

輸送手段とは，具体的には乗用車・トラック（レンタカー），ボート・その他の船舶，航空機等である。「短期的」とは原則として30日以内であり，船舶等は特別に90日以内とされている。「短期的リース」の場合，事業者・最終消費者を問わず，当該輸送手段がリースされた場所がサービス提供の場所とされる。他方で，「長期的リース」の場合，事業者へのサービス（リース・レンタル）であれば，基本原則である受益事業者所在地国原則が適用される。例えば，日本本社からの出張者がドイツでレンタカーを1週間借りたという場合，サービス提供の場所はドイツとなる。そして，そのレンタル料の請求書にはドイツの付加価値税19％が賦課されることになる。しかし，2ヵ月間のドイツ出張の間に，1ヵ月半の間レンタカーを借りていた場合には，長期的リースということで，サービス提供の場所は日本になる（サービスの受益者は日本本社）。そして，その他の請求書の形式要件は満たさなくてはならないものの，そして場合によっては，日本本社が確かに事業者であることの

何らかの証明を提示することが要求されることがあるものの，ドイツの付加価値税19％は賦課されない。

(4) 例外規定―レストラン等の売上（食事提供地規定：売上税法第3a条第3項第3b号）

レストラン，ケータリング等のサービス（食事を提供するサービス）については，受益者が事業者か最終消費者であるかに関わりなく，そのサービスが行われた場所（食事等が供された場所）がサービス提供の場所となる。但し，EU域内で行き来する船舶，航空機，電車内での食事，レストランサービスの場合は，これも受益者が事業者か最終消費者かに関わりなく，その旅客輸送の開始場所がサービス提供の場所とされる。

(5) 例外規定―旅客輸送（行程基準規定：売上税法第3b条）

これは従来と同様に，受益者が事業者か最終消費者かに関わりなく，「行程（道のり）基準」に基づき，行程の地理的所在地がサービス提供の場所となる。例えば，パリ（フランス）からミュンヘン（ドイツ）まで電車で行く場合，その行程のうち，フランス区間はフランスがサービス提供の場所となり，ドイツ区間はドイツがサービス提供の場所となり，それぞれのVATの賦課が行われる。ちなみに，事業者に対する貨物輸送サービス（積荷，荷降ろし，積替え作業等のサービスも含む）については，基本原則である受益事業者所在地国原則が適用されることを，ここで再度強調しておきたい。

(6) 例外規定―催し物入場チケットサービス（開催場所規定：売上税法第3a条第3項第5号）

「文化・芸術・スポーツ・学術・教授活動・エンタテイメントならびにその他の催し物」に関して，その入場券（入場させるというサービス）は，例外規定の適用対象となる。すなわち，その催し物が開催された場所が，サービス提供の場所となる。在独日系企業に直接的に関わってくるのは，見本市・展示会等の入場チケットであろう。それに対して，「文化・芸術・スポーツ・学術・教授活動・エンタテイメントならびにその他の催し物に関連するサービス」（催し物関連サービス）は，基本原則の受益者所在地国原則に服する。そして，その開催場所の賃借料は不動産関連サービスと見なされ，ここでも例外規定が適用されるものの，催し物関連サービスと賃借料の不動産関連サービスがまとまったサービスとして提供される場合の簡素化規定がある（参照：(1) 基本原則―受益事業者所在地国原則：272頁以下）。

## （7） 例外規定—第３国関連のサービスに関する例外規定（使用地・利用地規定：売上税法第３a条第６項〜第８項）

　この例外規定は，部分的に「例外規定の例外規定」とも言えるものである。ドイツはヨーロッパ大陸の真ん中に位置し，大部分がEU（欧州連合）加盟国に取り囲まれているが，第３国であるスイスとも国境を接している。また，まだEU加盟国ではないバルカン諸国や，ウクライナ，ベルラーシ，ロシアといった第３国の国とも他のEU加盟国を通じて陸続きで繋がっている。たとえばドイツの貨物トラックがウクライナ，ベルラーシ，ロシアに向けて輸送サービスを行ったりということは日常的に行われている。第３国が絡むその他のクロスボーダーサービス提供も，当然のことながら，頻繁に行われている。そのような状況を背景として，上記の基本原則と例外規定（２〜６）だけでは，当該第３国の付加価値税法ないしはそれに類似する税法規定との関連で，様々な問題が発生する可能性がある。この第３国関連のサービスに関する例外規定（使用地・利用地規定）は，そのような問題の発生を回避するためのものである。

　この例外規定である使用地・利用地規定は，大きく分けると，①（特定の）輸送手段のリースに際しての第３国関連の例外規定と②「提供者・受益者の所在地＝ドイツの場合」の第３国関連の例外規定の２つに分類される。前者の（特定の）輸送手段のリースに関わる例外規定は，さらに，特定の輸送手段に関するB2Bビジネスの場合のものと，輸送手段すべてに関わるB2Cビジネスの場合のものに分かれる。前者の特定の輸送手段（鉄道車両，バス，トラック等）のリースの例外規定は，ドイツ国内の事業者による第３国所在の事業者への「短期的リース」に関わるものである。その場合，当該輸送手段の使用・利用が第３国でのみ行われる限りにおいて，引渡地のドイツではなく，当該第３国をサービス提供の場所と見なす（引渡地規定の例外規定）。後者の輸送手段すべてのリースの例外規定は，第３国の事業者が輸送手段をリースするが，それがドイツ国内で使用・利用される場合，サービスの提供の場所は，第３国ではなくて，ドイツになるというものである。

　②「提供者・受益者の所在地＝ドイツの場合」の第３国関連の例外規定は，（a）貨物輸送サービスならびにそれに関連するサービス（積荷，荷降ろし，積替え作業等），（b）動産関連サービス（修理，専門鑑定等），（c）旅行前段階でのサービス，（d）見本市・展示会等の催し物関連サービスの４種類のサービスに関わるものである。以上の４種類のサービスにおいて，「サービス提供者＝ドイツ」，「サービス受益者＝ドイツ」の場合で，かつ当該サービスが使用・利用される場所が第３国とい

第４章　税務上の留意点　　275

う場合に，ドイツの付加価値税の課税を行わないというものである。

　以上のように，色々な例外はあるものの，2010年以降，事業者へのサービス提供の場合のサービス提供の場所の決定方法について，受益事業者所在地国原則が基本原則になった。それによって，日本のような第3国の会社は，どこのEU加盟国のものであれ，EUの付加価値税が賦課された請求書を受け取る頻度が大幅に減少した。一旦納付して翌年の6月30日までに「還付申請（前段階税還付申請）」をするという費用と労力が削減できていると言えるであろう。

## ② 2010年以降のリバース・チャージ制度の適用拡大と「サービスに関するEU域内取引報告」の導入

　2010年EU付加価値税法改革で導入され，現在も有効な規定は，B2Bビジネスにおける基本原則，「受益者所在地国原則」である。それと並んで重要なのが，ここで解説するリバース・チャージ制度の適用拡大とサービス提供に関するEU取引報告の導入である。ドイツ（EU）の付加価値税制度においても，付加価値税の納税義務を負うのは売上を計上した事業者である。今問題にしているサービス提供でいうと，サービスを提供した事業者が，サービス受益者からサービスに対する対価と付加価値税を一緒に支払ってもらい，その付加価値税は税務署に納付するという義務を負う。しかしながら，上記で説明したように，EU加盟国間のクロスボーダーでのサービス提供が行われた場合，原則として，サービス受益事業者の所在地国がサービス提供の場所となる。すなわち，サービス提供事業者は，自分の所在地国ではない国の付加価値税課税に服することになる。例えば，ドイツの運送業者A社がフランスのB社のために貨物を輸送したという場合，サービス提供の場所はフランスとなる。ドイツの運送業者A社はフランスでVAT登録し，フランスのB社からフランスの税率（20％）で支払われたVATをフランス税務当局に納付しなければならないことになる。

### （1）　リバース・チャージ制度の適用範囲の拡大

　もしこれが本当にそうであれば，クロスボーダーのサービス提供に際しての企業（事業者）側の負担は，2010年EU付加価値税法改革により大幅に増大したことになる。しかしながら，そこを緩和する仕組みがリバース・チャージ制度と呼ばれているものである（売上税法第13b条）。すなわち今の例で言うと，ドイツの運送業者A社がフランスで負うべき納税義務を，フランスのサービスの受益事業者B社に転

嫁して（ドイツ運送業者Ａ社が出す請求書は付加価値税０％），フランスでのVAT登録もする必要がない。フランスのＢ社は，フランス税務当局に申告はする。しかし，たとえVAT（20％）をドイツの運送業者Ａ社にサービスの対価と一緒に支払っていたとしても，それはフランスの税務当局から還付されるものであることから，転嫁された申告義務に服する金額（要納付付加価値税額）と還付の権利を有する金額（前段階税額）を相殺して，VATに関するキャッシュの動きがないまま済ますことができる。

　このようなEU域内でのクロスボーダー・サービス提供時のリバース・チャージ制度の適用は，VATの専門家は異なる位置づけをするのであるが，モノをドイツの事業者がフランスの事業者に対して販売した時と結果的に同じ処理になる。一般的な話として，このリバース・チャージ制度は，EU加盟国毎に適用対象範囲が微妙に異なっている。しかし，2009年以前から存在していた。2010年からは，B2Bビジネスのサービス提供時の場所の決定方法について，受益事業者所在地国原則が基本原則になることによって発生するであろう問題点を，リバース・チャージ制度の適用範囲の拡大により，実際の付加価値税の賦課を発生させないようにしている。

## (2)　サービスに関するEU域内取引報告の導入

　ドイツの会社がフランスの会社にある商品（モノ）を販売したという場合，モノのクロスボーダーのEU域内取引ということで，請求書の付加価値税は０％でよい（記載しなくてもよい）。しかし，月次の通常の申告書で申告すると同時に，別途に提出する「EU域内取引報告〈Zusammenfassende Meldung〉」の中で，そのようなクロスボーダーのモノの取引を申告する必要がある。これは，付加価値税が０％でよいクロスボーダーのEU域内取引に関して，各国税務当局がコントロールできるようにという主旨からである。1993年の域内市場の統一以降，事業者（納税義務者）に課せられた追加的義務である。但し，これはあくまで事業者間のクロスボーダーのモノの取引についてのみであった。2009年まで，サービスの提供はその申告の対象にはなっていなかった。2010年から，事業者へのサービス提供の場所の決定方法について受益事業者所在地国原則が基本原則になった。そして，付加価値税の実際的な賦課（キャッシュフロー）が発生しないリバース・チャージ制度の適用範囲が拡大されたことに伴い，原則として，EU域内でクロスボーダーのサービス提供を行った事業者は，モノの場合と同様に，その取引をEU域内取引報告において別途申告する義務を負わせられることになった（売上税法第18a条）。これは，現在も行われなくてはならない。

## 4　EU域内居住事業者の前段階税還付手続きの簡素化

　EU加盟国はどの国においても，その還付対象となるものの相違は若干あるものの，原則として，外国の事業者にも，付加価値税（前段階税）の還付を認めている。すなわち，付加価値税登録までの必要はなかったが，一旦支払わなくてはいけなかった付加価値税（VAT）があった場合，その付加価値税は，翌年の6月30日までに申請書とともにオリジナルの請求書を添付して申請をすれば，還付してもらえる。これは，一定の前提条件を充足している限りにおいて，日本のような第3国の会社（事業者）に対しても認められている。このような「仕入時の付加価値税」の還付手続きを前段階税還付申請と呼んでいる。この手続きに関して，申請者（還付受取権者）がEU域内居住事業者の場合の手続きが，2010年申請分（2009年度分）から大幅に簡素化されている。但しこの簡素化は，あくまでEU域内居住事業者の申請についてのみで，日本のような第3国の会社の申請手続きには変更がないことには留意する必要がある。以下の解説は，あくまでEU域内居住の事業者（在独日系企業の関連会社等を含む）のドイツにおける前段階税還付申請に関わるものである。

　2009年までの規定では，EU域内居住の事業者についても，翌年の6月30日までに，それぞれの国毎に各国の税務当局に対して直接に，申請書と居住者証明書とともに，該当するオリジナル請求書を添付して還付申請する必要があった。2010年EU付加価値税法改革以降，これがまず申請期限が翌年9月30日までと延長された。それぞれの国毎に還付申請し，そこから還付を受けるという点には変更がないが，申請書を最初に受理するのは，申請事業者の居住地国の税務当局である。当該居住地国税務当局は，申請を受け付けるインターネット・ウェブサイトを設け，申請事業者はそこに電子ベースで申請する。2009年までとは異なり，オリジナルの請求書は添付する必要がない。還付申請を受理した居住地国税務当局は，それを還付国税務当局に転送する。その際同時に，居住地国税務当局は，当該申請事業者が確かに同国の税務上の居住者であることを連絡することが義務付けられることから，申請事業者は居住者証明を提出する必要はない。ここからの遣り取りは，EU域内居住の申請事業者と還付国税務当局の間になる。また，オリジナルの請求書は申請時に提出されないが，還付国税務当局はそのコピーの送付を要求することができ，合理的に疑念が正当化される場合には，オリジナルの送付を要求できるとされている。還付までの期間は，申請受理後4ヵ月から最大で8ヵ月までとされ，当局側の都合

でそれ以上になった場合，当局側に利子支払義務が発生する。

# IV
# 賃金税と社会保険料の処理

　在独日系企業の3つの進出形態である駐在員事務所，支店，現地法人（子会社）に共通して課せられている義務として，賃金税（支払給与からの個人所得税源泉徴収分）と社会保険料の源泉徴収，その管轄税務署ならびに健康保険事務所等への納付がある。社会保険料は税金ではないが，日本人駐在員も含めた雇用されている被用者（従業員）に対して，給与支払をする際に必ず付随する処理になることから，ここでまとめて解説したい。

## 1　賃金税の概要

　ドイツにおいても，日本と同じように「給与所得［ドイツ語では〈Einkünfte aus nichtselbständiger Arbeit（非独立労働からの所得）〉と呼ばれている］」があった場合，当該給与の支払者（雇用主：会社）は支払給与額から源泉徴収を行い，雇用主の管轄税務署に納付する。日本ではこれを給与所得源泉徴収分と呼んでいる。それに対してドイツでは，「賃金税〈独 Lohnsteuer，英 wage tax〉」と，あたかも1つの独立した税金の種類のように呼んでいる。しかし実態としては，日本の給与所得源泉徴収分と同じものと考えて差し支えない。

### 1　賃金税の歴史

　ドイツにおける給与所得からの源泉徴収という意味での賃金税の直接的な起源は，第1次世界大戦後のワイマール共和国時代の1920年に施行された所得税法に遡る。そして1924年までは，会社（雇用主）が源泉徴収したことの証として，スタンプを賃金税カード〈Lohnsteuerkarte〉に貼り付けていた。このスタンプが押された賃金税カードは，日本の源泉徴収票のようなものである。そして，1925年の所得税改革で，ほぼ現在の形を取るようになった。他方で，ワイマール共和国時代からの賃金税カードのシステムは，2010年を最後に変更が加えられ，オンラインでの情報の遣り取りになっている。ちなみに，日本の給与所得の源泉徴収制度は，1940年

に戦費調達のために導入されている。当時のドイツのナチスの賃金税システムに倣ったと言われている。

## 2 賃金税徴収事務と会社側の義務

　賃金税を負担するのは，給与を稼得する日本人駐在員も含めた従業員である。しかし，会社（雇用主）は，給与報酬支払時に賃金税を源泉徴収し，管轄税務署に納付する義務を負う。徴収対象期間単位は，原則として暦月である。しかし，賃金税納付年額がわずかな場合には，四半期毎または1年単位での納付が認めれるケースがある。月次納付の具体的なプロセスとして，10月分の給与が10月25日頃に従業員に対して振り込まれる会社の場合（ドイツの給与支払いはある意味で「部分的前払」になっているのが普通である），その給与から賃金税を源泉徴収し，11月10日（翌月の10日）までに，「賃金税月次申告書〈Lohnsteuer-Anmeldung〉」をその会社の管轄税務署に提出する。同時に，そこに記載されている賃金税額を税務署の口座に振り込む（口座自動引落も可能）。正確に言うと，賃金税月次申告書には，賃金税額の他に，賃金税額の5.5％に上る「連帯付加税〈Solidaritätszuschlag〉」額と，場合によっては「教会税〈Kirchensteuer（州毎に異なるが，賃金税額の8～9％）〉」額が記載されており，その合計額を税務署に振り込むことになる。ちなみに，連帯付加税は，2021年から，高額所得者のみが負担するようになった。

　この翌月の10日までに提出する賃金税月次申告書は，会社単位で行われ，個々の従業員毎に行われるものではない。例えば，従業員が100人いる会社の場合，申告書の中の賃金税額は，100人の従業員の個人毎の賃金税額を合計した総額である。月次申告の時点では，どの従業員がどれだけの賃金税額を負担したかは税務署には連絡されていない。これをチェックするのが，通例3～4年に一度入る「賃金税税務調査〈Lohnsteuerprüfung〉」である。そのため，雇用契約で取り決められた給与をきちんと支払っていることの証として，従業員に対して「給与明細書〈Gehaltsabrechnung〉」を送付する。それに加えて税務上の観点から，会社（雇用主）は，月次申告書の賃金税総額の内訳（各従業員毎の賃金税額）と各従業員の賃金税額の計算根拠が明らかになる資料，すなわち「給与支払台帳〈Gehaltskonto〉」を作成し，一定の期間保存しておく義務が負わせられている。

　この賃金税の源泉徴収事務は，税務当局（＝国）が本来行うべきであり，会社側に不当にその負担が転嫁されているものであるという見解もある。実際にその観点から，カールスルーエの連邦憲法裁判所で争われたこともある。また，会社の賃金

税月次申告義務（月次申告書）は，2005年1月から，コンピュータを使用して税務署に対してオンライン送付することが義務付けられた。しかし，コンピュータを有しない雇用主から抗議があり，2005年4月になって各地の高等財務局〈Oberfinanzdirektion〉が通達を公表し，その中で引き続き従来通りの書式での月次申告書でも構わないことが明確にされた。

## ③ 税務ID番号と賃金税源泉徴収データのオンライン照会

2010年までは，日本からの駐在員そして在独日系企業の日本人現地スタッフも含めた給与所得者は，賃金税源泉徴収のために，「賃金税カード〈Lohnsteuerkarte〉」というものを「住民局〈Einwohnermeldestelle〉」から交付してもらっていた。そしてそれを，会社の人事・総務担当者に提出するか，給与計算が外部に委託されている場合には，その会計事務所等にさらに送付されていた。この賃金税カードは，暦年毎に交付され，氏名・住所，後述する課税クラス，宗教等の源泉徴収時の賃金税源泉徴収データが記載されていた。場合によっては，特定の必要経費控除を望む場合に本人が申請して，それを記入してもらうことができたものである。

「行政事務の電子化・オンライン化」というドイツの国家政策目標のもとで，このペーパーの賃金税カードは，2010年分をもって廃止された。そして，2011年と2012年の移行期間を経て，2013年からは「賃金税源泉徴収データオンライン照会システム」が導入されて現在に至っている。この賃金税源泉徴収データオンライン照会システムのもとでは，給与計算を行っている会社の人事部の担当者あるいは業務委託を受けた税理士，会計事務所の給与計算担当者は，毎月月初に更新される税務当局のデータバンクに，月次の給与計算の度にオンライン・アクセスを行う。そして，最新の賃金税源泉徴収データにもとづき，月次の賃金税源泉徴収額を計算する。

他方で，2007年頃から数年かけて，外国人はもちろんのこと，生まれたばかりの赤ちゃんも含めてドイツに居住する人全員に対して，11桁のアラビア数字から構成される「税務ID番号〈Steuer-Identifikationsnummer〉」の交付が行われている。日本からドイツに赴任して来た駐在員本人と家族（配偶者と子供）全員に対しても交付される。具体的には，住民登録をすると，市町村自治体の住民登録局はそのデータを税務当局のデータベース（連邦中央税務庁の管轄）に送付する。そして連邦中央税務庁は，その住民登録を根拠に子供も含めて駐在員家族全員分の税務ID番号を郵送してくる。上記の賃金税源泉徴収データオンライン照会システムとの関係で

言うと，当該駐在員の給与計算時の賃金税源泉徴収は，この税務ID番号と誕生日で照合が行われるようになっている。そのため，自宅に郵送されてきた税務ID番号を，会社の人事担当者あるいは給与計算を委託している会計事務所に連絡しなければならない。

## 4 賃金税クラス

「賃金税クラス〈Lohnsteuerklasse〉」は，月次の源泉徴収時に，家族状況や共稼ぎ等の個人的な要因を考慮して，一定の限界はあるものの，源泉徴収額ができる限り公正になるように配慮した区分である。次のような6つのクラスに分けられている。

〔賃金税クラス〕

| クラス | 対象者 |
| --- | --- |
| 賃金税クラスⅠ | 独身・単身者，または，寡婦・寡夫，既婚者・離婚者で，賃金税クラスⅢまたは賃金税クラスⅣの条件を満たさない者。日本人駐在員で単身赴任している者は，この賃金税クラスⅠに区分される。 |
| 賃金税クラスⅡ | 賃金税クラスⅠに属する者で，所得税法第24b条にいう「母子家庭及び父子家庭の場合の負担軽減控除」を受けられる者。 |
| 賃金税クラスⅢ | 既婚者で，その配偶者もドイツの無制限納税義務に服する者。寡婦・寡夫及び離婚者で，一定の条件を満たしている者。 |
| 賃金税クラスⅣ | 既婚者かつその配偶者もドイツの無制限納税義務に服する者で，配偶者にも賃金税課税対象所得がある場合。 |
| 賃金税クラスⅤ | 賃金税クラスⅣに属する者で，両者の申請により，一方について賃金税クラスⅢでの課税を望む場合。 |
| 賃金税クラスⅥ | 複数の会社に同時に雇用されている者で，2番目以降の雇用関係からの給与所得に適用される課税クラス。 |

日本人駐在員の場合は，① 独身者・単身赴任者の場合の「賃金税クラスⅠ」，② 既婚で配偶者帯同の場合の「賃金税クラスⅢ」（典型的なケースは奥さんはドイツで専業主婦），そして，③ 様々な理由からドイツで複数の雇用主が存在している場合の2番目の賃金税クラスとなる「賃金税クラスⅥ」の3つのケースがほとんどである。賃金税クラスⅥは，従業員代表委員会〈Betriebsrat（機能からして日本の会社単位で組織された労働組合に相当する）〉との軋轢等の理由から，ドイツでの給与支払先を2ヵ所に分けている場合，あるいは，現地法人と駐在員事務所というドイツ国内で2つの雇用主から給与の支払を受けている場合に見られるものである。しかしながら，賃金税クラスⅥのケースは数が少ないことから，日本人駐在員の大半は，賃金税クラスⅠか賃金税クラスⅢのどちらかと考えて差し支えない。

最近の実務においては，配偶者帯同で来独した場合，自動的に「夫＝賃金税クラスⅣ」，「奥さん＝賃金税クラスⅣ」に区分されているケースが多い。年度申告に最終的に調整されるのであるが，そのままにしておくと，月次の段階で高い税率で課税されることになる。ドイツでも共働きという場合は別であるが，奥さんが専業主婦の場合，居住地の管轄の税務署に対して，「夫＝賃金税クラスⅢ」，「奥さん＝賃金税クラスⅤ」に変更してもらう申請を行う必要がある。

## 2　ドイツの社会保険料

社会保険料〈Sozialversicherungsbeitrag〉は，税金ではないが，実務上，賃金税の源泉徴収と密接に関連している。駐在員事務所の日本から派遣されている駐在員を除き，駐在員事務所の現地スタッフ，そして，支店ならびに現地法人（子会社）の日本から派遣されている駐在員と現地スタッフの双方が納付義務を負っている。駐在員事務所，支店，現地法人は，賃金税の場合と同様に，会社として源泉徴収義務を負っていることから，ここで解説しておきたい。

### 1　ドイツの社会保険料の種類

ドイツの「社会保険〈Sozialversicherung（SVと略称される）〉」としては，以下の5種類がある。

〔社会保険の種類〕

| 種　類 | 略　称 | 負担者 |
|---|---|---|
| 年金保険〈Rentenversicherung〉 | RV | 会社・従業員双方負担 |
| 失業保険〈Arbeitslosenversicherung〉 | AV | 会社・従業員双方負担 |
| 健康保険〈Krankenversicherung〉 | KV | 会社・従業員双方負担 |
| 介護保険〈Pflegeversicherung〉 | PV | 会社・従業員双方負担 |
| 労災保険〈gesetzliche Unfallversicherung〉 |  | 全額会社負担 |

さらに，近年導入された「分担金〈Umlage〉」と呼ばれる会社側（雇用主側）だけが負担する保険料が3つある。

| 分担金1〈Umlage 1またはU 1〉：病欠補填金分担金 | 病欠時給与継続支払（6週間）に際して，会社側が補填金を受給するための保険。30人以下の従業員を要する会社に納付義務がある |
|---|---|
| 分担金2〈Umlage 2またはU 2〉：産休補填金分担金 | 産前産後休暇（産前6週間・産後8週間）の給与継続支払に際して，会社側が補填金を受給するための保険料 |

| 分担金3〈Umlage 3 またはU 3〉：倒産時給与補填金分担金 | 倒産時給与継続支払（最大3ヵ月間）に際して，会社側が補填金を受給するための保険料 |
|---|---|

## ② 保険料負担率と賦課限度額（2023年ベース）

「保険料負担率（会社負担分と従業員負担分の合計）」と「賦課限度額（所得がこれ以上増えても負担額は増加しないという限度額）」は，以下のようになっている。

〔社会保険の料率と賦課限度額〕

|  |  | 合計負担率 | 従業員負担分・会社負担分 | 賦課限度額（ユーロ） |
|---|---|---|---|---|
| 年金保険料 | 旧西ドイツ地域 | 18.6 % | 9.3 % | 7,300 |
|  | 旧東ドイツ地域 | 18.6 % | 9.3 % | 7,100 |
| 失業保険料 | 旧西ドイツ地域 | 2.6 % | 1.3 % | 7,300 |
|  | 旧東ドイツ地域 | 2.6 % | 1.3 % | 7,100 |
| 健康保険料 | 全ドイツ（標準保険料率） | 14.6 % | 7.3 % | 4,987.50 |
| 介護保険料 | 全ドイツ | 3.05 % | 1.525 % | 4,987.50 |

以下の分担金の料率は，従業員1人当たりの月額給与額に対するもので，年金保険の賦課限度額（旧西ドイツ地域：7,300ユーロ，旧東ドイツ地域：7,100ユーロ［どちらも2023年ベース］）に料率を掛け合わせた額が最高額となっている。また，ザクセン州（ライプツィヒ・ドレスデン等）の介護保険料はその歴史的経緯から，子供がいる満23歳以上の人の場合，会社側負担は1.025％のみで，従業員負担分は2.025％となっている（双方とも2023年ベース）。なお，介護保険料については，年度の途中である2023年7月1日から，3.40％に引き上げられる（労使各々1.70％）。そして，ザクセン州の場合は，会社側が1.20％で，従業員側が2.20％となる。

| 分担金1〈Umlage 1 またはU 1〉：病欠補填金分担金（AOKラインラント・ハンブルクの場合） |  |  |
|---|---|---|
|  | 補填額比率70％ | 2.99％ |
|  | 補填額比率60％ | 2.45％ |
|  | 補填額比率50％ | 2.10％ |
| 分担金2〈Umlage 2 またはU 2〉：産休補填金分担金（AOKラインラント・ハンブルクの場合） |  | 0.55％ |
| 分担金3〈Umlage 3 またはU 3〉：倒産時給与補填金分担金 |  | 0.06％ |

介護保険については，2005年1月1日より，23歳以上で子供がいない者については，0.35（2023年7月1日から0.60）％の従業員側だけの追加負担が課されている。その場合の労使負担合計は，3.40（2023年7月1日から4.00）％となる。また，健康保険料については，2005年より，会社負担分の料率である7.3％はど

法定健康保険機関でも同じであるが，各々の法定健康保険機関の財政状況等に応じて，場合によっては追加料率を徴収することができようになった。さらに2015年からは，年度の途中でも変更できるようになっている。この追加料率は，変動の可能性はあるものの，平均1.6％前後である。なお，社会保険料の会社負担分はすべて，従業員の個人所得税上非課税扱いとなる。

　従業員が一定の条件を満たしたプライベート健康保険へ加入している場合には，保険料の半分か，または月額ベースで403.99ユーロ（法定健康保険機関の平均保険料額の半額［2023年ベース］）のどちらか低い額まで会社側は非課税で補填できる。

　介護保険加入義務は，健康保険加入義務に準じ，かつリンクしているため，任意加入の場合でも，法定健康保険機関への任意加入に際して，または一定の条件を満たしたプライベート健康保険機関への任意加入に際して，同時に加入する必要が出てくる。その際，会社は76.06ユーロ（2023年7月1日から84.79ユーロ）を非課税で補填できる。また，ザクセン州においては，その歴史的経緯から51.12ユーロ（2023年7月1日から59.85ユーロ）となっている。

　法定の健康保険機関の代表的なものとして，「一般地域健康保険機関〈Allgemeine Ortskrankenkasse（略称AOK）〉」があり，社会保険料（年金保険料，失業保険料，健康保険料，介護保険料）の徴収窓口となっており，年金保険料と失業保険料は，従業員が加入している健康保険機関から，在独日系企業の場合，年金保険料は在ベルリンのドイツ年金保険連合〈Deutsche Rentenversicherung Bund〉に，失業保険料は在ニュールンベルクの連邦雇用庁〈Bundesagentur für Arbeit〉に送られる。

　社会保険料の源泉徴収という観点から言うと賦課限度額があることから，給与額の高い従業員については，必ずしもその比率は該当しないのであるが，グロス給与額の20％強の金額が源泉徴収される。そしてほぼ同額の会社負担分とともに，各々の従業員が加入している健康保険事務所（健康保険機関）に納付される。すなわち，健康保険事務所は，社会保険料の徴収窓口となっている。

## 3　賃金税の源泉徴収

### ① 月次の賃金税源泉徴収の対象となるもの

　月次において，源泉徴収の対象（課税対象）となるものは，大きく①（現金）給

与支払，②各種の手当の支給，③その他のフリンジベネフィット（現物支給）の3つに分けられる。その3つを具体例も挙げてもう少し詳しく見て行くと，以下のようになる。

## (1) 給与

ドイツ払月次給与，日本払月次給与（住民税・社会/労働保険料等の控除前の金額，但し「計算上の所得税」は控除した後の金額），日本払賞与（駐在対象期間対応 [場合によっては帰国後支払い分も]），日本払退職一時金

## (2) 各種手当

教育手当（学校授業料等），住宅手当（単身赴任の場合等は一定額まで非課税），医療費手当，各種クラブ（日本人会・ゴルフクラブ等）の会費補填，健康保険料補填（一定額までは雇用主負担分として非課税扱いの可能性），出張時の日当（一定額を超える分），一時帰国費用補填（単身赴任の場合は原則として非課税扱い），語学研修費補填（特定のものは非課税扱い），自宅の駐車場代補填，住居修繕費補填，赴任手当（どの時点で支払われたものが課税対象になるかについては論争あり），滞在許可証取得手数料補填，税理士費用（ネット給与保証のもとでは非課税），日本留守宅家具保管料補填

## (3) その他のフリンジベネフィット

カンパニーカー供与，家具貸与，ストックオプション付与，無利子または低利子での従業員貸付金

## ② 賃金税における月次段階の控除項目

賃金税は通常，月次ベースで計算される。しかし，あくまで個人所得税の前払である。個人所得税の控除項目のうち，証憑類の提出なしに給与所得者に関して保証されている控除項目（年額ベース）が月次ベースで考慮されるようになっている。在独日系企業の駐在員に頻繁に見られる賃金税クラスⅠと賃金税クラスⅢについて，この月次の賃金税額算定プログラム（税額算定式）で考慮されている所得税の控除項目（2023年）は，以下のようになっている（正確に言うと2010年から(4)の金額が変動するようになっている）。

〔賃金税クラスⅠとⅢにおける控除項目〕

| クラス | | |
|---|---|---|
| 賃金税クラスⅠ | (1) | 基礎税率表〈Grundtabelle〉の適用（基礎控除額：年額10,908ユーロが考慮されている） |
| | (2) | 給与所得必要経費控除（年額1,230ユーロ） |
| | (3) | 無限定生活支出に関する定額控除（年額36ユーロ） |
| | (4) | 将来に備えての費用支出に関する控除（給与額により変動） |
| 賃金税クラスⅢ | (1) | 夫婦合算税率表〈Splittingtabelle〉の適用（基礎控除額：年額21,816ユーロが考慮されている） |
| | (2) | 給与所得必要経費控除（年額1,230ユーロ） |
| | (3) | 無限定生活支出に関する定額控除（年額36ユーロ） |
| | (4) | 将来に備えての費用支出に関する控除（給与額により変動） |

## ③ 賃金税課税対象の給与・フリンジベネフィットと非課税支給項目

### (1) 賃金税課税対象として留意すべき項目

　ドイツの場合，日本であれば会社の福利厚生の一環で，非課税で支給できる，あるいは非課税扱いになっているものが，ドイツでは課税対象になっているというケースが多い。そのような観点から，上記の解説（284頁以下）と重複するところもあるが，留意すべき支給給与，手当等の主なものを以下に挙げる。これらの内容は，「課税漏れの回避」の観点から，きちんと理解しておく必要がある。

① **ドイツ国外（日本）でのグロス給与・賞与（すなわち日本の税金［住民税等］および社会保険料控除前の金額）**

　　例：日本で支給された給料・賞与・家族手当・留守宅手当等で，各種の諸控除前の金額（但しいわゆる「計算上の所得税」は控除）。

② **会社が従業員個人のために支払った個人使用のホテル代・家賃・駐車場費用・家賃補給・共益費・電気代・壁塗り替え費・修繕費等**

　　例外：

　　(a) ホテル代または家賃

　　　　但し，単身赴任者のホテル代（通例本来の住居が見つかるまでの仮の住居としてのホテル），または単身赴任者の住居の家賃（月額1,000ユーロまで）は，会社が二重家計経費として非課税で支給可能。会社が非課税で支給補填しなかった場合には，個人所得税年度申告において，給与所得必要経費として控除可能。

　　(b) 駐車場費用

　　　　但し，職場での駐車場（自宅での駐車場ではない）に関して，会社の名

義で賃借し，従業員の自家用車のために使用させた場合は，非課税のフリンジベネフィットとして見なされる。

### ③ 会社所有の家具の従業員（駐在員）への無料貸与

付加価値税額を含む購入価格を償却年数で割った金額を年間の課税対象のフリンジベネフィットとする（月次ベースではその年額を12等分する）。

### ④ 会社所有の乗用車（カンパニーカー）の個人貸与

ビジネス用にも使用するが，自由に個人使用もできるという場合（勤務終了後の使用，週末・有給休暇中の使用），付加価値税額を含む新車登録時のカタログ価格の１％（「１％ルール」：電気自動車＝0.25％，ハイブリッド車0.5％）を，個人使用部分の１ヵ月当たりのフリンジベネフィット額と見なして課税する。走行記録を作成して，実際のビジネス使用の走行距離と個人使用の走行距離を算定して，それをもとに個人使用部分のフリンジベネフィット額を出す方法もあるが，「１％ルール」が簡単である。

### ⑤ 会社所有の乗用車（カンパニーカー）の通勤使用

簡便法による月額＝新車登録時のカタログ価格（付加価値税込み）×0.03％×片道距離

例外：一旦フリンジベネフィットとして課税対象の計算をし，そのうち一定額までは，「分離課税処理」（後述）することが可能。

### ⑥ 従業員個人の乗用車の出張使用時のキロメータ手当

実際の走行キロ当たり0.30ユーロを超える会社補填額。

### ⑦ 従業員の個人保険料の全部または一部の会社補填額

例：グループ事故保険等。

例外：グループ事故保険については，年間１人当たり100ユーロまでは，「分離課税処理」（後述）が可能。

### ⑧ 健康保険料会社負担限度額の超過分および従業員またはその家族の薬代・医療費の会社補填額

例外：医療費は，一定限度額を上回る自己負担額について，通常外負担として，所得税年度申告において控除される可能性がある。

### ⑨ 従業員の私用電話につき会社が負担した電話代

オフィスの固定電話・会社支給の携帯電話の個人使用時の電話代。

### ⑩ 本人・家族一時帰国費用（ホームリーブ）の会社負担額

駐在員・その家族を一定の期間をおいて一時帰国を会社負担で認める場合のその

費用。

⑪　ドイツの税法上の非課税額を超える日当・食事手当の支給

例外：非課税額を超えた場合でも，非課税額と同額までは，分離課税処理（後述）が可能。

⑫　従業員個人のクラブ・団体等の会費や使用料の会社補填額

例：日本クラブ，ゴルフクラブ，テニスクラブ等。

⑬　その他雇用関係に基づき与えられた給与・便益

例：赴任時一時手当，有給休暇の買上げ額，休暇手当，パスポート延長に要する費用，60ユーロを超える贈答品の受取り等。

⑭　従業員慰安旅行の費用，社内パーティー費用，会議時の食事代

例外：会社催し物〈Betriebsveranstaltung〉としての前提条件が満たされていれば，一定額までは非課税扱いが行える（非課税額）。そしてそれを超える金額については，分離課税処理（後述）が可能。

⑮　会社による食事支給

原則として，食事の費用額（VAT込み）が課税対象額となる。但し，以下のように例外的に非課税支給（場合によっては分離課税処理）が可能となっている。

例外１：取引先の接待において，従業員自身が飲食した費用は非課税。

例外２：特定の例外時（緊急勤務時［ITシステムがダウンし，ITスタッフが残業してその復旧に当たらなくてはならないといった場合］）は，60ユーロを限度として非課税扱い（非課税許容限度額）。

例外３：一定の条件を満たし，会社がアレンジした食事支給の場合（社員食堂での食事等），その食事の実際的費用とは関係なく，「食事支給公定評価額（朝食2.00ユーロ，昼食・夕食各 3.80ユーロ）」（2023年ベース）で課税処理する。場合によっては，「分離課税処理」（後述）が可能。

例外４：出張時の食事の支給（１回60ユーロまでで，日当・食事手当の非課税支給が可能な場合は原則として当該金額は非課税扱い）。

⑯　会社が負担した個人所得税申告等のための税理士費用

駐在員はほとんどがネット給与保証に服しており，その年度申告の費用も会社が負担していることが多い。ネット給与保証に服する場合は，2019年５月９日付の連邦税務裁判所の判決により，非課税扱いとされた。

⑰　無利息または低利子での従業員貸付

市場平均利率と無利子（低利利率）との利率差部分に対応する金額が課税対象と

なる。但し，貸付元金残高が2,600ユーロ以下の場合は非課税。

## (2) 非課税支給項目

　会社からのフリンジベネフィットならびに現物支給は，原則として課税扱いと認識して対処すべきである。しかしながら，会社側が「賃金税」を源泉徴収せずに従業員に対して支給できる例外がいくつかある。そしてその例外について，次のような区分をして整理しておくと概観しやすい。

① まったく非課税扱い〈steuerfrei〉：その金額が常識的範囲内でという前提であるが，特定の金額の制限が付随せずに，非課税扱いが認められているもの。

② 非課税許容限度額〈Freigrenze〉：この金額以下であれば，非課税扱いができるのであるが，この金額を超えてしまうと，全部が課税対象になってしまうという金額。

③ 非課税額〈Freibetrag〉：この金額を超えるフリンジベネフィット（現物支給）があったとしても，この金額分は非課税扱いができる金額。

④ 分離課税処理〈Pauschalierung〉：課税対象ではあるが，色々ある定率の税率で課税し，通常，会社側が税金を負担する。その結果，従業員側から見ると，非課税扱いに見える。

　最後の分離課税処理は，あくまで「課税扱い」である。しかしながら，会社が分離課税賃金税を負担する場合，従業員には非課税扱いと同じになることから，上記の区分に並べている。ここでは①〜③の具体例を挙げておきたい。

① 出張旅費（非課税額：所得税法第3条第1b号・同第9条）

　「宿泊代」：実費精算（非課税扱い）または領収書がない場合には定額精算（20ユーロ［ドイツ国内についての金額〈非課税額〉，外国については国毎の表がある］），「移動に要した費用」：公共交通機関による移動は実費精算（非課税扱い），私有車による移動はキロメータ当たりの実費精算か定額精算（1キロ当たり0.30ユーロまでは非課税額），「日当・食事手当」：時間別・外国の場合には国別に非課税額が設定（詳細な表があり毎年部分的に改定される），「その他の出張関連費用」：実費精算（非課税扱い）。

② 職業上の理由に基づく引越費用（非課税扱い：所得税法第3条第1b号・同第9条）

　「移動に要した費用」：航空券代，電車代等，引越荷物運送費。

③ **職業上の理由に基づく二重家計費用（単身赴任控除［非課税額］：所得税法第3条第16号・同第9条）**

ホテル代またはアパート代（諸雑費を含む［月額1,000ユーロまで］），日当・食事手当（90日間まで1日28ユーロ）。

④ **幼稚園・保育園の保育料（非課税扱い）**

既に雇用契約で決められている給与に追加で会社が負担した場合（所得税法第3条第33号）。6才までの子どもの保育料が対象。

⑤ **社内慰安旅行・クリスマスパーティ等（会社催し物）の費用（非課税額）**

参加者1人当たり1回の費用110ユーロ（VAT込み）まで（年2回まで）。この限度額を超過する場合，あるいは年3回開催する場合には，全額課税対象となる（非課税許容限度額［2014年まで］）。2015年以降，この110ユーロは非課税額となり，110ユーロを超えた金額だけが課税対象となる（所得税法第19条第1項第1a号）。但し，25％分離課税処理が可能。また，ずっと以前は宿泊を伴うものは認められていなかったが，2005年11月16日付の連邦税務裁判所の判例より，110ユーロの範囲内であれば宿泊の可否は問題にされなくなった。

⑥ **社員割引：1,080ユーロ（年額［非課税額］）**

自社製造製品・自社販売製品等を無料または割安価格で従業員に供与した場合の差額分。4％の価格減額調整が行われ，その金額が1,080ユーロを上回るかを見る（所得税法第8条第3項）。

⑦ **航空会社によるマイレージ：1,080ユーロ（年額［非課税額］）**

出張のために貯まったマイレージを従業員の個人使用に委ねた場合（所得税法第3条第38号）。この額を超えた場合，その超えた分は課税対象になる。但し，それについては，マイレージを供与した航空会社が2.25％で分離課税する（所得税法第37a条）。すなわち，航空会社が賃金税を負担するのであり，マイレージの個人使用を認めた会社（雇用主）が賃金税を負担するのではない。

⑧ **1ヵ月1人当たり50ユーロまでの現物支給（非課税許容限度額）**

適用できるものとしては，スポーツ施設使用料，従業員への贈り物，カンパニークレジットカード使用料，低利子・無利子貸付金の基準利率から差額分等が挙げられるが，あくまでそれらの便宜供与を規定に応じて評価し，合計50ユーロ（2021年まで44ユーロ）までであれば非課税扱い（所得税法第8条第2項第11文）になるという意味（超えた場合には全額が課税対象）。その枠を使い切らなかったとしても，翌月への繰越は不可。

⑨　少額贈物〈Aufmerksamkeiten〉：60ユーロ（VAT込み［非課税許容限度額］）

例えば，従業員の誕生日に際しての花束・本等の会社からの贈物。購入価格に対する４％の減額調整を行い，その価格が60ユーロを超えるかどうかを見る（賃金税基本通達2023.R19.6）。超える場合，全額が課税対象となる。

⑩　会社の経営上の関心からの給付（非課税扱い）

管理職の健康診断。労災防止措置としてマッサージの費用。取引先等の飲食接待時の従業員が取る食事・飲物。

⑪　健康促進目的の助成（非課税額）

会社が従業員の健康促進を助成するための措置を講じた場合には，以前は，それが「会社の経営上の関心からの給付」であると判断される場合にのみ非課税とする取扱いが可能であった。2009年度の税制改正の中で，従業員の健康促進のために会社が負担した金額は，暦年で600ユーロを超えない範囲で非課税となった（所得税法第３条第34号）。具体的には，マッサージ，腰痛の予防やストレス回避のためのセミナー参加などである。スポーツクラブやフィットネススタジオの会費はその対象とはならない。

⑫　出張中の会社アレンジの食事（非課税許容限度額）

一暦日で８時間以上（複数日出張の場合の初日・最終日については８時間未満でも可）会社または自宅を不在にした業務出張中の食事で１回当たり60ユーロ以下の場合（所得税法第８条第２項第８〜９文）。請求書（領収書）は会社宛。ここでの会社アレンジの意味は，従業員が出張中にレストラン等で食事をし，それを補填することを会社が予め認めることである。会社の秘書や総務担当者が予めレストランの予約をする等の条件は前提にされていない。但し，日当等が支給されている場合，その非課税枠は減額される。

⑬　緊急時援助金（非課税額）

事故・病気等で従業員が困難な状況にある場合の雇用主から援助金，あるいは，病気療養に対する援助金。年間当たり600ユーロまでは非課税扱い（非課税額）。場合によっては，それを上回る金額でも非課税扱いが可能（賃金税基本通達R.3.11）。また，超える分の一定額まで25％の分離課税処理の可能性がある。

⑭　出張時利用のために会社が購入した「Bahncard」の個人使用（非課税扱い）

「Bahncard」は，ドイツ鉄道が販売している１年間有効のチケット割引購入特典カードである。出張時の使用で，チケット割引分（25％，50％または100％）がカード購入価格を上回っているのであれば，個人使用したとしても非課税扱いとされ

第４章　税務上の留意点　　293

ている（1992年11月16日付OFDハノーファー通達）。

## 4 賃金税源泉徴収に関わるペナルティ

　賃金税の源泉徴収に関しては、①月次申告書の未提出・提出の遅れ、②賃金税納付の未納付・納付の遅滞、③申告漏れの3つの場合に対するペナルティがある。ペナルティは、ガバナンスあるいはリスクマネージメントの問題であるから、たとえ少人数の会社であっても、発生しないための体制を確立する必要がある。

### (1) 申告書の未提出・遅延ならびに税額の未納付・遅延に対するペナルティ

　賃金税月次申告書を翌月の10日の期限に遅れて提出した場合、あるいは未提出の場合、期間頻度を考慮しての担当官の裁量に基づく。但し最高で25,000ユーロのペナルティが課される（租税通則法第152条）。また、税額の納付期限も翌月の10日であるが、納税の遅滞については、銀行振込みについてだけ3日間の特別猶予期間が保証されている。10日が月曜日の場合、通常13日（木）までに税務署側の口座に到着すればよい。小切手や現金支払については、この特別猶予期間はない。例えば1月分の納税額を2月20日に納付した場合、納付税額を50ユーロで割り切れる額まで切り捨て処理を行い、その金額の1％（1ヵ月分）がペナルティとして課される。もしその1月分の納付が3月20日になった場合、1ヵ月と10日の遅延という2％（2ヵ月分）がペナルティとして課される（租税通則法第240条）。

### (2) （システマティックな）申告漏れに対するペナルティ

　過去においては、給与所得の一部を月次の賃金税段階で課税処理せず、個人所得税年度申告段階で申告して、その駐在員の居住地管轄税務署からそのまま受理されていたケースも多々あった。しかし現在は、給与・各種手当・その他のフリンジベネフィットといった月次段階で給与所得として賃金税課税（源泉徴収）されているべきものが課税処理されないで、年度申告段階で始めて申告されると、原則として「賃金税の申告漏れ」と見なされる。そして、会社の管轄税務署に連絡が行き、「（月次）賃金税申告」の修正が遡及して行なわれる。場合によっては、源泉徴収がそもそもきちんと行なわれていないのではという疑いから、会社の管轄税務署から特別の「賃金税税務調査」が実施されることもある。

　このような（月次）賃金税申告の遡及的修正が行なわれて、あるいは賃金税税務調査が実施されて、会社による更なる「申告漏れ」が発見されたりすると、「システマティックな申告漏れ（源泉徴収漏れ）」と見なされ、「脱税」容疑にも繋がる可能性がある。幸いにも、在独日系企業において、そこまでに至ってしまった事例は聞

いていない。しかし，その直前まで行ったという事例は時折見られる。仮に脱税となった場合，会社の長（現地法人の場合は社長，支店・駐在員事務所の場合は本店・本社の代表者）が個人的に禁固刑に服する，あるいは罰金を支払うことになる。現在では，脱税に問われる可能性がかなり現実性を帯びていることは，リスクマネジメントの一環として十分に認識しておく必要がある。

## 4 賃金税の分離課税処理

　ドイツの所得税法は，「総合課税」を原則としている。すなわち，1人の個人（納税義務者）が7種類（①農林業経営所得，②事業経営所得，③自由業所得，④給与所得，⑤金融資産所得，⑥賃貸所得，⑦その他の所得）の所得をすべて申告して，その課税所得の合計額に納税義務者の個人の税率（個々人の所得額に応じた累進税率）を乗じて税額が計算される。他方で，そのような総合課税の例外として，個人の税率とは関係のない税率で課税する「分離課税処理（Pauschalierung）」が認められている。この分離課税処理は，④給与所得の月次源泉徴収分と，⑤金融資産所得に典型的に見られるものである。後者の金融資産所得における分離課税処理は，「第6章　日本人駐在員」の該当箇所（(1)　金融資産所得：280頁）を参照いただきたい。ここでは，給与所得の賃金税月次源泉徴収時の分離課税処理について解説を加えておきたい。

### ① 賃金税分離課税処理の特徴

　原則である総合課税の例外である賃金税月次源泉徴収時の分離課税処理については，金融資産所得の分離課税処理とは少し異なり，以下のような特徴を備えている。
　(1)　賃金税を雇用主（＝会社）が負担することができる。
　(2)　特別算定税率と固定税率による2種類の方法がある。
　前者の(1)賃金税の雇用主負担は，あくまで可能という意味であり義務ではない。そして，従業員に負担させる事例もなくはない。しかしながら，現地スタッフに対する福利厚生の充実の観点と駐在員における人件費コスト削減の観点から，在独日系企業でも雇用主が負担しているケースが多いと思われる。

### ② 特別算定税率による分離課税処理

　特別算定税率による分離課税処理も，実務的には，次の2つのケースにおいて頻

繁に見られるものである。

## (1) その他の給与〈sonstige Bezüge〉が多くの従業員に対して支給されている場合（所得税法第40条第1号）

具体例：会社設立記念ボーナス支給，休暇手当，クリスマス特別手当等。

方　法：管轄税務署に申請して，該当従業員の賃金税クラスの区分分けから特別算定税率を計算して課税する。

その他の条件：1人当たり年間の分離課税処理額が1,000ユーロを超えてはならない。社会保険料の納付義務が発生する場合がある。対象者が最低20人前後いることが前提とされている。

注意：計算方法がかなり複雑になり，労力およびコストが嵩み，必ずしも会社側にメリットが出るとは限らないので，会計事務所等に前もって照会されることが勧められる。

## (2) 賃金税税務調査において追加納付が発生した場合の処理（所得税法第40条第2号）

賃金税税務調査において課税漏れが派遣された場合，会社（雇用主）は税務署に対して追加源泉納付を行わなければならない。そして，理論的にはそれを該当する従業員から追加的源泉徴収を行うことができる。しかしながら，従業員にすれば，多くの場合自分が関与できないところで行われている源泉徴収プロセスについて，数年経ってからその課税漏れの負担をしろと言われても，責任転嫁としか思えないであろう。この分離課税処理は，それを解決する手段として機能している。

## 3　固定税率による分離課税処理

固定税率によるもので，在独日系企業に関連のあるもの，あるいはよく見られるものを挙げると次のようになる。

### (1) 職場における食事の支給—税率25%（＋連帯付加税と教会税）

雇用主（会社）が，職場（社内の食堂等）で，または雇用主から依頼を受けたレストラン等で，通常勤務時に従業員に食事を提供するケースに適用される。まずは，食事を「食事支給公定評価額（朝食：2.00ユーロ，昼食・夕食：3.80ユーロ）」（2023年ベース）で食事を評価する。そして，その全額，または，従業員が一部自己負担する場合には，食事支給公定評価額から従業員自己負担額を差し引いた残額を，25%の賃金税率で分離課税処理する（所得税法第40条第2項第1文第1号）。

(2) 会社催し物における経費―税率25％（＋連帯付加税と教会税）

　従業員のために会社主催のパーティや慰安旅行といった「会社催物〈Betriebsveranstaltung〉」が行われた場合，総経費（付加価値税額を含む）を参加者数で除した額が110ユーロ以下であれば，フリンジベネフィットとして見なされず，賃金税は非課税で，しかも社会保険料納付義務も発生しない（このような会社催物に対する非課税措置は１年２回までとされている）。もしこの額が110ユーロを上回った場合には，2015年以降，超過額（例えば120ユーロの場合10ユーロ）が賃金税課税対象のフリンジベネフィットとなり，社会保険料納付義務が発生する。この場合，10ユーロを賃金税分離課税処理をすれば（所得税法第40条第２項第１文第２号），社会保険料納付義務も免除される。

(3) 療養補助手当―税率25％（＋連帯付加税と教会税）

　医師の証明書により施設療養が必要とされたが，金銭的理由で施設療養が困難な従業員に雇用主が補助を与えた場合，または労災に関連する療養に雇用主が補助を与えた場合，そのような療養補助手当は非課税扱いとなる。以上の２つの条件を満たしていない場合でも，療養（自宅で有給休暇を取り休養する場合でも構わない）に対する補助は，１年当たり

| 従業員本人 | 156ユーロ |
| 配偶者 | 104ユーロ |
| 子女（１人当たり） | 52ユーロ |

である。１年当たりの補助支給が上の額までであれば，25％の賃金税率で分離課税処理ができる（所得税法第40条第２項第１文第３号）。

(4) 日当・食事手当の非課税額の超過分―税率25％（＋連帯付加税と教会税）

　出張に際して従業員に日当・食事手当〈Verpflegungsmehraufwendung〉を支給する場合，「不在時間（１暦日当たりの職場・会社または自宅を不在にしている時間）」に応じて，非課税で支給できる額が決められている。ドイツ国内の例で言うと次のようになる。

〔日当・食事手当の非課税額〕

| 不在の時間 | 非課税額（ドイツ国内） |
|---|---|
| ８時間以上～24時間未満 | 14ユーロ |
| 複数日出張時の初日と最終日 | 14ユーロ |
| 24時間（まる１日） | 28ユーロ |

外国については別途それぞれの国について，非課税額が決められている。これらの非課税額を上回る額が日当・食事手当として支払われた場合，非課税額を上回る額は賃金税課税対象となり，社会保険料納付義務が発生する。非課税限度額が28ユーロのケースで，35ユーロの日当・食事手当が支払われた場合は，28ユーロは非課税・社会保険料納付義務免除であるが，7ユーロが賃金税課税対象となり，社会保険料納付義務が負わせられる。

この非課税額を上回る額について，本来の非課税額と同額まで，25％の賃金税率で分離課税処理ができる（所得税法第40条第2項第1文第4号）。上記の非課税額28ユーロのケースでいうと，56ユーロまで従業員はまったく賃金税を負担することなく支給を受けられる。すなわち，最初の28ユーロはまったく非課税扱いとなり，後の28ユーロについては，賃金税分離課税処理により25％の賃金税を会社が支払う。

## (5) 通勤費手当—税率15％（＋連帯付加税と教会税）

私有車または社有車（カンパニーカー）で通勤した従業員に対しては，「片道距離（km）×0.30ユーロ×15（日）」の額について，15％の賃金税率で分離課税処理ができる（所得税法第40条第2項第2文）。社有車で通勤する従業員の場合，1％ルールでフリンジベネフィットの計算が行われている場合には，一旦，「新車登録時のカタログ価格の0.03％×片道距離（km）」の額を個人使用部分として，賃金税課税対象・社会保険料納付義務に服する所得として見なし，それに対して，上記の算定式で計算された額の通勤費手当を分離課税処理することになる。

## (6) 直接保険・年金基金への払込保険料—税率20％（＋連帯付加税と教会税）

企業年金制度の一環として，一定の条件を満たした直接保険〈Direktversicherung〉または年金基金〈Pensionskasse〉への保険料が支払われる場合，年間当たり1,752ユーロまでであれば，20％の賃金税率で分離課税処理ができる（所得税法第40b条第2項）。

## (7) グループ事故保険への払込保険料—税率20％（＋連帯付加税と教会税）

複数の従業員を一緒に事故保険に加入させている場合，原則として，1人当たりの保険料額が年間当たり100ユーロを上回らない場合，20％の賃金税率で分離課税処理ができる（所得税法第40b条第3項）。

この固定税率による分離課税処理は，上記以外のものもある。しかし，在独日系企業に関係してくるものは上記のものである。これを適用して会社が賃金税を負担するとなると人件費増となる。他方で従業員の福利厚生の充実には，うまく利用で

きることも確かである。また，駐在員に対してこれを適用した場合，カンパニーカー供与の場合の通勤費の15％の分離課税処理の場合に明確なように，人件費削減にも結び付く可能性もある。適格な利用を考慮すべきであろう。

## 5　賃金税税務調査

### 1　賃金税税務調査の意義

　税金，社会保険料等のドイツの公租公課に関わる調査としては，①主として会社の法人税・営業税（場合によっては付加価値税）を中心に調査する一般税務調査（法人税税務調査），②輸入時の関税を調べる関税調査，③（一般税務調査とはまったく別途に）付加価値税の納付状況に的を絞った付加価値税特別税務調査，そして④各種社会保険料の納付状況を調査する社会保険料調査等がある。ここで問題にしている賃金税に関しては，通常3～4年のサイクルで，⑤「賃金税税務調査〈Lohnsteuerprüfung〉」が実施されている。この賃金税税務調査の実施理由は，賃金税月次申告はあくまで源泉徴収・納付する事業所の賃金税総額での申告であり，税務署ではその額が適正なものであるかどうかについて，源泉徴収段階ではチェックしていないという点に求められる。また，賃金税の税収総額に占める割合が約30％前後であり，最大規模の租税収入となっているという点も重要である。賃金税の源泉徴収義務者は雇用主であることから，賃金税税務調査は雇用主である会社が対象となる。

## 2　賃金税税務調査の進行過程

　賃金税税務調査は，様々な事情から異なるケースがあり得るが，標準的には以下のような形で進められる。

| | |
|---|---|
| 事前予告 | 会社または会計事務所（税理士事務所）に対して税務調査官から電話または書面で，税務調査の実施，対象期間ならびに開始予定日の予告がなされる。この際，調査対象会社側は，担当者の不在等を理由に開始予定日の変更を申し出ることも可能である。 |
| 税務調査実施通知書〈Prüfungsanordnung〉の送付 | 税務調査実施のための正式な通知であり，対象期間，調査開始予定日，調査官名が明記されている。この段階でも，開始予定日の変更を申し出ることは可能である。「税務調査法〈Betriebsprüfungsordnung〉」に基づき，調査対象会社の事務所にて行われるほか，税務調査官の了解が得られれば，給与計算を委託している会計事務所（税理士事務所）の一室に関係資料を全部取り揃えて，そこで調査が行われることもある。 |
| 第1回目のミーティング（調査開始） | 税務調査官，調査対象会社の代表者（経理担当者あるいは人事担当者），そして，会計士・税理士が出席し，調査日程（調査官の会社訪問または会計事務所訪問の日程）や必要書類が確認され，調査官から調査の概要が説明される。 |
| 実質的調査の開始 | 第1回目のミーティングの当日にただちに書類の精査が開始されるケースが多い。 |
| 税務調査の進行 | 調査官側からの質問，会社・会計事務所側からの回答の繰り返しになるが，簡単な質問に対しては口頭で回答がなされる。簡単に回答ができないような質問については，会社と会計事務所側で打合わせをした後，書面で回答することも多い。必要に応じてミーティングが持たれる。通常，数日から2週間（会社の規模により異なる）で終了するが，必要な資料が提出できなかったりした場合，中断する形で終了するまで半年〜1年に及ぶこともある。 |
| 最終ミーティング | 調査官側から最終的な調査結果が提示される。この段階でも，追加納税額に関する交渉が行われることも多い。また，この後，非公式のレポートが送られて再度最終ミーティングの合意内容が確認されることも多い。 |
| 調査官からの最終レポートの送付 | 最終ミーティングに基づき，通常，最終ミーティングから通常1ヵ月以内に税務調査報告書が送付されてくる。法人税の税務調査の場合とは異なり，この税務調査報告書には，「追加源泉徴収査定書」，「追加納付査定書」，「賃金税確定査定書」が添付されていることが多い。3つのうちのどの査定書が送付されるかは，賃金税税務調査の調査結果に拠るが，実際には1つの書式にまとまっている。追加納税があった場合には，それを1ヵ月以内に納付する。これに同意できない場合には，1ヵ月以内に異議申立を税務署に対して行うことになる。この場合，支払猶予の申請が同時に行われることが多い。また，同じ案件に関して既に税務裁判所で係争中の場合等，「異議申立に対する決定の先送り」を申請することがある。 |
| 異議申立に対する決定 | 異議申立に対する決定が税務署から送付されてくるが，その決定にも不服な場合には，「税務裁判所〈Finanzgericht〉」に提訴する。 |
| 税務裁判所への提訴 | 税務裁判所は2審制になっており，第1審の判決に不服な場合には，最終審である「連邦税務裁判所〈Bundesfinanzhof〉（ミュンヘン）」に上告することになる。 |

## ③ 賃金税税務調査の場合の査定書

　賃金税税務調査が終了した場合の査定書には原則として3種類あり，結果次第で異なった査定書が送付されてくる。

| | |
|---|---|
| 追加源泉徴収査定書〈Haftungsbescheid〉 | 従業員の給与からの源泉徴収漏れがあったことから，追加で源泉徴収すべきことを指示した査定書。もちろん，当該査定書に基づく税務署に対する納付は，一定の期限内に行わなければならないが，それとは別に，従業員からの源泉徴収を実施する必要がある。通常，次回の税務調査に際してそれがチェックされ，源泉徴収されていない場合には，会社側がその賃金税を肩代わりしたと見なされ（すなわち，未徴収の源泉徴収額がネット給与支給されたと見なされ），追加の税金の請求が行われる。 |
| 追加納付査定書〈Nachforderungsbescheid〉 | 基本的に，会社側が納付義務を負う賃金税（分離課税処理の際の賃金税）の追加納付について出される査定書。 |
| 賃金税確定査定書〈Bescheid über Aufhebung des Vorbehalts der Nachprüfung〉 | 従業員からの追加源泉徴収（同時に税務署への追加納税）も，会社側からの追加納税もない場合に，調査対象期間の賃金税納付が確定したことを確認する査定書。 |

# V 駐在員事務所の税務処理

　ドイツの税務当局から見ると，駐在員事務所も，支店や現地法人（子会社）と同様に税務署に登録されており，支店・現地法人と異なるところはない。ただ，駐在員事務所は登録されている税目が賃金税（給与所得税源泉徴収分）と，多くの場合それに加えて付加価値税の２つのみである。ビジネス活動の結果，収益を計上し，利益を上げた場合に納付する法人税ならびに営業税については，税務署に登録されていない。もし駐在員事務所がもはや租税条約上のPE（恒久的施設）の例外規定が適用できないビジネス活動を行う場合，あるいはそのようなビジネス拠点とみなされる場合には，支店（未登記支店）ということになり，しかも利益を計上した場合には，その利益に対しての法人税・営業税（それに加えて連帯付加税）を納付しなければならない。

## 1　駐在員事務所に関係する税金と社会保険料

　駐在員事務所が会社として関係する税金は，社会保険料も含めていうと，以下の５つである。
(1)　賃金税（給与所得に関する個人所得税の源泉徴収分）
(2)　連帯付加税（賃金税に対する付加税として）
(3)　個人所得税（日本人駐在員について）
(4)　社会保険料（年金，失業，健康，介護，労災）
(5)　付加価値税

　最初の２つの賃金税と連帯付加税については，上記の「Ⅳ　賃金税と社会保険料の処理」において解説したことが，駐在員事務所の場合にもそのまま該当する。３つ目の個人所得税は，厳密に言うと駐在員事務所が会社として関係している税金ではない。日本人駐在員が駐在している場合（これが普通である），その日本人駐在員の個人所得税申告書（還付申告）の作成・税務署との対応を，殆どの場合駐在員事務所（会社）が会計事務所に依頼しているという意味である。この点は，支店な

らびに現地法人（子会社）に日本人からの駐在員が駐在している場合も同じである。この個人所得税については，「第6章　日本人駐在員」で解説する。ここでは，4つ目の社会保険料（年金，失業，健康，介護，労災）と5つ目の付加価値税について，駐在員事務所における特殊留意事項を解説したい。

## 2　社会保険（年金・失業・健康・介護・労災）

駐在員事務所の場合の社会保険料に関する対応・処理に際して，日本から派遣されている駐在員と，現地採用日本人を含む現地スタッフに分けて考える必要がある。

### 1　日本からの派遣駐在員

日本本社（あるいは他の日本の関連会社）からドイツの駐在員事務所に派遣されている駐在員（正確に言うと国籍が日本人である必要はない）は，支店・現地法人（子会社）に派遣されている駐在員とは異なり，ドイツにおける社会保険法上，特殊な地位を有している。すなわち，「ドイツ社会法典〈Sozialgesetzbuch〉」の第4部第5条に規定されている「外国社会保険法継続適用条項〈Einstrahlung〉」が適用される。その結果，ドイツで勤務しているにもかかわらず，ドイツの5つの社会保険料（年金，失業，健康，介護，労災）すべての納付義務が免除されている。これは，簡単に言うと，駐在員事務所は外国の法人であり，在独日系企業の駐在員事務所の駐在員の場合は，雇用関係が直接的には日本にあると見なされるためである。この点は，在独日系企業ではあっても，原則としてドイツの社会保険料のすべての納付義務を負っている支店・現地法人の駐在員とは大きく異なっている。

他方で，2000年2月1日に「日独社会保障協定」が発効した。その結果，ドイツの社会保険料すべての納付義務を負っている支店・現地法人の駐在員についても，日本本社の管轄の社会保険事務所に「適用証明書（D/J101）」を交付申請して，それを取得・保管しておけば，ドイツの年金保険料と失業保険料の2つについては，最長8年間にわたりドイツでの納付義務が免除されている。駐在員事務所の駐在員の場合は，すでにドイツの国内法ですべての社会保険料の納付義務がないことから，余計なことに見えるが，ポジティブな国内規定であっても2国間協定の規定が優先されるという原則から，やはり同様に適用証明書の取得が義務付けられている。但し，日独社会保障協定の該当する適用条項が，支店・現地法人の駐在員の場合は，原則として第10条になっているのに対して，駐在員事務所の駐在員の場合は第7

条になっている。そして，適用証明書において，それが正確に記載されている必要があることには留意しなくてはならない。

　最初の適用証明書は，最長5年間とされ，延長に際しては最長3年間とされ，合計で最長8年間となっている。最初の適用証明書は，当初の予定赴任期間が3年や4年であっても，最長の5年間で交付申請をしておくことが勧められる。交付申請は，赴任後であっても半年以内であれば遡及申請が可能とされているが，赴任前に申請することが勧められる。

　適用証明書は，日本語・ローマ字併記になっているのであるが，社会保険事務所から交付されるものには，日本語表記しかなされていない。ローマ字部分は，申請者が自分で手書きで書き込まなくてはいけない。これは公文書偽造でも何でもない。駐在員事務所の場合は，給与計算事務は会計事務所（税理士事務所）に委託していることが殆どなので，手書きで書き込んだもののコピーを当該会計事務所に送付する。

### ② 現地採用スタッフ

　駐在員事務所の現地採用スタッフに関しては，たとえ日本人の現地採用スタッフであっても，ドイツ社会法典の第4部第5条に規定されている外国社会保険法継続適用条項の適用も，日独社会保障協定の適用もない。そのため，支店ならびに現地法人（子会社）の現地採用スタッフとまったく同様に，5つの社会保険料すべての納付義務を負っている。そして，年金保険料・失業保険料・健康保険料・介護保険料については，月次給与支払時に，従業員負担分が源泉徴収され，当該現地採用スタッフが加入している健康保険機関に会社負担分と共に送付する。また，労災保険については，労災保険機関に駐在員事務所が全額負担で送金する。

## 3　付加価値税

### ① 駐在員事務所の付加価値税

　駐在員事務所は，ビジネス活動は行うものの，支店・現地法人（子会社）とは異なり，商品を販売したり，サービスを提供したりすることはない。そのため，原則として，付加価値税上の課税対象となる課税売上は発生しない。しかしながら，次のようなことを行った場合，課税売上と見なされ，支店・現地法人とまったく同様に，付加価値税の月次申告（四半期申告）を行わなければならない。

| 事務所資産の売却 | 事務所の備品・カンパニーカー（社有車）や駐在員の社宅の家具などを売却した場合，そこに課税売上が発生したと見なされる。買主に対して（買主が他の会社か個人であるかは問題にならない），19％の付加価値税を載せた請求書を作成し，請求しなければならない。付加価値税を請求し忘れた場合で，後日税務調査で指摘されれば，請求額の15.97％（19÷119）を税務当局から請求される。 |
|---|---|
| カンパニーカーおよび家具等を駐在員あるいはその他の従業員に貸与している場合 | カンパニーカーの例で言うと，毎月カンパニーカーの付加価値税込みの新車登録時のカタログ価格の0.1597％（１％×15.97％）を税務当局に納付しなければならない。これはまず，ドイツの税法上，リース料に対しては付加価値税が賦課されることが前提になる。そして，従業員（駐在員）に対するカンパニーカー貸与を，会社が従業員に対して勤務を対価にしてリースしている関係と見なす。「みなしリース料」が付加価値税上の課税売上として認識され，19％の付加価値税の課税が行われる。但し，上記の使用されている事業資産の売却時の課税売上とは異なり，この場合は，駐在員事務所の経理上の記録の中に売上は計上されない。 |

　上記の使用している事業資産の売却は，頻繁にあることではない。しかし，カンパニーカーの貸与は，もしそれが行われているとしたら，その付加価値税の納付は毎月発生する。実際に税務署に対して付加価値税を納付する必要があるかは，前段階税として税務署から還付してもらえる付加価値税の金額にもよる。殆どの場合，税務署から還付してもらえる付加価値税（前段階税）の金額の方が大きく，それと相殺されて，還付してもらえる付加価値税の金額が減るということが殆どである。しかし，カンパニーカー貸与による付加価値税納付義務が発生している場合には，通常の商品の販売行為あるいはサービス提供を行っている支店あるいは現地法人と同様の付加価値税申告を行わなくてはならない。

　もし，上のカンパニーカー等の貸与等がなく，付加価値税の納付義務が発生せず，純粋に還付だけの場合は，付加価値税の還付手続き（前段階税還付手続き）は義務ではなく，還付される金額と会計事務所等に支払う手数料の金額を勘案して，その経済的合理性からどうするかの意思決定を行う。ほとんどの駐在員事務所が，多くの還付額が期待されることから，そのような場合でも還付請求手続きを行っている。しかしながら，カンパニーカーの貸与等による付加価値税の納付義務が発生している場合には，前段階税として還付される付加価値税の絶対額が小さくて，会計事務所等に支払う手数料の金額を考慮するとその経済的合理性に合致しない場合でも，申告手続きは必須であることには留意しなくてはならない。また，このような課税売上の発生・付加価値税申告は，駐在員事務所のステータスを危険に晒すものはないことも，同時に頭に入れておかなくてはならない。

## ② 付加価値税の申告手続きと前段階税還付手続き

　駐在員事務所の場合，支店・現地法人（子会社）の場合と同様の「申告手続き」

と，還付してもらえる付加価値税（前段階税）しかない場合の「前段階税還付手続き」とを区別しなくてはならない。

## （1） 申告手続き

　申告手続き〈Umsatzsteuer-Voranmeldung〉は，上記のカンパニーカー（社有車）の供与のような付加価値税の納付義務のある行為を行っている場合の手続きである。結果として，納付する付加価値税額が還付される付加価値税額（前段階税額）より小さく，結果として毎回還付になる場合でも，手続き上は，支店・現地法人（子会社）の場合と同様の手続きになる。申告の頻度は，原則として，暦年四半期毎であるが，前年の「要納付付加価値税額」（還付付加価値税［前段階税］を控除した後の金額ではない）により，別途の申告期間（月次申告または年度申告）になる場合がある。まず，駐在員事務所の新設の場合は，原則として最初の2年間は月次申告である。前年の要納付付加価値税額が1,000ユーロ以下の場合は，管轄税務署は年度申告を指示してくる場合がある。要納付付加価値税額が1,000ユーロ超から7,500ユーロまでの場合は，原則規定の四半期申告であるが，7,500ユーロ超の場合は月次申告となる（売上税法第18条第2項）。

　また，要納付付加価値税額から還付付加価値税額を引いた後に「ネット還付額」となり，それが7,500ユーロ超の場合，月次申告を選択できる。そのような場合，キャッシュフロー上は毎月申告するほうが有利であるが，申告手続きが増えれば，会計事務所に対する手数料が増加することから，経済的合理性の観点から意思決定する必要がある。さらに，月次申告または四半期申告の場合で，これとは別に年度申告書（申告確認書）の提出が必要となる。いずれにせよ，駐在員事務所が新規に開設された場合で，上記のようなカンパニーカー貸与等による付加価値税納付義務が発生している場合には，開設後最長2年間は，その要納付付加価値税額の多寡に関わらず，毎月申告する義務が負わせられていることは，ここで再度強調しておきたい（2021年〜2026年の間，緩和措置あり）。

　月次申告手続きと四半期申告手続きの場合の申告書提出期限は，通常，上記期間の経過後10日以内，すなわち，1月分は2月10日までで，第1四半期分は4月10日までとなっている。申告期限を1ヵ月遅らせることもできるが，事前に申請して許可を受けなければならない。年1回の申告の場合は翌年7月末（税理士が申告書作成に関与する場合は翌々年の2月末［2018年度分から］）である。月次申告手続きまたは四半期申告手続きを選択した場合の年度申告書（申告確認書）の提出期限も同じである。相殺された後でも実際に納付しなくてはならないという場合（特殊

なケースを除いて稀にしかない）の納付期限は，申告書提出期限と同様である。

　いずれの申告手続きの場合でも，日本本社の駐在員事務所である限り，担当の税務署はベルリンのノイケルン税務署であり，駐在員事務所が賃金税上登録されている地域の管轄の税務署ではない。また，あくまで申告手続きであることから，還付額が大きい場合等，個別にオリジナル請求書（あるいはそのコピー）の送付が要求されることはあるものの，還付請求手続きとは異なり，はじめから請求書のオリジナルを申告書に添付することはない。

(2)　前段階税還付手続き

　前段階税還付手続き〈Vorsteuervergütungsverfahren〉カンパニーカー等の貸与等による付加価値税の納付義務が発生していない場合の手続きである。原則として年度前段階税還付手続きであるが，還付額が一定の金額以上になっている場合，月次前段階税還付手続きあるいは四半期前段階税還付手続きを選択できる。年度前段階税還付手続きの場合，翌年の6月30日までに，ボンの連邦中央税務庁に対して，還付請求申請書に請求書オリジナルと居住者証明書を添付して提出する。対象となる請求書オリジナルをすべて添付することが，申告手続きともっとも異なる点である。

## ③　その他の付加価値税に関しての注意点

　事務所や社宅の賃借料には，付加価値税が賦課されている場合と賦課されていない場合がある。家主が選択できる場合があるので契約書を注意深く読むことが必要である。社宅の家具などを買った場合，会社が負担するのであれば，請求書の宛先を必ず会社宛にしてもらう。個人宛の請求書では還付否認あるいは相殺否認される。

　事務用品などの小さいものの購入に当たっては，レシートでは還付否認される。必ず付加価値税額が明記された領収書（請求書）を入手する必要がある。付加価値税込みの額が250ユーロ（150ユーロ［2016年まで］）以下の場合は，税率だけの記載で可であるが，文房具と書籍を同時に購入した場合など，税率の異なるものが1つの請求書あるいは領収書に記載されていれば，どれがどの税率かが明確でなければならない。付加価値税の事務処理は，形式に一部でも欠落があると還付できないことになり，本来は負担する必要のない会社の経費の発生につながるので受取領収書の形式的要件には十分留意したい。

# 第5章

# 労働法

# ドイツの会社経営における労働法上の対応

　駐在員事務所の場合，日本からの駐在員1人（あるいは2人）だけで運営されている「ワンマン経営」（ツーマン経営）もなくはない。そしてその場合は，ドイツの労働法に関してそれほど配慮をする必要がないであろう。しかし，駐在員事務所，支店，現地法人（子会社）のどの場合でも，たとえ日本人であれ一旦現地採用スタッフを雇用するとなると，ドイツの労働法に関する基礎知識あるいはドイツの一般的な労使慣行に関する知識なくしては会社経営は立ち行かない。

　現地スタッフを数十人，数百人と抱える現地法人あるいは支店になると，ドイツの一般的な雇用慣行だけではなく，労働法に関しての専門的な知識をも身につけた人事担当マネジャーあるいは総務担当マネジャーが雇われているケースがほとんどである。その場合には，彼らが日常的・実務的な人事問題の対応をしているケースも多い。そのようなケースにおいては，日本からの駐在員は，細かい問題に首を突っ込む必要がないかもしれない。しかしその場合でも，日本からの駐在員が会社を取り仕切っている限りにおいては，節々の人事問題に関する重要な意思決定はその駐在員が行わなくてはならないし，ドイツの労働法・労使慣行に関する基礎的知識は不可欠である。

　この第5章では，駐在員事務所，支店，現地法人というビジネス拠点（会社）を経営・運営していくに当たって必要となるドイツの労使慣行・労働法の基礎知識を解説する。

# I 現地スタッフの採用と雇用関連法制の概要

## 1 在独日系企業の労働力

　ドイツにおけるビジネス活動を拡大する場合，当然のことながら，日本からの駐在員だけで回していくことは不可能である。進出地域の労働市場から（外部から）労働力を調達しなくてはならない。在独日系企業の駐在員事務所，支店，現地法人（子会社）にとって，考慮の対象となる労働力活用の形態として，大きく言って次の3つが問題になるであろう。

(1)　従業員
(2)　フリーランサー
(3)　派遣社員

　最近ドイツにおいても，人材派遣会社からの派遣社員を労働力として会社経営に活用している事例が頻繁に見られるようになった。建設現場や自動車産業等の生産現場においては，とりわけ大規模に活用されている。特に建築業界では，外国人の不法就労の問題との関係においては最低賃金が遵守されていないといったことがマスコミで話題になる。派遣社員の利用は，在独日系企業においてはそれほど大規模には見られないものの，短期的支援要員としての活用がないわけではない。しかしながら，在独日系企業において「派遣社員」の利用は殆どの場合に「つなぎ要員」としての利用に留まるところから，ここでは従業員とフリーランサーについて解説を加えていきたい。

### 1　従　業　員
#### (1)　従業員の地位の保護

　従業員（または被用者）〈Arbeitnehmer〉」は，駐在員事務所，支店，現地法人（子会社）と雇用契約を締結して，会社の上司の指示に従って勤務を行い，その対価として給与報酬を受け取る者である。一般的な話として，ドイツにおける従業員

の地位は，堅固に保護されていると言える。それどころか，日本から派遣されてきた駐在員の方の中には，保護された地位を濫用する者がいるのではないかと疑念を抱いている方も少なくはない。一部にそのような従業員がいることも事実なのであろうが，その点については，過去の歴史的経緯も頭に入れておく必要がある。

　1980年前後，当時の西ドイツが2度のオイルショックを克服して，日本と共に「世界経済の機関車」と賞賛されていた頃，当時の西ドイツ経済の強さの根源は，保護され安定した従業員の地位ゆえに，労使紛争やストライキが少なく，労使一体となって世界経済の変化に柔軟に対応できたことだと言われていた。その後1990年代半ばに，統一後のドイツが，経済不振ゆえに「ドイツ病」に罹っているといわれた時，ドイツ国内の関係者からも，「社会福祉の行き過ぎ」の議論の中で，「従業員保護の行き過ぎ」の主張が盛んになった。そして，「従業員の保護された地位」を濫用する者がいることが問題なのだという意見も出されていた。つまり，ドイツ国内でもそのような見方があったし，現在もある。そして，よりによって労働者（従業員）の政党である中道左派の社会民主党〈SPD〉が首相を出している連立政権のもとで実施された2004年の「福祉社会構造改革プログラム：アジェンダ2010」において，「従業員保護の行き過ぎ」にも部分的に歯止めがかけられた。もちろんそれだけが理由ではないが，その後ドイツ経済の立ち直りも図られた。

　このような紆余曲折もあったが，「従業員の地位の保護」がドイツにおける会社経営の大前提になっている。そして，従業員管理は，外国人の経営責任者だけではなく，ドイツ企業のドイツ人経営者でも頭を悩ませている問題であることは承知しておく必要がある。

## (2)　従業員の区分

　日本ではよく，正社員（正規雇用社員）を一方において，パート・アルバイト・契約社員・派遣社員を非正社員（非正規雇用社員）と総称して呼ばれることが多い。そして，正社員と比較して，非正社員における（相対的）給与水準ならびにその他の待遇の不平等性が指摘される。派遣社員は，会社との直接的な雇用契約関係が存在していないので除外するとしても，ドイツにおいても，パート・アルバイト・契約社員にほぼ相当する従業員が存在している。そしてまずは，彼らは「第2級の従業員」としては必ずしも見なされているわけではない，ということに留意する必要がある。

① 　時短勤務雇用契約

　日本のパート社員に対応すると思われるのが，ドイツの「時短勤務雇用契約

〈Teilzeitarbeitsverhältnis〉」の従業員である。例えば，フルタイムで勤務する従業員が週40時間働くのに対して，その時短勤務雇用契約の女性が，出産後の子育てのために，週20時間しか働かないというハーフタイム勤務の場合を見てみよう。その給与は，もしその彼女がフルタイムで勤務したとしたらもらえるであろう給与額のちょうど半分となる。そしてボーナスも半分となり，そして有給休暇の日数もフルタイムで勤務する場合の半分の日数になるものの（勤務形態による相違には留意！），その他の社会保険制度の内容や社内規定で受けられる福利厚生の内容等に質的な差別が付けられているわけではない。それどころか，差別することが明確に禁止されている（時短勤務・有期雇用契約法第4条第1項）。

また，既に雇用契約関係にあるフルタイムの従業員が，家庭の事情等の各種の事情により勤務時間の短縮を希望し，かつ，一定の条件が満たされている場合，その従業員の会社側に対する時短勤務のための請求権が保証されている。一定の条件とは，以下のようなものである（時短勤務・有期雇用契約法第8条）。

○ 15人を上回る従業員を要する事業所であること（職業訓練生〈Auszubildende〉は含まれない）
○ 6ヵ月を超えて雇用関係が存在していること
○ その申請（短縮時間ならびに勤務時間の配分を含む）を開始予定期日の3ヵ月前に届け出ること
○ 以前の申請の決定後2年を経過していること

以上のような前提条件を満たした上での勤務時間短縮の申請が従業員からあった場合，会社側は当該従業員と協議する義務を負い，申請された時短勤務開始予定日の1ヵ月前までに書面でその可否を通知しなくてはならない。申請を認めることで事業所内の組織構成，作業フロー，安全性が極度に影響を受け，または，費用負担増が相対的に著しい場合，会社側は申請を拒否することができるとされている。

② **有期雇用契約**

日本の契約社員に相当するのがドイツにおける「有期雇用契約〈befristetes Arbeitsverhältnis〉」の従業員である。本来的に雇用契約は無期限雇用契約であり，一定の条件を満たす場合にのみ有期雇用契約が認められるというのが基本原則である。一定の条件は，客観的に見て「正当な理由〈Sachgrund〉」に基づくものと，合計期間・契約延長回数に基づくものに分けられる。後者のような正当な理由がない場合でも，最高で2年間，3回までの延長は可能とされている（時短勤務・有期雇用契約法第15条第2項）。すなわち，6ヵ月間の有期雇用契約で始めて，それを3

回延長すると2年になり，延長回数と合計期間の双方の観点から，再度（4回目）の延長をするとなると，もう通常の無期限雇用契約になる。1年の有期雇用契約で始めて，1回延長した後で2回目の延長をしようとすると，2年を超えてしまうことからやはり同様に通常の無期限雇用契約になる。

　客観的に見て正当な理由としては，具体的には，他の従業員の代替要員としての雇用契約の場合とか，仕事の内容自体が一時的な性格のものである場合（時短勤務・有期雇用契約法第15条第1項）等が挙げられているが，かなり厳格に解釈・運用がなされている。したがって，例えば解雇しやすいという理由からだけで期限付雇用契約で雇うことは認められない。この正当な理由がある場合には，2年間を超えた期限付雇用契約が可能である。また，会社設立後の4年間については，4年間までの期限付雇用契約およびその間の4回以上の延長が認められている（短縮勤務・期限雇用契約法第15条第3項）。さらに，正当な理由がある場合で，特に病気のスタッフの交代要員として期限付き雇用されている場合のように，期限が暦日ベースではなく，当該スタッフが復帰するまでといった期限の取り決め方も認められている。いずれにせよ以上のことは，書面（雇用契約書）に明記されていないと，無期限雇用契約になる点も留意しなくてはならない。

　この有期雇用契約の従業員の場合も，時短勤務雇用契約の従業員の場合と同様に，無期限雇用契約の従業員との比較において，差別が禁止されている（時短勤務・有期雇用契約法第4条第2項）。

③　ドイツにおけるアルバイト

　ご存知の方も多いと思われるが，日本語の外来語としての「アルバイト」の原語は，ドイツ語の「Arbeit」である。その意味するところは，仕事・勤務・作業・勉強ということで，本業・本職の主旨である。それに対して，日本語になってしまったアルバイトは，「副業」という意味合いである。学生アルバイトという場合，学生は学業が本業であり，学資あるいはお小遣い稼ぎに副業に勤しむということである。ドイツ語の「Arbeit」が日本語に入り込むに際して，意味の転換が起こっているのは興味深い。ちなみに，日本語のアルバイトに対応しているドイツ語は，「Job」であり（ドイツ語化しているのでJは大文字で書く），やはり英語からの外来語である。日本語でのアルバイトの場合と同様に，意味の転換がしかも同じように起こっているのは（ちょっと違う使い方をするときもあるが），さらに興味深いことである。

　ドイツでのアルバイトの中のよく見られるものとして，「520ユーロアルバイト」，「家政520ユーロアルバイト」，「短期アルバイト」，「補助作業アルバイト」，「農林業

アルバイト」等があり，社会保険法上の処理ならびに賃金税上の処理が事細かく決められている。ここにおいては，その中の1つで，在独日系企業の駐在員事務所，支店，現地法人（子会社）にもよく見られる「520ユーロアルバイト」について解説する。

### 520ユーロアルバイト

正確には，ドイツ語で「少額賃金雇用〈gering entlohnte Beschäftigung〉」と呼ばれているものである。2022年9月まで450ユーロであったが，2022年10月1日付で最低賃金が時給：12ユーロに大幅に引き上げられたことから，それに併せて520ユーロに引き上げられた。1ヵ月当たりの給与額の上限が原則的に最高一応520ユーロになっていることから，「EUR 520 Job」（520ユーロジョブ）とか「Mini-Job」（ミニジョブ）という通称で呼ばれることが多い。520ユーロアルバイトは，「原則として，1ヵ月当たりの平均給与報酬額が520ユーロを超えない」ことが大前提である（半月間の雇用であれば，上限額は260ユーロになる）。1ヵ月に満たない期間の520ユーロアルバイトもなくはない。いずれにせよ，期間が限定されているわけではなく，数ヵ月の場合もあれば，場合によっては数年間あるいはそれ以上の長い期間の雇用もあり得る。ここの平均ということの意味は，一定の期間を見た場合の平均ということで，一定の前提条件を満たした場合には，1ヵ月だけを見たら520ユーロを上回るケースも認められている。以前は，1週間当たりの勤務時間数等の制限があったが，現在はそれは撤廃されている。他方で，この520ユーロアルバイトの従業員も，2015年に導入された「一般最低賃金制度：時給12.00ユーロ」（2023年時点［後述］）に服することには留意しなくてはならない。

賃金税法上ならびに社会保険法上の処理について，過去数年の間に，改正に改正が加えられて，色々なバリエーションがあるが，在独日系企業にとってもっとも典型的な事例で示すと，以下のようになる（2023年ベース）。

| 従業員が受け取る給与報酬 | 520.00ユーロ |
|---|---|
| 分離賃金税（520×2％）：会社負担 | 10.40ユーロ |
| 分離年金保険料（520×15％）：会社負担 | 78.00ユーロ |
| 分離健康保険料（520×13％）：会社負担 | 67.60ユーロ |
| 分担金（病気時補填・倒産時補填・出産時補填：520×1.28％）と労災保険（520×1.6％）：会社負担 | 14.98ユーロ |
| 雇用主側のコスト総額 | 690.98ユーロ |

上記の「分離賃金税：10.40ユーロ」、「分離年金保険料：78.00ユーロ」、「分離健康保険料67.60ユーロ」、「分担金と労災保険料14.98ユーロ」は全額会社負担で、「ドイツ・クナップシャフト・バーン・ゼー年金保険機関」（520ユーロアルバイトの賃金税・社会保険料処理の一括担当機関）にまとめて納付する。

　この最も典型的な事例で重要な点は、従業員（アルバイトの人）は、税金（賃金税・連帯付加税）や社会保険料を源泉徴収されることなく、決められた報酬をそのまま受け取れるということである。例えば、専業主婦で配偶者が働いているという場合、通常、妻が働いて収入を得た場合、それは夫が稼いだ所得に合算されて課税される。しかし、この520ユーロアルバイトの枠組みの中で勤務する限りは、そのような合算課税が起こらないし、源泉徴収もなされない。

　賃金税上・社会保険法上の処理について、上記の例においては典型的なケースを示したが、520ユーロアルバイトの従業員（あるいはその配偶者）が、どのような健康保険に加入しているか、当該従業員が通常の賃金税課税を希望するかどうか、あるいは当該勤務期間に関するフルの年金受給資格を希望するかどうか等により、様々なバリエーションがあり、勤務開始前にそれを明確にする必要がある。

### 2　フリーランサー

　フリーランサーは、会社と業務委託－受託契約を締結し、会社から委託された業務を遂行し、それに対して給与報酬ではなくて、業務委託報酬を受け取る者である。事業者間の契約関係であるから、フリーランサーは、通常19％の付加価値税を載せた業務委託報酬の請求書を会社の方に送付してきて、会社はそれに基づいて業務委託報酬を支払う。そして19％の付加価値税は、一旦フリーランサーに対して業務委託報酬と共に支払うが、前段階税として税務署から後で還付してもらう。業務委託者（会社）と受託者（フリーランサー）は、双方事業者として平等な立場で契約関係を結ぶことから、会社は、フリーランサーに対しては、従業員の場合のような地位の保護ための様々な義務を負わせられているわけではない。また、コストの面からも、従業員の場合の社会保険料の会社負担分（給与報酬額の約20％）の負担もない。その結果、同じく外部から労働力を調達する場合に、雇用契約を締結して従業員として仕事をしてもらうより、フリーランサーとして仕事をしてもらった方が有利ということになる。

このような状況は，日本においても大なり小なり変わらないと思われるが，ドイツにおける社会保険調査におけるフリーランサーの実際的な状況について，厳格な調査が行われることがある。とりわけ，社会法典第4部第7条第1項に基づき，フリーランサーが業務委託者の指示に服して仕事を行い，会社の組織に組み込まれていると判断された場合は，当該フリーランサーは従業員として見なされる。そしてまず，業務委託者は，社会保険料（会社負担分と従業員負担分に相当する部分）を業務委託関係の開始時（原則として最高4年前）まで遡及して納付しなくてはならない。業務委託者による従業員への納付額の遡及請求は3ヵ月前までしか遡れないことから，3ヵ月前以前の従業員負担分は，業務委託者が一方的に負担するということになる。それに加えて，付加価値税の前段階税として還付の否認ならびに賃金税の源泉徴収の義務が課される可能性も出てくる。このようなフリーランサーのステータスの認定問題は，フリーランサーに業務委託する場合の注意点になっている。

## 2　従業員の採用

### 1　募　　集

　従業員の採用に関しては，既に雇用されている従業員の紹介，その他の知り合い・関係者の紹介，労働局（日本の公共職業安定所［ハローワーク］）による斡旋，新聞広告・雑誌広告による募集，ヘッドハンターによる仲介等の色々な手段が考えられる。例えばデュッセルドルフ日本商工会議所には数行の自己紹介を含む求職者のリストが用意されており，商工会議所会員はその求職者リストを見て，履歴書のコピーを請求して，当該求職者に直接にコンタクトを取るという方法も提供されている。名が知れた会社の場合，募集広告なしに，仕事がないかという照会と共に，応募者から応募書類と履歴書が送られてくることもある。いずれの場合でも，男女とも就業できる職業の場合は，募集に際して性別を限定することは禁じられていること，そして，募集時・面接時においても採用決定プロセスにおいても，人種・出自，宗教・信仰，身体障害，年齢についての差別は禁止されることには留意しなくてはならない。
　高校までのドイツの学校の卒業時期はかなり統一的ではあるものの（夏前に終了），学校を卒業してすぐに職に就くという慣習は必ずしもない。また，大学の場合は，日本の常識からするとまったく想像できないことなのであるが，卒業する時期は人それぞれまったく違う。日本の高校・大学の卒業生が4月1日に一斉に入社式をや

って仕事を始めるという風景はドイツにはない。その意味で，新卒・中途採用の別なく，1年中通して採用が行われている。

後述の従業員代表員会が設立されている会社の場合，新規の採用に当たっては，事前に報告しておくことも必要となっている。

### 2  面接および雇用契約書

日本人以外の応募者の面接に際しては，必ず信頼の置けるドイツ人（ドイツに永住しているその他の外国人）に立ち会ってもらい，ドイツ人（現地人）の目から見ての評価も参考にすることが勧められる。また，応募者に希望する給与額を単刀直入に訊くことが通例になっている点は，日本からの駐在員にとっては戸惑いを覚えることかもしれない。また，労働組合員かどうか，宗教・妊娠・持病・飲酒癖等のプライバシーに関する質問は原則として禁じられている。そのような質問に対して，応募者が真実を言わなかった場合でも，その非は問われないとされている。これは日本でも同様であろうが，面接時にかかった交通費や，宿泊した場合のホテル代やその他の経費は，応募者に対して会社側が補填するのが普通である。

面接時に給与額を含めて労働条件を口頭で会社側から説明するが，2度目（場合によってはそれ以上の回数）の面接を設定することもある。面接をして採用すると決めた（採用したいと思う）応募者に対しては，（最後の）面接の終了時に，通常，会社側が採用したい旨の意向が口頭で伝えられることが多い。雇用契約書を2部送り，署名した上で1部を返送してもらう。当然のことながら，この段階で応募者側から，雇用契約書の条項の修正の要望が表明されることも多い。いずれにせよ，雇用契約書への双方の署名が雇用契約関係開始の基準となるという点は十分に頭に入れておく必要がある。日本人を含めたドイツの国から見た外国人を採用する場合，「滞在許可証（労働許可証がその中に含まれている）」の取得が雇用開始の前提となるが，雇用契約書の中に，就労できる有効な滞在許可証が取得されて始めて勤務が開始される旨が明記されることが多い。

## 3  雇用契約と労働条件

### 1  雇用条件証明法と試用期間

民法上は，原則として口頭契約であっても，契約は契約として有効である。しかし，1995年以降，雇用契約関係については，雇用主側に対して労働条件の基本的

な部分を書面にして，署名して従業員に手渡すことを義務付けている（「雇用条件証明法〈Nachweisgesetz〉」）。これは直接的に書面での雇用契約書を締結すべきという法律規定ではないものの，そしてそれ以前もそうであったが，それ以降もほとんどのケースにおいて書面での雇用契約書を交わし，雇用主側・従業員側双方が署名することが普通である。重要な日本人駐在員が尊重すべきドイツの労使慣行と言える。また，雇用契約書の中で，雇用契約関係の内容の変更は，あくまで書面で行われてはじめて有効と謳っていることも多い。いずれにせよ，このドイツの雇用契約における「書面主義」は大事な原則であることから，常に頭に入れておく必要がある。

　通常，雇用契約関係開始後の直後の期間に「試用期間〈Probezeit〉」が設定されていることが殆どである。それより短い期間でも構わないのであるが，試用期間は6ヵ月間に設定されていることが多い。その期間は，後述の「解雇保護法」が適用されず（正確に言うと試用期間の長短に関わらず勤務開始後6ヵ月間），新規に入社した者が期待に副わないということが判明した場合，2週間前の解約告知でもって雇用契約関係を解約できる。

## 2　勤 務 時 間

　1日の勤務時間は原則として8時間以内とされている。1週間6日勤務の場合は，週48時間以内，1週間5日勤務の場合は，40時間ということになる。1日に2時間までの残業は認められるが（管理職等を除き通常残業手当が支払われる），6ヵ月間あるいは24週間以内に平均労働時間が8時間になる必要がある。勤務時間が6時間～9時間の間の場合休憩30分間を，9時間を超える勤務時間の場合には休憩45分間をその間に入れる必要がある。この休憩時間は，通常，勤務時間の中に含まれない。以上のような時間枠を超える残業あるいは相殺期間等は，労使双方の合意等に基づき可能である。

## 3　有 給 休 暇

　「連邦有給休暇法〈Bundesurlaubsgesetz〉」という法律がある。そこで年間最低24日間の有給休暇を与えることが義務付けられている。この24日間ということの意味は，週6日勤務の場合を想定しており4週間という意味と解釈され，週5日勤務の場合は20日（同様に4週間）と解釈されている。他方で，この連邦有給休暇法の24日間（または20日間）は最低レベルを示しているに過ぎず，実際は，「労働

協約〈Tarifvertrag〉」（後述）や「社内規定」で，25日間（週5日勤務）とか30日間（同じく週5日勤務）あるいはそれ以上の有給休暇日数が保証されていることが多い。そして会社によっては，従業員すべて一律の有給休暇日数ではなくて，勤続年数あるいは年齢に応じて，有給休暇日数が増えるようにしているところもある。その意味で，概ね年間25日～30日間前後の有給休暇日数が保証されていると言えるだろう。

　有給休暇はいつでも取れるわけではなく，上司の許可を必要とするが，会社側には，従業員の希望を考慮する義務がある。病欠期間との相殺は認められておらず，通常，翌年の3月31日まで取らないと権利を喪失してしまうが，その規定については，会社毎にかなり融通性を持って対処しているケースが多い。また，6ヵ月の試用期間が設定されている場合，その期間についての有給休暇の権利は当然確保されている。しかし，その試用期間中にまとまった有給休暇を取ることは認められず，試用期間終了後にまとめて取るものとされているが，実務的に数日の有給休暇を取ることを許容している場合も多い。

### 4 病　　　欠

　病気をして出社することができない場合，連続する3日間までであれば，医者の診断書の提示がなくても病欠が可能である。それでもって賃金カットされたり，有給休暇と相殺されたりするわけではない。連続する4日以上の病欠については，医者の診断書の提出が義務付けられている。この場合でも，賃金カットや有給休暇との相殺が起こるわけではない。

　雇用主側の話として，病欠になった最初の6週間は，その病欠者が勤務をしていないにもかかわらず，給与を100％雇用主側が負担しなくてはならないことになっている。それを超える期間については，法定健康保険機関により補填が行われる。なお，その最初の6週間については，「分担金1（Ｕ1）」（病欠補填金分担金）を納付している場合，部分的に補填される。

　この病欠の規定は，「従業員保護の行き過ぎ」の議論が出てくる時に，真っ先に取り上げられるテーマの1つである。他方で，法定健康保険機関が毎年公表している病欠統計によると，経済不況のために人員削減の波が押し寄せてくると，平均病欠日数が明白に下がるということが指摘されている。

## 5 給与額と昇給

　ドイツの基本法〈(Grundgesetz［憲法]）〉第9条は，賃金額（給与額）に関して，労使間の自主決定権を保障している。この部分を厳密に理解すると，政府が介入して最低賃金を定めることはできないとの解釈があった。実際のところ2014年までは，特定の業種（建設業，電機関連の手工業職人，屋根葺き職人，壁塗装業，ビル清掃，鉱山業，ごみ清掃業等）に適用されるものを除き，ドイツ国内全域を対象とした，原則としてどの業種にも適用される「一般最低賃金制度」は存在していなかった。その当時，他のEU（欧州連合）加盟国では，21ヵ国が同種の法律規定（最低賃金規定）を既に導入していたという。長い議論の末，2015年1月1日付で，「時給8.50ユーロ一般最低賃金」（8.50ユーロは税込みのグロス額）の「一般最低賃金制度」が施行された。そして，この最低賃金は，定期的に見直しが行われることになっている。導入後何度か引上げられたが，長い議論の末，2022年10月に，12.00ユーロに引き上げられている。この最低賃金は，ドイツ国内で就労する18才以上の「被用者〈Arbeitnehmer〉」すべてに対して適用される。当然のことながら，在独日系企業の従業員にも適用される。

　同様に留意すべきは，駐在員事務所・支店・現地法人（子会社）の位置する地域で，雇用主側代表と労働組合側が取り決めた労働協約の最低賃金が適用されないかどうかに注意する必要がある。在独日系企業の場合，この最低賃金について，問題が発生することはほとんどないとは思われるが，この問題については，「5 労働協約」（329頁以下参照）のところでまとめて解説したい。

　最低賃金の問題がクリアされている限りにおいて，給与額の決定は，その採用時から従業員個人と経営責任者との個別交渉が原則である。定期昇給とか年功序列的な考え方は基本的にないと考えておいた方がよい。ドイツ企業一般の話として，たとえ勤務実績が悪いという場合でも，減給は雇用契約のネガティブな方向での変更ということになり，かなり困難であるが，据え置きということは珍しくない。それでも，在独日系企業の場合，インフレ率上昇の相殺のための昇給ということは，最低限行われているケースが多い。

## 6 ボーナスならびに特別手当

　給与の後払い的性格と業績評価給的性格とが混在し，年間総給与額に占める比率が相対的に高い日本の賞与に直接的に対応するような制度は，ドイツには見当たらない。敢えて比較できるものを挙げるとしたら，「13ヵ月目の給与」と呼ばれてい

るものである。多くの場合，クリスマス前の給与支払である11月分の給与の支払（通常11月末までに振り込まれる）と一緒に，基本給1ヵ月分を追加で支給するというものである。それゆえ，「クリスマス手当〈Weihnachtsgeld〉」と呼ぶ時もある。ドイツにおいては，クリスマスの時に，とりわけ家族間でクリスマスプレゼントをお互いに贈り合うという慣習が大々的に根付いていることから，ドイツの小売業界は，11月下旬から12月のクリスマス商戦の時期に年間総売上の半分以上を稼ぎ出していると言われている。この13ヵ月目の給与あるいはクリスマス手当は，従業員がそのクリスマス商戦を乗り切れるようにという趣旨である。

　この13ヵ月目の給与については，2つのパターンがある。1つ目のパターンは，雇用契約書で支給することもその金額（基本給の1ヵ月分）も明確にされていて，会社側の義務になっている場合である。2つ目のパターンは，会社の実績と本人の業績評価が優れていた場合に支給されるというものである。また，13ヵ月目の給与と言わず，単にボーナス〈Bonus〉と称し，支給すること自体，そしてその金額も，まったくオープンにして支給することがあるということを雇用契約書等に記載しているだけの場合もある。いずれにせよ，会社が任意で支給することもあるという形になっている場合には，実際に支払が行われる前に，会社側から従業員に個別に書面を送り，どのような理由で支給されるのか，その本人の支給分はいくらなのかということを伝え，その際，結果として毎年支給されている場合であっても，その支給は1回限りのものであることを付記し，既得権化を防止していることが多い。

　また，数は多くはないと思われるが，13ヵ月目の給与を半分に割り，一方の半分をクリスマス手当として11月分給与支払時に支給し，後の半分を，「有給休暇手当〈Urlaubsgeld〉」として6月分の給与支払時に支給しているケースもある。7月～9月は，学校に通っている子女がいる従業員にとっては，学校の夏休みにあわせて長い有給休暇を取り，子供と共に出かけるシーズンである。有給休暇手当は，その旅行資金の一部あるいはお小遣いという趣旨である。また，13ヵ月目の給与は11月に全額支給されて，それに追加して，初夏に数百ユーロレベルでの有給休暇手当が支給されているようなところもある。

## 7　出産休暇

　「出産休暇〈Mutterschutzurlaub〉」は，原則として，出産前6週間ならびに出産後8週間，当該従業員（母親）に対して，出産準備・出産・出産後の休息のために保証されている有給の休暇である。正確に言うと，出産前6週間については，本人

が勤務する意思を明確に表明した場合は勤務が可能であるが，出産後の8週間は健康上の理由から勤務が禁止されている。出産休暇中，当該従業員は金額ベースにして通常の給与支払を受け取るが，健康保険機関から補填がある。

　妊娠した従業員については，妊娠開始から出産後4ヵ月以内は，若干の例外を除き，解雇が禁止されている。妊娠期間について，5キロを超える重量物を定期的に扱う仕事あるいは10キロを超える重量物を時折扱う仕事をさせてはならないなど，厳しい労働環境での勤務を回避させる等の配慮が必要となる。

### 8　育児休暇

　「育児休暇〈Elternzeit〉」は，出産休暇後，子供の育児・養育のために従業員が取る休暇のことで，出産休暇の場合とは異なり，有給休暇というわけではないが，部分的に公的な補助が受けられる（育児休暇手当〈Elterngeld〉）。父母双方がそれぞれ最長3年間まで取ることが可能である。近年の法改正により，一定の条件を満たしている限りにおいて，同時的に取ることも可能である。父母が異なる会社で勤務している場合，それぞれの職場で申請する。

　育児休暇を取得する際，出産休暇に引き続いて育児休暇を取得する場合には出産休暇の終了する6週間前までに，その他の場合には育児休暇の始まる8週間前までに，雇用主に書面にて申請しなければならない。

　雇用主の同意があれば，合計3年間の育児休暇のうち最長1年を子供が満3歳から満8歳になるまでの間に取得することができる。例えば，子供が満3歳になるまでに2年間の育児休暇を取得し，フルタイムの仕事に復帰した後，子供が満8歳になるまでに残りの1年の育児休暇を取得することができる。但し，この場合には雇用主の同意が前提となっている。

　育児休暇中については，雇用主に対し週30時間までの短縮勤務を請求する権利が認められている。短縮勤務を始める8週間前までに書面にて申請する必要がある。これに対して雇用主は，以下の条件を満たす場合にはこの申請を拒否することができる。

- ○　従業員が15人以下の職場の場合
- ○　育児休暇取得者のこれまでの勤務期間が6ヵ月以内の場合
- ○　緊急な事業経営上の見地から短縮勤務に応じられない場合

## 4 解　　雇

　在独日系企業の駐在員事務所・支店・現地法人（子会社）の経営責任者にとって最大の頭痛の種は，従業員の解雇（会社による雇用契約関係の一方的な解約）の問題かもしれない。従業員の地位の保護に密接に関連して，解雇に対して様々な法律による規制が存在しており，それに関して理解を深めておくことが重要である。

　その際，まず最初に考慮すべきは，解雇保護法と呼ばれている連邦の法律である（具体的な内容は後述）。簡単に言うと，これが適用されない場合には，通常の解約告知期間を遵守すれば，後日解雇された従業員により労働裁判所に提訴されたとしても，解雇の無効の判断が下される可能性はほとんどない。それに対して，これが適用される場合には，労働裁判所に提訴されることがよく発生し，その際解雇の社会的正当性を雇用主側が証明しなくてはならない。そして，これにはかなりの困難が伴い，多くの場合，示談金で解決するという経路を辿ることが多い。この解雇保護法が適用される場合のところが強調されて，「ドイツでは，一旦雇うと辞めさせることができない」という表現がしばしばなされる。逆に言うと，解雇保護法が適用されないのであれば，解雇に大きな困難があるわけではない。この正確な理解が不可欠である。

### 1 解 雇 理 由

　ドイツの労働法で解雇理由として想定されているのは，(1)経営上の理由，(2)勤務態度に関する理由，(3)人的理由の3つである。

　経営上の理由というのは，会社の経営判断に基づき，組織再編またはビジネス再編のために人員削減を行う時などに行われる解雇に際して問題になる。通例，この理由で解雇が行われる場合にも，解約通知にそれを記載する必要はないものの，会社側が社会的正当性を考慮し，あるいは，後日解雇された従業員が労働裁判所に提訴した場合には，社会的正当性の根拠理由を明確に証明する必要がある。

　勤務態度に関する理由は，雇用契約に対する抵触があったときのものであり，最も典型的な例は「遅刻の繰り返し」等である。この場合，まずは書面での警告が行われ，数回の警告にもかかわらず，勤務態度に改善が見られない場合に解雇理由になる。また，この勤務態度に関する理由の場合で，例えば，会社内での盗み，背任行為，暴力行為等の刑法犯罪行為等があった場合（重度の犯罪），解約告知期間を

遵守することなく，即時解雇ということになる。

　人的理由は，従業員側の問題であるという意味では，勤務態度に関する理由と類似したところがある。大筋において従業員の個人的努力に無関係に発生した事由によるもので，具体的には，長期の病気，短期的な病欠の繰り返し，例えば，貨物トラックの運転手が免許停止になったような場合等で，従業員側が雇用契約関係における労働力の提供の義務に応じられる状況ではなくなったという意味での契約への抵触である。勤務態度に関する理由の場合とは異なり，この場合は警告が前提とはされない。いずれにせよ，在独日系企業の経営責任者がよく問題にすることであるが，実績が上げられないこと，あるいは，上司から見て個人的能力が期待に満たないということは，直接的にはここでいう人的理由には該当しない。この点は留意しなくてはならない。

### 2　解雇保護法

　「解雇保護法〈Kündigungsschutzgesetz〉」は，全26条（アルファベット［枝番］条項があるために実際の条項数はそれより多い）からなる法律である。社会的正当性を根拠に雇用主の恣意的解雇から従業員を守ろうという趣旨の法律である。従業員保護の行き過ぎの議論が出てくると必ず問題にされる。現在，10人以下の従業員の会社・事業所には適用されない。しかしながら，過去20年くらいの間，政権が変わると，その閾値が5人以下だったものが10人以下に変更されたり，5人と10人の間を何度か行き来している。そして，一部の人の間の根強い主張として，20人以下の会社は適用しないようにすべきだという意見も根強い。

#### （1）解雇保護法の適用の従業員数

　現行の規定（2004年に改正）では，「10人超」の従業員を要する会社（事業所）に解雇保護法が適用される。「11人以上」ということではなく「10人超」である。その「超」は，短縮勤務雇用契約の従業員のカウントに起因している。すなわち，その週当たりの勤務時間に応じて，週当たりの勤務時間20時間以下の従業員は0.5，20時間超30時間以下の従業員は，0.75とカウントするところから，従業員数が10.25人とか10.5人ということが発生する。また，現地法人（子会社）の取締役ならびに支店の支店長は，従業員としてはカウントしない。

　但し，2003年以前から雇用されている従業員については，「5人超」の従業員が現時点でいれば解雇保護法が適用される。もし，現時点で7人の従業員がいるとすると，2003年以前から雇用されている従業員の解雇が問題になる時には，当該会社は

解雇保護法適用会社として扱われる。それに対して，2004年以降に雇用された従業員の解雇が問題になる時には，当該会社は解雇保護法非適用会社として扱われる。

(2) 解雇保護法の非適用の場合

解雇保護法が適用にならない場合（従業員数が上記の基準値以内の場合）で，後述する法定の解約告知期間あるいは雇用契約書の中の解約告知期間を遵守し，書面での解約通知（署名は代表権を有する者［取締役］）を当該従業員に送付すれば，雇用契約関係は解約できる。そして，法律上，退職金とか示談金等の金銭面の支払は，原則として発生しない。但し，解雇保護法が適用されない規模の在独日系企業の駐在員事務所・支店・現地法人（子会社）の場合，従業員代表委員会〈Betriebsrat〉が設立されていることはないとは思われるが，もし従業員代表委員会が設立されている場合には，従業員代表委員会に予め解雇予定を報告しなければならない。

契約社会の原則からすると当然のことではあるが，従業員が会社（雇用主）の同意なしに雇用契約関係を解約して会社を退職することができるのと同様に，雇用主側にも従業員の同意を得ることなく，一方的に雇用契約関係を解約する自由が保障されているわけである。

(3) 解雇保護法の適用の場合

解雇保護法が適用される場合，実際にそれが問題になるのは，上記の解雇の理由で言うと，経営上の理由に基づく解雇に際してである。原則として，勤務態度に関する理由ならびに人的理由に基づく解雇の場合は，解雇保護法の本来的な保護対象となっていない。また，解雇は，後述するような社会的正当性を欠いている場合，法律的に有効なものとは見なされなくなるのであるが，その最終的な判断は，従業員が提訴した場合の労働裁判所の裁判官により行われる。解雇の手続きとしては，解雇理由を解雇通知の中に記載する必要もなく，基本的に解雇保護法非適用の場合と変わるところはない。

経営上の理由に基づく解雇に際して，解雇対象の従業員が，場合によっては認容できる範囲での研修・訓練を前提として，当該事業所の他の部署あるいは同じ会社の他の事業所で継続雇用が可能であるにもかかわらず，それがなされない場合，当該解雇は社会的正当性が欠如していると判断される（解雇保護法第1条第2項）。また，解雇対象の従業員について，他の従業員との比較でその勤続年数，年齢，扶養対象家族の有無ならびにその数，身体障害の観点（＝社会的選択）をまったく考慮しなかったか，あるいは，十分に考慮しなかった場合，同様にその解雇は社会的正当性が欠如していると判断される（解雇保護法第1条第3項）。

解雇がなされた後，従業員がそれを社会的正当性を欠いていると思った時には，解雇されたその従業員は，原則として解雇から3週間以内に労働裁判所に提訴する必要がある。しかしながら，労働裁判所の最終的な判決が下されることは稀であり，多くの場合，雇用主と元従業員との間の信頼関係は損なわれてしまっていることもあり，裁判官から和解・示談が勧められ，会社側からの和解金（示談金）の支払により解決が図られることが多い。その時の和解金の目安として，勤続年数1年に対して0.25〜1か月分の給与額ということが言われる。

　また，これは2004年に導入されたものであるが，解雇保護法第1a条に基づき，解雇保護法が適用される会社で経営上の理由に基づき解雇が行われる場合で，しかも，従業員側が解雇後3週間以内に労働裁判所に提訴しないことに予め同意している場合には，勤続年数1年に対して0.5か月分の給与の解雇示談金の請求権を従業員側に保証している。

## （4）雇用契約終了合意

　雇用契約関係の解約は，確かに，雇用主側からの解約である解雇の場合，従業員の地位の保護の観点から法律的な規制が加えられているものの，あくまで一方的なもので，解約告知期間を遵守さえしていれば，相手方の同意を前提にしているものではない。様々な理由から，会社側と従業員側が双方合意して，雇用契約関係に終止符を打つのが，「雇用契約終了合意〈Aufhebungsvertrag〉」である。例えば，従業員側からの解約告知期間が3ヵ月とされているが，当該従業員が新しい仕事を見つけて1ヵ月後に新しい仕事先で勤務を始めるという場合や，雇用契約終了合意をもとに，労使双方が納得して雇用契約関係を終了させるというような場合である。

　また，必ずしも経営上の理由に基づく解雇の場合に限らないのであるが，会社側がある特定の従業員を辞めさせたい場合，解雇後に解雇された従業員が労働裁判所に提訴した場合の様々な手続きを回避するという観点から，当該従業員と解雇前に予め交渉して，「退職示談金〈Abfindung〉」を支払う旨を約束し，雇用契約終了合意を締結する場合もある。上記の解雇保護法第1a条に基づいた場合に近似しているのであるが，解雇保護法第1a条に基づいた場合は，あくまで通常の解約手続きの延長線上で行われるものである。通常，このような形で雇用契約終了合意を締結して，当該従業員が失業者となった場合，失業手当が最初の12週間支給されない。しかしながら，一定の条件を満たした場合，それを回避できる方法が探れる場合があることから，場合によっては従業員側からの要請に基づき，会社側がそこまで配慮しているケースも多い。

## (5) 大量解雇

　解雇保護法第17条第1項ならびに第2項に基づき，会社の規模に応じて，30日間以内に一定数以上の従業員を解雇する場合，「大量解雇〈Massenentlassung〉」と見なされる。その場合，地域の管轄の「労働局〈Agentur für Arbeit〉」に連絡し，またその解雇の内容について，従業員代表委員会からの見解表明を求める義務が課されている。すなわち，大量解雇と見なされるのは，

(1) 平均従業員数20人超60人未満の事業所で30日間以内に5人超を解雇
(2) 平均従業員数60人以上500人未満の事業所で30日間以内に10％または25人超を解雇
(3) 平均従業員数500人以上の事業所で30日間以内に30人以上を解雇した場合

である。これは，組織再編ならびにビジネス再編時の人員削減だけではなく，事業所の閉鎖や会社の清算の時にも適用される。

## ③ 解約告知期間

　ドイツ民法第622条において，最低限の解約告知期間が定められている。まず，従業員側からの解約は，「4週間：月末または月の15日」となっている。また，会社側からの解約（解雇）は，

| 勤続年数 | 解雇告知期間 |
| --- | --- |
| 勤続 6ヵ月まで（試用期間） | 2週間：常時 |
| 勤続 2年未満 | 4週間：15日/月末 |
| 勤続 2年以上 | 1ヵ月：月末 |
| 勤続 5年以上 | 2ヵ月：月末 |
| 勤続 8年以上 | 3ヵ月：月末 |
| 勤続 10年以上 | 4ヵ月：月末 |
| 勤続 12年以上 | 5ヵ月：月末 |
| 勤続 15年以上 | 6ヵ月：月末 |
| 勤続 20年以上 | 7ヵ月：月末 |

となっている。この期限は最低限の期間を定めたものであり，下回ることが認められている例外は，試用期間の時の2週間，平均従業員数20人以下の場合の4週間，そして，労働協約でより短い期間を定めている場合とされている。個々の雇用契約において，上記の期限より長い期間を定めることは認められるが，従業員から解約の場合の期限が，会社からの解雇の場合の期限より長い場合は認められていない。

## 5　労働協約

　従業員を雇用する場合，給与額やその他の待遇条件は，原則として従業員と雇用主（会社）との交渉により決められ，「雇用契約（書）」が締結される。もちろん，社内に従業員代表委員会〈Betriebsrat〉が存在する場合には，そことの社内協定〈Betriebsvereinbarung〉にも注意を払う必要がある。既に言及したように，雇用契約は，口頭によるものでも法的効力を有するが，少なくと会社側は労働条件の主要部分を書面にして署名して従業員に手渡すこと（労働条件の書面化）が法律で義務付けられていることから，ドイツにおいては雇用契約書が交わされることが一般的となっているし，また，それが勧められる。そして，当該雇用契約書に労使双方が拘束されることになる。それと同時に，社外の規定として留意すべきものとして，いくつか言及してきた連邦法・州法における「労働法関係の法律規定」があり，そしてさらに留意しなくてはいけないものとして，労働協約〈Tarifvertrag〉がある。

　労働協約は，「Tarif（料金表，俸給表）」の本来の意味から理解されるように，労使間の話し合いで決められた最低賃金を規定したものであった。現在においては，有給休暇日数等の各種の労働条件の規定も含まれている。雇用契約が従業員個人と一雇用主（会社）との間で個別に交わされるのに対して，労働協約は，「協約地域〈Tarifgebiet（自治体の行政単位，自治体の行政地区が合同した地域）〉」の同業種の経営者側代表と労働組合との間の集団交渉により締結される。労働協約の拘束を受けるのは，原則として，当該労働協約の交渉に当たった経営者団体に加盟している会社であるが，連邦労働大臣，またはその委託を受けた州の管轄大臣が，「一般適用宣言〈Allgemeinverbindlichkeitserklärung〉」を行っている場合，労働協約締結の交渉に参加したかどうかに関わりなく，当該労働協約が適用される地域に位置する同業種の会社すべてに適用される。

　理論的に，連邦・州の労働法関係の法律規定の最低条件を下回る労働条件が労働協約で取り決められることは考えられない。しかし，従業員側に有利な条件を定めた労働協約が，一般適用宣言により交渉に参加しなかった会社にも拘束力を有しているにもかかわらず，個別の雇用契約において労働協約の労働条件を下回る規定が取り決められた場合，当該雇用契約は有効ではある。それでもってただちに雇用契約が無効になるものではない。しかしながら，従業員側が労働協約に基づく有利な労働条件を要求してきた場合には，会社側はそれに応じて雇用契約を変更しなけれ

ばならない。

# II ドイツの社会保障制度

　ドイツの社会保障制度は，19世紀後半のビスマルク時代に遡り，ドイツの重工業を中心とする資本主義の発達のもとで，大量に発生していた労働者階級の社会的不安を抑える目的で導入された健康保険制度（1883年）にその端緒が求められる。そして，1884年には労災保険,1889年には年金保険（最初は障害者・老齢年金保険），1927年に失業保険，そして最後の介護保険は1995年に導入されている。日本の社会保障制度も，かなりドイツの制度をモデルにしているところもあり，大筋において日本の社会保障制度と同じものと考えてもらって間違いはない。

## 1　ドイツの社会保険料

　ドイツの「社会保険〈Sozialversicherung（SVと略称される）〉」の主要なものとしては，以下の5種類である。

| 年金保険〈Rentenversicherung〉 | RV | 会社・従業員双方負担 |
| 失業保険〈Arbeitslosenversicherung〉 | AV | 会社・従業員双方負担 |
| 健康保険〈Krankenversicherung〉 | KV | 会社・従業員双方負担 |
| 介護保険〈Pflegeversicherung〉 | PV | 会社・従業員双方負担 |
| 労災保険〈gesetzliche Unfallversicherung〉 | | 全額会社負担 |

　労災保険料だけは，雇用主（会社）が全額負担して，その会社を担当している労災保険機関に会社としての保険料を一括して納付する。後の4つの保険料は労使双方が負担し，従業員が加入する健康保険機関（健康保険事務所）に一括して納付し，その健康保険機関が，健康保険料と介護保険料は自らの手元に留保し，年金保険料と失業保険料は，担当の役所機関に再送金するというシステムになっている。すなわち，（法定）健康保険機関は，社会保険料の「徴収窓口」となっている。健康保険機関は，組織再編・合併の動きが激しく，減少傾向にあるが，ドイツ全体でなお100機関弱（96機関［2023年］）存在している。極端な話として，現地スタッフが3人雇用されている在独日系企業の現地法人（子会社）で，3人がすべて異なる健

康保険機関に加入している場合，月次の年金・失業・健康・介護の保険料は，従業員ごとに3ヵ所に別々に送金することになる。また，納付期限は，月末から逆算して3銀行営業日までとなっている。すなわち，月末31日が木曜日だったとすると，29日の火曜日までとなっている。

以前は，その4つの保険料とも労使折半であったが，後述するような様々な理由から，介護保険料については，従業員側負担が若干ではあるが会社側負担より多くなっている。

正確を期すならば，近年導入された「分担金〈Umlage〉」と呼ばれる会社側（雇用主側）だけが負担する保険料が3つある。さらに，近年の法改正において，在独日系企業も負担を課されるようになった「アーティスト社会保険料〈Künstlersozialabgabe〉」というものもある。これは，フリーランサー（自営業者）であるアーティストならびにジャーナリストに仕事を依頼した場合等で，一定の前提条件（暦年中の依頼回数・報酬金額）を満たしてしまった場合に納付義務が課されているものである。このアーティストならびにジャーナリストの範囲（定義）の中は，一般的に想像する以上に広い範囲のフリーランサーが含まれている。

| 分担金1〈Umlage 1またはU1〉：病欠補填金分担金 | 病欠時給与継続支払（6週間）に際して，会社側が補填金を受給するための保険料。30人以下の従業員を要する会社に納付義務がある |
| --- | --- |
| 分担金2〈Umlage 2またはU2〉：産休補填金分担金 | 産前産後休暇（産前6週間・産後8週間）の給与継続支払に際して，会社側が補填金を受給するための保険料 |
| 分担金3〈Umlage 3またはU3〉：倒産時給与補填金分担金 | 倒産時給与継続支払（最大3ヵ月間）に際して，会社側が補填金を受給するための保険料 |

| アーティスト社会保険料 | フリーランサーであるアーティストならびにジャーナリストに対して，当該分野での仕事を依頼して対価報酬を支払った場合で，一暦年における仕事の依頼回数が4回以上または対価報酬が450ユーロ以上の場合，一般企業においても納付義務が発生する。 |
| --- | --- |

## 1　社会保険料負担率と賦課限度額

「保険料負担率（会社負担分と従業員負担分の合計）」と「賦課限度額（給与所得がこれ以上増えても負担額は増加しないという限度額）」は，以下のようになっている（2023年）。

［社会保険料率と賦課限度額］

|  |  | 合計負担率 | 従業員・会社負担分 | 賦課限度額 |
|---|---|---|---|---|
| 年金保険料 | 旧西ドイツ地域 | 18.6 % | 9.3 % | 7,300 ユーロ |
|  | 旧東ドイツ地域 | 18.6 % | 9.3 % | 7,100 ユーロ |
| 失業保険料 | 旧西ドイツ地域 | 2.6 % | 1.3 % | 7,300 ユーロ |
|  | 旧東ドイツ地域 | 2.6 % | 1.3 % | 7,100 ユーロ |
| 健康保険料 | 全ドイツ（標準保険料率） | 14.6 % | 7.3 % | 4,987.50 ユーロ |
| 介護保険料 | 全ドイツ | 3.05 % | 1.525 % | 4,987.50 ユーロ |

| 分担金1〈Umlage 1またはＵ１〉：病欠補填金分担金（AOKラインランド・ハンブルクの場合） | |
|---|---|
| 補填額比率70% | 2.99 % |
| 補填額比率60% | 2.45 % |
| 補填額比率50% | 2.10 % |
| 分担金2〈Umlage 2またはＵ２〉：産休補填金分担金（AOKラインランド・ハンブルクの場合） | 0.55 % |
| 分担金3〈Umlage 3またはＵ３〉：倒産時給与補填金分担金 | 0.06 % |
| アーティスト社会保険料 | 5.0 % |

　ただし，介護保険については，2005年1月1日より，23歳以上で子供のいない者については，0.35（2023年7月1日から0.60）％の従業員側だけの追加負担が課されている。その場合の労使負担合計は，3.40（2023年7月1日から4.00）％となる。また，健康保険料については，2005年より，会社負担分の料率である7.3％は，どの法定健康保険機関でも同じであるが，各々の法定健康保険機関の財政状況等に応じて，場合によっては追加料率を徴収することができようになった。さらに，2015年からは，年度の途中でも変更できるようになっている。この追加料率は，変動の可能性はあるものの，平均1.6％前後である。なお，社会保険料の会社負担分はすべて，従業員の個人所得税上非課税扱いとなる。

　賦課限度額というのは，それより給与額が多い場合であっても，保険料の納付額はあくまで賦課限度額に料率を掛けたものに留まるという意味である。例えば，旧西ドイツ地域で，月給7,300ユーロを支給される従業員の年金保険料の従業員負担分は，678.90ユーロ（7,300×9.30％）であるが，それが月給8,000ユーロを支給される従業員の場合も，678.90ユーロ（7,300×9.30％）となる。もちろん，会社負担分も同様の扱いになる。

　全額会社負担の労災保険料ならびに分担金は別にして，年金・失業・健康・介護の４つの社会保険料については，賦課限度額がある。そのため，給与額の高い従業

員については，必ずしもその比率は該当しないのであるが，一人の従業員の雇用について，支払給与額の約20％強の会社負担分の社会保険料費用が追加で発生するという形になっている。

## 2  公的老齢年金制度

　厳密に言うと，特定の職業グループ（医師，薬剤師，建築士，弁護士，会計士，税理士，公証人，獣医等）について，独自の公的年金制度が設立・運営されており，1つに統一されているわけではない。しかしそれらは，数的にまったくの少数派であり，ドイツの公的老齢年金制度は，日本の国民年金・厚生年金・共済年金を統合したもの・一本化されたものと考えればよい。ちょっと前のデータであるが，年金生活者の年金収入の出自（公的年金・企業年金・個人年金）を見てみると，ドイツにおいては，公的年金からの年金収入が80％を超えているのに対して，オランダ50％，イギリス65％，スイス42％と比較されて，ドイツの公的年金の圧倒的な比重の大きさが指摘されている。

## 3  健康保険・介護保険

　「介護保険は健康保険に追随する」という原則があり，（法定）健康保険加入義務がありとなった場合，自動的に介護保険にも加入しなくてはならない。健康保険・介護保険については，加入義務限度額というものがある。その加入義務限度額未満の給与所得の場合，ドイツ全体でなお100機関弱（96機関［2023年］）あるといわれる健康保険機関のどれかに強制加入しなくてはならない。1996年以来，どの健康保険機関に加入するかは，従業員が自由に選択できるようになっている。加入義務限度額は毎年変更されるのであるが，2023年のそれは月額ベースで5,550.00ユーロである。原則として，これ以上の給与所得を得ている従業員は，（法定）健康保険に継続して任意加入するか，プライベート健康保険に加入するか，あるいは，ドイツの通常の健康保険にまったく加入しないか（2008年まで）の3つ選択が可能となっている。在独日系企業の駐在員事務所・支店・現地法人（子会社）の現地採用スタッフの場合，ドイツの通常の健康保険にまったく加入していないケースはほとんどないので，実際には，（法定）健康保険に継続して任意加入するか，プライベート健康保険に加入するかの2つの選択肢のどちらかである。

　日本から派遣されてきている駐在員の場合，2000年2月から発効している日独社会保障協定があるものの，年金保険と失業保険しかカバーしていない。それゆえ，

少なくとも支店と現地法人の駐在員については，ドイツの健康保険・介護保険に加入する義務はある（駐在員事務所の駐在員は別途の規定）。他方で，ドイツの健康保険・介護保険は，上述のように加入義務限度額が設定されているため，少なくとも2008年までは，ドイツの通常の健康保険にまったく加入しない（日本の健康保険組合に加入しているだけ，あるいはそれに加えて日本の旅行者傷害保険に加入しているだけ）という選択肢が確保されていた。しかし，2009年からの改正により，新たな「（ドイツ）プライベート健康保険加入義務」が導入された。但し，その新しい義務が，短期的（一時的）に勤務のためにドイツに滞在する日本からの駐在員にも適用されるのかについては，今なお不明確な点があり，当局側の明確な指針も公表されていない。この問題については，「第6章　日本人駐在員派遣についての日本側・現地側の対応」で詳細に解説している。

　健康保険機関（健康保険事務所）は，ドイツ全体で100組織弱あり，現在も，健康保険財政の健全化・効率化の観点から，組織統合・合併が推し進められている。また，2009年には，後述するように，それらの法定健康保険機関をある意味で束ねる組織として健康保険ファンドが設立された。個別の健康保険機関の代表的なものとして，「一般地域健康保険機関〈Allgemeine Ortskrankenkasse：AOK〉」がある。個別の健康保険機関は，社会保険料（年金保険料，失業保険料，健康保険料，介護保険料ならびに分担金）の徴収窓口となっている。従業員が加入している健康保険機関から，年金保険料は，在ベルリンの「ドイツ年金保険連合〈Deutsche Rentenversicherung Bund〉」（通常の日系企業の現地スタッフの場合）に，失業保険料は，在ニュールンベルクの「連邦雇用庁〈Bundesagentur für Arbeit〉」に送金される。

## 2　健康保険ファンド

　2009年に，健康保険制度の財政健全化・効率化の観点から，当時ドイツ全国に200機関以上（221機関［2008年］）存在していた（法定）健康保険機関（健康保険事務所）を束ねていく（統合するわけではない）ことになる健康保険ファンドが導入された。

### 1　健康保険ファンドとは何か？

　ドイツの健康保険制度は，大きく言って，法定健康保険機関によるものと，民間

のプライベート健康保険会社によるものの2つから構成されている。それを踏まえて，健康保険ファンドは，2008年段階で221機関あった既存の法定健康保険機関の将来的な存続を前提にした上で，それぞれの法定健康保険機関の間の競争を促し，運営の効率化を図ることを目的にして設立されたものである。すなわち，健康保険ファンドは，被保険者の払込保険料，雇用主払込保険料，国家補助金を一旦集め（払込保険料の実際的徴収は個別の法定健康保険機関），それを一定の原則に基づき，各々の法定健康保険機関に分配して送金する。法定健康保険機関はその収入を元に，個々の医師・病院その他の医療機関等に医療報酬を支払うことになる。

　大雑把に言って，「法定健康保険機関統一保険料率」，健康保険ファンドから各々の法定健康保険機関へ送金される定額配賦金・罹病率基準特別配賦金の導入によって，法定健康保険機関を競争上同じスタートラインに立たせる。他方で，法定健康保険機関に対して，個々の医師・病院その他の医療の担い手との間の契約の自由を認めて，割引契約等の締結により，支出削減のインセンティブが働くようにした。既に1996年から，被保険者は法定健康保険機関を自由に選択することができ，競争原理がまったく働いていなかったというわけではなかった。しかし，高齢者を多く抱えるといった加入被保険者構成の相違や地域的経済格差に起因する法定健康保険機関の間の保険料収入の相違といった構造的問題が横たわっていた。その意味で，同じスタートラインに立っての競争にはなっていなかったと言える。賛否両輪はあったものの，この改革は，ここのところの抜本的改革を目指したものであった。

## 2　健康保険ファンドのもとでの保険料率

　2009年の健康保険ファンドの導入と共に，法定健康保険機関統一保険料率が導入されており，2023年のそれは，「14.6％（但しこれに平均1.6％がプラスされる）」となっている。この法定健康保険機関統一保険料率は，介護保険料とは別途に定められるものである。毎年年初に変更が行われる可能性があり，その場合にはその前年の11月1日までに公表されることになっている。さらに，政府が年度の途中での変更の必要性があると認める場合には，2ヵ月前の公表をもって変更される可能性が確保されている。

　2008年までについて言うと，法定健康保険機関の間でも，保険料率において2％以上の開きがあった。例えば，相対的に高齢者が少ない「企業健康保険機関〈Betriebskrankenkasse〉」等の加入者は，13％前後の保険料率でこと足りていた。そのような低保険料率を享受していた従業員等は，2009年からの法定健康保険機

関統一保険料率の導入により，負担増を強いられることになった。

### 3  追加特別保険料の徴収または保険料還付

　個々の法定健康保険機関は，加入している被保険者1人当たりの定額の定額配賦金と被保険者の年齢・性別・病歴に応じた罹病率基準特別配賦金（マイナスの場合もある）を収入として運営する。それで不足する場合，加入者から追加特別保険料を徴収できる。加入者側から見ると，そのような法定健康保険機関に加入している場合，追加的負担を強いられることになる。但し，この追加特別保険料は，加入者の実際の保険料賦課対象所得または賦課限度額（いわゆる頭打ち額）の1％までに制限されていたが，2011年からは，この制限が撤廃された。

　ある法定健康保険機関が追加特別保険料を徴収しようという場合，年度末1ヵ月前までそれを公表しなくてはならず，その場合，実際に徴収が始まる前まで，被保険者には加入解約権が保障される。逆に，効率的な運営が図ることができた個々の法定健康保険機関は，自らの加入者に対して保険料還付といったプレミアム（優遇措置）を保証することができる。ちなみに，この追加特別保険料は2018年までは従業員側のみの負担であったが，2019年から，労使折半となっている。

# III ドイツにおける企業福利厚生制度

　ドイツにおける企業福利厚生の重要な柱として，企業年金制度がある。在独日系企業においても，優秀な人材に長く勤務してもらいたいという時に，給与面での厚遇ももちろん重要である。しかしそれに加えて，福利厚生面，とりわけ企業年金制度の面での対応が重要になっている。ドイツの企業年金制度は，2002年に大きな改革が実行に移されて，現在に至っている。この2002年以降，個別の従業員からの要求があった場合，経営者側はそれに応じて，少なくとも当該従業員に対しては，社内企業年金制度の設置を義務付けられている。これは，在独日系企業の進出形態（駐在員事務所，支店，現地法人［子会社］）すべてに該当する。

## 1　ドイツ企業年金制度における運営方式

　実際に会社内に企業年金制度を導入しようといった場合，あるいは，既に存在している企業年金制度を変えるまたは充実させることを考える場合，どの「運営方式（Durchführungsweg）」のものを導入するか，あるいは，どの運営方式のものが自社内に既に存在しているかが問題になる。
　この運営方式というのは，外部に運営機関が存在するかどうか（企業年金制度の実際の運営を外部にアウトソーシングするかどうか），その外部運営機関が保険監督法に服するかどうか，あるいは，従業員が運営機関等に対し直接的な法的請求権を有するかどうか，といった従業員・雇用主・外部運営機関の3者の間の法的関係から見た区別である。同時に，年金給付のための原資ならびに拠出費用が会社の貸借対照表ならびに損益計算書にどのように計上されるか，あるいは，従業員の個人所得税上の取扱いがどうなるのか，といった経理・税務上の処理がその運営方式別に異なっている。そのため，運営方式は，ドイツの企業年金制度が問題になる時，必ず理解しておかなくてはならないポイントとなっている。次の5つの運営方式が存在している。
　　○　直接確約方式（Direktzusage）

- ○　年金基金方式（Pensionskasse）
- ○　直接保険方式（Direktversicherung）
- ○　共済基金方式（Unterstützungskasse）
- ○　年金ファンド方式（Pensionsfond）：2002年から導入

　以上の企業年金の運営方式別の普及度は，直接確約方式（年金引当金の計上）が半分前後を占め，それに年金基金方式，直接保険方式，共済基金方式，年金ファンド方式と続いている。在独日系企業の場合，ドイツの会社を買収しているようなケースを除き，事務運営負担のもっとも少ない直接保険方式が普及している。

## 1　直接確約方式

　ドイツ企業年金制度の中で最も普及した運営方式である。原則として外部の運営機関・保険会社等が介在することはない。従業員の老齢による退職時の老後保障，あるいは，身体障害・死亡時の従業員またはその遺族の生活保障を企業自身が直接的に負担する方式である。特に中小企業の場合，給付原資を確保するために，外部の保険会社と「年金保険契約〈Rückdeckungsversicherung〉」を締結することがある。しかし，この場合でも，後述の直接保険方式とは異なり，原則として，その保険会社からの支払給付の受取人は会社である。会社は，それをもとに従業員に対して確約した老後保障給付を行うことになる。通常，一定の年齢（多くの場合，公的老齢年金の受給資格達成年齢）で退職した場合に，一定の老後保障給付が行われることが会社から従業員に対して書面で確約される。

　給付形態としては，終身年金・有期年金・一時金のどれもが可能である。終身年金方式の場合，当該企業年金からの給付が月々いくらと決められているケース，あるいは，公的老齢年金からの給付額と合計して月々いくらの年金という形で決められているケースが最もよく見られる。その給付時の直接的負担のために，会社側は，確約後から給付開始までの期間，所得税法第6a条に基づき保険数理計算を基礎にした各事業年度末貸借対照表上の貸方の「年金引当金〈Pensionsrückstellung〉」計上額が算定されて繰入処理等を行う。但し，2010年商法会計基準改革により，商法会計基準の年金引当金額の計算方法が変更されたために，税法会計基準と商法会計基準での数値に差異が出てくるようになったことには留意が必要である。この引当金計上により内部留保された資金について運用規制はないために，破産時の給付支払肩代わり等のための「年金保険機構〈Pensions-Sicherungs-Verein auf Gegenseitigkeit〉への加入義務（＝保険料の支払）」に服する。従業員の個人所得税

上の取扱いとしては，後述の共済基金方式と同様に，給付原資の積立て時（＝年金引当金への計上・繰入時）には課税されずに，年金支払給付時に，給与報酬の後払いとして課税される（＝給付時課税）。その意味で，従業員側での所得税課税繰延効果ならびに累進税率緩和効果がもっとも大きい運営方式になっている。

## 2 年金基金方式

　1つの企業が単独でまたは複数の企業が共同で，外部に法人格を有する企業年金制度運営機関（ここでは年金基金〈Pensionskasse〉）を設立する方式である。確約された従業員は，その年金基金から老後保障の給付を受けることになる。年金基金は，確約を受けた従業員に対して直接的に給付請求権を保証するところから，通常の生命保険会社と同じ機能を有するものと見なされている。それゆえ，保険監督法の適用を受けて，連邦金融監督庁〈BeFin〉の監督下に置かれる。その結果として，資産の運用規制にも服する。このことは，後述の共済基金方式との1つの相違点となっている。そして，上述の直接確約方式とは異なり，破産時の給付支払肩代わり等のための「年金保険機構への加入義務（＝保険料の支払）」は免除されている。給付形態としては，基本的には年金であるが，一時金支払も見られる。

　従業員の個人所得税上，2004年までの契約分については，年間の拠出額が一定額（1,752ユーロ，平均分離課税処理の場合は最高で2,148ユーロ）までであれば，20％の分離課税処理が可能である。さらに，2002年からは，当該年度の社会保険料賦課限度額の4％（＋1,800ユーロ）までの非課税特別措置が導入されている。この非課税措置は，2018年から，当該年度の社会保険料賦課限度額の8％に変更されている（社会保険料の賦課免除は4％に据え置き）。また，同様に2002年から，従業員が課税済み給与所得から拠出した分の一定額までについては，国庫からの補助金または個人所得税上の追加の控除枠が保証されるようになっている（いわゆるリースター年金）。

## 3 直接保険方式

　一定の条件を満たした生命保険をベースにした企業年金制度である。最初に従業員が生命保険会社と締結しそれを会社が引受ける形も可能だが，いずれにせよ会社が外部の生命保険会社と保険契約を締結する。保険加入者は，会社（雇用主）となる。そして，老後保障・保険金給付の受取人（あるいは請求権者）は従業員（またはその遺族）となる。老後保障給付の場合，年金支払ならびに一時金支払の双方が

可能であるが，2002年に新規に導入されて，もともと一時金支払形式が認められない年金ファンド方式を除く４つの運営方式の中で，もっとも一時金支払が頻繁に見られる方式である。この運営方式は，最もアウトソーシング化された企業年金制度と言える。個々の従業員毎に行われていることもあるため，会社における企業年金制度として認識されていない場合もあるかもしれない。いずれにせよ，会社にとって管理が容易であることから，ドイツの中小企業で採用されているケースが多い。在独日系企業においても，最も頻繁に見られる企業年金方式である。

　従業員の個人所得税上，2004年までの契約分については，年間の拠出額が一定額（1,752ユーロ，平均分離課税処理の場合は最高で2,148ユーロ）までであれば20％の分離課税処理が可能である。さらに，2002年からは，当該年度の社会保険料賦課限度額の４％（＋1,800ユーロ）までの非課税特別措置が導入されている。この非課税措置は，2018年から，当該年度の社会保険料賦課限度額の８％に変更されている（社会保険料の賦課免除は４％に据え置き）。また，年金基金方式の場合と同様に，2002年から従業員が課税済み給与所得から拠出した分の一定額までについては，国庫からの補助金または個人所得税上の追加の控除枠が保証されるようになった（いわゆるリースター年金）。

## ４　共済基金方式

　１つの企業が単独でまたは複数の企業が，共同で外部に法人格を有する企業年金制度運営機関（ここでは「共済基金〈Unterstützungskasse〉」）を設立する。この共済基金が確約を受けた従業員に老後保障給付を直接行うという点において，先の年金基金方式と同じである。しかし，それとの相違点を挙げると，確約された従業員に拠出時点においては直接的な給付請求権を保証せず，保険監督法の適用を受けず，その結果，資産運用規制にも服さない。その結果，直接確約方式と同様に，破産時の給付支払肩代わり等のための「年金保険機構への加入義務」に服する。従業員の個人所得税上，直接確約方式と同様に，給付時課税に服し，拠出時には課税が発生しない。

## ５　年金ファンド方式

　「年金ファンド〈Pensionsfond〉方式」は，2002年１月１日に，企業年金制度の５つ目の運営方式として導入されたものである。それ以前より経済界等からその導入が要請されていたものであり，多くの点において年金基金方式に類似しており，

そして，その規定が準用されている。具体的には，その年金ファンドは，1つの企業が単独でまたは複数の企業が共同で設立する法人格を有する運営機関で，連邦金融監督庁〈BaFin〉の監督に服する。年金基金方式との相違の主要なものは，支払形式と緩和された運用規制である。すなわち，支払形式としては，年金形式のみが可能で，一時金支払は認められていない。また，年金基金方式より運用規制が緩和されて，株式への投資がより大規模な形で可能になっている。他方で，それに伴うリスクをヘッジする必要から，直接確約方式ならびに共済基金方式と同様に，破産時の給付支払肩代わり等のための年金保険機構への加入義務（＝保険料の支払）に服する。他の運営方式との関係で言うと，直接確約方式（ならびに共済基金方式）で確約されたものを年金ファンド方式での確約へ切り替える際の税制上の優遇措置も設けられている。

上述のように，従業員の個人所得税上は，原則的には拠出時課税に服するが，2002年から導入された該当年度の社会保険料賦課限度額の4％（＋1,800ユーロ）までの非課税特別措置が適用される。この非課税措置は，2018年から，当該年度の社会保険料賦課限度額の8％に変更されている（社会保険料の賦課免除は4％に据え置き）。さらに，年金基金方式ならびに直接保険方式の場合と同様に，従業員が課税済み給与所得から拠出した分の一定額までについては，国庫からの補助金または個人所得税上の追加の控除枠が保証される（いわゆるリースター年金）。

## 2　その他の企業年金制度の留意点

ドイツの企業年金制度は，2002年に大きな改正が行われている。上記の運営方式別の留意点以外の注意すべき点を，以下に挙げておく。

### 1　従業員負担型企業年金の要求権

当該要求権を有するのは，社会保険料納付義務を負う従業員で，毎年の社会保険料賦課限度額の4％を最高限度として，企業年金制度のために給与を転換・充当することで，その企業年金制度の恩恵に浴することができるように要求することができる。その場合の従業員側の前提条件としては，その給与の転換・充当額は，月額ベースで同額，年間合計額の最低で社会保険料基準報酬160分の1を満たしていることが挙げられる。運営方式に関しては，原則としてどの運営方式でも構わず労使間の協議次第であるが，会社側が年金基金方式または年金ファンド方式を提案した場合には，従業員はそれに従う必要がある。もし，そのどちらも提案されていない

場合には，労使間で再度協議することになる。もし，その協議において合意に至らなかった場合でも，従業員側は直接保険方式を要求することができるが，しかし，どの保険会社の直接保険を採用するかは，会社（雇用主）の裁量に委ねられる。

　また，個別の従業員から企業年金制度の導入の要求があった場合でも，ここでの解説からも分かるように，それは，あくまで従業員負担型（給与転換型）の企業年金制度の導入である。その際，会社が企業年金という「軒先」を貸すことによる事務的負担はあるものの，すぐ下で後述の2019年からの社会保険料雇用主負担の節約分の充当の話はあるものの，財務的負担が強制されているわけではない。さらに，それまで企業年金制度がまったく存在していなかった在独日系企業（現地法人，支店，駐在員事務所）において，ある1人の現地スタッフから企業年金制度の導入の要求があったとしても，同時に他の従業員にも導入しなくてはいけないということではないことは留意しなくてはならない。

　他方で，2019年ならびに2022年から，年金方式・直接保険方式・年金ファンド方式の3つの運営方式の従業員給与転換型の場合において，雇用主拠出義務が導入された。正確に言うと，給与転換型の場合において，雇用主が節約できている社会保険料雇用主負担分（約20％）を雇用主拠出分に充当するという趣旨である。その時の転換する従業員給与の15％とされている。2019年からは，その年度から新規に設定される3つの運営方式の従業員給与転換型の企業年金についてであり，2022年からは，2018年以前に設定された3つの運営方式の従業員給与転換型の企業年金についてである。

### 2　確定拠出型の企業年金

　日本でも既に導入されている確定拠出型企業年金が，ドイツの企業年金制度の中でも可能になっている。運営方式別で言うと，直接保険方式，年金基金方式，年金ファンド方式の3つの運営方式において導入できる。但し，少なくとも2017年までについていうと，日本の確定拠出型との最大の相違は，ドイツの場合は，「払込額保証確定拠出型〈Beitragszusage mit Mindestleistung〉」であるという点である。もし運用成績が優れずマイナスになった場合でも，払込額から死亡・身体障害リスク充当部分を控除した額まで，すなわちそこに不足分があれば会社側が補填しなくてはならないというもので，確定給付型の要素も盛り込んだものになっている。他方で2018年に，労働協約に該当する取決めがあることを前提に，最低給付保障が付随しない（純粋）確定拠出型が導入された。

# IV 従業員代表委員会

　筆者の日常のコンサルタント活動において，「うちの会社の労働組合のことでちょっとお伺いしたいんですが……」という質問など，「社内に労働組合は絶対に作らせないつもりだ」という在独日系企業の現地法人の社長さんの話などを聞いて，最初はよくちょっと戸惑ったものである。ドイツの労働制度を専門に研究しておられる日本人研究者の方から，「違うものを一緒くたにするな！」とお叱りを受けるかもしれないと思う。しかしながら，企業別労働組合制度になっている日本のイメージからすると，ドイツでビジネスを展開する在独日系企業の実務現場では，現在のドイツの従業員代表委員会〈Betriebsrat〉を，日本の労働組合（あるいは，会社内のその執行部）に重ね合わせて，内容的にはそれに似たものであると把握していくのは，ドイツのビジネス環境を一つひとつ理解していくための切り口としては，あながち間違ったアプローチではないと考えている。もちろん，後述するように，誰がその活動のための費用・コストを負担するのか，あるいは，労働争議権（ストライキ権）を認められているのかといった観点から，ドイツの従業員代表委員会は，労働組合（あるいはその会社内の執行部）ではないことは明白である。しかし，ドイツの従業員代表委員会が，会社内の従業員の権利保護という観点においては，企業別に組織されている日本の労働組合（その会社内の執行部）と同じ機能を有していることも確かである。ここでは，このドイツの従業員代表委員会について，少し詳しく解説したい。

## 1　従業員代表委員会に関する基礎知識

　従業員代表委員会には，筆者が知る限りでも，経営協議会，経営評議会，事業所委員会，業務委員会，従業員協議会，職場委員会，労使協議会，工場委員会，工場協議会というようにかなりの数の日本語訳がある。また，上述のように，何年かドイツに滞在されている日本人駐在員の方には，実質的な内容面から，組合あるいは労働組合として理解されている方，あるいは労働組合と呼んでいる方も多い。

## 1　従業員代表委員会の定義

　この従業員代表委員会を簡単に定義すると,「主として雇用・職場環境関連問題について会社側と協議・共同決定するために,一定の従業員数を有する企業（事業所・団体組織）において設立が認められた従業員（被用者）代表機関」ということになる。

## 2　日本語訳の問題

　外国の制度を日本語に翻訳する際に,翻訳する人によって複数の訳語が出てくるのは珍しいことではない。しかしながら,このドイツの従業員代表委員会の場合は,翻訳語の混乱が少し極端なような気がする。そしてそれは,この従業員代表委員会が多面的な側面を持っていることの証しなのであろう。そういうことから,一定の誤解・混乱があり,筆者が日常的なコンサルタント活動の中で在独日系企業の日本人の方と話をするときに,逆に日本語を使用しないで,「Betriebsrat」（ベトリープスラート）というドイツ語の原語,あるいは,「Work Council」（ワークカウンシル）という英語を言った方が,すぐに話が通じる時もある。

　上述のようにかなりの数の日本語訳があることも確かだが,もっとも広まっているのが「経営協議会」あるいは「経営評議会」という訳語であろう。筆者もドイツに来てこの従業員代表委員会の内容をよく理解するまでは,この経営協議会という訳語を使っていた。Betriebというドイツ語は確かによく経営と日本語訳されるドイツ語である。Ratも評議会とか協議会と訳されることが多い。それが一緒になった現在のドイツのBetriebsratが,経営協議会あるいは経営評議会と訳されるのはごく自然なのかもしれない。

　また,第2次大戦直後の日本において,戦前の経済体制・企業システムに対する反省から,企業経営の民主化ならびに被用者の労働条件の改善を図るために,経営協議会を通しての従業員の経営参加ということが声高々に叫ばれた。紆余曲折はあったものの,その経営協議会は,日本の1つの制度として根付いていたのである。その時点ですでに,経営協議会は,ドイツのBetriebsratの訳語だったと思われる。しかしながら,その後に日本に定着した経営協議会制度は,従業員の代表機関としての企業別労働組合の存在を前提にして,その労働組合と会社側との労使交渉・協議の場,すなわち,会社側代表者を含めた総体を経営協議会と見なしていると考えられる。

　企業別組合が存在しないドイツの場合,まずは,1つの企業（あるいは事業所）

の従業員の声をまとめ上げる機関としての従業員代表委員会が設立される。企業内労働組合を作って，その執行部を選ぶようなものである。それが経営者側と主として雇用・職場環境関連事項に関して協議・共同決定していくという形になっている。後述するように，通常月に最低1回，経営者側との協議・共同決定のための会合に臨むことが法律で決められており，決して労使交渉の場が欠如しているわけではない。しかし，単にBetriebsratといった場合，その中には会社側代表は含まれていない。さらに，会社側と雇用契約等で問題を抱え込んだ従業員が，従業員代表委員会のメンバーの誰かのところに行って相談するということがよく行われ，それは従業員代表委員会の正式な機能として認知されている。いわば，従業員にとっての「駆け込み寺」機能である。Betriebsratを経営協議会あるいは経営評議会と日本語訳すると，この辺りのところが見えなくなってしまう。

　さらに，経営と日本語によく訳されるBetrieb〈ベトリープ〉というドイツ語であるが，Betriebsrat〈ベトリープスラート〉という時のBetriebは，日本語で経営戦略・経営方針とか会社経営とかいう時の経営とはまったく関係がない意味である。例えば，デュッセルドルフ市に本社・販売機能があり100人の従業員がおり，ルール工業地帯のボッホム市に工場があり，そこで1,500人の従業員が働いており，さらに，ケルン市に30人の研究開発関連スタッフが勤務している研究所があるようなドイツの会社を考えてみよう。この会社には，3つのBetriebがあると言い，それぞれの町でBetriebsratを設立できるのである。この場合のBetriebを日本語に訳すとしたら，事業所ということになるだろう。

　筆者は，外国の制度に関する日本語訳は，絶対にこれだという定訳というものは，特定の例外を除き通常存在しないという言語感覚の持ち主である。そのため，訳語を統一すべきである，あるいは，自分の訳語がベストであると主張するといった野心はさらさらない。他方で，自分が日本語訳を提示するときには，問題・議論の対象にしている制度の内容が少しでも見て取れるような，より正確に内容の理解が可能となるような訳語を探す努力をすべきだと思っている。本書では，Betriebsratはあくまで従業員（被用者）代表機関であることを強調したいということで，従業員代表委員会という訳語で通しておきたい。

## ③ 歴史的経緯

　現在のドイツの従業員代表委員会の制度は，第1次世界大戦中の1916年に50名以上の従業員を要する企業に導入されるようになった常設の労働者委員会

〈Arbeiterausschuss〉にその直接的な前身が求められている。そして，第1次世界大戦後の1920年2月4日付の法律により，現在の形の従業員代表委員会制度が導入された。それを通じて従業員（被用者）に対して，職場環境ならびに人事関係について共同決定権が確保されることになった。ナチス時代の1934年に同制度は，一旦廃止されたが，旧西ドイツ地域について言うと，第2次世界大戦後の1952年に再導入された。そして，政権交代も相俟って，1972年には従業員代表委員会の権限を拡大する形での大幅な改正が行われ，現在に至っている。

## 2　ドイツ共同決定制度の意義とその見直し

　戦後ドイツ（正確にいうと西ドイツ）は，戦争被害から立ち直り1950年代から60年代にかけて「奇跡的経済復興」（高度経済成長）を成し遂げた。そして，2度のオイルショックにもかかわらず，1985年のプラザ合意頃までは，「世界経済の機関車」とまで評価されていたものである。そのような（西）ドイツ経済の成功は，安定した良好な労使関係により企業内平和あるいは従業員の地位の安定化が図られ，ストライキが少ないことで生産性低下要因が排除され，ドイツ企業の高い国際競争力が維持されていたことが大きく寄与していたと言われている。この安定した良好な労使関係が確保できた制度的要因として，ここで取り上げている従業員代表委員会制度をも含む，広義の意味での従業員の経営参加の一形態である共同決定制度〈Mitbestimmung〉の役割が積極的に評価されていた。

## 3　ドイツ共同決定制度の中の従業員代表委員会

　ドイツの共同決定制度は，労使関係の中で従業員の地位を安定させ，従業員の声を経営意思決定にも反映させて，そのような形で企業経営あるいは組織運営の効率化を図ろうというものである。いわゆる従業員の経営参加の一形態である。そして，一般民間企業だけでなく公的企業ならびに公的な非営利団体等にも及ぶかなり包括的なものである。一般民間企業を例にとると，大きく言って，①監査役会〈Aufsichtsrat〉への従業員側代表の参加，②従業員代表委員会制度という2つの支柱からなっていると言われている。それを図示すると次の図のようになる（株式会社の場合で例示）。

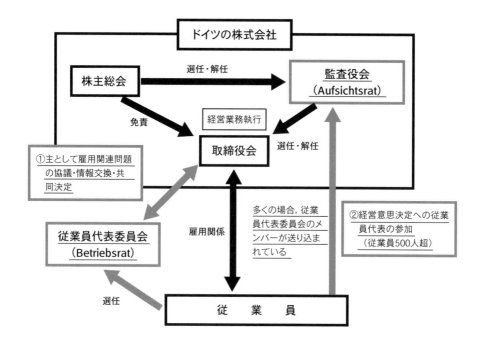

　「監査役会への従業員代表の参加」は，従業員数500人超の企業に適用されることから，在独日系企業の現地法人（子会社）の中で適用されるケースはごく少数の場合だけであろう。それでも，従業員代表委員会制度との相違，ひいてはドイツ共同決定制度をより良く理解するために，この「監査役会への従業員側代表の参加」について，ここにその大筋を解説しておきたい。

　監査役会への従業員側代表の参加というのは，従業員数500人超の企業において，経営業務執行に対する監視の役割を担う監査役会に，従業員側代表を受け入れるというものである。株式会社〈AG〉の場合とは異なり，日系企業がドイツに進出するときの典型的な会社法形態であり，ドイツの会社の中でも株式会社以上に人気のある会社法形態の有限会社〈GmbH〉の場合，その基本的な法律である有限会社法上，監査役会を設置することが義務付けられていない。そのような場合は，従業員数が500人超になった時点で，監査役会へ従業員代表を受け入れるがために，監査役会を設置しなくてはならない（1952年経営組織法第77条）。従業員数500人超から2,000人までは監査役数の3分の1，そして2,000人超の場合は監査役数の半分は従業員代表とされている（炭鉱・鉄鉱・製鉄業分野の企業の場合には例外規定がある）。

2,000人超の従業員を有する会社の場合，従業員側代表が半数である。そのため，監査役会において株主側代表と従業員側代表の意見が真っ二つに割れた場合にどうなるのかという疑問が沸いてくる。実際のところ，通例株主側代表が占めることなっている監査役会議長が2票目を行使できることになっているため，最終的には株主側代表の意見が通ることにはなっている。それ以上に，経営者側・株主側から見た場合に「目の上のたんこぶ」と言われているのが，従業員側代表の中に，その企業の従業員でもない労働組合専従職員が一定数まで入ることができるようになっていることである。この制度の撤廃は，監査役会への従業員側代表の参加制度の改革が問題になるときに，経営者側・株主側から真っ先に出されるテーマである。

　最後に，従業員代表委員会制度との関連でいうと，監査役会への従業員代表の参加と従業員代表委員会制度とは，どちらも共同決定制度の一環であり，多くの場合，従業員代表委員会のメンバーあるいはその支持を受けた者が監査役会の従業員側代表になっていることも確かである。しかしながら，その2つが制度上自動的にリンクしているわけではない。すなわち，従業員代表委員会のメンバーと監査役会の従業員側代表メンバーは，まったく異なる選挙プロセスで選ばれる。

## 4　従業員代表委員会の具体的内容

### 1　設立の前提条件と最低メンバー数

　従業員代表委員会の設立の前提条件は，原則として18歳以上の継続的に雇用された選挙権を有する従業員（被用者）が5人以上いる「企業（正確には「事業所」）」ということになっている。さらに，その5人のうち3人は，従業員代表委員会メンバーに選ばれるための被選挙権を有する者とされている。もちろん，この条件を満たしたら，会社側がイニシアティブを取って，この従業員代表委員会を設立しなくてはいけないという意味ではない。あくまで，設立のイニシアティブは従業員からということが想定されている。ここでいう企業（事業所）には，原則として，在独日系企業の進出形態（駐在員事務所，支店，現地法人［子会社］）すべてが含まれる。上記の従業員数の前提条件が満たされている限り設立される可能性があるが，現実的な問題として駐在員事務所で設立されている事例は知られていない。

　誰をここで従業員として数えるかということであるが，まず，有限会社GmbHの取締役〈Geschäftsführer〉と，原則としてプロクリストはその数に含めないとされるが，最終的には人事権の有無で判断される。従業員代表委員会のメンバーとして

の活動は無報酬である。その活動は，通常の勤務時間内に行われることが原則である。しかしながら，従業員数に応じて，従業員代表委員会メンバーの中の一定数を，会社の通常の勤務を100％免除された専従職員とすることができる。企業の従業員数（選挙権を有する従業員数）ごとの最低メンバー数ならびにその内の専従職員数は，以下のようになっている（企業経営組織法第9条ならびに第38条）。

[従業員代表委員会の最低メンバー数と専従職員数]

| 事業所従業員数 | 最低メンバー数 | その内の専従 |
| --- | --- | --- |
| 5人〜 20人（選挙権を有する従業員） | 1人 | 0人 |
| 21人〜 50人（選挙権を有する従業員） | 3人 | 0人 |
| 51人〜 100人（選挙権を有する従業員） | 5人 | 0人 |
| 101人〜 200人 | 7人 | 0人 |
| 201人〜 400人（専従数は200人〜） | 9人 | 1人 |
| 401人〜 500人 | 11人 | 1人 |
| 501人〜 700人 | 11人 | 2人 |
| 701人〜 900人 | 13人 | 2人 |
| 901人〜1,000人 | 13人 | 3人 |
| 1,001人〜1,500人 | 15人 | 3人 |
| 1,501人〜2,000人 | 17人 | 4人 |
| 2,001人〜2,500人 | 19人 | 5人 |
| 2,501人〜3,000人 | 21人 | 5人 |
| 3,001人〜3,500人 | 23人 | 6人 |
| 3,501人〜4,000人 | 25人 | 6人 |
| 4,001人〜4,500人 | 27人 | 7人 |
| 4,501人〜5,000人 | 29人 | 7人 |
| 5,001人〜6,000人 | 31人 | 8人 |
| 6,001人〜7,000人 | 33人 | 9人 |
| 7,001人〜8,000人 | 35人 | 10人 |
| 8,001人〜9,000人 | 35人 | 11人 |
| 9,001人〜10,000人 | 37人 | 12人 |

　9,000人超の事業所についての最低メンバー数は，3,000人単位ごとに2人増加で，例えば9,100人の従業員を要する事業所の場合は37人であるが，12,001人となった場合には39人となる。また，10,000人超の従業員を要する事業所の最低専従メンバー数は，2,000人単位ごとに1人増加で，例えば12,000人の従業員を要する事業所は13人となるが，12,001人の従業員となれば14人となる。ちなみに，2001年の法律改正で，最低メンバー数は引き上げられている。

　被選挙権は，勤続最低6ヵ月となっている。会社が設立されてから6ヵ月が経過していない会社の場合は，選挙が開始された時点で雇用されておれば良しとされて

いる。

## 2 任期・選挙・選挙手続き費用

　従業員代表委員会のメンバーの任期は原則として4年である。当然のことながら，それに沿った定例選挙も4年毎に行われる。その定例選挙の日程として，3月1日から5月31日までの2ヵ月の間に行うことが規定されている。それに加えて，例えば定例選挙が行われてから2年経過して，従業員数が50％（絶対数にして最低50人）減少・増加した場合等，臨時選挙が行われることが規定されている。

　定例（臨時）選挙は，秘密・直接選挙方式で行われる。選挙を実施するために，通例，任期満了10週間前に，従業員代表委員会は3人から構成される選挙管理委員会を指名して（それ以上の人数も可能だが必ず奇数人数），選挙の遂行を委ねる。従業員代表委員会の設立の前提条件を満たしているが，まだそれが存在してない企業（事業所）の場合は（はじめて従業員代表委員会を選ぼうというケース），従業員集会を開催して，3人から構成される選挙管理委員会を指名して，選挙の遂行を委ねる。候補者リストは，選挙権を有する従業員数が20人までの企業の場合は2人の選挙権者の署名，それ以外の場合は，全選挙権者の20％（絶対数にして最低3人から50人まで）の署名がなされた候補者リストが提出される必要がある。選挙権を有する従業員数が50人までの企業の場合，簡便化された選挙手続きが認められている。これらの選挙手続きに関する費用は，会社側の負担とされている。

## 3 従業員代表委員会の日常的活動

　従業員代表委員会の活動対象は，かなり包括的である。まず一般的な活動とされているものの主要なものを挙げると，以下のようになる。

- 　○　従業員の権利保護のために決められた法律・労災保護規定・労働協約・社内規定が遵守されているかの監視
- 　○　新規雇用・職業訓練・研修・昇進等に際して，男女平等の推進
- 　○　一般従業員，若年従業員，職業訓練生等の会社・職場環境に関する意見・見解を聴取する受け皿となり，場合によっては会社側との交渉の窓口となること
- 　○　高齢者従業員の雇用を促進すること
- 　○　外国人従業員の職場環境への融合を図り，ドイツ人従業員との相互理解を深めること

以上が一般的な活動対象とされているものである。具体的な日常的活動という観点から整理していくと，①従業員代表委員会それ自体の会議，②会社側との協議・共同決定あるいは会社側からの報告のための会議，③従業員のための相談所（駆け込み寺機能），④従業員代表委員会活動のための研修への参加，というように大きく言って4つに分けられる。会社側との協議・共同決定のための会議は，最低月に1回は開催されるものとされている。原則として，これらの活動は勤務時間内に行われ，従業員が相談所に赴いた時間も含めて，従業員代表委員会メンバー，相談に赴いた従業員の給与報酬がカットされることは禁止されている。また，会議，研修参加等で発生したコスト，費用は，会社側が負担すること，あるいは，会議や相談所あるいはその他の活動のための場所，備品，人員（データインプット用員等）も，会社が用立てること，あるいは負担することが規定されている。さらに，このような従業員代表委員会活動の費用を賄うために，従業員から分担金を徴収することも禁じられている。

## 4　会社側との協議・共同決定対象事項ならびに会社側からの報告対象事項

　最低月に1回は，従業員代表委員会と会社側との会合が持たれることが原則となっている。この従業代表委員会と会社側との会合，あるいは，その両者の間の日常的なやりとりということに関しては，内容面から，①社会的関連事項，②労働プロセス・職場環境関連事項，③人事関連事項，④経営関連事項，⑤会社組織変更関連事項の5項目に分けられる。さらに，それらの5項目の中の個別の内容は，会社側から見た場合，従業員代表委員会に報告だけすればいいのか（報告対象事項），協議しなくてはいけないのか（協議対象事項），あるいは従業員代表委員会と共同決定しなくてはいけないのか（共同決定対象事項）とに分けれらる。ここで網羅的にすべてを列挙することはできないが，概観を把握できるように主要な項目を以下に挙げてみる。

### (1)　社会的関連事項〈soziale Angelegenheiten〉

　「社会的〈sozial〉」という言葉が使われている。しかしながら，これは，会社外の一般社会あるいは地域社会という意味での「社会的」ということではない。会社（事業所）内での従業員間あるいは会社と従業員との間の関係という意味である。

　共同決定対象事項：事業所内の秩序・従業員の行動姿勢に関連する問題，勤務時間の開始・終了ならびに休憩時間，各週日に対する勤務時間の配分，通常の勤務時

間の一時的な短縮・延長，給与報酬の支払日・支払場所・支払方法，有給休暇の取り方に関する一般的原則，従業員の挙動あるいは実績を管理するための施設設備の導入，労災や職業病の防止・健康管理に関する規定，福利厚生施設，社宅利用，給与報酬システム，改善のための社内提案制度，作業グループに関する規定

(2) 労働プロセス・職場環境関連事項

　協議・報告対象事項：企業（事業所）内構築物の新築・改築・増築の計画，技術的設備に関する変更計画，労働プロセスの変更計画等

　共同決定対象事項：上記の変更が労働科学的な研究成果内容に明白に合致せず，とりわけ従業員に大きな負担を強いる場合

(3) 人事関連事項

　協議・報告対象事項：人員計画の現状と将来，それとの関連での従業員研修計画，社内研修制度，雇用確保のための各種の施策，個別の新規採用・人事異動（20人超の選挙権者従業員の会社・事業所）

　共同決定対象事項：人事関連質問書，人事考課基準，人員採用ガイドライン，人事異動ガイドライン，社内研修制度，社内公募制度

(4) 経営関連事項

　100人超の従業員を有する会社（事業所）に適用。経済委員会〈Wirtschaftsausschuss〉を設立して，当該委員会は，企業秘密等の侵害にならない限りにおいて，企業経営に関する情報（会社の財務状況，生産高，売上高推移，投資計画等）を会社側から聴取・協議し，従業員代表委員会に対して報告する。

(5) 会社組織変更関連事項

　20人超の選挙権者従業員を有する会社（事業所）に適用。会社の組織変更等が計画されている場合，会社側は，その従業員に対する影響を含めて，従業員代表委員会に報告し協議を行う。

## 5　調停委員会とストライキの禁止

　報告・協議対象項目は，最終的には会社側に決定権が確保されているわけで，意見が割れるといったことは原則としてない。共同決定対象項目に関しては，従業員代表委員会と会社側の意見が一致しない，あるいは，会社側から見た場合，従業員代表委員会の合意が得られないという可能性がある。そのような場合に想定されているのが「調停委員会〈Einigungsstelle〉」という制度である。調停委員会は，会社側と従業員代表委員会の双方から同数の委員が指名され，委員長は双方合意の上で

中立的な立場の者が指名されることになっている。これらの調停委員会活動の費用も，会社側が負担し，調停委員が会社の内部の者である場合，調停委員としての仕事は無報酬であるが（通常の給与報酬以外に特別の手当てがないということ），委員長を含めて社外の人間を登用した場合，これらのものに対する報酬も会社側が負担することになっている。

　従業員代表委員会の制度は，従業員の経営参加の一形態であり，その制度を通じて，従業員に対して主として雇用・職場環境に関連する分野における共同決定権を保証している。その際の根本原則は，会社側と従業員との間の「信頼関係に基づく協働」であり，従業員代表委員会がストライキ等の労働闘争に訴えて解決を図るといったことは想定されていないどころか，明確に禁止されている（企業経営組織法第74条第1項）。あくまで「話し合いによる解決」が原則である。ここでドイツの労働組合〈Gewerkschaft〉の役割・機能について詳論することはできないが，従業員代表委員会の制度は，あくまで「話し合いによる解決」が原則であるという点は，企業・会社を超えて業種・地域ごとに組織されているドイツの労働組合が，やはり業種・地域ごとに結合している経営者側団体と協議し，労働協約を通じて最低賃金ならびにその他の待遇等について決定し，もし，労使双方の交渉が合意に達しない場合，労働組合側はストライキ等の労働闘争に訴えて実力行使することが認められていることとは大きな相違である。その意味で，従業員代表委員会は労働組合（あるいはその社内執行部）ではないのである。

# 第6章

# 日本人駐在員

# 日本人駐在員派遣についての日本側・現地側の対応

　「郷に入らば郷に従え」の諺の通り，基本的に，日本から派遣された駐在員も，ドイツの様々な法律・生活慣習をよく理解し，それを遵守しつつ勤務に勤しみ，生活しなければならない。税法上，ドイツの居住者としてドイツに住むドイツ人と同じように課税され，申告義務を果たし，決められた税金を納付しなくてはならない。会社法上，ビジネス拠点に関する各種のドイツ当局への届出義務・報告義務をしっかり遵守しないと，刑法上の犯罪に問われることもある。ビジネス拠点の経営・運営上，ドイツにおける最低限の労使慣行や労働法上の基礎知識なくしては，現地人スタッフからの信頼を勝ち得ることはできないであろう。

　他方で，駐在員の中には10年以上の長い滞在の方もいるが，多くの場合は，数年から長くとも8年くらいまでというのが通例である。そういった場合，難しいドイツの法律や一見してはなぜそのようなことをするのか分からないようなドイツの生活慣習を，何もかも孤軍奮闘して1人で理解しようとすることには，困難がつきまとう。そして，仕事上の大きな課題を負わされて来独している駐在員にとっては非経済的であり，どうしても回りの支援が不可欠となる。ドイツの一般的生活習慣に関してのガイドブックは，他に優れたものがある。それを踏まえて，本章では，在独日系企業の駐在員事務所，支店，現地法人（子会社）に日本から派遣された駐在員が，とりわけ個人的な側面において関わってくる外国人法，個人所得税法，社会保険法（特に健康保険関連）について，駐在員本人，駐在員を送り出す本社側担当者ならびに駐在員を受け入れる現地側日本人担当者の留意事項を解説していきたい。

# I 労働・滞在許可証の取得，住民登録手続き

　駐在勤務に際して，まず最初に考えなくてはならないのは，労働許可証・滞在許可証の申請取得である。大雑把にいうと，ドイツにおける滞在許可証・労働許可証について，EU（欧州連合）加盟国の国籍を有する外国人ほどではないが，日本人は，その次くらいに優遇された外国人である。以前からも非公式的にはそうであったが，過去20年間余りの外国人法（滞在法）の改正により，その点はより明確になっている。また現在では，労働許可証が滞在許可証に合体・一本化されている。

## 1　申　請　先

　どこでドイツでの就労・労働のための滞在許可証（労働許可証）の申請をするかについては，日本から赴任する場合，

(1)　在日ドイツ大使館あるいは領事館
(2)　ドイツ赴任先の居住地の市町村自治体の外人局

のどちらかで申請するという2つの方法がある。前者は当然のことながら，赴任前に前もって申請して，日本で滞在許可証（労働許可証）を受け取って（実際にはパスポートの中の1頁に貼り付けられる），ドイツに赴任するということになる。以前は，この方法しかなかった上，この方法の場合その当時3ヵ月前後かかっていた。2001年以降，日本人についてもドイツでの申請（入国後の申請）が認められるようになった。現在は，ほとんど後者の申請方法でしか行われていないのではないかと思われる。後者の方法の場合，来独してドイツで申請するというものである。基本的に，後者の方法（来独後のドイツでの申請・取得）が原則で，場合によっては，前者の方法（事前の日本での申請・取得）でというのが2015年頃までのやり方であった。他方で，特に2015年の欧州難民危機以降，ドイツにおける難民受入数も大幅に増加し，通常の滞在許可証の管轄でもある市町村自治体の外国人局（Ausländeramt）

第6章　日本人駐在員　*357*

が，その難民対応ゆえに多くの人員・リソースを割かれる状況が常態化していた。そのため，一般の外国人の通常の滞在許可証の新規発給・延長の事務処理が滞りがちになっていて，極端な時には，申請から取得まで数ヵ月（市町村自治体によっては半年）かかるという状況が発生していた。すなわち，後者の方法（来独後のドイツでの申請・取得）が時間的にうまく機能しないという状況に陥っていた。さらに，2020年3月のコロナパンデミック危機の勃発により，滞在許可証の完全な新規発給停止の措置は数ヵ月だけだったものの，様々なコロナパンデミックに起因する滞在許可証の新規発給の事務作業に対する障害・遅延が加わり，それに加えて，2022年3月以降はロシアのウクライナ侵攻によるウクライナ難民問題の負担が外国人局に対する降りかかっている。結論としては，2020年春以降のコロナ感染勃発以後の状況は，一時的なものと思われるが，たとえコロナ以前の状況にある程度戻った場合であっても，ドイツ渡航前に申請・取得するか，ドイツ入国後に申請・取得するかは，取得する滞在許可証の種類をも考慮し，あるいは，在日ドイツ大使館・領事館の方針も確認しながら，居住予定地の地方自治体の外国人局の動向等の情報を事前にキャッチして，融通を利かせて対応していく必要があると考えられる。そのような状況ではあるが，本書では基本的ルートである後者のドイツで申請・取得する方法を原則に据えて解説したい。以下においても，このドイツで申請する方法について解説する。

## 2 滞在許可証の一般原則：滞在法第4条における滞在許可の種類

　日本人・アメリカ人等のような第三国の国籍保有者の滞在許可ならびに労働許可に関する中心的な法律である「滞在法（Aufenthaltsgesetz）」の第4条に，一時的な滞在のためのビザを含むドイツにおける「滞在許可（Aufenthaltstitel）」の種類が網羅的に列挙されている。それに拠れば，

1．第6条第1項第1号ならびに第3項にいうビザ
2．滞在許可証（Aufenthaltserlaubnis：第7条）
3．EUブルーカード（第18b条第2項）
4．EU-ICTカード（第19条）
5．EU-ICTモービルカード（第19b条）
6．就労滞在許可証（第9条）
7．EU継続就労滞在許可証（第9a条）

となっている。「EU」がついているものは，EU指令に基づき導入されているものである。最初の「１．第６条第１項第１号ならびに第３項にいうビザ」は，基本的に短期滞在目的のためのものである。2017年８月に導入された「４．EU-ICTカード（第19条）」と「５．EU-ICTモービルカード（第19b条）」は，後述するように，ワンセットになっているものである。在独日系企業を含む多国籍企業グループ間のクロスボーダーの人事異動（駐在派遣）を前提にしている。そのため，最長期間が限定されていることに加えて，ドイツの現地採用の日本人は，このEU-ICTカードの取得はできない。以上を踏まえて，以下において，日本人駐在員とその家族ならびに現地採用日本人スタッフに関わってくる滞在許可証を中心に，その具体的内容を解説する。

## 3 滞在許可証の種類(1)：各種の滞在目的のための一般的滞在許可証（滞在法第７条）

各種の滞在目的のための一般的滞在許可証（滞在法第７条）は，種々雑多な滞在許可証の集合概念と言える。すなわち，学生・生徒の留学目的のための滞在許可証（就学滞在許可証）やワーホリのための滞在許可証等から，日本人駐在員（ならびに現地採用日本人スタッフ）に一般的な滞在許可証（労働許可証），企業グループの国際人事交流プログラムに基づく滞在許可証（労働許可証），専門職者としての滞在許可証（労働許可証），帯同家族のための滞在許可証，そして，難民等に対する人道的理由による滞在許可証というように，滞在法の他の個別条項に根拠を有しつつ，上記の「2.滞在許可証（Aufenthaltserlaubnis：第７条）」が交付されている。その意味で，すべてについて「就労（Erwerbstätigkeit：雇用従事ならびに自営業活動）」が前提となっているわけではない。そうではあるものの，日本人駐在員と現地採用日本人スタッフにとって重要なものは，就労行為（雇用従事ならびに自営業活動），特に雇用（されること：雇用に就くこと）が可能な滞在許可証，すなわち，労働許可を前提とした滞在許可証である。既に言及してきたように，現在，ドイツの滞在許可証は，労働許可証を含むものとなっている。そして，原則として，労働許可証が交付され得るかの審査は，当局内部の依頼（外国人局が労働局に審査依頼）に基づいて行われる。その際に原則として実施されることになっているのが「優先順位テスト（Vorrangprüfung）」である。

## 1　労働許可と優先順位テスト

　近年のドイツ国内における専門職者不足ならびにそのための滞在法（外国人法）の改正の中で変わりつつあるが，労働許可が交付される時の基本的な主旨は，ドイツ人ではできない仕事だから，外国人（第三国人）に行ってもらう，その観点から，労働許可を交付する，というものである。そして，1993年1月1日のEU域内市場（単一市場・統一市場）の確立以降は，ドイツ人と他のEU加盟国市民ではできない仕事となっている。すなわち，ドイツで就労したいという外国人（第三国国籍保持者）から滞在許可証の取得申請があると，その就こうとしている仕事（勤務予定先のポスト）に関して，その地域の労働局の管轄区域（大都市の場合はその都市全体，その他の多くの場合は，複数の地方自治体から構成される区域）の中に，ドイツ人または他のEU加盟国市民でその仕事をできる人がいないかを確認する手続きが行われる。これは，「優先順位テスト〈Vorrangprüfung〉」と呼ばれている。原則として，この数週間かかる優先順位テストで，そういう人がいないことが確認されて始めて，取得申請した外国人（第三国人）に対して，労働許可（滞在許可）が交付される。この優先順位テストは，形式的なものになる場合もあるが，特定の例外を除き，原則として行われなければならない。特定の例外は，近年その範囲は拡大されてきているが，「企業グループの国際人事交流プログラムに基づく滞在許可証（労働許可証）」の場合，あるいは，滞在法第7条に基づく滞在許可証ではないが，後述のEU-ICTカードの場合等である。他方で，2020年3月施行の「専門職者移住法」（各種関係法律の一括改正法）以降，滞在法第39条第2項に基づき，専門職者については実施する必要がなくなり，実施対象範囲が限定されている。それでも，実施される場合には，優先順位テストの前では，日本から派遣されてくる日本人駐在員も現地採用される日本人も，まったく同じスタートラインに立っている。いずれにせよ，以上のような背景から，滞在許可証（労働許可証）の取得申請書に仕事の内容（職務記述）を記載する箇所があるが，この部分が極めて重要になってくる。

## 2　日本人駐在員に最も典型的な滞在許可証

　2020年3月施行の「専門職者移住法」（各種関係法律の一括改正法）以降，もちろんそれだけに限定されないのであるが，多くの日本人駐在員（ならびに現地採用日本人スタッフ）の中心的な法的根拠となっているのが，雇用法令第26条第1項に連動した滞在法第19c条第1項であり，それに基づき滞在許可証（労働許可証）が交付されている。2020年2月までは，旧滞在法第18条第4項に基づく滞在許可

証（労働許可証）が中心的であった。数年の期限でその法的根拠に基づき交付されている滞在許可証（労働許可証）は，延長時に随時に雇用法令第26条第1項に連動した滞在法第19c条第1項に基づいた滞在許可証に切り替えられていくと考えられる。この2020年3月以降の日本人が就労する場合の典型的な滞在許可証は，現地採用の日本人スタッフも取得できることからも分かるように，グループ企業間のクロスボーダー駐在派遣を前提にしたものではない。

### ③ 企業グループの国際人事交流プログラムに基づく滞在許可証

どちらかというと，ドイツに本拠地（本社）があって，ドイツから見た外国に子会社ネットワーク網があるような企業グループに，より適しているかもしれないが，ドイツから外国への派遣と外国からドイツへの派遣が同じくらいあるようなケースにおいて，その外国の関連会社・子会社等からのドイツへの駐在員に対する滞在許可証である（根拠法：雇用法令第10条に連動した滞在法第19c条第1項）。優先順位テストは必要とされないが，最長でも3年間までとされ，対象者は大卒者ないしはそれに匹敵する資格を有する者とされている。当然のことながら，ドイツ側での現地採用の外国人（第三国人）には交付されない。企業グループ間のクロスボーダー駐在派遣の場合の滞在許可証であるという点において，後述のEU-ICTカードと共通性を有しているが，この国際人事交流プログラムの滞在許可証の交付は，ドイツの会社から外国の関連会社・子会社への一定度の派遣の実績も前提とされているところが異なる。

### ④ 専門職者としての滞在許可証

以前からもそれに対応する滞在許可証はあったが，2020年3月施行の「専門職者移住法」（各種関係法律の一括改正法）以降，滞在法の法規定の中でより明確化され，後述するように，より短期間で「就労滞在許可証（Niederlassungserlaubnis）」（定住権滞在許可証）が取得できるような特典が付与された滞在許可証である。専門職者（Fachkräfte）の経歴を，特定分野の職業教育（研修）を通じて専門職者になった者（滞在法第18a条）と，大学教育を履修した専門職者（滞在法第18b条第1項）に分けて規定した上で，両者を実務的には同等に扱うことが企図されている。この滞在許可証の取得前提条件に該当する場合には，原則的に優先順位テストが行われないで済む。これは，専門職者をできる限りドイツに定住させるという意図での施策であるが，この専門職者の滞在許可証を取得している者は，「就労滞在許可

証（Niederlassungserlaubnis）［定住権滞在許可証］」を通常より短期間で取得できる。後述するように，「就労滞在許可証」は期限が無期限であり，雇用主の限定がなく自営業活動も可能な滞在許可証である。通常であれば，5年間の正規の滞在・社会保険料の納付とその他の前提条件（ドイツ語の知識等）の充足により取得できる。これが，専門職者の滞在許可証を有する者は，最短で21ヵ月，最長でも48ヵ月（4年間）で取得できる（滞在法第18c条）。

## 5 帯同家族のための滞在許可証

　ドイツ基本法（憲法）第6条に謳われた婚姻と家族の保護の原則に派生する措置であり，ドイツ国民に保証された保護は，正規の形でドイツに居住する外国人に対しても同様に適用されるべきという考え方から来ている。滞在法第27条ならびに第29条に基づき，家族であることが証明される限りにおいては，呼び寄せが可能であり，申請により，滞在許可証が取得できる。原則として家族帯同による滞在許可証であることから，日本人駐在員家族（夫が駐在員）で言えば，夫の滞在許可証が様々な理由から無効になった場合（例えば，離独した場合等）には，原則としては家族帯同の滞在許可証も無効となる。家族の範囲であるが，原則として，配偶者ならびにその間の子女であるが，過去において，奥さんの一人暮らしの父親を呼び寄せたいという話があった。結果として，最終的にはうまく行ったのであるが，呼び寄せが必要な理由を詳細に記述した書面を書き，その奥さんの父親の健康状態についての医師の診断書を添付したりのやり取りがあった。特に発展途上国からの人達で，偽装結婚等により，この家族帯同滞在許可証を悪用・濫用するケースがよくあるために，外国人当局も神経を尖らせているところもある。他方で，3年間を経過すると，その他の前提条件（生計基盤の確保等）が満たされていなければならないが，家族（特に配偶者）の滞在許可証は独立したものとみなされ，本来的な滞在許可証の保有者（駐在員本人）への連動が前提条件ではなくなる。日本人駐在員についてこれが影響してくるのは，いわゆる「逆単身」の場合である。すなわち，家族帯同でドイツに赴任していて，駐在員本人（夫・父親）には帰任の辞令が出されたが，子供の学校等の都合から，奥さんと子供が半年とか1年とか（あるいはそれ以上の期間），ドイツに残るというような場合である。そのようなケースにおいて，帯同でのドイツ滞在3年間を経過していると，日本に帰国した駐在員本人（夫・父親）からの生計基盤確保の証明書等の提出は要求されるものの，家族（奥さん・子供）の滞在許可証は無効になることなく，引き続きドイツ滞在が可能なる。最後に

もう1つ，家族帯同の場合の配偶者の滞在許可証について特記すべきことがある。家族帯同の配偶者の滞在許可証は，就労（自営業活動と雇用従事の双方）が認められている。しかも，雇用従事の場合でも，雇用主の限定（制限）が付随していない。すなわち，奥さんが帯同で赴任してきた場合，その奥さんは，ドイツで自由に仕事を探して見つけて，それに従事することが，滞在許可証上は可能になっている。もちろん，駐在員本人の会社がそれを善しとするのか（赴任先に帯同した配偶者の就労を禁止することが有効なのかどうかは別にして！），あるいは，ネット給与保証に服していることが殆どと思われる駐在員の場合，個人所得税の申告をどうするのか等の問題がクリアにされなければならない。いずれにせよ，自営業活動が禁止され，雇用についても雇用主（会社）が限定されている駐在員本人の滞在許可証より，配偶者の方の滞在許可証が有利なものとなっている。

## 4　個別の滞在許可証の種類(2)：EUブルーカード

EUブルーカードは，2009年6月に施行された「高技能職者EU指令」に基づき，EUワイドで導入されたものである。EU域内に高技能職者を引き寄せる，あるいは，定着・定住させることを目指したものである。カードと呼んでいるが，滞在許可証（労働許可証）の1つの種類である。ドイツにおいては，当時の滞在法第19a条の新規導入（現在は第18b条第2項）により，2012年8月から交付されている。ブルーは，アメリカのグリーンカード（Green Card）にアナロジカルに考えられたもので，EUのシンボルの旗（青地に12の星）の青（ブルー）から来ている。但し，このEUブルーカードも電子滞在許可証形式（クレジットカード形式）で交付されるが，そのカード自体が青色になっているわけではない。現在の滞在法第18b条第2項に拠れば，ドイツの大学の卒業資格，または，ドイツの大学に匹敵する外国の高等教育機関の卒業資格を有していることが取得の前提となっている。さらに，それ以上でなければならないという最低限の給与報酬額が決められている。毎年変更されるが，2023年については，年収58,400ユーロ（旧西ドイツ地域の年金保険料賦課限度額［87,600ユーロ］の3分の2）である。但し，自然科学・数学・エンジニア・IT・医師については，専門家不足分野ということで，この最低年間給与報酬額は低めに設定されている（毎年変更されるが，2023年については，年収45,552ユーロ＝旧西ドイツ地域の年金保険料賦課限度額［87,600ユーロ］の52%）。上述のように，上の滞在法第7条をベースに第19c条第1項と雇用法令第26条第1項に基づ

く典型的な日本人駐在員にとっての滞在許可証との最も大きな相違は，専門職者のための滞在許可証（滞在法第18a条ならびに第18b条第1項）と同様に，就職先（赴任先）からの内示がなければならないものの，優先順位テストが行われる必要がない点である。他の条件を満たす必要があるものの，その点についてだけ言えば，簡素化されている。また，EUブルーカードは，高技能職者をドイツに定着・定住させることが目的である。そのため，その他の前提条件が満たされなくてはならないが，これも専門職者のための滞在許可証と同様に，通常の場合（60ヵ月＝5年間）より短い期間で（33ヵ月以上または21ヵ月以上で），「就労滞在許可証（Niederlassungserlaubnis）」（定住権滞在許可証）が取得できるようになっている。このEUブルーカードは，ほとんどの場合，日本から派遣されてくる日本人駐在員においても（場合によっては，現地採用の日本人においても），取得のための前提条件は満たされていると考えられる。

## 5　個別の滞在許可証の種類(3)：EU-ICTカード

EU-ICTカードは，2014年5月15日付で施行されている「企業グループ内人事異動促進EU指令」に基づき，EU（欧州連合）全体で導入されている滞在許可証（労働許可証）の1つの種類である。ICTは，「Intra-Corporate Transfer」（企業内異動）の略称である。すなわち，在独日系企業における日本からドイツへの駐在員派遣のような企業グループ間のクロスボーダー人事異動に対する優遇措置である。ドイツにおいては，当時の滞在法第19b条の新規導入により（現在は第19条），本来のEU指令の期日（2016年11月）より少し遅れたものの，2017年8月から導入・交付されている。このEU指令の目的は，労働市場としてのEU域内市場（単一市場・統一市場）の魅力を向上させて，EU域外から優秀な（必要な）人材を呼び寄せることである。その意味では，前項で解説したEUブルーカードの延長線上にあると言えるかもしれない。具体的には，まず，EU域外に本拠地を有する第三国企業の第三国国籍保持者に対して，EU域内の子会社・関連会社等への派遣（第一次派遣）が簡易化されている。さらに，その第一次派遣された駐在員が他のEU加盟国の関連会社等でも勤務する場合（第二次派遣），二次派遣国での滞在許可証（労働許可証）の取得が簡易化または免除される（EU-ICTモービルカードならびに短期的クロスボーダー複数勤務地届出制度）。すなわち，正確にいうと，EU-ICTカードは，①第三国からEU加盟国へのグループ企業間のクロスボーダー人材派遣の場合の滞在許可証

（狭義のEU-ICTカード），②その第一次派遣国から他のEU加盟国内のグループ会社への90日以上の派遣時の滞在許可証（ICTモービルカード），そして同様に，③その第一次派遣国から他のEU加盟国内のグループ会社への派遣だが，90日以内の場合の滞在許可免除（届出）の制度の3つがワンセットになっているものである。

### 1　ドイツにおけるEU-ICTカード

　日本からドイツの駐在員事務所・支店・現地法人に派遣されている日本人駐在員も，原則としてこの滞在法第19条に基づくEU-ICTカードを取得することができる。職種のカテゴリーとしては，管理職・専門職・トレーニーの3つが想定されている。上の現時点では日本人駐在員に最も典型的な雇用法令第26条第1項に連動した滞在法第19c条第1項に基づく滞在許可証とは異なり，派遣先の地域の労働市場の状況を考慮する優先順位テストは行われない。それは，このEU-ICTカードが企業グループ間の駐在員派遣であることを根拠にして交付されているからである。そしてそれゆえに，在独日系企業の駐在員事務所・支店・現地法人に雇用される現地採用の日本人スタッフは，このEU-ICTカードを取得することはできない。また，このEU-ICTカードは，管理職者と専門職者の場合3年間，トレーニーの場合1年間の最長期限が決められ，原則として渡航前に日本（在日ドイツ大使館・領事館）で取得することが前提とされている。

### 2　EU-ICTモービルカードと短期的クロスボーダー複数勤務地届出制度

　グループ企業内最低勤続期間（6ヵ月）等の前提条件を満たして，第一次派遣でドイツに赴任してきている日本人駐在員がこのドイツのEU-ICTカードを取得している場合で，そのドイツ駐在期間中に90日間を超えて他のEU加盟国のグループ会社の仕事も行う場合（第二次派遣A），そのドイツのEU-ICTカードを根拠に，その第二次派遣先国でそこで就労・滞在するための「EU-ICTモービルカード」を取得することができる。さらには，同様に第一次派遣でドイツに赴任してきている日本人駐在員が，ドイツのEU-ICTカードを取得している場合で，他のEU加盟国のグループ会社の仕事も掛け持ちでやる場合（第二次派遣B），「短期的クロスボーダー複数勤務地届出制度」により，第二次派遣先国での滞在許可証（労働許可証）の取得が免除される。短期的とは，180日間のうちに90日以内とされている。第二次派遣元国の会社（ここではドイツの在独日系企業）が派遣先国の当局に対して届出を行う。

このように，ドイツのEU-ICTカードの取得は，他のEU加盟国での滞在許可証の取得の簡素化と免除が連動している点が特徴である。もちろん，他のEU加盟国に駐在派遣され，そこでEU-ICTカードを取得している日本人駐在員は，ドイツにおけるEU-ICTモービルカードの取得（滞在法第19b条），あるいは，短期的クロスボーダー複数勤務地届出制度（滞在法第19a条）による滞在許可証取得免除の恩恵に与ることができる。

### 3 EU-ICTカードのメリットとデメリットの比較

EU-ICTカードは，日本から派遣されてくる駐在員の視点から見ると，上の日本人の雇用に最も典型的な滞在許可証（雇用法令第26条第1項に連動した滞在法第19c条第1項に基づく滞在許可証）ならびにEUブルーカード等と共に，取得の検討の対象に入る滞在許可証である。その特徴（メリット）については，既に解説した通りである。しかしながら，デメリットとして，1つには，最長の期限が3年までとされている点である（正確には，管理職と専門職が3年，トレーニーは1年）。3年以上EU-ICTカードでドイツで勤務しようとすると，一旦日本に帰国し，6ヵ月のリセット期間が経過してから，再度ドイツに赴任するということになる。他方で，3年が経過した時点で，他の日本人の雇用に最も典型的な滞在許可証（雇用法令第26条第1項に連動した滞在法第19c条第1項に基づく滞在許可証）またはEUブルーカード等）に切り替えることはできるということなので，それほど大きなデメリットではないかもしれない。2つ目のデメリットは，現時点では，申請が日本からしかできない点である。日本人の雇用に最も典型的な滞在許可証またはEUブルーカードについては，日本人は，ドイツに入国してから申請することができるという，特定の第三国市民に付与された特権を享受できている。しかし，EU-ICTカードについては，例外的特権は認められていない。

## 6　個別の滞在許可証の種類(4)：滞在法第9条の就労滞在許可証

上の滞在法第7条をベースにした日本人の雇用に最も典型的な滞在許可証（雇用法令第26条第1項に連動した滞在法第19c条第1項に基づく滞在許可証）等を，中断することなく最低5年間（60ヵ月間）保持し，ドイツの法定年金保険料（ないしはそれに相当するもの）の納付ならびにドイツ語の十分な知識等の前提条件が満たされた場合，「就労滞在許可証〈Niederlassungserlaubnis〉」が取得できる（滞在法

第9条)。この就労滞在許可証は無期限であり，自営業活動も雇用主（会社）の限定がない雇用従事が可能となっている。他方で，専門職者の滞在許可証の保有者，EUブルーカードの保有者等は，原則5年よりも短縮された期間で，この就労滞在許可証の取得が可能になっている。この就労滞在許可証を保有する第三国の国籍保有者は，ドイツに定住権を有している者と言えるのであるが，ドイツを6ヵ月を超えて離れると，原則としてこの就労滞在許可証は失効する。確かに，離独後失効した後に，再度ドイツに入国・居住する場合の優遇措置等はあることにはあるが，生涯に亘って無条件に有効な定住権ではない。

## 7　滞在法第19c条:雇用に基づく電子滞在許可証交付までの標準的プロセス

　上で解説したように，日本人駐在員あるいは現地採用日本人スタッフが取得できる滞在許可証には，複数の種類の滞在許可証がある。また，1つの種類の滞在許可証（労働許可証）の取得でも，市町村自治体の外国人局毎に，若干異なったプロセスを辿る可能性もある。しかしながら，最も多く申請・取得されているであろう，日本人の雇用に最も典型的な滞在許可証（雇用法令第26条第1項に連動した滞在法第19c条第1項に基づく滞在許可証）のドイツにおける申請から電子滞在許可証の交付までの標準的なプロセスを示すと，以下のようになる。ちなみに，EU-ICTカードは，ドイツ渡航前に在日ドイツ大使館・領事館にて申請を行い取得するが，それ以外の「企業グループの国際人事交流プログラムに基づく滞在許可証」・「専門職者としての滞在許可証」・「EUブルーカード」・「家族帯同のための滞在許可証」等も，基本的に以下とほぼ同様のプロセスを辿る。

### ①　ドイツ入国とその前の事前準備

　日本人にとって滞在許可証のドイツ入国後の申請が可能になったのは，2001年1月以降である（2000年12月に決定）。そして，このような措置が認められているのは，第三国（EU加盟国・欧州経済領域加盟国以外の外国）の中では，アメリカ・カナダ・イスラエル等のごく少数の国の国籍保有者に限定されている（なお，EU-ICTカードについては，ドイツ入国後の申請は認められていない）。具体的な手続きは，ドイツ入国後なのであるが，そして，滞在許可証の申請手続きの窓口となるのが市町村自治体の外国人局であり，具体的な手続きのプロセス・必要書類が外国人局毎に微妙に異なったりするので，できれば，居住予定地（市町村）の外国人局と入国前の事前のコンタクトを取り，申請必要書類等を確認して（ほとんどの場合，

ウェブサイトで確認できる）、もし可能であるならば、入国後の外国人局への出頭日時のアポを取っておくことが薦められる。ドイツ入国前の事前準備として、不可欠ではないのであるが、場合によってはそうすることが薦められるものとして、労働許可の事前同意の取得がある。不可欠ではないという意味は、この労働許可の事前同意の取得は、本来的には、申請者（日本人駐在員・現地採用スタッフ等）が居住（予定）地の市町村自治体の外国人局に対して滞在許可証申請を行うと、その外国人局が労働局（正確にいうと、その中の一部署である「外国・専門職仲介局〔ZAV〕」）に対して行うものである。しかしながら、各種の事情から、ドイツ入国後に外国人局に対して滞在許可証を申請してから交付まで数ヵ月かかってしまうような懸念・危惧がある場合等には、この労働許可の事前同意の取得により、ドイツでの滞在許可証なしでの滞在期間の長期化のリスクを低減することができる。そのような懸念・危惧は、過去においても、すなわち、2015年の「難民危機」の時等、現実のものになっている。この労働許可の事前同意の取得は、労働局（その中の一部署である「外国・専門職仲介局〔ZAV〕」）のウェブサイトにオンラインによるアクセス・申請を行い（通常2週間ほどで取得可能）、PDF形式で送付されてきたものをプリントアウトして、外国人局で滞在許可証の申請をする際に、他の必要書類と一緒に提出する。

② 居住地の市町村自治体の住民局での住民登録

住民登録〈Einwohneranmeldung〉の際の住所は、仮の住所であっても構わず、ホテルの住所で住民登録を行なうことも可能である。但し、ホテルの住所での住民登録に難色を示す市町村自治体も時折見られることから、これも居住予定地の住民登録局での事前確認が勧められる。また、以前は、アパートの家主やホテルからの証明書が必要とされていた。ここ何年か、提出が要求されなくなった時期が続いていたが、最近、再度要求されていることが報告されている。いずれにせよ、外国人局における滞在許可証の申請の前に、住民登録は行っていなくてはならない。この時の健康保険加入証明書の提出については、「滞在許可証の発給の際の健康保険加入証明書」（398頁以下参照）を参照。

③ 居住地の市町村自治体の外国人局に対する滞在許可証（労働許可証）の取得申請

前もって申請書ならびに必要提出書類を準備しておき、申請を行う。市町村自治体によっては、その申請手続きのために予め予約をしておく必要がある。

多くの市町村自治体では、通常、申請書の書式はウェブサイトでダウンロードが可能で、必要提出書類リストも予め送付してもらうか、あるいはウェブサイト上で

その情報入手が可能である。必要提出書類の中で，市町村自治体毎に最も対応が異なってくるのが，健康保険加入証明書である。ドイツの法定健康保険加入証明書またはそれに対応するドイツのプライベート健康保険加入証明書の提出が要求される場合と，その他の健康保険加入証明書（日本の健保加入証明書等）の提出でもよしとされる場合とに分かれる。

ここのところの健康保険加入証明書に関する法律規定（滞在法第9c条第3号）は，弾力的な適用が可能な規定になっており，外国人局の担当者が勝手に決めているわけではない。事前確認に際して，入念に確認しておくべきポイントである。

これは，デュッセルドルフ地域においては，最近になって提出が要求されるようになった書類であるが，大学卒業証明書または専門職業訓練終了証明書がある。在独日系企業の日本人駐在員ないしは現地スタッフの労働許可証（滞在許可証に一体化されている）は，「単純作業労働」に対するものではなく，「専門職」に対するものであることが明確にされる必要があるためである。要求されない場合もあるのであるが，事前確認の重要なポイントであり，赴任が決まった時点で，赴任予定の駐在員に準備させておくことが勧められる（できれば英文のもの）。

なお，ドイツ入国前に，オンライン上で労働局（正確には，外国・専門職仲介局［ZAV］）に対して，労働許可交付の可否の事前審査を申請し，ポジティブな結果が出されている場合には，この外国人局への滞在許可証の申請時に担当者に他の提出書類と一緒にその同意書のコピーを提出する。この場合，以下の④から⑦のプロセスは省略される。

④　外国人局による労働許可の必要可否の判断

特定のポジション（管理職等）ならびに職種・仕事内容によっては，労働許可審査が必要ない。すなわち，外国人局が直ちに滞在許可証を交付できる場合がある。在独日系企業の場合の最も典型的な例は，現地法人の場合の社長あるいはそれに匹敵するポジションの場合である。労働許可審査の必要可否は，法律でかなり明確に規定されているのであるが，外国人局の裁量に委ねられている部分もあり，市町村自治体毎に判断が異なる可能性がある。

⑤　外国人局による勤務先の管轄の外国・専門職仲介局〈ZAV〉に対する労働許可審査の依頼

外国・専門職仲介局〈ZAV〉は，労働局の内部組織であり，2011年以降，外国人に対する労働許可の交付について実際に審査する機関となっている。そのための労働許可審査を行うのは，ボンの本局とデュイスブルク，フランクフルト，ミュンヘ

ンの支局であり，勤務予定の会社の所在地により，管轄が決められている。ここのところを，ドイツ入国前に申請者本人（または代理人）が行うことができることは，前述の通りである。

⑥ 外国・専門職仲介局〈ZAV〉による労働許可審査

その際，職種・仕事の内容・地位によっては，地域的労働市場政策の観点からの優先順位テスト〈Vorrangprüfung〉を，外国・専門職仲介局は，その地域の管轄の労働局にさらに委託する。この優先順位テストは，ドイツ人，他のEU加盟国市民の求職者の中に，滞在許可証申請者が就こうとしているポストの適任者がいないかを確認する手続きであり，以前の公募手続きに類似したものである。優先順位テストの期間は，最高でも2週間と以内されている。

⑦ 外国・専門職仲介局〈ZAV〉による労働許可審査結果の外人局に対する連絡

労働許可審査結果は，理論的にはネガティブのケースもあり得るが，日本人は他の外国人より優遇されていることもあり，在独日系企業の駐在員（現地採用の日本人）に関しては，基本的にポジティブである。他方で，一応上記の優先順位テストが行われる可能性があることから，労働許可の交付を迅速で確実なものにするためには，滞在許可証の取得申請時（または外国専門職仲介局への事前申請時）に提出する職務記述書〈Stellenbeschreibung〉をきちんとした内容にすることが重要である。日本から派遣されてくる駐在員の場合も基本的には同じであるが，特に日本人現地スタッフの場合，職務記述書の内容が滞在許可証（労働許可証）の迅速な交付の鍵となる。そこに「何ゆえ，当該日本人申請者が必要となるのか」が明確に記述されていなければならない。

⑧ 指紋情報提出手続きと（仮）滞在許可証の交付

外国人局は，「指紋情報提出手続」のために申請者本人に出頭を求める。出頭した本人は，指紋読取器に指紋を読み取らせる。申請書の提出だけ，あるいは，後の電子滞在許可証の受取り等は代理人でも可能であるが，この指紋情報提出手続には，当然のことながら必ず本人が出頭しなくてはならない。その際同時に，「（仮）滞在許可証」が交付される。この滞在許可証の形式は，市町村自治体毎に異なっている。A4の紙1枚のケース，パスポートに貼付する形式，後述の「追記証〈Zusatzblatt〉」と同じ3つ折り形式のものがみられる。いずれにせよ，原則として，通常この時点より，現地法人，支店，駐在員事務所での正式な勤務が可能となる。

⑨ 電子滞在許可証の受取

指紋情報提出手続の数週間後，外国人局から電子滞在許可証（クレジットカード

形式）と追記証〈Zusatzblatt〉（３つ折証書）を受け取る。追記証には，滞在許可証の中の記載事項よりも詳細な根拠法あるいはビジネス活動の限定等が記載されている。パスポートの提示が必要となる際には，電子滞在許可証と共に，この追記証の提示も義務付けられている。

　2005年の改正以降，在独日系企業の日本人駐在員・現地スタッフは，労働許可証（ペーパー形式）を受け取る必要はなくなっている。そしてそれは，2011年に設置された外国・専門職仲介局が介在するようになってからも同じである。しかしながら，ドイツで就労するための労働許可審査がまったくなくなった訳ではない。あくまでも外見上なくなったように見えるというものである。

## 8　滞在許可証なしの空白期間問題と交付までの期間短縮

　過去20年間余りの間の改正により，日本人の滞在許可証（労働許可証）の申請・取得は大幅に簡素化された。しかしながら色々な理由から，あるいは上記のような標準的なプロセスを辿った場合でも，赴任してドイツに入国した日から（仮）滞在許可証の取得までの滞在許可証なしの空白期間が生じてしまう。この期間は，正式な勤務はできないし，駐在員事務所，支店，現地法人（子会社）から給与の支払いを受けることもできない。もしそれが行なわれた場合，不法就労していたということになる。滞在許可証なしでは正式勤務はできないという点は，例えば学生として既にドイツに居住し，学業（就学）のための滞在許可証しか有していない日本人が，駐在員事務所・支店・現地法人に現地採用スタッフとして就職しようという場合にも該当する。

　このような空白期間を回避する，あるいはできる限り短縮する手立ては，赴任が決まった時点ですぐに，居住予定地の市町村自治体の外人局とコンタクトを取ることである。そして，滞在許可証の取得までの期間をできる限り短縮するために，何か事前にできることがないのかを確認することである。上記の①から⑨までの標準的プロセスに即してみると，以下の２つの点の確認・事前準備が重要となる。

（1）　③居住地の市町村自治体の外国人局に対する滞在許可証（労働許可証）の取得申請の本人入国前の事前申請（事前準備）

　これが可能かは（居住予定地の）市町村自治体の外国人局次第である。実際に居住するかどうか分からない申請予定者に対しては対応できないという回答をする市

町村自治体も存在している。この事前申請が可能な場合，労働許可審査の必要の有無の判断，労働許可審査（場合によっては，優先順位テスト）の実施は，本人のドイツ入国前に終了させることができるために，理想的に進んだ場合，赴任して数日して，少なくとも⑧指紋情報提出手続と（仮）滞在許可証の交付が可能となる。

## (2) ⑥外国・専門職仲介局〈ZAV〉に対する労働許可審査の入国前の会社による直接審査請求

本来的に，⑥外国・専門職仲介局〈ZAV〉による労働許可審査は，滞在許可証の取得申請を受理した外人局が外国・専門職仲介局〈ZAV〉に対して依頼するものである。しかしながら，会社側が本人の滞在許可証交付申請前に，事前に外国・専門職仲介局〈ZAV〉に対して依頼することもできる。依頼申請のための書式も用意されており，外国・専門職仲介局〈ZAV〉からの回答は，原則として書面でなされる。その書面は，本人が入国してからの滞在許可証交付申請時に添付書類として提出する。この場合にも，理想的に進めば，赴任して数日して，少なくとも⑧指紋情報提出手続と（仮）滞在許可証の交付が可能となる。

結局のところ，(1)と(2)の相違は，本人入国前の労働許可審査の依頼を，外国人局がやるか会社側がやるかの相違である。他方で，あくまで外国・専門職仲介局〈ZAV〉との協議の上での話ではあるが，そもそも労働許可審査が必要かどうかは，かなりの程度外国人局の裁量に委ねられている場合もあることから（いわゆる「デュッセルドルフ・モデル」），赴任が決定したら，まずは（居住予定地の）外国人局に事前申請の可否を確認することが最も重要である。

# II 駐在員についての
# ドイツ個人所得税法の概要

　これまでも何度か言及してきたように，日系企業がドイツでビジネスを展開する場合，駐在員事務所，支店，現地法人（子会社）という3つのビジネス拠点の形態が典型的である。どの進出形態においても，日本から駐在員が送り込まれている限りにおいて，駐在員本人についての個人所得税〈Einkommensteuer〉と賃金税〈Lohnsteuer〉の2つの税金に対する対応をどうするかが大きな問題となっている。後者の賃金税は，日本であれば「個人所得税の給与所得に対する源泉徴収分」と言っているものである。ドイツでは，あたかも1つの独立した税目のごとく呼んでいるものであり，実質的には同じものである。したがって，月次の源泉徴収の段階で何をしなくてはいけないのか，そして，年次の個人所得税年度申告の段階で何をしなくてはいけないのかという，時間的経過段階の対応の問題である。賃金税については，会社が源泉徴収義務を負っていることから，既に「**第4章　税務上の留意点**」のところで詳細に解説している。ここでは，個人所得税年度申告の段階で，日本からの駐在員について何が問題になるのかを中心にして解説していきたい。

## 1　ドイツにおける個人所得税とその納税義務

　日本の現在の給与所得源泉徴収制度と年末調整制度に対しては，日本のサラリーマンの納税者意識を希薄化させているのではないかという批判もある。しかしながら元を辿れば，給与所得源泉徴収制度は，1940年に，当時の日本政府がナチス・ドイツの賃金税制度に強い影響を受けて導入されたものである。また1947年には，ドイツの賃金税制度の一環としての賃金税年度調整〈Lohnsteuer-Jahresausgleich〉に倣い，日本に年末調整制度が導入されたという歴史がある。

　ドイツの賃金税年度調整は，現在では，まだ特別のケースに実施されることはある。しかしながら，日本の現行の年末調整制度のような意義，すなわちサラリーマンの「個人所得税年度申告の代替物」としての意義は有していない。ドイツにおいて以前は，所得額が一定額を超えると，必ず個人所得税年度申告を行うことが義務

付けられるという規定であった。現在は，給与所得以外の所得も非課税限度額以内に収まるようなサラリーマンについては，その給与所得が賃金税として源泉徴収されているという理由から，たとえ高給取りであっても，個人所得税年度申告の義務は免除されている。しかしながら現在でも，サラリーマン（被用者）の場合についても，職業上の必要経費控除が実額ベースで認められているために，ドイツのサラリーマンのほとんどは証憑類を集め，翌年の7月31日（税理士，会計士を通じての申告の場合は翌々暦年の2月末）が締切の個人所得税年度申告を行っている。この点は，会社による年末調整が「個人所得税年度申告の代替物」となっている日本との大きな相違点である。

## 1 赴任年・帰任年の年度申告義務

　日本から派遣された駐在員の場合，12月31日に帰任するか，あるいは，1月1日に赴任する場合は別であるが，ほとんどの駐在員は，年度の途中で赴任する・帰任することが普通である。その場合，赴任年と帰任年については，必ず赴任前ならびに帰任後の日本所得（外国所得）が発生している。その赴任前・帰任後の日本所得は，ドイツで直接課税対象となる所得の税率決定のために考慮されることから，個人所得税年度申告をすることが義務になっている。このように，税率決定のために考慮されることを，「累進税率留保〈Progressionsvorbehalt〉」と呼んでいる。その場合の申告期限は，法人税等の場合とまったく同じで，翌年の7月31日までである。そして，会計事務所を通じて行うと，それが自動的に翌々年の2月末まで延長される。

　他方で，赴任年と帰任年の間の年度（通常年）については，特別のケースを除いて，日本払い給与も含めて給与所得のすべてが月次の段階で賃金税の課税に服している限り，個人所得税年度申告の義務は免除されている。特別のケースとは，日本に不動産（持ち家）があって賃貸所得がある場合，配当・利子所得等の金融資産所得が非課税限度額を超えて発生しているような場合，あるいは，諸種の理由からドイツ内の2つの会社から給料を受け取っている場合等である。しかしながら，日本からの駐在員の場合，ネット給与保証ゆえに，前年度についてあった所得税還付分が，還付があった年のマイナス所得と見なされる（「(2) 更なる還付の発生」（386頁以下を参照））。あるいは子供がいる駐在員の場合，子供の扶養控除（子女控除）が個人所得税年度申告の段階で初めて考慮してもらえる。そのような理由で原則として還付が期待されることから，申告義務が必ずしもない年度であっても，申告して

いるのが普通である。

## 2　個人所得税申告＝コスト削減努力

　日本からの駐在員の場合，日本においては，上述の会社による年末調整制度が個人所得税年度申告の代替物となっていることから，日本で個人所得税の年度申告をした経験を持つ人は稀であろう。さらに，駐在員のほとんどは，ドイツにおいてネット給与保証に服している。その結果，そのシステムのもとでは，個人所得税の還付があった場合，その還付分は会社に帰属することになっている。その意味で，ドイツ人現地スタッフのように，血眼になって証憑類を探し集めるというインセンティブが今一つ働かないかもしれない。家族を日本に残した単身赴任の駐在員の場合，後述するように，日本に残した奥さんに，市役所に行ってもらって，戸籍抄本とか住民登録票のコピーや，子供の大学の在学証明書を入手してもらう必要がある。駐在員にしたら，自分達の懐に入るわけでもない個人所得税還付分のために，なぜ家族にまでそんなことをしてもらわなくてはいけないのかというのが正直な心情であろう。

　そのような「紙切れ」（証明書類）の数枚で，1万ユーロ前後の還付額になることがある。それだけ月次の賃金税の段階で納め過ぎていたということの裏返しではある。いずれにせよ，駐在員事務所，支店，現地法人（子会社）にとっても，コスト削減という観点から，個人所得税の年度申告は，決して蔑ろにできないものである。その意味で，駐在員事務所，支店，現地法人のトップ（社長，支店長，所長）は，駐在員自身の個人所得税の申告作業への協力は，会社としてのコスト削減への貢献であることを，他の駐在員に対して喚起しなくてはいけない。

## 3　税収総額に占める位置

　2021年度のドイツの税収総額（連邦税，州税，地方自治体税の合計）は，8,332億ユーロ（約108兆円［1ユーロ＝130円換算］）となっている。その税収総額に対する個人所得税の税収の比率は39.4％で第1位であり，第2位は30.1％で付加価値税，第3位は大きく差があって7.3％の営業税となっている。この個人所得税と付加価値税の2つの税目の税収は，ここ数年の間，順番が入れ替わることもあるが，2つとも40％近くあるいは30％前後の比率を占めている点はまったく変わっていない。そして，その2016年の個人所得税の税収39.4％のうち，26.2％が賃金税からの税収であり，給与所得からの源泉徴収が非常に大きなウエートを占めているこ

とが分かる。これには企業の社長・役員に支払われるボーナス（ドイツの言い方では業績連動報酬）についても，ドイツでは損金算入が認められ，通常の被用者の給与・ボーナスとまったく同様に所得税源泉徴収（賃金税）の対象となっていることも若干寄与しているかもしれない。

　ドイツでは，日本の都道府県・市町村住民税に相当するものは徴収されていない。しかし，所得税税収を連邦政府と州政府が各々42.5％ずつ（合計で85％），市町村自治体が残りの15％を分け合う形になっている。その意味で，財政的な観点から見れば，日本の住民税に相当するものは，ドイツではここで問題にしている個人所得税に統合されていると考えることができるかもしれない。

　さらに，個人所得税がドイツの税収全体において最も重要なものであることは前述の通りである。そして，2021年の統計であるが，その個人所得税からの税収総額の42.2％は，上位5％の高額所得者（年間所得118,051ユーロ以上［日本払い給与等も含めるためほとんどの駐在員はこれを上回る］）により納付され，所得額の下位の50％の納税義務者の納付額は個人所得税からの税収総額の6.1％に過ぎないという統計がある。この構造は，年毎の差は殆どないと言われている。この点から，日本からの駐在員が，ドイツの個人所得税の税収における重要な納税者であることが分かるだろう。

## 4　納税義務の発生とその時点

　日本からの駐在員のドイツにおける個人所得税の納税義務は，ドイツにおける「居住〈Ansässigkeit〉」と共に始まり，ドイツに居住しなくなった時点で終わる。ドイツの税務上の用語として居住という場合，「住所〈Wohnsitz〉」を有する場合と「居所〈gewöhnlicher Aufenthalt〉」を有する場合の2つが区別される。前者は，所有・賃借を問わずいつでも使用できる住居を持っていることである。後者は，6ヵ月を超える滞在である。簡単に言うと，日本人駐在員がドイツ現地法人への勤務のために来独し，アパートを借りて住み始めた時点で住所を有すると見なされる。また，9ヵ月プロジェクトのために日本から来独し，長期出張者用ホテルに住む日本人は，一時的に日本に帰ったりすることはあっても，ドイツ滞在が6ヵ月を超えた時点で過去に遡及して居所を有していると見なされる（労働・滞在許可証の問題には別途留意が必要）。そのどちらの場合でも，それぞれドイツの居住者として，ドイツの個人所得税の申告義務ならびに納税義務に服する。

　あくまで実体的な居住という行為が納税義務発生の根拠となっている。住民登録

は，有力な傍証ではあるが，税務上の居住の直接的な根拠となっているわけではない。また，アパートの賃貸契約を結んだら，その入居可能日からすぐに居住していると見なされるわけでもない。さらに，日本との相違で言うと，国籍や永住または長期居住意思は，税務上の納税義務・課税範囲とはまったく関係がない。日本人駐在員は，ドイツに赴任して住所を持った時点で，既に例えば5年以上ドイツに赴任している先輩日本人駐在員，あるいは，通常のドイツ人とまったく同じ個人所得税上の扱いを受ける。

## 5 日独間における183日ルールの適用

日独間だけのテーマではないが，国際税務の領域でよく耳にし，時に誤解されているルールとして，「183日ルール」というものがある。183日ルールは，給与所得における勤務地国課税原則の例外規定であることから，183日ルールの理解のためには，まず勤務地国課税原則を理解しておく必要がある。

### (1) 勤務地国課税原則

勤務地国課税原則とは，ドイツの税法に従って言えば，後述する7種類の所得の中の1つである給与所得に関する原則である。勤務地国と居住地国が異なる場合，その給与所得については，勤務地国で課税が行われるというものである（日独租税条約では第14条第1項［2016年までの旧条約では第15条第1項］）。島国日本の一般的常識からすると，勤務している国と居住している国が異なるというのはすぐには想像しがたいものがある。しかし，9ヵ国の隣国と陸続きの国境で接しているドイツにおいては，まず「越境通勤者」がこれに該当する。

他方で，勤務地国と居住地国が税務上異なる事例は，このような陸続きの国の間の越境通勤者に限定されるものではない。1万キロの隔たりがあり，国境も接していない日独間でも見られる。具体的には，日本からドイツへの出張者のケースである（当然逆のケースもあり得る）。例えば1週間のドイツ出張で，妻帯者であれば家族のこともあろうし，独身者であっても海外出張のたびごとに日本の住居をわざわざ引き払う人はいないであろう。その結果，勤務地（出張地）国ドイツ，居住地国日本となり，今問題にしている勤務地国課税原則に従えば，当該出張者は給与所得を出張日数按分してドイツでの個人所得課税に服し，出張のたびごとにいちいちドイツで個人所得税申告しなければならないことになる。出張も勤務地国課税原則にいう勤務と見なされるということがポイントである。しかしながら，勤務地国課税原則もここまで徹底して適用されると，門外漢から見ても実務的でないことは明

白である。
## （2） 勤務地国課税原則の例外としての183日ルール
　このような実務現場での不合理性を解決するために，例外規定として設けられているのが183日ルールである（日独租税条約では第14条第2項［2016年までの旧条約では第15条第2項］）。日本から見た場合でより簡略化した形で言うと，日本本社の従業員（日本の居住者）が，
① 随時に開始・終了する1年当たりのドイツ滞在日数が合計で183日を超えずに，
② 給与報酬が日本の本社（勤務地国ドイツの非居住者である雇用主）から支払われ（負担され），
③ その給与報酬負担がその日本本社のドイツ支店等に付け替えられずに，

ドイツで勤務（出張）していた場合，この勤務（出張）に関するドイツ（勤務地国）での課税を免除するというものである。そして，183日ルールを適用している1年あたりの滞在日数だけが問題にされているのではなく，給与報酬負担が居住地国側（日本）で行われること，そして，そもそも税務上の居住地国と勤務地国が異なる場合に適用される例外規定であるという点が重要である。

## （3） 183日ルールの日独租税条約における過去と現在
　「随時に開始・終了する1年当たり183日」には，少し解説が必要である。この規定は，2017年1月1日付で施行されている現行の日独租税条約の表現である（日独租税条約第14条第2項）。2016年12月31日まで適用されていた旧日独租税条約では，「1年（暦年）当たりの183日」となっていた（第15条第2項）。その結果，ドイツにおける居所（場合によっては住所）の認定ならびに滞在許可証（労働許可証）の問題に留意する必要はあるものの，日本の課税に服したままドイツでの課税がなされずに，ほぼ1年近くのドイツ勤務（長期出張）が可能となっていた。具体的には，他の前提条件も満たしつつ，1年目の7月の初め頃に1年以内に帰国するということで日本を出国し（日本の税務上日本の居住者のまま），実際に翌年の6月末前にドイツから帰国するという場合である。
　現行の日独租税条約の規定では，「随時に開始・終了する1年当たり183日」となっている。すなわち，「183日」の数え方が暦年単位ではなく，自由にその始まりを選択できるいずれの1年単位の中でも183日を超えないことが条件となった。上記の7月初め頃に来独し，翌年6月末前に日本に帰国するという場合，その7月1日から翌年の6月30日までの1年間の単位を見ると，当然のことながら，ゆうに

183日を超えてしまい，認められないということになる。2017年1月1日から施行されて現行の日独租税条約では，厳格になった言える。しかし，この現行の日独租税条約の1年の数え方は，国際的には標準的なものであり，旧日独租税条約の暦年単位の数え方が，古い租税条約ゆえに寛容過ぎるものだったと言える。

### (4) 183日ルールの正確な理解と計画的利用

　旧日独租税条約の暦年単位の数え方が有効だった時の話であるが，よく183日ルールに関するこんな確認質問を受けた。「池田さん，うちの駐在員は4年余りの駐在を終えて，来年の3月末に日本に帰任するんですけど，来年彼は，『183日ルール』を使って，ドイツの個人所得税は非課税ですよね」。この誤解は，本当によく見られたものである。暦年単位の数え方ではなくなった現在は，1対1での同じ誤解はもはやないかもしれない。しかし，この誤解のより核心的な部分は，183日ルールは，居住地国と勤務地国が乖離している時の例外規定だという点を見過ごしてしまっているところである。問題となっている駐在員は，間違いなく「居住地国：ドイツ」であり，そして同時に「勤務地国：ドイツ」であろう。それゆえ，はなから183日ルールの適用対象外である。「183日」という日数だけが問題なのではなく，給与報酬の負担先等の問題と共に，何よりも居住地国と勤務地国が乖離する時にはじめて適用できるルールであるというところが重要である。

　多くの場合，183日ルールは，日本本社のスタッフのドイツにおける短期的出張の時のように，無意識的に使われているものである。他方で，旧日独租税条約が適用されていた時に比べると，本当の意味で183日以内にその融通さは制限されてしまったが，計画的利用は可能である。この183日ルール適用のメリットは，日本で課税される方が圧倒的に税負担が軽いという点である。「滞在許可証」（労働許可証）の問題に留意する必要はあるものの，そして，ビジネスやプロジェクトの期日を税制に無理に合わせる必要はないが，場合によってはうまく利用できる可能性があることは留意すべきであろう。

## 2　所得の種類と税負担

　ドイツの所得税法で，7つの所得の種類が列挙されているが，日本からの駐在員ならびに在独日系企業で勤務する現地採用日本人スタッフの場合，通常，実際に関係してくる所得の種類は限定されている。

## 1　所得の種類

　ドイツの所得税法では，その第2条第1項において，
- ①　農林業経営所得
- ②　事業経営所得
- ③　自由業所得
- ④　給与所得
- ⑤　金融資産所得
- ⑥　賃貸所得
- ⑦　その他の所得

という7種類の所得が区別され（日本では10種類なので種類の数だけで言えばドイツの方が少ない），原則として，個人または夫婦でそれらの所得をまとめて課税対象所得を算定して課税する「総合課税方式」となっている（例外は2009年からの「金融資産所得」についての25％分離課税処理ならびに賃金税上の分離課税処理）。日本からの駐在員の個人所得税に最も関係があるのは，④給与所得である。この給与所得は，ドイツ払い給与はもちろんのこと，原則として日本払い給与（留守宅手当）やボーナス，そしてその他のフリンジベネフィットも含めて，月次段階の賃金税で源泉徴収手続に服していなければならない。後は，銀行預金の利子や株式投資からの配当収益からなる⑤金融資産所得，そして日本に所有している持家・マンションを賃貸した時の家賃等がその対象となる⑥賃貸所得の2つの所得の種類が，日本からの駐在員の場合によく見られるものである。⑤金融資産所得や⑥賃貸所得のような所得は，年次の個人所得税年度申告で申告されなければならないものである。

### (1)　金融資産所得

　金融資産所得においては，ドイツの銀行預金について発生したものだけではなく，在日本の銀行の預金に対する利息や日本で管理されている保有株式等からの配当も申告・納税義務に服する。2023年の必要経費定額控除額を含めた非課税限度額は，単身・独身の場合1,000ユーロ［2022年まで801ユーロ］，夫婦合算の場合2,000ユーロ［2022年まで1,602ユーロ］となっている。なお2009年から，「金融資産所得の25％分離課税制度」が導入されている。すなわち，ドイツ国内の金融機関ならびに配当元会社からの利息や配当は，上記の非課税限度額を超える分について，その金融機関ならびに配当元会社が25％（正確には25％に対する5.5％の連帯付加税が加わり26.375％）の源泉徴収を行い，個人の総合課税には含めない形になっている。

外国（日本）の金融機関ならびに配当元会社からの利息や配当等は，やはり総合課税に含めないことは同じであるが，個人所得税年度申告の段階で25％課税（＋25％に対する5.5％＝26.375％）が行われる。

## (2) 賃貸所得

日本に存在する不動産からの賃貸所得は，日独租税条約第6条に基づき日本に課税権が帰属している（不動産所在地国課税）。そのため，ドイツに居住している日本人駐在員が，日本に所有している持家・マンションを，駐在期間中に賃貸して賃貸所得があった場合（自分の住居以外の不動産があった場合も同様），当該賃貸所得は，ドイツで直接には課税対象にはならない。しかしながら，当該日本人駐在員の直接にドイツの課税対象となる所得の税率決定のために使用されることから，申告義務はある。このように税率決定に使用することを「累進税率留保」と呼んでいる。この累進税率留保に服する金額は，受け取った賃貸料そのものではない。そこから建物の減価償却分，住宅ローン利息（元金返済部分は含めれない），建物管理費・補修費，日本の固定資産税等を控除した後の金額である。場合によっては，その金額がマイナスになる時もある。マイナスになった場合には，翌年度以降に繰り越しできる。いずれにせよ，しっかり資料を整えて申告すれば，最終的には課税負担はほんの僅かなものになるケースが大半であるが，申告義務が厳然として存在している点には留意する必要がある。

## ② 個人所得税率と税負担

最低税率14％から最高税率45％（2023年時点）の累進税率システムで，基本税率表（単身・独身者用）と夫婦合算税率表の2つがある（詳しい内容は後述）。納税義務が発生する課税最低所得は，単身・独身の場合で10,908ユーロであり，夫婦合算申告の場合で21,816ユーロである（2023年時点）。なお，単身赴任者はドイツの所得税法上，独身者と同様に扱われる。

### (1) 平均税率と限界税率

ドイツの所得税法で税率という場合，通例，「平均税率」と「限界税率」を区別した議論をする。平均税率は，ある「課税対象所得（各種の控除額を控除した後の金額）」に何パーセントの税負担が賦課されるかというものである。それに対して限界税率は，ある課税対象所得額に追加の課税対象所得があった場合に，その追加の課税対象所得に何パーセントの税負担が賦課されるかというものである。限界税率でいうと，独身・単身の場合で課税対象所得が62,810ユーロ，夫婦合算の場合で

125,620ユーロで限界税率42％に達する。すなわち，この課税対象所得額を上回る所得がある場合，その上回った課税対象所得には常に42％の税負担が賦課されるということになる。さらに，独身・単身の場合で277,826ユーロ，夫婦合算の場合で555,652ユーロで限界税率は45％になる。すなわち，この金額を超えた分については，常に45％の税負担が課されるということになる。

しかしながら，この277,826ユーロまたは555,652ユーロという課税対象所得に対する平均税率は約38.4％であり，最高税率の45％近くに達するには，なお高い所得額にならないといけない。この平均税率は，限りなく最高税率の45％に近づくが，理論的には平均税率が45％になることはない。そして，日本人駐在員の平均税率は，家族帯同か単身赴任・独身かによる違いはあるものの，それでもほとんどの場合，25％から40％の間に収まると考えてよい（2つの税率表は，下記の表からも分かるように例えば基本税率表（独身・単身）の40,000ユーロに対する税率と夫婦合算税率表の80,000ユーロに対する税率が同じという関係になっている）。

## (2) 平均税率と課税対象所得

〔課税対象所得と税率（2023年）〕

| 課税対象所得 (EUR) | 40,000 | 60,000 | 80,000 | 100,000 | 120,000 | 150,000 | 200,000 | 400,000 |
|---|---|---|---|---|---|---|---|---|
| 単身・独身 | 19.6 % | 25.4 % | 29.5 % | 32.0 % | 33.7 % | 35.4 % | 37.0 % | 40.4 % |
| 夫婦合算 | 9.8 % | 15.7 % | 19.6 % | 22.7 % | 25.4 % | 28.7 % | 32.0 % | 37.0 % |

ちなみにこの課税対象所得は，グロス所得額（グロス給与額）から，次の項で解説する様々な所得控除額を引いた後の金額である。いくら税金が取られるのか，大体の税金額を知りたい場合には，最低限の所得控除額として，夫婦合算・子供なしの場合で5,000ユーロ，単身・独身の場合で3,000ユーロをグロス所得額から差し引いた金額だと考えればよい。各種の所得控除額がさらにあれば，もちろん課税対象所得額はさらに小さくなる。

日本との比較で言うと，課税対象所得に対する税率ではそれほど大差はない。しかしながら，日本の「給与所得控除（所得額により異なるが1,000万円のグロス所得で195万円）」に金額的に相当するものがドイツでは存在していない。そのために，平均的サラリーマンの給与所得レベルでは，ドイツのグロス給与（＝税込み給与）とネット給与（＝手取り給与）の開きは非常に大きく，税負担がかなり重いものになっている。

## 3 所得控除の種類と基礎控除額

　日本人駐在員のように給与所得が中心となっている個人の場合の所得控除（課税対象とならない費用等のこと）の種類は，大きく言って
① 　必要経費控除
② 　生活支出控除
③ 　通常外負担控除
④ 　家族控除
の4つに分けられる。

### 1 必要経費控除
　380頁に挙げた7種類の所得の種類により，ドイツ語での呼称は異なっているものの，「必要経費控除〈WerbungskostenまたはBetriebsausgaben〉」は，7種類の所得すべてに設定されている。そして，給与所得（1,230ユーロ［所得税法第9a条第1文第1号a］）とその他の所得（102ユーロ［所得税法第9a条第1文第1号b］）の2つについては，証憑類がなくてもその額までの控除は自動的に認められる「必要経費定額基礎控除額」がある。また，金融資産所得については，もはや必要経費控除という言い方はしていないが，1,000ユーロ（夫婦合算申告の場合は2,000ユーロ）の貯蓄者定額控除額というものがある（所得税法第20条第9項）。強いて言うならば，「給与所得」の必要経費定額基礎控除額の1,230ユーロ（159,900円［1ユーロ＝130円換算］）は，日本の「給与所得控除（所得額により異なるが1,000万円のグロス所得で195万円）」に比較し得るものであろう。しかし，その金額の相違は大きく，日独の給与所得者の個人所得税負担軽重の相違の大きな原因になっていることは前述の通りである。

　ただし，日本とは異なり，ドイツにおける給与所得については，必要経費の「実額控除」がごく一般的に認められている。その結果，1,230ユーロ以上の必要経費が証明できる場合には，年度申告・査定においてその差額分が追加で控除されることになる。具体的に控除されるものとしては，通勤費用，赴任・帰任時の家族分も含む引越費用，単身赴任費用（ドイツでのアパート代［1ヵ月1,000ユーロまで，家族のもとへの帰省費用等］），専門書購入費用，その他の職業関連費用（仕事に使うPCの購入費用など）等が挙げられる。もちろん，赴任・帰任時の家族分も含む引

越費用は，在独日系企業の駐在員については，殆どの場合，会社が直接支払い，月次の賃金税段階において非課税扱いしているであろう。この場合は，再度人所得税年度申告の段階で必要経費控除することはできない。

### ② 生活支出控除

「生活支出控除〈Sonderausgaben〉」は，必要経費に含まれない「生活を営むために発生する費用」とも言われる。具体的には，払い込まれた社会保険料（日本での社会保険料も考慮される）・生命保険料（日本の生命保険会社へのものは除く）や住宅建築積立金等の将来に備えての費用（2010年度査定分から原則実額考慮），教会税や元配偶者への扶養費用等（定額基礎控除額［単身・独身＝36ユーロならびに夫婦合算＝72ユーロを上回った場合，所得税法第10c条］），寄付金（税務署が承認した受取団体・機関の発行する寄付金証明書の提出が必要），一定の条件を満たす私立学校（日本人学校等）の授業料（授業料納付証明書の提出）がこの中で控除される。

駐在員の場合，日本の社会保険料（厚生年金保険，健康保険，介護保険）ならびに労働保険料（失業保険料）の労使双方の負担額が証明できる資料（書類）の提出が不可欠となる。

### ③ 通常外負担控除

「通常外負担控除〈außergewöhnliche Belastungen〉」は，普通とは言いがたい過大な負担が納税義務者のもとで発生した場合，それを所得税上考慮しようというものである。その費用負担が所得額と家族構成により定められた一定額（必要経費控除後の所得額の1％から7％）を上回った場合に，その上回った額について控除が認められるもの（自己負担医療費，離婚費用，葬祭費用，天災被害，盗難被害等：所得税法第33条）と，一定の条件を満たした場合に定額の控除が認められているものの2種類がある。

定額控除の具体例は，単身赴任の場合の日本に残っている配偶者について認められている配偶者扶養控除（10,908ユーロ［所得税法第33a条第1項］），18歳以上の子女が自宅外通学の場合の教育費控除（1,200ユーロ［所得税法第33a条第2項］）である。この配偶者扶養控除については，最近の傾向として，配偶者であることの証明書（戸籍抄本または戸籍謄本）に加えて，当該配偶者が確かに扶養される必要性があることの証明書の提出（所得がないことの証明書）が厳格に要求されて

いる。

## 4　家族控除

　家族控除は，ドイツの税法上1つの概念として論じられているものではないが，子女とドイツに居住している配偶者のための扶養控除である。ドイツ居住配偶者（専業主婦）の場合の扶養控除は，夫婦合算税率表の適用という形で行われる。前述のように日本居住の配偶者については，すなわち単身赴任者の場合は，ドイツでの税率表上独身者として扱われて，通常外負担控除の中で扶養控除（年額8,820ユーロ）が行われるが，夫婦合算税率表の適用の方が有利な控除となっている。これは，ドイツでも単身赴任が年々多くなってきているが，まだ異常なものという考え方の表れなのかもしれない。

　この夫婦合算税率表では，たとえ暦年末に結婚したとしても，当該暦年の1月1日から結婚していたものと見なされる。その結果ドイツ人の間でも，節税目的で暦年末の12月27日～30日の間（役所も普通に開いている）あるいは12月に「駆け込み結婚」がよく行われている。これを駐在員のケースに応用すると，9月1日で旦那さんが1人でまず赴任してきて，子供の学校等もあり翌年の1月初めに奥さんと子供が来独するような場合には，奥さんと子供の来独をちょっと早めて12月末にして住民登録をすれば，旦那さんがほぼ単身赴任していた最初の年にも，夫婦合算税率表の低い税率が適用され，かなりの節税になる。

　子女に関する控除は，原則として25歳未満の子女について考慮されるもので，名目上，子女控除（5,620ユーロ［2022年］，6,024ユーロ［2023年］）と養育・教育控除（2,928ユーロ）の2つに分かれている。どちらも18歳未満の子女に関しては無条件に認められ，18歳以上25歳未満の子女については就学・職業訓練中であることが前提条件になるために在学証明書等の提出が必要となる。また子女が日本在住の場合，確かに当該駐在員の子供であることを証明することが必要になり，年度申告時に戸籍抄本（または戸籍謄本）を提出する。

　具体例として，日本の大学に通う20歳の子供がいる駐在員について言うと，戸籍抄本と在学証明書を日本から入手すれば，2022年について子女控除（5,620ユーロ）と養育・教育控除（2,928ユーロ），そしてその子供が1人で下宿している場合には，それに加えて通常外負担控除の中の教育費控除（1,200ユーロ）が考慮され，合計で9,748ユーロが課税対象所得額から控除されることになる（限界税率42％で計算すると4,094ユーロの還付，実際には連帯付加税の還付分が加わるのでもう少

し多くなる)。

## 4 その他の個人所得税上の留意点

　以上は，日本からの駐在員に関係するドイツ個人所得税の概要を，少し体系的に解説したものである。ここでは，帰任年の年度申告書の早期提出と児童手当の受給という，駐在員に深く関わる2つの個別テーマについて解説を加えたい。

### 1 帰任年の年度申告書の早期提出
　この問題は，日本からの駐在員のほとんどが服しているネット給与保証とドイツの税法の特殊な規定が微妙に絡まりあった話であることから，少し回りくどいが，ネット給与保証の説明から始めて解説していく。

#### (1) ネット給与保証
　日本からドイツに派遣されている駐在員の99.9％までが，ネット給与保証に服している。ネット給与保証のもとでは，ドイツに駐在赴任している間の給与は手取り額が固定されて，ドイツの個人所得税や社会保険料の負担は，会社が面倒を見ることになっている。これは日本本社から見た場合，税率や社会保険料率がまったく異なる世界各地の国に派遣されている駐在員に対してグロス給与額で給与額を決めていくと，たまたま派遣された国の税率や社会保険料の相違で，手取り給与額に大きな差が発生して不平等になるという配慮からのものである。

#### (2) 更なる還付の発生
　そのネット給与保証の裏返しとして，個人所得税年度申告で税務署からの税金還付があった場合，それは会社に帰属する。ドイツの現行の税制においては，例えば2022年度についての個人所得税年度申告を2023年の6月に行い，その2ヵ月後の8月に税金還付5,000ユーロがあったとしよう。この5,000ユーロ還付分は，2024年に行う2023年度についての個人所得税年度申告において考慮する。
　例えば，2023年度の月次の賃金税において計算・課税されたグロス給与額が100,000ユーロだったとすると，（2022年度からの）5,000ユーロの2023年8月の税金還付の会社への帰属の結果として，会社の当該駐在員への2023年の支払グロス給与額は，95,000ユーロ（100,000－5,000）となる。しかし，2023年の月次の賃金税の段階では，あくまで年間100,000ユーロのグロス給与額があるものとして賃金税額を計算していたことから，そして，それが100,000ユーロではなくて，実

際は95,000ユーロとなると，当然のことながら，税金の払い過ぎが発生していたことになり，5,000ユーロの税金還付（「マイナス所得」と呼んでいる）がさらに税金還付を生み出すという結果になる。すなわち，2023年についての個人所得税年度申告を2024年の6月に行ったとすると，例えば2024年8月に，2023年に行われた税金還付に対する「更なる還付」が起こる。実際は，2023年度についての「固有の還付」（2023年について子供の扶養控除を申告して得られる還付等）がそれに加わるので，計算はより複雑なのであるが，大事な点は，ネット給与保証のもとでは，一旦還付があると年毎にその額は小さくなっていくのであるが，翌年以降「更なる還付」を発生させるということである。

### (3) 帰任年の更なる還付

帰任年の「更なる還付」については，ちょっと状況が複雑になる。先ほどの例で，2022年度について，2023年になってから申告して5,000ユーロの税金還付があったが，その駐在員が2022年に帰任したという想定で考えると，帰任した翌年である2023年には，その5,000ユーロの税金還付（マイナス所得）を相殺するプラス所得（上記の例では100,000ユーロ）は存在していない。もちろん，当該駐在員は日本での給与所得があるが，ドイツの課税対象となるものではない。通常であれば，ここで5,000ユーロの税金還付に対する「更なる還付」は不可能となる。

他方で，ドイツの税法には「欠損繰戻しルール」というものがあり，法人税の場合でいうと，ある事業年度で欠損が発生すると，1,000,000ユーロを限度として，その欠損を1年（2022年度からは2年間）繰り戻すことができる。すなわち，欠損発生の年度の前年度（2022年度からは前々年度まで可能）の利益と相殺して，税金を還付してもらえるという制度である。ネット給与保証のもとでは，個人所得税についてもこのルールは使うことができる。マイナス所得を欠損と同じとみなし，今取り上げている例では，2023年に還付された5,000ユーロの税金還付（マイナス所得）を，1年間繰り戻して帰任の年である2022年（場合によっては2021年）のプラス所得から控除して（相殺して），「更なる還付」を確保することができる。しかしながら，2021年までのルール（欠損繰戻し1年ルール）では，1年間しか繰り戻せなかったために，様々な理由があって，帰任年の2022年についての個人所得税年度申告の提出が2024年にずれ込んだ場合，あるいは，2023年内に申告は行われたが，2023年の終わりの方で提出されたために，実際の還付が2024年にずれ込んだ場合には，2024年から1年繰り戻した場合でも，もうプラス所得がない2023年への繰戻しということになり，「更なる還付」は失われてしまっていた。こ

れが2022年の税制改正で「欠損繰戻し2年ルール」となり，駐在員にとっては余裕が確保されるようになったと言える。しかしながら，キャッシュフロー等の観点から，駐在員の個人所得税年度申告はできる限りに早期に進められるべきであろう。

## 2 児童手当の受給
### (1) 児童手当と子女控除（養育・教育控除）の金額

「児童手当〈Kindergeld〉」は，少子化対策の一環として，ドイツ政府が子供を持つ親に対して毎月支給する補助金である。これは，「労働局〈Agentur für Arbeit〉」の「家族課〈Familienkasse〉」というところに申請をし，そこから給付を受ける。なお，ドイツにおいては，日本の子ども手当（児童手当）のような所得制限は設けられていない。また，子供を持つ親に対しては，個人所得税上，個人所得税年度申告の段階ではじめて考慮してもらえる子供の扶養控除としての「子女控除〈Kinderfreibetrag〉」と「養育・教育控除〈Freibetrag für Betreuung und Erziehung oder Ausbildung〉」というものがある。面倒という理由から，子女控除と養育・教育控除の2つをまとめて，子女控除と総称的に言っていることも多い。この子女控除（養育・教育控除）の管轄は，当然のことながら，親の居住地の管轄の税務署である。児童手当と子女控除のどちらも，原則として子供が18歳未満の時に支給・控除される。それに加えて，18歳以上25歳未満の場合でも，通学・職業訓練中であれば支給・控除されることになっている。それぞれの年額は以下のようになっている。少子化対策という理由から，若干ではあるが毎年引上げが行われているのが見て取れるであろう。

〔児童手当と子女控除の推移〕

（単位：ユーロ）

|  | 2019年 | 2020年 | 2021年 | 2022年 | 2023年 |
|---|---|---|---|---|---|
| 児童手当 |  |  |  |  |  |
| 第1子・第2子（年額） | 2,388 | 2,448 | 2,628 | 2,628 | 3,000 |
| 第1子・第2子（月額） | 204 | 204 | 219 | 219 | 250 |
| 第3子（年額） | 2,460 | 2,520 | 2,700 | 2,700 | 3,000 |
| 第3子（月額） | 210 | 210 | 225 | 225 | 250 |
| 第4子以降（年額） | 2,760 | 2,820 | 3,000 | 3,000 | 3,000 |
| 第4子以降（月額） | 235 | 235 | 250 | 250 | 250 |
| 子女控除（年額） | 7,620 | 7,812 | 8,388 | 8,388 | 8,688 |

注釈）2019年の月額は，7月1日付で引き上げられた金額である。

児童手当の受給資格と子女控除の控除の年齢の前提条件は同じであるが，どこに

住んでいるかの前提条件は異なっている。児童手当は，原則としてドイツに子供が住んでいないと受給できない。しかも，住んでいた場合でも，親の滞在資格により受給資格なしと判断されることもある（過去にいろいろ変遷があったが，現在ではほとんどの駐在員が受給資格有りと判断されている）。それに対して，子女控除の場合は，子供が外国に住んでいる場合でも考慮してもらえる。日本からの駐在員に当て嵌めて考えると，家族（子供）帯同で赴任している駐在員の場合，児童手当を受給でき子女控除も控除してもらえる。それに対して，単身赴任で駐在していて子供は日本にいるという場合，子女控除は控除してもらえるが，児童手当は受給できない。

## (2) 児童手当と子女控除（養育・教育控除）のリンク

　また，児童手当の受給資格を有する親の場合，児童手当と子女控除（養育・教育控除）はリンクしている。すなわち，例えば子供1人のケースで，月次ベースで児童手当の月額分を受け取り，上記の表からもわかるように，1年間を通じて受給すれば，3,000ユーロ（2023年ベース［以下同様］）を受け取る。そして，個人所得税年度申告の段階で，所得控除である子女控除の8,688ユーロから計算された予定還付金（累進税率ゆえに，所得が多いものほど多額になる）と月次で既に支給されている3,000ユーロ（正確に言うと実際に受給した金額ではなくて，受給できるであろうという「受給資格額」）とを比較して（「税務署による有利比較計算」），計算された予定還付金が3,000ユーロより小さかった場合には何も起こらないが，大きかった場合には，その3,000ユーロとの差額が所得税還付金として還付される。当然のことながら，児童手当の受給資格のない親の場合，所得控除である子女控除の8,688ユーロから計算された予定還付金が全額，所得税還付金として還付される。

## (3) 駐在員と児童手当の受給資格

　児童手当の受給資格に関する規定は，過去20年間余りの間に何度となく改正されている。日本からの駐在員の受給資格の有無についても，担当する労働局の家族課毎，あるいは極端な例としては，同じ労働局内でも担当者により判断が異なっていることも見受けられた。また，税務署の方も，「税務署による有利比較計算」を行う際，実際に受給した児童手当の金額ベースではなく，受給資格額でその計算を行うことから，税務署の担当者が個人所得年度申告書の査定をしている駐在員に勝手に受給資格ありと判断して，受給してもいない金額を受給したものと計算されてしまって，子女控除（養育・教育控除）からの還付金が大幅に減額されている例も見られた。

また，これは在独日系企業側の意思決定の問題であるが，児童手当を駐在員本人が申請して受給できるとなった場合，それを本人の懐に入れてよしとしている場合がある。そうした場合で1つの会社の中に複数の駐在員がいる場合には，子供はいるが受給できる人とそうでない人の不平等が発生している例もある。

## (4)　児童手当：子女控除（養育・教育控除）からの還付の前受金

　児童手当と子女控除（養育・教育控除）が連動（リンク）するようになったのは1996年以降である。そのようなリンクを前提にすると，ネット給与保証に服する駐在員の場合，そのネット給与保証の原理原則からして，受給資格ありと判断されて月次で実際に受給した児童手当は，個人所得税年度申告の結果，年次ベースで還付される子女控除からの還付金の「前受金」と見なされる側面がある。

　少なくとも2009年までについて言うと，ドイツ当局側のちぐはぐな対応の問題として，各地の労働局間の調整，各税務署間の調整，そして労働局と税務署の間の連携がスムーズに行っていなかった。これは，ドイツの地方分権のネガティブな側面が極端に出ている問題だと思われる。他方で，在独日系企業側としても，会社内の駐在員内部での不平等が発生しないように，統一的な方針に基づいて対処する必要がある。幸いにも2010年中葉からは，児童手当の支給を決定する労働局側も，子女控除の査定を担当する税務署側も，ごく少数の例外的なケースを除き，日本からの駐在員に児童手当の受給資格有りという統一的判断を明確にしている。

## (5)　在独日系企業における児童手当についての対応策

　ドイツの関係当局（労働局と税務署）が，日本からの駐在員にも，原則として児童手当の受給資格ありと判断している。また税務署は，子女控除（養育・教育控除）の査定に際して，駐在員には受給資格があるものと判断して，子女控除からの還付金から児童手当分を差し引いて（減額して）還付している。受給資格があるにもかかわらず受給せず（受給申請せず），税務署に対して受給していないからと言っても聞いてもらえない。

　このような状況の中では，日本から派遣されて来てネット給与保証のもとにある駐在員は，とにかく児童手当の申請を行い，月次ベースで受給しなくてはならない。もう一歩踏み込んで言うと，会社側はその受給申請を支援すべきであろう。いずれにせよ，受給しないと，児童手当の金額分をドイツ政府に寄付してしまうことになる。

　受給申請は必ずする（させる）という前提で，月次に振り込まれる児童手当の経済的受益者（会社か駐在員本人か）を決定しなくてはならない。児童手当の経済的受益

者(会社か駐在員本人か)の決定は，その在独日系企業グループのネット給与の決め方あるいは海外駐在派遣の人事方針に基いて，会社毎に決定することになる。ドイツ側の法律規定の中には，どっちでなくてはならないという規定は存在していない。

# III 駐在員とドイツの社会保険法

　2000年2月1日に，日本が締結する社会保障協定としては最初の「日独社会保障協定」が発効している。その結果，日本からドイツの駐在員事務所，支店，現地法人（子会社）に派遣されている駐在員については，日本で継続して社会保険（労働保健）に加入していることを前提に，ドイツにおける年金保険料ならびに失業保険料の納付が免除されている。ただし，健康保険（あるいは＋介護保険）は，日独社会保障協定によっては対象とされていないために，様々な問題が発生している。ここでは，特に日独社会保障協定の内容ならびにその適用時の留意点と，駐在員にとってのドイツにおける健康保険の問題に焦点を当てて解説していく。

## 1　日独社会保障協定

### 1　日独社会保障協定の概要

　ほぼ20年前後の長い交渉期間を経て2000年2月1日付で発効した日独社会保障協定は，第1には公的年金の受給資格の判定において，日独両国における年金保険料納付期間を通算することを規定している。第2には他方の国への駐在員の派遣に際して，勤務・就労している国で社会保険料納付義務に服することを前提にして（「勤務地国主義」），派遣元国で継続して社会保険料納付義務に服していることを条件に，勤務地国での年金保険料の納付を，最長8年間にわたり免除すると規定している。他にも色々な内容があるが，以上の2つの規定が主要な内容である。在独日系企業の駐在員の場合，一時的就労目的滞在者であることから，後者の勤務地国（ドイツ）での免除規定が密接に関係してくる。日本での会社勤めの経験があり，ドイツでの滞在が相対的に長くなっている現地採用日本人スタッフにとっては，前者の年金保険料納付期間の通算の規定がより身近なものとなっている。

### （1）　年金保険料の納付期間の通算

　日独双方どちらにおいても，公的老齢年金保険（日本の場合では国民年金，厚生年金，共済年金等）は，一定期間以上保険料を納付しないと老齢年金は受給できな

いことになっている。現行の規定では、ドイツは5年間以上、日本は10年間（2017年7月までは25年間）以上となっている。その結果、例えば色々な国で仕事をした経験を有する人が、ドイツで4年間勤務してドイツの年金保険料を納付し、日本で9年間勤務して厚生年金保険料を納付したとしよう。国毎の規定で個別に見ると、日独どちらの受給資格も満たさず、どちらの国からも年金を受給できないということになる。この弊害を除去するために、協定により、受給資格の確定のための納付期間の計算において、4年と9年を合計した13年間を納付期間と見なすことになる。その結果、どちらの国でも受給資格を満たすことになる。もちろん実際に受給できる金額は、ドイツの年金当局からは4年間の納付に対応する年金額であり、日本の年金当局からは9年間の納付に対応する年金額を受け取ることになり、どちらか一方の当局からまとめて受給できるわけではない。

### (2) 勤務地国での年金保険料の免除規定

　この2000年2月の日独社会保障協定の発効前においても、駐在員事務所の駐在員は、そのビジネス拠点の性格から、ドイツの国内規定に基づき、ドイツの社会保険料納付義務を全面的に免除されていた。しかしながら、支店と現地法人の駐在員は、ドイツに駐在している期間、日本での社会保険料を継続して納付すると共に、ドイツの社会保険料（年金保険料、失業保険料、労災保険料）も納付していた。すなわち、日独でダブルで納付していたわけである。また、ドイツの社会保険料（具体的にはその「従業員負担分」）は、個人所得税の課税対象であるため、ネット給与保証ゆえに会社側がそれを負担すると、それに対する税金も加算されていた。そのために、発効直前の1999年頃で税金分も含め年間駐在員1人当たりで約21,000ユーロのコスト増加要因になっていた。色々な理由から（8年を超えて駐在するといった場合）、現時点でダブルで納付するとなると、そのコスト増はそれ以上になる。

　日独の両国での年金保険料納付期間の通算が可能となることで、受給資格の確定の計算においてのデメリットはなくなり、ドイツに駐在派遣されている間は、ドイツの年金保険料を納付しても大きな違いはないという見方もあろう。しかしながら、日独の双方で年金保険料を納付する限り、後で年金を受給する際に日独双方の当局に年金受給の申請をしなければならないことのデメリットは依然として残ってしまう。それを解決するために、同様に日独社会保障協定の中に盛り込まれているのが、派遣元国で継続して社会保険料納付義務に服していることを前提にして、一定の期間（最長8年）における勤務地国での年金保険料の納付義務を免除する規定である（協定本文第7条と第10条）。この結果、日本本社から在独の駐在員事務所、支店、

現地法人（子会社）に派遣された駐在員については，日本本社で継続して日本の社会保険納付義務に服していることを前提に，駐在員事務所の駐在員は協定本文第7条に基づき，支店と現地法人の駐在員は協定本文第10条に基づき，ドイツの年金保険料の納付義務を最長で8年間免除される。

### (3) 日独社会保障協定の適用対象

日独社会保障協定は，年金保険料をその主たる対象にしている。しかしながら，在独日系企業に派遣されてきている駐在員については，ドイツの失業保険料の納付義務も免除されている。これは協定本文においてではなく，議定書第10条bに規定されているものである。その結果，日独社会保障協定が対象としているのは，ドイツにおける年金保険料と失業保険料ということになる。しかしながら，それ以外のドイツの社会保険料，すなわち，健康保険料，介護保険料，そして労災保険料は，日独社会保障協定の対象となってないことから，原則として勤務地国原則に基づき，日本からの駐在員もドイツで勤務している限りにおいて，その3つのドイツの社会保険料の納付義務に服することになる。

他方で，駐在員事務所の日本からの駐在員は，日独社会保障協定とは無関係に，ドイツの国内法，すなわちドイツ社会法典第4部第5条に規定されている「外国社会保険法継続適用条項〈Einstrahlung〉」に基づき，雇用契約関係が外国（日本）で成立していて，ドイツにおける勤務が一時的であると見なされること等の理由から，ドイツの5つの社会保険料すべての納付義務を免除されている。これは前述のように，日独社会保障協定発効以前もそのような扱いになっていた。その点において，支店ならびに現地法人（子会社）の駐在員の場合と取扱いが異なっている。但し，日独社会保障協定発効後，年金保険と失業保険については，協定なしでも免除されるはずなのであるが，あくまで2国間協定である日独社会保障協定の免除規定が，国内法の免除規定よりも優先されるという原則から，駐在員事務所の駐在員も後述する適用証明書の取得を義務付けられている。

### 2 適用証明書（D/J 101）

「適用証明書（D/J 101）」（薄青色の1枚の書類）は，駐在員を派遣している日本本社の管轄の社会保険事務所に申請して，交付してもらうものである。当該駐在員が，日本で継続して日本の社会保険料納付義務に服していることの証明である。これに基づき，在独日系企業の駐在員事務所，支店，現地法人（子会社）の日本からの駐在員は，ドイツの年金保険料と失業保険料の納付義務を免除される。原則とし

て，駐在員事務所の駐在員は「第7条適用」，支店ならびに現地法人の駐在員は「第10条適用」である。それが適用証明書の該当欄に記入されているかどうか，交付を受けたら一応チェックする必要がある。2000年発効直後は，ここのところの間違いが数多く見受けられた。最近はその間違いはほとんどなくなっているようであるが，まだ時折見られる。駐在員の給与計算を社内で行っている場合は，その給与計算担当者にコピーまたはオリジナルを手渡し，外部の会計事務所等に委託している場合は，その会計事務所等にコピーまたはオリジナルを送付する。

　適用証明書は，日本の当局が発行するものである。そのため，当然のことながら公用語である日本語でしか記入されておらず，本人の氏名はもちろんのこと，ドイツの現地法人名とかドイツの住所も，カタカナ名でしか書かれていない。通常，申請者自身が交付を受けてからローマ字欄に手書きでローマ字で記入する必要がある。正確に書かなければもちろん問題であるが，公文書偽造の心配はない。これは，ドイツ人担当者あるいはドイツの（社会保険料の）調査官が誰のものか識別できるようにするためである。

　赴任後に申請しても，半年までは遡及しての発行が可能とされているが，赴任前に申請して交付を受けることが勧められる。半年以上遡及する場合でも，適正な理由があれば認められているようであるが，日本側の社会保険事務所は，ドイツ側の関係当局に照会して同意を得る必要があることから時間がかかっている。

## 2　駐在員にとっての健康保険問題

　前述のように，2000年2月に発効した日独社会保障協定は，健康保険（プラス介護保険）をその対象としていない。それに加えて，2009年の「新たなプライベート健康保険加入義務の導入」，そして，いくつかの外人局での「滞在許可証発給時の健康保険加入義務の解釈の厳格化」により，在独日系企業の駐在員の健康保険を取り巻く環境は，残念ながら，ある意味で混乱に陥っている。

### 1　2008年までの駐在員の健康保険加入状況

　ドイツにおいても，たまにこのようなことが発生するのであるが，施行後既に10年近く経過しているにもかかわらず，今もって，2009年の「新たなプライベート健康保険加入義務の導入」（後述）の実際の適用の具体的内容がまだ明確にされないままになっている。話を分かりやすくするために，歴史的経緯としての2008年

までの状況をも含めて解説する。在独日系企業の駐在員事務所，支店，現地法人（子会社）の駐在員は，どのような健康保険に加入しているかでグループ分けすると，大筋において，以下のように分けられていた。このグループ分けは，様々な理由からその構成比率はかなり変化していると考えられるが，現時点でも該当しているであろう。

① 日本本社の健康保険組合に継続加入しているだけの駐在員（健康保険組合グループ）
② 日本本社の健康保険組合に継続加入しつつ，追加で，例えば日本の保険会社の旅行者傷害保険等にも加入している駐在員（旅行者傷害保険グループ）
③ ドイツの法定健康保険に加入している駐在員（法定健康保険グループ）
④ ドイツのプライベート健康保険に加入している駐在員（プライベート健康保険グループ）

コスト面から見ると，当然のことながら，① 健康保険組合グループにおいては，保険料という追加コストはまったく発生しない。しかしドイツで医者にかかった場合，一旦それを立て替えて，ドイツ語の請求書を日本語に翻訳して，数ヵ月後に日本から補填されるということで，追加の事務コストならびにキャッシュフロー上のデメリットが発生する。

② 旅行者傷害保険グループは，日本の保険会社のサービス（商品）である。その保険商品にもよるが，少なくとも単身者・独身者の場合，追加支払保険料は，③や④に比較して僅少である。そして，追加の事務コストならびにキャッシュフロー上のデメリットは，①よりは抑えられてはいるが，やはり発生している。③ 法定健康保険グループと④ プライベート健康保険グループの場合，日本の健康保険組合に継続加入したままで追加加入していることから，日独双方の健康保険に完全に二重加入している状態である。

③ 法定健康保険グループは，2007年の「法定健康保険の加入免除規定の厳格化」により，ドイツの赴任前の所得額の関係で，一時的に（最長3年間），ドイツの法定健康保険に強制加入している駐在員が主たるものであった。なお，この2007年の「法定健康保険の加入免除規定の厳格化」は，2011年の改正で撤回された。その意味で現在は，任意加入している駐在員を除き，このケースに該当する駐在員はまったくの少数派かもしれない。

④ プライベート健康保険グループの場合，独身・単身であるか家族帯同であるか等により，保険料額の相違はかなり大きい。しかしながらコスト面での負担は，

総体として最も大きいものになっている。原則として，キャッシュフロー上のデメリットならびに追加事務負担は発生しない。特にデュッセルドルフ地区等の場合など，日本人医師に診療してもらえるとか，より優遇されたキメ細かい医療サービスが期待できるといったメリットと共に，とりわけ家族にとっての安心感を追加負担で購入するという形になっている。

## 2　ドイツ法定健康保険の強制加入義務

2000年2月に発効した日独社会保障協定は，年金保険と失業保険のみを対象としている。その結果，他の社会保険（健康保険，介護保険，労災保険ならびに分担金）については，勤務地国原則に基づき，原則として，日本からの駐在員もドイツのそれらの保険料納付義務に服する。

### (1) 駐在員間の相違

他方で，駐在員事務所の駐在員は，ドイツ社会法典第4部第5条に規定されている「外国社会保険法継続適用条項〈Einstrahlung〉」（ドイツ国内法の規定）に基づき，5つの社会保険すべての保険料納付義務を免除されている。その結果，ドイツの社会保険法上，ドイツの法定健康保険（含む介護保険）に強制加入させられることはない。それゆえ，上記のグループ分けで言うと，日本の健康保険組合に加入しているだけでも，あるいはそれに加えて日本の保険会社の旅行者傷害保険に追加加入するだけでも問題ない。それでも，より充実した医療サービスを受けるという観点から，追加負担が発生し，決して小さくはないが，ドイツのプライベート健康保険に加入することもできる。

それに対して，支店ならびに現地法人（子会社）の駐在員は，原則としてドイツの社会保険としての法定健康保険（含む介護保険）に加入する義務に服する。しかし，その所得が一定期間の間，加入義務限度額を上回っている場合，その加入義務を免除される。そのため，同様に上記の①，②，③，④のグループ分けで言うと，日本の健康保険組合に加入しただけでも，あるいはそれに加えて日本の保険会社の旅行者傷害保険に追加加入するだけでも問題ない。また，より充実した医療サービスを受けるという観点から，追加負担は大きいが，ドイツのプライベート健康保険に加入することもできる。結果として，駐在員事務所の駐在員と同じ状況になる。もちろんこれは，健康保険と介護保険についてだけの話であり，労災保険への加入義務は厳然として存在している。そして，この法定健康保険の加入義務免除は，日本からの駐在員にだけではなく，現地採用日本人スタッフあるいは通常のドイツ人

スタッフにも適用されるドイツの国内規定である。

## (2) 2007年以降の加入義務免除規定の厳格化

　これはあくまで，支店ならびに現地法人（子会社）の駐在員にのみ該当することであるが，法定の健康保険機関の財政逼迫を背景に，2007年2月以降，加入義務免除規定が厳格化された（最終的には撤回）。それ以前は，赴任してきた時点での予想年収額が加入義務限度額を上回れば強制加入を免除され，ドイツの健康保険にまったく加入しないか，あるいはプライベート健康保険に加入することができた。2007年2月以降は，3年間その加入義務限度額を上回って初めて，強制加入免除されることとなった。そして，外国から赴任してきた場合，外国での所得額も考慮されなくてはならず，例えば日本から2010年に赴任してきた駐在員は，2007年，2008年，2009年の3年間の所得が，ドイツで定めている加入義務限度額を上回って初めて，加入免除されることになる。2007年から2010年までの4年間の加入義務限度額は以下のようになっていた。

〔健康保険加入義務限度額〕

| 2007年度 | 47,700ユーロ | 約760万円（1ユーロ＝160円換算） |
| 2008年度 | 48,150ユーロ | 約770万円（1ユーロ＝160円換算） |
| 2009年度 | 48,600ユーロ | 約640万円（1ユーロ＝130円換算） |
| 2010年度 | 49,950ユーロ | 約624万円（1ユーロ＝125円換算） |

　以上の所得額は，「定期的な年度給与報酬額」とされ，家族手当とか残業代等は含まれない金額である。為替レートの関係で，円に換算すると過去数年の限度額は下がってきているが，若い駐在員の場合，赴任後の給与報酬額は，海外駐在手当等の各種の手当があるために，赴任した年の加入義務限度額は上回るものの，赴任前の過去3年間の日本での給与水準レベルで見ると，該当年度の加入義務限度額を超えないケースが出てくる可能性があった。その場合は，最長で3年間，法定健康保険に加入しなくてはならなかった。なお，2010年秋に，この2007年の「法定健康保険の加入義務免除規定の厳格化」を撤回する法改正案が審議されて可決された。2011年からは，2006年（2007年1月）以前の状況に戻った。

## ③ 滞在許可証の発給の際の健康保険加入証明書

　健康保険（介護保険）については，上記の（法定の）社会保険法上の問題とは別途に，滞在許可証（労働許可証）の発給に際して，健康保険加入証明書の提出が義務付けられている。この提出義務は，ドイツの社会保障ネットワークを享受できな

い者あるいはその重荷になってしまうかもしれない者の入国を拒否するというもので，ドイツに限らず他の国にも見られるものである。具体的には，滞在法第2条第3項または第9ｃ条第3号に基づき，健康保険加入証明書の提出を求めている。特に，滞在許可証発給の前提条件の健康保険加入の内容を具体的に示している第9ｃ条第3号は，以下のようになっている。

> **滞在法第9ｃ条第3号**
> 外国人ならびにそれと家族共同体として生活している構成員は，病気あるいは要介護のリスクに対して，<u>法定健康保険，または，それと本質的に同価値で</u>，無期限または自動的に延長される保険によって，保護されている場合

「（ドイツ）法定健康保険と本質的に同価値で」という下線部分を広く解釈するか，あるいは，狭く解釈するかにより，実務的には大きな違いが出てきている。実際に，その運用は各地方自治体毎に弾力的になされており，企業グループ間の一時的滞在者であることを理由に，日本本社の健康保険組合に加入していることの書面（会社からの一筆）や日本の保険会社の旅行者傷害保険の証明書等が健康保険加入証明書として受理されている外国人局も存在している。在独日系企業に駐在員として赴任してきている駐在員は，何らかの形で会社を通じた健康保険に加入しているはずだという観点から，具体的な証明書の提出を求めない外国人局あるいは担当者も存在している。また逆に，2010年前後から，その下線部分を厳密に解釈して，ドイツの法定健康保険に加入していないならば，プライベート健康保険のドイツ法定健康保険との同価値性を定めた社会保険法典第5部第257条を典拠にして，それに準拠した（ドイツの）プライベート健康保険への加入証明書を提出するか，あるいは外国の健康保険だけにしか加入していない場合には，その外国の健康保険がドイツの法定健康保険と本質的に同価値であることを滞在許可証申請者が証明することを義務付けている外国人局も存在している。

　この問題は，最初の入国時の滞在許可証の交付時に見られるものである。発給事務をスムーズにしてもらうという観点から，赴任が決まった時点で直ちに赴任予定地（居住予定地）の自治体の外人局に事前にコンタクトを取り，健康保険加入証明書として，どんな書類が要求されるのか確認することが重要である。

## 4  新たなプライベート健康保険加入義務

　上記で述べてきた社会保険の1つとしての法定健康保険（介護保険含む）ならびに外国人の滞在法上で要求されている滞在許可証交付時の健康保険加入証明書の問題とは別途に，「国民皆保険の原則」に基づいて，2009年1月1日以降，新たなプライベート健康保険加入義務が導入されている。

### (1)  新たなプライベート健康保険加入義務の概要

　保険契約についての法律（保険契約法）の第193条第3項以下で規定された新たなプライベート健康保険加入義務の具体的な内容は，以下のようにまとめられる。

○　ドイツに「住所〈Wohnsitz〉」を有する者はすべて，ドイツ社会保険法の適用を受けるかどうかに関わりなく，すなわち，駐在員事務所の駐在員も含めて，さらに，一定額以上の給与所得がありドイツ法定健康保険への強制加入義務を免除されている駐在員（現地法人，支店の駐在員）も，2009年1月1日以降，一定の健康保険に加入する義務を新たに負わせられている。また，介護保険についても，健康保険に付随するという原則があるために，同時にその加入義務も負わせられる。

○　一定の健康保険とは，「ドイツで業務活動を認可されている保険会社」が提供する医療費保険であり，通院治療費・入院治療費の双方をカバーして，しかも，1暦年当たりの自己負担額が最高で5,000ユーロまでに限定されているような医療費保険である。

○　ドイツの法定健康保険に強制加入・任意加入している駐在員，あるいは，既にドイツのプライベート健康保険に加入している駐在員は，この新たなプライベート健康保険加入義務に服する必要はない。しかし，日本の本社の健康保険組合に継続加入しているだけの駐在員の場合，あるいは，それに加えて追加で旅行者傷害保険等に加入しているが，その保険の提供者が日本の保険会社であるような駐在員の場合には，「ドイツで業務活動を認可されている保険会社」という条件を満たさないことから，この新たなプライベート健康保険加入義務に服さなければならないものと解釈される。

○　この新たなプライベート健康保険加入義務に服さなくてはならないにもかかわらず未加入の場合，未加入期間について追加保険料（ペナルティ）を保険会社に対して納付しなくてはならない。その追加保険料（ペナルティ）の額は，未加入期間1ヵ月（あるいは1ヵ月未満）につき1ヵ月当たりの保険料となる（未加入期間5ヵ月までの場合）。

## (2) 理論的・運用上の問題点

　2009年からのプライベート健康保険加入義務は，国民皆保険の原則に基づいて導入されたものである。しかし，「ドイツに住所を有する者すべて」という定義で適用対象範囲が規定されていることから，ドイツ社会保険法典第4部第5条の外国社会保険法継続適用〈Einstrahlung〉によりドイツの社会保険法の適用を本来受けないはずの駐在員事務所の駐在員までも適用対象になっている。

　ドイツの法定健康保険は，雇用関係のもとにある人を主たる対象としている。この2009年からのプライベート健康保険加入義務（保険契約法第193条第3項）は，自営業者等の法定健康保険加入義務で捕捉されない人達に，健康保険加入のメリットを確保することが立法の目的だったと言われている。長くドイツに居住しているが，様々な理由から健康保険加入のメリットに与れない人達がターゲットだったという趣旨である。換言すれば，「国民皆保険の貫徹」である。そのような立法趣旨からすると一貫性がないのではないか，すなわち，通常外国（日本）で健康保険義務に服して一時的にドイツで勤務しているような駐在員に対して，そもそも適用されることが立法趣旨において想定されていたのか，という専門家の疑念も表明されている。

　さらに，このような義務の遵守を具体的に誰がどのようにコントロールするのかについては，導入後10年以上になるにもかかわらず，明確な当局側の方針も明らかにされておらず，不透明性が付きまとっている。確かに，プライベート健康保険会社が，未加入期間についてペナルティを徴収すべきということが規定されている。顧客（加入者）の獲得において自由競争下に置かれているプライベート健康保険会社が，新規顧客に対して，過去に遡及しての未加入期間の調査を行い，場合によっては，追加の負担（ペナルティ）をも徴収するというメカニズムが機能するのかという問題である。また，健康保険加入に関わる他の公的機関（社会保険当局ならびに外国人局）が，2009年からの健康保険加入義務の遵守を監視を委託されているという話は公表されていない。それどころか，ある都市の外国人局は，2009年の導入直後に，同局は引き続き滞在法第9c条のみを根拠にして健康保険加入証明書の提示を求めるということを表明していた。

## ⑤　駐在員をめぐる健康保険—異なる法的根拠の錯綜状態

　日本からドイツに派遣されてきた駐在員の健康保険（介護保険）については，上述のように，3つの異なる法律が関係してきている。社会保険法，滞在法（外国人

法)，保険契約法の3つである。
## (1)　3種類の異なる健康保険加入義務の錯綜
　社会保険法に基づく法定の健康（介護）保険の加入義務については，2007年～2010年の間の厳格化適用の時期があり，日本人駐在員にも加入義務が発生することがあった。しかし現在は，その厳格化適用の以前と同様に，ほとんどの駐在員はその所得が加入義務限度額を上回ることから，赴任当初から加入義務を気にしなくてもよい。

　滞在法（外国人法）第9c条第3号に基づく健康保険加入義務は，執行主体である各自治体の外国人局毎に弾力的な解釈がなされている。ドイツでの追加の健康保険加入なしで善しとする外国人局もある。他方で，結果的には（最終的には），ドイツのプライベート健康保険に加入しなければならないという解釈・執行をしている外国人局もある。どのような健康保険への加入を要求しているのかは，滞在許可証（労働許可証）の事前取得準備に際しての重要なチェックポイントである。

　2009年からの保険契約法第193条に基づく健康保険加入義務についての不透明さは，すぐ上のところで詳細に解説した通りである。在独日系企業の駐在員のような一時的滞在者が，当該健康保険加入義務に抵触したがゆえにペナルティを課されたという事例は知られていない。他方で，駐在員のような一時的滞在者は適用除外であるという明確な規定，あるいは通達ベースの指針も公表されていない。

## (2)　3種類の異なる健康保険加入義務の錯綜：対応策
　上記の3つ（正確には法定健康保険加入義務を除く2つ）を同時的に満たすのは，ドイツの法定健康保険のサービスをカバーしたドイツのプライベート健康保険（社会法典第5部第257条に基づく証明書が発行され得る健康保険）に加入することである。蛇足ながら，法定介護保険のサービスをもカバーしたプライベート介護保険については，社会法典第11部第61条に基づき，同様の証明書が発行される。そのような証明書が発行できるプライベート健康保険の保険料については，一定額までの会社負担分の非課税措置も設けられている。

　ドイツのプライベート健康保険への加入は，多くの場合（特に家族帯同の場合），駐在員費用の削減（最適化）とはトレードオフの関係になっている。会社側にとっての追加負担費用が最も大きいであろう。他方でその非課税措置により，コスト負担増加のインパクトを若干かも知れないが緩和することが可能である。会社負担分の非課税措置の一定額は，毎年変更されるが，2023年については，健康保険：403.99ユーロ，介護保険：76.06ユーロである。但し，それらの金額が保険料総額

の半分を上回っている場合は，その半分の金額が非課税措置限度額となる。

　最近では，特に多数の駐在員を世界各地に派遣している企業グループが，ワールドワイドで駐在員についての健康保険契約を締結するケースも増えている。その目的は，保険料負担の低減である。ドイツ側から見ると，そのような包括的健康保険契約の提供者は，非ドイツの保険会社であることがほとんである。その場合，上記の滞在法の健康保険加入義務と保険契約法の健康保険加入義務をどのようにするかが大きな問題となっている。

# IV 赴任直前の準備と帰任前後の準備とケア

　引越し等の駐在員生活一般に関する赴任前の事前準備や帰国後の事後処理については，色々出版されているガイドブック等を参照いただきたい。ここでは，ドイツ赴任前，日本帰任前，日本帰任後について，個人所得税・社会保険法・滞在法（外国人法）等に関連して，駐在員本人あるいはそれをアシストする関係者が最小限留意しなくてはならない点を，既にこれまで言及している点も含めて，ここに整理しておきたい。

## 1　ドイツ赴任直前の準備

　ドイツへの赴任が決定したら，ただちに準備するべき点は，以下のようなものである。

### （1）　居住予定地の自治体の外国人局とのコンタクト

　確認すべき点は，滞在許可証の事前申請が可能なのか，可能だとしたらどんな書類を準備すべきなのか，事前申請が可能でなくとも，ドイツ到着後，できる限り早く滞在許可証（労働許可証）を取得するために，何ができるのかという点である。あと1つは，通常，滞在許可証発給時に要求される健康保険加入証明書として，どこまでの書類が要求されるのかの確認である。また，事前準備の書類としては，大学卒業証明書あるいは職業訓練終了書の提出が要求されるのかという点である。いつも要求されるとは限らないのであるが，要求されることが多くなっている。この書類提出の目的は，駐在員が就こうとして仕事が，単純作業労働ではなく，専門職であことの1つの証明である。

### （2）　適用証明書（D/J 101）

　日本本社の人事部から管轄の社会保険事務所に申請してもらう。赴任後に遡及して発行してもらうことも可能であるが，重要な点は，当該証明書上の派遣日・赴任日が実際にドイツに赴任した日と同じになっているか，あるいは，それより前になっていることである。なお，ドイツ国内で給与報酬の出所が2カ所ある場合（ドイ

ツで2つの会社と雇用関係にある場合），適用証明書（D/J 101）は2枚入手する必要がある。交付を受けたら，ローマ字欄に氏名・住所・赴任先等を手書きで記入する。

## 2　日本帰任直前の準備

日本への帰任が決定した後で行うべき準備は，以下のようなものである。

### (1)　社内の人事担当あるいは会計事務所等への帰任予定日の連絡

給与計算をしているところ（社内人事担当または外部の会計事務所）ならびに個人所得税年度申告書の作成を依頼しているところ（外部の会計事務所）に帰任予定日を連絡する。

### (2)　帰任の前年度の個人所得税年度申告書の作成準備または申告書への署名

いつ帰任するのかにもよるが，4月から5月以降に帰任する場合，前年の個人所得税年度申告書の準備も終わっていることが普通であるので，帰任の前年度の申告であることからそれほど急ぐ必要はないのであるが，日本帰国前に準備された申告書に署名しておくことが勧められる。

## 3　日本帰任後の事後処理

日本帰任後，日本で行うべき事後処理項目としては，以下のようなものがある。

### (1)　帰国後支払い賞与額のドイツへの連絡（賞与支払時：人事部）

例えば，4月1日付で日本に帰任した場合，多くの日本の会社の場合に6月または7月に支給される夏季賞与は，前年の10月から当該年度の3月までの対象期間しているケースが多い。その場合，当該夏季賞与は全額ドイツ勤務期間に対応していることから，ドイツで課税対象になる。ドイツにおいて給与計算を外部の会計事務所に委託している場合は，そこにその金額を連絡する。また，同じ賞与対象期間で，6月1日付で帰任した場合，6月または7月に支給される「夏季賞与」だけではなく，11月または12月に支給される冬季賞与の一部もドイツ勤務期間に対応していることから，それもまたドイツに連絡する必要がある。

（2） 帰任後の日本払い給与額のドイツへの連絡（帰任の暦年終了後：人事部）

　2023年4月1日付で日本本社に帰任となった場合，2024年になってから，2023年4月1日から12月31日までの給与総額をドイツの個人所得税年度申告の作成を依頼している会計事務所等に連絡する。月額までは必要ないが，月額給与額の合計額，夏季賞与額，冬季賞与額と区分して明記してあればよい。

（3） 帰任年の個人所得税年度申告の準備と申告書への署名（帰任の暦年終了後：本人）

　通常，帰任年の暦年が終了すると，ドイツから個人所得税年度申告書作成の質問書が会計事務所等から送付されてきて，それに記入して返送する。またその後，その質問書に基づいて作成された申告書が送付されてきて，それに署名してドイツに返送する。署名は，夫婦合算申告の場合，奥さんの署名も必要である。この帰任年についての個人所得税年度申告は，「4①　帰任年の年度申告書の早期提出」（386頁参照）で解説したように，「更なる還付」が失われないように，迅速に対応する必要がある。

（4） ドイツの駐在員本人名義のプライベート銀行口座の管理

　ネット給与保証に服している駐在員の個人所得税年度申告からの還付金は，最終的には，会社に帰属するものである。通常，税務署から直接会社の銀行口座に送金してもらうのであるが，いくつかの地域において，外国人労働者の個人所得税還付金を雇用主が騙し取っていた事件が多発したことがあったという過去を理由に，税務署が雇用主の口座に振り込むことを行わないところがある。その場合，駐在員本人名義の銀行口座を，最後の還付金が送金されるまで，帰国後数年の間維持しておく必要がある。

# あとがき

　この本を書き終えた2010年で在独生活25年になる。ドイツに居住し始めた1985年にドイツで話題になった本として，ギュンター・ヴァルラフの「最底辺〈ganz unten〉」というのがある。本文でも言及しているが，ドイツ人ジャーナリストが，2年余りの間，コンタクトレンズをして目の色を変え，トルコ人に扮装して，ドイツ企業の生産現場の労働者として働き，当時のトルコ人（外国人）差別問題の実態をルポルタージュしたものである。この本は，まずはドイツ国内で大反響を呼び，聞くところによると，同氏は殺人の脅迫を受けて外国に一時逃避しなくてはいけなくなったというエピソードまであるという。また，外国でも反響を呼び，30の言語に翻訳されている。他方で，この本に対するドイツにおけるリアクションとして，トルコ人（外国人）差別の問題は，ドイツのマスコミでも大きく取り上げられて，これがきっかけとなって，この問題に改善が見られたことも否定できない。

　偶然ではあるが，それからちょうど四半世紀たった今年2010年に，外国人のドイツ社会に対する「融合問題」を取り扱ったティロ・ザラツィンの「ドイツは崩壊する〈Deutschland schafft sich ab〉」が出版された。たちまちのうちにベストセラーになり，マスコミでその本の出版が話題にされてからただちに書店に行ったのであるが，売切れで買うことができず，実際に私が購入できたのは，2週間近く経ってからであった。そして，そのときには既に「6刷」目になっていた（1刷の部数が少ないだけなのかもしれないが……）。全部で460ページ余りの分厚い本で，どちらかというと難解な文章が多く，私自身すべてを読み終えてはいないのであるが，その本の中で，とりわけ強調されて，マスコミでも話題になった点は，1960年代初めから，生産現場の労働力としてトルコ本国から招聘されてきたトルコ人の多くが，ドイツに残り，第二世代・第三世代を経ているにも拘らず，トルコ人の間だけで結婚し，ドイツ語も十分に話せない人が多くいて，ドイツ社会から孤立してしまっているというのは，ドイツ社会の将来にとって由々しき問題であるというものである。そこからの危惧が本のタイトルにも繋がっている。

　著者のザラツィン氏は，ドイツ連邦財務省等の高級官僚の職を経て，政治家としてベルリン州の財務大臣となり，本が出版された時には，ドイツ連邦銀行の理事の

*407*

職にあった人物である。この本がたちまちのうちにマスコミの話題となったのは，とりわけ同氏がベルリン州財務大臣に就任して以降，「生活保護〈Hartz IV〉」の支給額水準，あるいは，アラブ諸国あるいはトルコからの移民について，社会的問題発言を行い，以前から物議を醸し出していたことに加えて，本の出版発表の時のインタビューの席で，ある質問に答えて，「ユダヤ人やバスク人は，他の民族とは異なる特定の遺伝子を有している」ということを発言したことで，ナチス時代の「人種主義者」の烙印を押されたことも大きく寄与している。その後の１週間，テレビ各局のトークショー番組で引っ張りだことなった。そこでは，その「人種主義的発言」により，いわゆる「良識派」と言われる政治家・ジャーナリスト等から袋叩きに遭い，あるトークショー番組は，司会者も含めて５人の出席者すべてが彼を糾弾する側に回り，彼は孤軍奮闘の中で自分の本の内容を紹介するという形で終わった。

　その「ユダヤ人やバスク人の遺伝子云々の話」は，その著書の中で直接的に言及されているわけではなく，批判者の中には，本が売れるように話題作りのために意図的にやったのだという人もいた。後日，彼自身，その発言が結果的に失言であったことを認めている。そして，それゆえに，ドイツ連邦銀行の理事の職を辞任せざるを得なかった。他方で，出版発表直後の１週間の間のテレビ放映では，その本をしっかり読んでの糾弾というより，その「人種主義的発言」を問題にした批判が多く，また本を実際に読んだ識者の批判でも，様々なデータ分析手法が科学的手法に基づいていないとか，あるいは間違っているといった，本の中の個別的手法あるいはテーマだけを大きく取り上げてその適否を批判するというスタイルであり，彼が本全体を通して主張しようとしたところを真っ向から向き合って批判している人が殆どいなかったというのが筆者が受けた印象である。そのような「良識派」の政治家・ジャーナリストの糾弾にも拘らず，彼自身による本の内容の紹介を聴いたテレビ視聴者の多くは，ザラツィン氏を支持する側に回り，あるテレビ局の調査では，「ザラツィン支持者」が70％前後になるというケースがあった。「本の中に不適切な手法や，あるいは，外国人排斥を主張する極右の人を喜ばせるような内容があるのかもしれないが，ザラツィン氏が直視すべきだと主張する，外国人移民（ドイツ国籍を取得している人も含めて）がドイツ社会に融合されていない現実が厳然としてある」という理解である。

そのような多くの国民のザラツィン氏に対する支持を見て慌てたのが，多くの「良識派」と呼ばれる政治家である。ドイツの政治家は，左派・右派という政治的方針の相違を問わず，「ユダヤ人」・「人種論」あるいはそれを連想させるような「差別」に関する公の場での言動にはかなり気を使っている。ドイツの過去の歴史（ナチスを生んだ国）に対する反省からであり，ある意味では健全なものであろう。他方で，そのような良識的見解が過剰になると，今取り上げている「トルコ人問題」の場合のように，解決されるべき問題が眼前にあったとしても，それについての言動を控える，あるいは，そのテーマを積極的に取り上げることを躊躇することが起こる。そして，両氏の著書の傾向はまったく異なるのであるが，1985年のギュンター・ヴァルラフ氏，そして2010年のティロ・ザラツィン氏のような本が出版されると，タブーが破られ，政治家もジャーナリストも「良心の呪縛」から解放されて，議論が進んで行く（あるいは実効的な施策が打ち出される）という現象が起こる。この辺のところは，ドイツに限られたことではないのかもしれない。

　少し話が飛躍するのであるが，このドイツにおける「移民トルコ人問題」あるいは「移民外国人問題」に関する議論は，様々な紆余曲折を経て，今後の外国人融合策をどうするのかということに加えて，ドイツの企業の将来的発展を考えた場合に，絶対的に不足することが分かっている「専門的労働力」を外国から招聘しないといけないという点にその中心が移行している。外国の学校の卒業資格・職業上の資格をドイツでどのように認めていくのか等の議論が盛んに行われている。本書が対象としているドイツ経済・企業社会も動いている，あるいは，揺れ動いているのである。そして，将来的にもどんどん変化を遂げるのであろう。

　1つの本を書くに際して，一時点の静態的描写が中心になってしまうことは免れ得ない。会計分野の話で言ったら決算日の日の資産・負債の残高を示す「貸借対照表」である。しかし，その「貸借対照表」でも，当該企業が将来的にも継続していくことを前提にするのか，あるいは，1年後に清算することを前提にするのかで，その中の数値（評価額）が変わってくるように，はたまた，資産計上において歴史的取得価格で計上されているように，過去を引き摺り，ある一定の未来像を前提したものになっている。そして，一定の期間の企業活動の推移を表した「損益計算書」があって始めて，その会社の状況は，より鮮明なものとして表現される。「注記」は，そのような静態的描写中心の「貸借対照表」と一定期間の企業活動を数字

で表した「損益計算書」を補足している。本書は，ドイツでビジネス行う時の実務のためのガイドブックであるが，税法・会社法・会計制度といったドイツのビジネス・インフラが，過去においてどのように推移してきて，将来的にどのような方向に進もうとしているのかが，見て取れるようなドイツ経済・企業社会の「決算書類」をも目指したつもりである。忌憚のないご意見・批評を受けたまわることができれば幸いである。

　また本書は，筆者の勤務先であるプライスウォーターハウスクーパース・デュッセルドルフ事務所での在独日系企業に対するコンサルタント活動という実務経験の中で，お客様からの相談・質問に対応する中で考えたこと，同僚がドイツ語・英語で回答していることを，日本語でどのような表現したらお客様により深く理解してもらえるかを目指して考えたこと，あるいは，自らが難解なドイツの法律等に向かい合って格闘しながら考えたこと等をベースにして書かれたものである。その意味で，本書の完成にはその国籍を問わず，会社の上司・同僚，それどころか問題を提起してくださったお客様にも，負っているところがかなり大きい。親しくお付合いさせて頂いているお客様には，普段からよく，「うちのデュッセルドルフ事務所は大学病院と同じで，私の役割は，その（超）エキスパート（専門医）の力を借りて，あるいは，その彼らと協働して，お客さん（患者さん）にベストのソリューション（治療法）を提供している『町医者』です」と申し上げている。この喩えは，お客様を患者扱いしてしまっていて申し訳ないと思うのであるが，うちの事務所の中には，朝から晩まで，「付加価値税」のことだけをやっている人，「社会保険料」のことだけをやっている人，「移転価格税制」のことだけをやっている人等，すなわち，税務一般あるいは会計一般のエキスパートではなくて，その分野のさらに限られた領域のことだけをやっている「超エキスパート」がわんさかいるのである。そのような「超エキスパート」との議論の中で，私自身が切磋琢磨されてきたと言える。

　既に定年でプライスウォーターハウスクーパースを数年前に退職されているが，日本人スタッフの上司・先輩であった東良徳一氏（現在：大阪産業大学経営学部）ならびに太田晃弘氏には，様々なテーマに亘って色々な教示を受けるとともに，意見交換をしてきた。とりわけ，東良氏とは，お客様向けの日本語ニュースレターの編集・作成を一緒にやっていた関係から，週末に会社に出て，その週末の物静かなオフィスで，ドイツ語の専門用語の翻訳の徹底吟味や最終校正作業の一字一句につ

いて喧々諤々の議論をやっていたことが懐かしい。そこでも，自然のうちに，ドイツ語の専門用語やドイツの制度をどうしたら分かりやすい日本語で表現できるかということの訓練がなされていたのかもしれない。もちろん，本書の内容はすべて，私の責任であるが，両氏との仕事の中で得られた知見が，本書の中で基本的ベースとなり生かされていることは間違いなく，両氏にはここで深くお礼を申し上げておきたい。

　本書の出版に際して，税務経理協会を紹介いただいたのは，「月刊監査役」編集長の横野能将氏であり，その紹介なくして本書の出版の実現はありえなかったと言える。税務経理協会の編集担当の吉冨智子ならびに新堀博子の両氏には，「凝り性」ゆえに筆が遅い上に，会社の企業方針からして勤務時間の一部を執筆に充てることも可能ではあったものの，筆者が担っている仕事の状況からして，当初より，勤務時間外でやると決めていたために，アフターファイブ・週末・有給休暇期間中の執筆となり，逆に，社内の特別のプロジェクト等で執筆作業時間を何度か中断しなくてはならず，遅延に遅延を繰り返していたにも拘らず，辛抱強く待っていただいたことには頭が下がるばかりである。横野・吉冨・新堀の3氏にも，ここで感謝の意を表しておきたい。

# 索　　引

〔英数〕

183日ルール ………………… *97, 377, 378*
1968年学生運動 ………………… *21, 23*
2008年有限会社法改革 ………………… *88*
520ユーロジョブ ………………… *315*
AOA ………………… *188*
B2Bビジネス ………………… *271*
B2Cビジネス ………………… *271*
BEPS ………………… *257*
BMW ………………… *40*
EU–ICTカード ………………… *364, 365, 366*
EU–ICTモービルカード ………………… *365*
EU域内取引 ………………… *266, 268*
EU域内取引報告 ………………… *277*
EU継続就労滞在許可証 ………………… *358*
EUブルーカード ………………… *363*
IDEA ………………… *260*
PE ………………… *72*
PE課税 ………………… *225*
PE問題 ………………… *70, 100*
PEリスク ………………… *74*
VAT–ID番号 ………………… *266*

〔あ〕

アーティスト社会保険料 ………………… *332*
アウトバーン ………………… *9, 22*
後入先出法 ………………… *182, 244*
アルディ ………………… *41*
アルバイト ………………… *314*
育児休暇 ………………… *323*
一括貸倒引当金 ………………… *184*
一般最低賃金制度 ………………… *321*
一般地域健康保険機関 ………………… *286*
一般適用宣言 ………………… *329*
一般ドイツ商法典 ………………… *153*
移転価格（税制）問題 ………………… *100, 254*
移動取引 ………………… *269*
移動平均法 ………………… *182, 244*
委任状 ………………… *113, 114*
ヴァルドルフ ………………… *18*
ヴォルフスブルク ………………… *16, 18*
売上 ………………… *203*
売上原価 ………………… *204*
売上原価方式 ………………… *201*
売上税法 ………………… *262*
売掛金 ………………… *184*
運営方式 ………………… *338*
エアフルト ………………… *19*
営業局 ………………… *16*
営業資産税 ………………… *228*
営業収益 ………………… *233*
営業収益額 ………………… *231*
営業収益税 ………………… *228*
営業税 ………………… *17, 223, 228, 231*
営業税の税率 ………………… *232*

413

| | | | |
|---|---|---|---|
| 営業届 | 67, 103, 104, 119 | 貸方経過勘定科目 | 201 |
| 越境通勤者 | 377 | 課税売上 | 262 |
| 欧州会社〈SE〉 | 80 | 課税基準額 | 231 |
| 欧州司法裁判所 | 10, 88 | 課税ベースの拡大 | 235 |
| オスヴァルト・コレ | 25 | 家族企業 | 40 |
| | | 家族控除 | 385 |

〔か〕

| | | | |
|---|---|---|---|
| カールスルーエ | 19 | カッセル | 19 |
| 外貨換算 | 206 | 株式会社 | 75, 77, 86 |
| 買掛金 | 199 | 株式合資会社 | 78 |
| 会計監査 | 164 | 株式投資ブーム | 155 |
| 会計基準近代化法 | 153 | ガルミッシュ・パルテンキルヘン | 5 |
| 会計原則 | 171 | 監査役会 | 347 |
| 解雇 | 324 | 間接的データアクセス | 259 |
| 外国・専門職仲介局 | 368, 369, 370, 372 | 完全性原則 | 172 |
| 外国企業 | 54 | カンパニーカー | 73, 74, 289, 305 |
| 外国支店 | 246 | 管理機能所在地 | 224 |
| 外国社会保険法継続適用条項 | 303, 397 | 管理職 | 95, 365 |
| 外国人問題 | 33 | 期間配分原則 | 172 |
| 外国税額控除方式 | 247 | 起業家有限会社 | 91, 190 |
| 介護保険 | 334 | 企業継続性原則 | 172 |
| 解雇保護法 | 325, 326 | 企業年金 | 145 |
| 解雇理由 | 324 | 企業年金制度 | 338 |
| 開催場所規定 | 274 | 企業福利厚生制度 | 338 |
| 開示義務 | 166 | 企業不祥事 | 155 |
| 会社アレンジの食事 | 293 | 基準性の原則 | 151, 237 |
| 会社催し物 | 292, 297 | 基準税率 | 232 |
| 解約告知期間 | 328 | 基準利益額（EBITDA） | 249 |
| 確定拠出型の企業年金 | 343 | 基礎食料品 | 265 |
| 隠れたチャンピオン | 40 | 帰任年 | 374, 386 |
| 隠れた利益配分 | 255 | 基本法 | 12 |
| 加算 | 236 | 逆基準性の原則 | 151, 238 |
| | | 級数法 | 241 |

| | |
|---|---|
| ギュータースロー | 18 |
| 給与所得 | 380 |
| ギュンター・ヴァルラフ | 30 |
| 教会税 | 281 |
| 共済基金方式 | 339, 341 |
| 共同決定制度 | 347 |
| 極小会社 | 203 |
| 居住 | 376 |
| 居所 | 376 |
| 記録文書化義務 | 256 |
| 近接路線 | 157 |
| 勤務時間 | 319 |
| 勤務地国課税原則 | 97, 377, 371 |
| 勤務地国主義 | 392 |
| 金融資産所得 | 380 |
| 空間期間問題 | 371 |
| 国別報告書（CBCR） | 257 |
| 繰越欠損 | 248 |
| 繰越欠損金利用制限 | 250 |
| 繰越利益・欠損 | 192 |
| 繰延税金資産 | 187, 208 |
| 繰延税金負債 | 201, 208 |
| 軽減税率 | 265 |
| 計上原則 | 172 |
| 経理関連書類の保管義務 | 168 |
| 欠損の繰戻し | 248 |
| ケルン | 15 |
| 限界税率 | 381 |
| 健康保険 | 334 |
| 健康保険加入証明書 | 398 |
| 健康保険事務所 | 106 |
| 健康保険ファンド | 335 |
| 健康保険料会社負担限度額 | 289 |
| 現在事項全部証明書 | 115 |
| 減算 | 236 |
| 現地法人 | 62, 65, 75, 111, 137, 223 |
| 現預金 | 186 |
| 後期帰還者 | 30 |
| 恒久的施設 | 70 |
| 合資会社 | 79 |
| 行程基準規定 | 274 |
| 公的老齢年金制度 | 334 |
| 合名会社 | 78 |
| 子会社 | 62, 65, 75, 111, 223 |
| 小切手 | 186 |
| 国外所得免除方式 | 247 |
| 国際会計基準 | 149, 153 |
| 国際財務報告基準 | 149, 153 |
| 固定資産 | 176, 239 |
| 固定資産台帳 | 242 |
| 固定評価法 | 173 |
| 個別貸倒引当金 | 184 |
| 個別評価原則 | 172 |
| 雇用契約終了合意 | 327 |
| 雇用契約書 | 318, 329 |
| 雇用法令 | 95 |
| コンフォートレター | 194, 196 |

〔さ〕

| | |
|---|---|
| サービス提供の場所 | 271 |
| 債権者保護 | 154 |
| 債権申出の催告 | 139 |
| 最終税務申告書 | 139 |
| 最低課税制度 | 248 |

| | | | |
|---|---|---|---|
| 最底辺 | 30 | 従業員代表委員会 | |
| 在独日系企業の数 | 56 | | 144, 283, 329, 344, 345, 347, 349, 351 |
| 財務資産 | 180, 243 | 従業員負担型企業年金 | 342 |
| 債務超過 | 193 | 住所 | 376 |
| 先入先出法 | 182, 244 | 住民局 | 282 |
| 更なる還付 | 374, 386 | 住民登録局 | 16 |
| 残余財産 | 139 | 就労滞在許可証 | 358 |
| シェンゲン協定 | 3, 93 | 受益事業者所在地国原則 | 272 |
| シェンゲンビザ | 93 | 出産休暇 | 322 |
| 資格確認教示書 | 110 | 出資者総会 | 166 |
| 自己資本 | 188 | 出資者リスト | 117, 129 |
| 自己代理の禁止 | 123 | 出資持分売却益 | 246 |
| 支出明細表 | 218 | 出張旅費 | 291 |
| 子女控除 | 388, 390 | 小会社 | 203 |
| 時短勤務雇用契約 | 312 | 少額贈物 | 293 |
| 実現主義 | 172 | 小規模事業者 | 262 |
| 支店 | 62, 65, 68, 166, 188, 216, 224 | 償却固定資産 | 241 |
| 支店自己資本金 | 188 | 昇給 | 321 |
| 支店登記 | 111 | 商業登記簿 | 67 |
| 児童手当 | 388, 390 | 商業登記簿謄本 | 115 |
| 資本移動の自由 | 47 | 商業登記抹消手続き | 136 |
| 資本会社 | 224 | 状況報告書 | 163, 166, 215 |
| 資本金額 | 117 | 商事会社 | 76 |
| 資本準備金 | 191, 194 | 試用期間 | 318 |
| 指紋情報提出手続き | 370 | 少数民族問題 | 28 |
| 社員割引 | 292 | 使用地・利用地規定 | 275 |
| 社会保険 | 303 | 招聘労働者 | 30 |
| 社会保険料 | 284, 331 | 商法会計 | 237 |
| 社会保障制度 | 331 | 商法会計基準改革 | 239 |
| 社団法人 | 76 | 乗率 | 231, 233 |
| 従業員 | 311 | 食事支給 | 290 |
| 従業員貸付 | 290 | 食事提供地規定 | 274 |

| | |
|---|---|
| 書籍・出版物類 | 265 |
| 処分権移転時基準 | 270 |
| 書類の保管 | 140 |
| 申告手続き | 305 |
| 生活支出控除 | 384 |
| 正規の簿記の原則 | 159 |
| 請求書の要件 | 263 |
| 税効果会計 | 209 |
| 清算 | 137 |
| 清算開始貸借対照表 | 141 |
| 清算決議 | 138 |
| 清算決議書 | 138 |
| 清算最終決算書 | 142 |
| 生産高比例法 | 241 |
| 税法会計 | 151, 237 |
| 税法会計基準 | 153 |
| 税務ID番号 | 282 |
| 税務署 | 105 |
| 税務調査 | 254 |
| 税理士費用 | 290 |
| 税率引下げ | 235 |
| 設立総会 | 114, 116 |
| 設立登記申請書 | 117 |
| 善管注意義務 | 125 |
| 前段階税還付手続き | 278, 305 |
| 前段階税控除制度 | 263 |
| 専門職 | 365 |
| 専門職者移住法 | 360 |
| 総額主義原則 | 173 |
| 総原価方式 | 201 |
| 増資 | 194 |
| 租税通則法 | 225 |

| | |
|---|---|
| ゾマー博士 | 25 |
| ソルブ人 | 28 |
| 損益計算書 | 163, 201 |

〔た〕

| | |
|---|---|
| 滞在許可証 | 16, 34, 93, 357, 358, 359, 360, 398 |
| 滞在法 | 357 |
| 滞在法令 | 94 |
| 貸借対照表 | 163, 175 |
| 貸借対照表利益 | 197 |
| 退職示談金 | 327 |
| 大量解雇 | 145, 328 |
| 棚卸資産 | 182 |
| チェーン取引 | 269 |
| 地方分権 | 12, 14, 16 |
| 中央ヨーロッパ時間 | 7 |
| 中会社 | 203 |
| 注記 | 163, 212 |
| 駐在員事務所 | 62, 64, 68, 73, 74, 133, 218, 226, 302 |
| 中小企業 | 39 |
| 長期的価値の下落 | 239 |
| 調停委員会 | 353 |
| 帳簿記帳 | 159, 161 |
| 直接確約方式 | 338, 339 |
| 直接的データアクセス | 259 |
| 直接保険 | 298 |
| 直接保険方式 | 339, 340 |
| 賃金税 | 280, 288 |
| 賃金税カード | 280, 282 |
| 賃金税クラス | 283 |

索　引　417

賃金税源泉徴収データオンライン照会システム ……………………………………… 282
賃金税税務調査 … 281, 296, 299, 300, 301
賃金税年度調整 ……………………………… 373
賃貸所得 ……………………………………… 381
追記証 ………………………………………… 371
追出資 ………………………………………… 194
通勤費手当 …………………………………… 298
通常外償却 …………………………………… 240
通常外負担控除 ……………………………… 384
定額法 ………………………………………… 241
低価法 ………………………………………… 239
低価法原則 …………………………………… 173
定率法 ………………………………………… 241
適用証明書 ……………………………… 394, 404
デジタル税務調査 …………………………… 257
デュッセルドルフ ……………………………… 16
電子滞在許可証 ……………… 363, 367, 370
デンマーク人 ………………………………… 28
ドイツ経済 ……………………………… 36, 53
ドイツ再統一 ………………………………… 11
ドイツ商法会計基準
 ………………… 149, 151, 153, 159, 171
ドイツ商法会計基準改革
 ………………………… 154, 157, 190, 208
ドイツ商法改正 ……………………………… 158
ドイツ年金保険連合 ………………………… 286
ドイツ病 ……………………………………… 41
統一特需 ……………………………………… 45
登記裁判所 ……………………………… 65, 131
登記支店 ………………………… 67, 108, 136
登記資本金 ……………………………… 188, 194

登記上の所在地 ……………………………… 224
登記抹消申請 ………………………………… 140
当期利益・欠損 ……………………………… 193
東西格差 ……………………………………… 45
特別手当 ……………………………………… 321
匿名出資 ……………………………………… 79
取締役 …………………………… 113, 114, 120, 125
取締役会 ………………………………… 121, 348
トレーニー …………………………………… 365

〔な〕

南北問題 ……………………………………… 47
難民問題 ………………………………… 31, 32
二重家計費用 ………………………………… 292
日独社会保障協定 ……………………… 392, 394
日独租税条約 ………………… 70, 72, 225, 378
日当・食事手当 ……………………………… 297
ネット給与保証 ……………………………… 386
年金会計 ……………………………………… 210
年金基金 ……………………………………… 298
年金基金方式 …………………………… 339, 340
年金等引当金 ………………………………… 198
年金ファンド方式 ……………………… 339, 341
年度決算書 ………………………… 151, 163, 166
ノイケルン税務署 …………………………… 307
納税者記念日 ………………………………… 42
納税引当金 …………………………………… 198

〔は〕

パートナーシップ …………………………… 76
配当収益 ……………………………………… 246
派遣社員 ……………………………………… 311

| | |
|---|---|
| バザー経済 | 37 |
| パススルー課税 | 224 |
| 発生主義 | 172 |
| ハンス・ヴェルナー・ジン | 37 |
| ハンブルク | 15 |
| 非移動取引 | 269 |
| 非課税支給項目 | 291 |
| 非関税障壁 | 49 |
| 引当金 | 197, 244 |
| 引渡地規定 | 273 |
| ビジネス拠点 | 62, 64, 133 |
| ビジネス出張者 | 95 |
| ビジネスレター | 129 |
| 引越費用 | 291 |
| 必要経費控除 | 383 |
| 評価原則 | 172 |
| 病欠 | 320 |
| 標準税率 | 265 |
| 付加価値税 | 261, 304 |
| 賦課限度額 | 285, 332, 333 |
| 不均衡原則 | 171 |
| 負債 | 199, 245 |
| 不動産所在地規定 | 273 |
| 赴任年 | 374 |
| （部分）連結決算書 | 169, 170 |
| 不法就労 | 33 |
| プライベート健康保険加入義務 | 400 |
| ブラント首相 | 23 |
| フリーランサー | 311, 316, 332 |
| 振戻し課税 | 247 |
| フレンスブルク | 5 |
| プロクリスト | 121 |

| | |
|---|---|
| 分担金 | 284, 332 |
| 分離課税処理 | 295, 296 |
| 平均税率 | 381 |
| ベルリン | 14, 18 |
| 保育料 | 292 |
| 報告原則 | 173 |
| 法人税 | 223, 227 |
| 法人税率 | 232 |
| 法定健康保険 | 397 |
| ボーナス | 321 |
| 保守主義 | 154 |
| 保守主義原則 | 171 |

〔ま〕

| | |
|---|---|
| マイレージ | 292 |
| マインツ | 15 |
| 前払年金費用 | 187 |
| マスターファイル | 257 |
| マヨルカ島 | 7 |
| 未登記支店 | 67, 107, 134, 229 |
| みなし売上 | 74 |
| ミニジョブ | 315 |
| ミュンヘン | 15, 19 |
| 無形固定資産 | 177, 240 |
| メトロ | 40 |

〔や〕

| | |
|---|---|
| 闇労働 | 33 |
| 有価証券 | 186 |
| 有期雇用契約 | 313 |
| 有給休暇 | 319 |
| 有形固定資産 | 179, 241 |

索　引　419

| | |
|---|---|
| 有限会社 ……………… *75, 77, 86, 87, 112, 120* | 旅費精算書 …………………………………… *219* |
| 有限会社法改革 ………………………… *88, 190* | 累進税率保留 …………………………………… *374* |
| 優先順位テスト ………………………………… *360* | 劣後化 …………………………………… *194, 195* |
| 輸送手配基準 …………………………………… *270* | 連結決算書 ……………………………………… *169* |
| 輸入付加価値税 ………………………………… *268* | 連帯付加税 ……………………………………… *228* |
| | 連邦議会 ………………………………………… *20* |

〔ら〕

| | |
|---|---|
| | 連邦雇用庁 ……………………………………… *286* |
| ライプツィヒ …………………………………… *19* | 連邦参議院 ……………………………………… *20* |
| リース会計 ……………………………………… *209* | 労災保険機関 …………………………………… *107* |
| 利益準備金 ……………………………………… *191* | 労働協約 ………………………………………… *329* |
| 利子損金算入制限 ……………………………… *249* | 労働許可 ………………………………………… *369* |
| リドル ……………………………………………… *41* | 労働許可証 ……………………………………… *357* |
| リバース・チャージ制度 ………… *271, 276* | 労働局 …………………………………… *106, 145* |
| 流動資産 ………………………………… *182, 243* | ローカルファイル ……………………………… *257* |

## 著者紹介

**池田　良一**（いけだ・りょういち）

1956年　山形県生まれ
1979年　新潟大学人文学部卒業
1983年　東京大学大学院農学系研究科農業経済学専攻修士課程修了
1985年　ゲッティンゲン大学留学
1993年　プライスウォーターハウス（現：プライスウォーターハウスクーパース）・デュッセルドルフ事務所に入社。以来，ドイツ・デュッセルドルフをベースにして，在独・在欧の日系企業の会計・経理・税務・会社法・人事労働法問題を中心に，包括的ソリューションを提供するコンサルティング活動を展開。

2022年にプライスウォーターハウスクーパースを定年退職すると共に，活動拠点を日本に移し，引き続き，ドイツならびにEU（欧州連合）に関するビジネスコンサルティング活動を継続。

著書：「ドイツ進出企業の税制と実務」（税務経理協会，2016年），「欧州ビジネスのためのEU税制［改訂版］」（税務経理協会，2017年），「ドイツ進出企業の労働問題」（信山社，2021年），「ドイツとEUにおける税務裁判」（信山社，2023年）

ドイツ進出企業の
会計・税務・会社法・経営〔四訂版〕

| 2010年12月25日 | 初版発行 |
| 2014年11月1日 | 改訂版発行 |
| 2018年7月15日 | 三訂版発行 |
| 2023年10月10日 | 四訂版発行 |

著　者　池田良一
発行者　大坪克行
発行所　株式会社 税務経理協会
　　　　〒161-0033東京都新宿区下落合1丁目1番3号
　　　　http://www.zeikei.co.jp
　　　　03-6304-0505
印　刷　美研プリンティング株式会社
製　本　牧製本印刷株式会社
デザイン　中濱健治(カバー)

 本書についての
ご意見・ご感想はコチラ

http://www.zeikei.co.jp/contact/

本書の無断複製は著作権法上の例外を除き禁じられています。複製される場合は、そのつど事前に、出版者著作権管理機構（電話03-5244-5088、FAX03-5244-5089, e-mail: info@jcopy.or.jp）の許諾を得てください。

JCOPY ＜出版者著作権管理機構 委託出版物＞
ISBN 978-4-419-06918-6　C3034

© 池田良一 2023 Printed in Japan